LOS DOCE

Justin Cronin

Los Doce

Traducción de Eduardo G. Murillo

Umbriel Editores

Argentina • Chile • Colombia • España
Estados Unidos • México • Perú • Uruguay • Venezuela

Título original: *The Twelve*
Editor original: Ballantine Books, an imprint of The Random House Publishing Group, a division of Random House, Inc., New York
Traducción: Eduardo G. Murillo

1ª edición: Septiembre 2013

Agradecemos a Alfred A. Knopf el permiso para citar un fragmento de «In the Afterlife» de *Almost Invisible* de Mark Strand, copyright © 2012 *by* Mark Strand. Reproducido con permiso de Alfred A. Knopf, una división de HarperCollins Publishers.

ISBN: 978-84-92915-31-6
E-ISBN: 978-84-9944-607-3
Depósito legal: B-16.259-2013

Fotocomposición: Víctor Igual, S.L.
Impreso por Romanyà Valls, S. A. – Verdaguer, 1 – 08786 Capellades (Barcelona)

Impreso en España – *Printed in Spain*

Para Leslie, paso a paso

Estuvo a mi lado durante años, ¿o tal vez fue sólo un momento? No me acuerdo. Quizá la amaba, quizá no. Había una casa, pero después ya no. Había árboles, pero no queda ninguno. Cuando nadie se acuerda, ¿qué queda? Tú, cuyos momentos han concluido, que vas a la deriva como humo en el más allá, dime algo, cualquier cosa.

MARK STRAND, «In the Afterlife»

Índice

PRÓLOGO

De los Escritos del Primer Archivero («El Libro de los Doce»)
Presentados en la III Conferencia Global sobre el Período de Cuarentena en Norteamérica
Centro para el Estudio de las Culturas y Conflictos Humanos
Universidad de Nueva Gales del Sur, República Indoaustraliana
16-21 de abril de 1003 d. V.

[Empieza el extracto]

CAPÍTULO I

1. Y aconteció que el mundo se había vuelto malvado, y los hombres habían acogido la guerra en su corazón y cometido graves deshonras contra todos los seres vivos, de manera que el mundo era como un sueño de muerte.
2. Y Dios contempló su creación con una gran tristeza, pues su espíritu ya no soportaba a la humanidad.
3. Y el SEÑOR dijo: Como en los días de Noé, un gran diluvio barrerá la Tierra, y será un diluvio de sangre. Los monstruos del corazón de los hombres se harán carne y devorarán todo a su paso. Y los llamarán Virales.
4. El primero caminará entre vosotros disfrazado de hombre virtuoso, la maldad oculta en su interior; y acontecerá que contraerá una enfermedad y adquirirá la apariencia de un demonio, una apariencia terrible a la mirada. Y será el padre de la destrucción, y le llamarán el Cero.

5. Y los hombres dirán: ¿Acaso semejante ser no podría convertirse en el más poderoso de los soldados? ¿Acaso los ejércitos de nuestros enemigos no rendirían sus armas para cubrirse los ojos y ocultar tal visión?

6. Y las supremas autoridades aprobarán un decreto para elegir a doce criminales que compartan la sangre del Cero y se transformen también en demonios; y sus nombres serán como uno, Babcock-Morrison-Chávez-Baffes-Turrell-Winston-Sosa-Echols-Lambright-Martínez-Reinhardt-Carter, llamados los Doce.

7. Pero también elegiré a uno de entre vosotros que sea puro de corazón y mente, un niño que les plante cara; y enviaré una señal para que todos se enteren, y esta señal será un gran revuelo de animales.

8. Y ésta fue Amy, cuyo nombre es Amor: Amy de las Almas, la Chica de Ninguna Parte.

9. Y la señal apareció en el lugar llamado Memphis, y las bestias aullaron, chillaron y barritaron; y alguien que se dio cuenta fue Lacey, una hermana a los ojos de Dios. Y el SEÑOR dijo a Lacey:

10. Tú también has sido elegida para que acompañes a Amy, para mostrarle el camino. A donde vaya, tú irás también; y padeceréis numerosas penurias durante vuestro viaje, que se prolongará durante muchas generaciones.

11. Serás como una madre para la niña, a la que he creado para sanar el mundo destrozado; pues en su interior construiré un arca que transportará los espíritus de los justos.

12. Y Lacey hizo todo aquello que Dios le había ordenado.

CAPÍTULO 2

1. Y aconteció que Amy fue conducida al lugar llamado Colorado para caer cautiva de los hombres malvados; pues en ese

lugar el Cero y los Doce languidecían encadenados, y los captores de Amy intentaron convertirla en uno de ellos, para que se uniera a ellos en mente.

2. Y le dieron la sangre del Cero, y sufrió un desvanecimiento como si estuviera muerta; pero ni murió ni adquirió una forma monstruosa. Pues el plan de Dios no contemplaba que algo semejante pudiera ocurrir.

3. Y Amy permaneció en ese estado durante varios días, hasta que una gran calamidad ocurrió, de tal modo que produjo un Tiempo de Antes y un Tiempo de Después; porque los Doce escaparon y también el Cero, y desataron la muerte sobre la Tierra.

4. Pero un hombre entabló amistad con Amy y se apiadó de ella, y se la llevó a escondidas de aquel lugar. Y éste fue Wolgast, un hombre virtuoso de su generación, amado por Dios.

5. Y juntos marcharon Amy y Wolgast hasta el lugar llamado Oregón, en el corazón de las montañas; y allí se quedaron durante el tiempo conocido como Año de Cero.

6. Pues en ese período los Doce asolaron la faz de la Tierra con su inmensa ansia y exterminaron a todas las razas; y aquellos que no les sirvieron de alimento fueron capturados y se unieron a ellos en mente. Y de esta manera los Doce se multiplicaron por un millón y formaron las Doce Tribus Virales, cada una con sus Muchos, que vagaban por la tierra sin nombre ni memoria, sacrificando a todos los seres vivos.

7. Así transcurrían las estaciones; y Wolgast se convirtió en un padre para Amy, que no tenía, ni él una hija propia; y así la amaba él, y ella a él.

8. Y también cayó en la cuenta de que Amy no era como él ni como ninguna persona de la Tierra, pues ni envejecía, ni sufría dolor ni necesitaba alimentarse o descansar. Y temía qué sería de ella cuando él ya no estuviera.

9. Y aconteció que un hombre acudió a ellos desde el lugar llamado Seattle; y Wolgast lo mató, no fuera que el hombre se

transformara en un demonio entre ellos. Porque el mundo se había convertido en un lugar de monstruos, y sólo ellos estaban vivos.

10. Y de esta manera continuaron como padre e hija, cada uno cuidando del otro, hasta una noche, cuando una luz cegadora iluminó el cielo, demasiado brillante para mirarla; y por la mañana el aire transportaba un olor rancio y cayó ceniza por doquier.

11. Porque la luz era la luz de la muerte, y provocó que Wolgast contrajera una enfermedad mortal. Y Amy tuvo que vagar sola por la tierra asolada, sin otra compañía que los Virales.

12. Y de esta manera transcurrió el tiempo, noventa y dos años en total.

CAPÍTULO 3

1. Y aconteció que en el año 98 de su vida, en el lugar llamado California, Amy llegó a una ciudad; y ésta era la Primera Colonia, que acogía a noventa almas dentro de sus muros, los descendientes de los niños que habían llegado desde el lugar llamado Filadelfia en el Tiempo de Antes.

2. Pero al ver a Amy la gente se atemorizó, pues no sabían nada del mundo, y se pronunciaron muchas palabras en su contra, y la encarcelaron; y se produjo una gran confusión, de manera que se vio obligada a huir en compañía de otros.

3. Y éstos eran Peter, Alicia, Sara, Michael, Hollis, Theo, Mausami y Hightop, ocho en total; y cada uno defendía una causa justa en su corazón y deseaban ver el mundo que existía más allá de la ciudad que habitaban.

4. Y de entre ellos Peter era el primero, y Alicia la segunda, y Sara la tercera, y Michael el cuarto; y del mismo modo estaban los demás benditos a los ojos de Dios.

5. Y juntos abandonaron el lugar al amparo de la oscuridad para descubrir el secreto de la perdición del mundo en el lugar llamado Colorado, un viaje de medio año a través de una tierra salvaje, y padecieron muchas tribulaciones; y la peor fue El Refugio.

6. Pues en el lugar llamado Las Vegas fueron capturados y conducidos ante Babcock, Primero de los Doce; pues los habitantes de la ciudad eran como esclavos para Babcock y sus Muchos, y sacrificaban a uno de ellos cada luna nueva para poder vivir.

7. Y Amy y los demás fueron arrojados al lugar del sacrificio y lucharon contra Babcock, un contrincante terrible; y se perdieron muchas vidas. Y juntos huyeron de aquel lugar por temor a morir también.

8. Y uno de ellos cayó, el muchacho, Hightop; y Amy y sus compañeros le dieron sepultura, y el lugar quedó consagrado a su recuerdo.

9. Y experimentaron una gran aflicción, pues Hightop era el más querido de todos ellos; pero no podían detenerse, pues Babcock y sus Muchos los perseguían.

10. Y transcurrido más tiempo, Amy y sus compañeros llegaron a una casa que estaba indemne; pues Dios la había bendecido y convertido en suelo sagrado. Y era conocida como la Alquería. Y allí descansaron sanos y salvos, siete días en total.

11. Pero dos de ellos decidieron quedarse en la casa, pues la mujer estaba encinta. Y después nació el niño, Caleb, amado por Dios.

12. Después, los demás continuaron y dos se quedaron.

CAPÍTULO 4

1. Y aconteció que Amy y sus compañeros llegaron tras días y noches al lugar llamado Colorado, donde se encontraron con soldados, cien en total. Y eran conocidos como los Expedicionarios, del lugar llamado Texas.

2. Pues Texas era en aquel tiempo un refugio en la Tierra; y los soldados habían viajado fuera de sus fronteras para luchar contra los Virales y todos habían jurado morir por sus compañeros.

3. Y uno de ellos decidió sumarse a sus filas y se convirtió en un soldado de los Expedicionarios; y éste fue Alicia, a quien llamarían Alicia Cuchillos. Y uno de los soldados decidió sumarse a ellos a su vez; y éste fue Lucius el Fiel.

4. Y allí se habrían quedado, pero el invierno cayó sobre ellos; y si bien cuatro de ellos deseaban viajar con los soldados al lugar llamado Texas, Amy y Peter decidieron continuar solos.

5. Y aconteció que la pareja llegó al lugar de la creación de Amy, y en la cumbre del pico más elevado se les apareció un ángel del Señor. Y el ángel dijo a Amy:

6. No temas, pues soy la misma Lacey a la que recuerdas. Aquí he esperado durante generaciones para mostrarte el camino, y también a Peter; porque es el Hombre de los Días, elegido para acompañarte.

7. Porque al igual que en los tiempos de Noé, Dios ha tomado la decisión de entregaros un gran barco que cruce los mares de la destrucción; y Amy es ese barco. Y Peter será quien guíe a sus compañeros hasta tierra firme.

8. Por consiguiente, el Señor reconstruirá lo que ha sido roto, y llevará consuelo a los espíritus de los justos. Y esto será conocido como El Pasaje.

9. Y el ángel Lacey llamó a su presencia a Babcock, Primero de los Doce, que moraba en la oscuridad; y una gran batalla tuvo lugar. Y con un estallido de luz, Lacey le mató y arrojó su espíritu al Señor.

10. Y así los Muchos de Babcock se vieron libres de él; y del mismo modo recordaron las personas que habían sido en el Tiempo de Antes: hombre y mujer, marido y esposa, padre e hijo.

11. Y Amy paseaba entre ellos y los iba bendiciendo; pues era el deseo de Dios que ella fuera el bajel que transportaría sus almas durante la larga noche de su olvido. Y al punto sus espíritus abandonaron la Tierra y murieron.

12. Y de esta manera, Amy y sus compañeros descubrieron lo que les esperaba; pero la ruta de su viaje era empinada, y sólo acababa de empezar.

I

El fantasma

VERANO, 97 d.V.

CINCO AÑOS DESPUÉS DE LA CAÍDA
DE LA PRIMERA COLONIA

Recuérdame cuando me haya ido,
muy lejos, al país del silencio.

CHRISTINA ROSSETTI,
«Recuerda»

I

ORFANATO DE LA ORDEN DE LAS HERMANAS, KERRVILLE, TEXAS

Más tarde, después de la cena y la oración nocturna, el baño si tocaba noche de baño, y luego las negociaciones para dar por concluido el día (*Por favor, hermana, ¿no podemos quedarnos un poco más? Por favor, un cuento más*), cuando los niños se habían dormido por fin y reinaba el silencio, Amy los contemplaba. No existía ninguna norma contra esto. Todas las hermanas se habían acostumbrado a sus vagabundeos nocturnos. Como una aparición, deambulaba de una sala silenciosa a otra, recorriendo arriba y abajo las filas de camas donde estaban acostados los niños, sus rostros y cuerpos dormidos en confiado reposo. Los mayores contaban trece años, a punto de alcanzar la edad adulta, y los más pequeños eran bebés. Cada uno cargaba con una historia, siempre triste. Muchos eran hijos terceros, abandonados en el orfanato por padres que no podían pagar el impuesto, y otros, víctimas de circunstancias todavía más crueles: madres muertas al dar a luz o bien solteras e incapaces de soportar la vergüenza. Los padres habían desaparecido en las oscuras corrientes subterráneas de la ciudad o habían sido expulsados al otro lado de la muralla. Los orígenes de los niños eran diversos, pero su destino sería el mismo. Las niñas ingresarían en la Orden y dedicarían sus días a la oración, la contemplación y el cuidado de los niños que ellas mismas habían sido, mientras que los niños se convertirían en soldados, miembros de los Expedicionarios, y se comprometerían bajo un juramento de naturaleza diferente, pero no menos vinculante.

No obstante, en sus sueños eran niños, todavía, pensaba Amy. Su propia infancia era el más lejano de los recuerdos, una abstracción de historia, pero mientras contemplaba a los niños dormidos y los sueños correteaban juguetones sobre sus ojos dormidos, se sentía más cercana a esa época: un tiempo en que no era más que un pequeño ser en el mundo, ignorante de lo que le aguardaba, el viaje excesivamente largo de su vida. El tiempo era una inmensidad en su interior, demasiados años para poder distinguir unos de otros. Tal vez por ello paseaba entre ellos: lo hacía para recordar.

Era la cama de Caleb la que reservaba para el final, porque la estaría esperando. El pequeño Caleb, aunque ya no era pequeño, sino un chico de cinco años, de carnes prietas y pletórico de energía como todos los niños, lleno de sorpresas, humor y verdades como puños. De su madre había heredado los pómulos altos y esculpidos, y la tez olivácea de su clan. De su padre, la mirada inflexible, las sombrías cavilaciones, la mata de pelo áspero y negro, muy corto, que en la jerga familiar de la Colonia se conocía como el «pelo de Jaxon». Una amalgama física, como un rompecabezas hecho a base de piezas de su tribu. Amy los veía en sus ojos. Era Mausami; era Theo; era él mismo.

—Háblame de ellos.

Siempre, cada noche, el mismo ritual. Era como si el niño fuera incapaz de dormir sin revisitar un pasado del que no tenía memoria. Amy adoptaba la postura habitual en el borde del catre. Debajo de las mantas, la forma de su cuerpo delgado de niño pequeño era apenas una presencia. A su alrededor, veinte niños dormían, un coro de silencio.

—Bien —empezó ella—, vamos a ver. Tu madre era muy guapa.

—Una guerrera.

—Sí —contestó Amy con una sonrisa—, una guerrera guapa. De largo pelo negro recogido en una trenza de guerrero.

—Para poder utilizar el arco.

—Exacto. Pero sobre todo era testaruda. ¿Sabes lo que significa ser testarudo? Ya te lo he dicho antes.

—¿Tozudo?

—Sí. Pero en el buen sentido. Si te digo que te laves las manos antes de comer y te niegas a hacerlo, eso es negativo. Es el tipo de testarudez equivocado. Lo que quiero decir es que tu madre siempre hacía lo que consideraba correcto.

—Por eso me tuvo. —El niño se concentró en las palabras—. Porque era... correcto traer una luz al mundo.

—Bien. Te acuerdas. Recuerda siempre que eres una luz brillante, Caleb.

Una afable satisfacción asomó al rostro del niño.

—Háblame de Theo. Mi padre.

—¿Tu padre?

—*Por favooor.*

Ella rió.

—De acuerdo, pues. Tu padre. En primer lugar, era muy valiente. Un hombre valiente. Amaba muchísimo a tu madre.

—Pero triste.

—Cierto, era triste. Pero eso era lo que le convertía en un hombre tan valiente, ¿sabes? Porque hizo lo más valiente de todo. ¿Sabes lo que es?

—Tener esperanza.

—Sí. Tener esperanza cuando parece que no existe. También has de recordar siempre eso. —Se inclinó y besó al niño en la frente, húmeda de calor infantil—. Bien, se ha hecho tarde. Es hora de dormir. Mañana será otro día.

—¿Me...? ¿Me querían?

Amy se quedó sorprendida. No por la pregunta en sí (la había formulado en numerosas ocasiones, como para confirmarlo), sino por el tono vacilante.

—Por supuesto, Caleb. Ya te lo he dicho muchas veces. Te querían muchísimo. Todavía te quieren.

—Porque están en el cielo.

—Exacto. Donde todos nosotros estaremos juntos para siempre. El lugar al que van a parar las almas.

El niño desvió la mirada.

—Dicen que eres muy vieja.

—¿Quién dice eso, Caleb?

—No sé. —Envuelto en su capullo de mantas, se encogió de hombros—. Todo el mundo. Las demás hermanas. Las he oído hablar.

No era un tema que hubiera salido a colación antes. Por lo que Amy sabía, sólo la hermana Peg conocía la historia.

—Bien —dijo, al tiempo que recuperaba la calma—. Soy mayor que tú, lo sé. Lo bastante mayor para decirte que es hora de dormir.

—A veces los veo.

El comentario la dejó helada.

—¿Cómo los ves, Caleb?

Pero el niño no la estaba mirando. Se hallaba concentrado en sí mismo.

—Por la noche. Cuando duermo.

—Cuando sueñas, querrás decir.

El niño no encontró respuesta para su frase. Ella le tocó el brazo a través de las mantas.

—No pasa nada, Caleb. Ya me lo dirás cuando estés preparado.

—No es lo mismo. No es como un sueño. —Volvió a mirarla—. También te veo a ti, Amy.

—¿A mí?

—Pero tú eres diferente. No como eres ahora.

Amy esperó a que añadiera algo más, pero no lo hizo. Diferente ¿en qué?

—Los echo de menos —dijo el niño.

Ella asintió, aliviada de momento por soslayar el tema.

—Lo sé. Y volverás a verlos. Pero de momento me tienes a mí. Tienes a tu tío Peter. Pronto volverá a casa.

—¿Con los... Expe-disionarios? —Una mirada de determinación brilló en el rostro del niño—. Cuando sea mayor, quiero ser soldado como tío Peter.

Amy volvió a besar su frente y se levantó para marcharse.

—Si quieres serlo, lo serás. Ahora, a dormir.

—¿Amy?

—¿Sí, Caleb?

—¿Alguien te quiso así?

Parada junto a la cama del niño, notó que los recuerdos la asaltaban. De una noche de primavera, y un tiovivo giratorio, y un sabor a azúcar glasé; de un lago y una cabaña en el bosque y el tacto de una mano grande que sostenía la de ella. El llanto ascendió a su garganta.

—Creo que sí. Espero que sí.

—¿Y tío Peter?

Ella frunció el ceño, sorprendida.

—¿Por qué preguntas eso, Caleb?

—No sé. —Otro encogimiento de hombros, con cierta vergüenza—. Por la forma en que te mira. Siempre está sonriendo.

—Bien. —Se esforzó por no revelar nada. ¿Nada?—. Creo que sonríe porque se alegra de verte. Ahora, a dormir. ¿Prometido?

La pena del chico se reveló en sus ojos.

—Prometido.

En el exterior brillaban las luces. No se trataba del resplandor de la Colonia (Kerrville era demasiado grande para eso), sino de una especie de ocaso prolongado, iluminado en los extremos con una corona de estrellas por encima. Amy salió con sigilo del patio, amparada en las sombras. En la base de la muralla localizó la escalera. No hizo el menor esfuerzo por ocultar que estaba subiendo. Se encontró con un centinela arriba, un hombre maduro de pecho ancho armado con un rifle.

—¿Qué crees que estás haciendo?

Pero eso fue todo cuanto dijo. Cuando el sueño se apoderó de él, Amy acompañó su cuerpo hasta depositarlo sobre la pasarela, apoyado contra la muralla con el rifle sobre el regazo. Cuando despertara, sólo conservaría un recuerdo de ella fragmentado y alucinatorio. ¿Una chica? ¿Una de las hermanas, vestida con la tosca túnica gris de la Orden? Tal vez no despertaría por sí solo, sino que uno de sus compañeros lo encontraría y se lo llevaría a rastras por dormirse en su puesto. Unos cuantos días en la cárcel, pero nada grave y, en cualquier caso, nadie le creería.

Recorrió la pasarela en dirección a la plataforma de observación vacía. Las patrullas pasaban cada diez minutos. Sólo contaba con eso. Las luces arrojaban sus haces al suelo como un líquido brillante. Amy cerró los ojos, despejó la mente y dirigió sus pensamientos más allá del campo.

—Ven a mí.

»Ven a mí ven a mí ven a mí.

Llegaron, deslizándose desde la oscuridad. Primero uno, y después otro y otro, formando una falange luminosa, acuclillados en el límite de las sombras. Y en su mente oyó las voces, siempre las voces, las voces y la pregunta:

¿Quién soy yo?

Esperó.

¿Quién soy yo quién soy yo quién soy yo?

Cómo le echaba de menos Amy. Wolgast, el que la había amado. ¿Dónde estás?, pensó, con el corazón contrito a causa de la soledad, porque noche tras noche, cuando esta cosa nueva había empezado a suceder en su interior, había sentido en lo más hondo su ausencia. ¿Por qué me has dejado sola? Pero Wolgast no estaba en ningún sitio, ni en el viento ni en el cielo ni en el sonido del lento girar de la Tierra. El hombre que era se había ido.

¿Quién soy yo quién soy yo quién soy yo quién soy yo quién soy yo quién soy yo?

Esperó tanto tiempo como se atrevió. Los minutos transcurrían. Después, pasos en la pasarela, acercándose: el centinela.

—Sois yo —les dijo—. Sois yo. Ahora, marchad.

Se dispersaron en la oscuridad.

2

CIENTO CATORCE KILÓMETROS AL SUR DE ROSWELL, NUEVO MÉXICO

Una calurosa noche de septiembre, a muchos kilómetros y semanas de casa, la teniente Alicia Donadio (Alicia Cuchillos, la Nueva Cosa, hija adoptiva del gran Niles Coffee, tiradora y exploradora de las Segundas Fuerzas Expedicionarias del Ejército de la República de Texas, bautizada y juramentada) se despertó y percibió el sabor de la sangre en el viento.

Tenía veintisiete años, medía un metro sesenta y ocho de estatura, robusta de hombros y caderas, con el pelo rojo muy corto. Sus ojos, que en otro tiempo sólo habían sido azules, lanzaban ahora destellos anaranjados, como carbones gemelos. Su equipaje era ligero, no sobraba nada. Los pies calzados con sandalias de lona cortada, con suelas de goma vulcanizada; pantalones vaqueros gastados en las rodillas y el trasero; un jersey de algodón con las mangas cortadas para ir más ligera. Un par de bandoleras de cuero se cruzaban sobre su pecho, con seis cuchillos de acero envainados, su marca característica. En la espalda, colgada de una cuerda de cáñamo robusta, su ballesta. Una Browning del 45 semiautomática con un cargador de nueve proyectiles, el arma a la que recurría en último extremo, enfundada junto a la cadera.

Ocho y uno, rezaba el dicho. Ocho para los virales, uno para ti. Ocho y uno y se acabó.

La ciudad se llamaba Carlsbad. Los años habían realizado su labor, barriéndola como una escoba gigantesca. Pero todavía seguían en pie algunos edificios: cáscaras vacías de casas, cobertizos oxidados, la prueba serena y ruinosa del transcurso del tiempo. Había pasado el día descansando a la sombra de una gasolinera cuya marquesina metálica todavía aguantaba, y despertó al anochecer para ir a cazar. Alcanzó al felino con su ballesta, le atravesó la garganta con una flecha, y desprendió la carne fibrosa de las ancas mientras el fuego crepitaba en la hoguera.

No tenía prisa.

Era una mujer de normas, de rituales. No mataba a los virales mientras dormían. No utilizaba una pistola si podía evitarlo. Las pistolas eran ruidosas, chapuceras e indignas de la tarea. Acababa con ellos mediante el cuchillo, o la ballesta, con limpieza y sin remordimientos, y siempre con una bendición misericordiosa en el corazón. Decía: «Os envío a casa, hermanos y hermanas, os libero de la cárcel de vuestra existencia». Y cuando terminaba la matanza y había retirado el arma de su hogar letal, apoyaba el mango de la hoja primero en la frente y después sobre el pecho, la cabeza y el corazón, y consagraba la liberación de los seres con la esperanza de que, cuando llegara su día, la valentía no le fallaría y ella también alcanzaría la liberación.

Esperó a que cayera la noche, apagó las llamas de la hoguera y partió.

Durante días había seguido una ancha llanura de tierras bajas sembradas de matorrales. Hacia el sur y el oeste se alzaba la forma cubierta de sombras de las montañas, y las laderas se elevaban del fondo del valle. Si Alicia hubiera visto alguna vez el mar, habría pensado: eso es este lugar, el mar. El lecho de un gran océano interior, y las montañas, sembradas de cuevas, detenidas en el tiempo, los restos de un gigantesco arrecife, procedente de una época en que monstruos inimaginables habían vagado por la tierra y las olas.

¿Dónde estáis esta noche?, pensó. *¿Dónde os escondéis, hermanos y hermanas míos de sangre?*

Era una mujer con tres vidas, dos anteriores y una posterior. En la primera anterior, había sido una niña. El mundo se componía tan sólo de figuras tambaleantes y luces destellantes, se movía a través de ella como la brisa en su pelo, pero no le decía nada. Tenía ocho años la noche en que el Coronel la había sacado de los muros de la Colonia, abandonándola sin nada, ni siquiera un cuchillo. Se había sentado bajo un árbol y llorado toda la noche, y cuando el sol de la mañana la encontró, era diferente, había cambiado. Ya no era la chica de antes. ¿Lo ves?, le preguntó el Coronel, arrodillado delante de ella, sentada en el polvo. No la abrazó para consolarla, sino que se plantó delante de ella sin más, como un soldado. ¿Lo entiendes ahora? Y ella lo comprendió, sí. Su vida, el insignificante accidente de su existencia, no significaba nada. Había renunciado a ella. Aquel día había prestado juramento.

Pero de eso hacía mucho tiempo. Había sido una niña; después, una mujer, y luego ¿qué? La tercera Alicia, la Nueva Cosa, ni viral ni humana, sino ambas al mismo tiempo. Una amalgama, un compuesto, un ser aparte. Se desplazaba entre los virales como un espíritu invisible, formaba parte de ellos pero al mismo tiempo no, un fantasma para sus fantasmas. Por sus venas corría el virus, pero equilibrado por un segundo recibido de Amy, la Chica de Ninguna Parte; de uno de los doce frascos del laboratorio de Colorado, los demás destruidos por la propia Amy, arrojados a las llamas. La sangre de Amy le había salvado la vida, aunque en cierto modo no. La había transformado en la teniente Alicia Donadio, exploradora y tiradora de los Expedicionarios, el único ser de su clase que existía en todo el mundo.

En muchas ocasiones, muchísimas, siempre, ni siquiera Alicia era capaz de definir qué era.

Llegó a un cobertizo. Una cosa agujereada, medio sepultada en la arena, con un techo metálico inclinado.

Presintió... algo.

Lo cual era extraño, porque no le había sucedido nunca. El virus no le había concedido ese poder, pues era prerrogativa de Amy. Alicia era el yang del yin de Amy, dotada de la fuerza física y la velocidad de los virales, pero desconectada de la red invisible que los unía a todos, pensamiento con pensamiento.

Pero, aun así, ¿no sentía algo? ¿No *los* sentía? Un cosquilleo en la base del cráneo, y en su mente un silencioso susurro, apenas audible en forma de palabras:

¿Quién soy yo? ¿Quién soy yo quién soy yo quién soy yo quién soy yo...?

Había tres. Todos habían sido mujeres. Y aún más: Alicia intuía (¿cómo era eso posible?) que en cada una residía un solo fragmento de recuerdo. Una mano que cerraba una ventana y el sonido de la lluvia. Un pájaro de alegres colores que trinaba en una jaula. Una vista desde la entrada de una habitación en sombras y dos niños pequeños, un chico y una chica, dormidos en sus camas. Alicia recibía cada una de estas visiones como si le pertenecieran, las imágenes y los sonidos, los olores y las emociones, una mezcla de existencia pura, como tres diminutas hogueras que ardieran en su interior. Por un momento quedó cautiva de ellas, en muda admiración de aquellos recuerdos de un mundo perdido. El mundo del Tiempo de Antes.

Pero algo más. Un sudario de oscuridad, inmenso y despiadado, envolvía cada uno de aquellos recuerdos. Consiguió que Alicia se estremeciera hasta lo más hondo. La mujer se preguntó qué serían, pero enseguida lo supo: el sueño del llamado Martínez. Julio Martínez, de El Paso, Texas, el Décimo de los Doce, condenado a muerte por el asesinato de un agente de las fuerzas del orden. Aquel al que Alicia había ido a encontrar.

En el sueño de Martínez, éste siempre estaba violando a una mujer llamada Louise (el nombre estaba escrito con letra cursiva en el bolsillo de la blusa de la mujer), al tiempo que la estrangulaba con un cable eléctrico.

La puerta del cobertizo colgaba en diagonal de sus goznes oxidados. Un lugar muy angosto: Alicia habría preferido contar con más espacio, sobre todo con tres. Avanzó poco a poco, siguiendo la punta de su ballesta, y entró en el cobertizo.

Dos de los virales estaban suspendidos cabeza abajo de las vigas del techo, el tercero agazapado en un rincón, mordisqueando un pedazo de carne con un sonido de succión. Acababan de devorar un antílope. Los restos descarnados se hallaban esparcidos sobre el suelo, grumos de pelo, hueso y piel. En el sopor posprandial, los virales no repararon en su entrada.

—Buenas noches, señoras.

Abatió al primero de las vigas con la ballesta. Un golpe sordo y después un chillido, interrumpido bruscamente, y su cuerpo cayó al suelo. Los otros dos ya se estaban despertando. El segundo se soltó de la viga, encogió las rodillas contra el pecho y rodó durante su descenso para aterrizar sobre los pies provistos de garras, el rostro vuelto a un lado. Alicia dejó caer la ballesta, desenvainó un cuchillo y con un solo movimiento fluido lo lanzó contra el tercero, que se había levantado para plantarle cara.

Dos abatidos, uno en pie.

Tendría que haber sido fácil. De repente, no lo fue. Mientras Alicia desenvainaba un segundo cuchillo, el viral se dio la vuelta y le propinó un manotazo con tal fuerza que el arma salió disparada hacia la oscuridad. Antes de que el ser pudiera asestarle otro golpe, Alicia se tiró al suelo y se alejó rodando. Cuando se levantó, con un nuevo cuchillo en la mano, el viral había desaparecido.

Mierda.

Recogió la ballesta del suelo, cargó una flecha y salió corriendo afuera. ¿Dónde demonios estaba? Dos rápidos pasos y Alicia saltó al tejado del cobertizo, sobre el cual aterrizó con un sonido metálico. Aguzó la vista. Nada, ni rastro.

De pronto, el viral se materializó a su espalda. Una trampa, comprendió Alicia. Se habría escondido, tumbado al otro lado del tejado. Ocurrieron dos cosas de manera simultánea: Alicia giró sobre sus talones y apuntó la ballesta de forma instintiva; y con un ruido de madera astillada y metal destrozado, el tejado cedió bajo sus pies.

Aterrizó sobre el suelo del cobertizo y el viral cayó sobre ella. Había perdido la ballesta. Alicia habría desenvainado un cuchillo, pero tenía ambas manos ocupadas en el desigual proyecto de mantener alejado al viral a la distancia de su brazo. El ser movió el rostro de izquierda a derecha, y a la izquierda de nuevo, entrechocando las mandíbulas, en dirección a la curva de la garganta de Alicia. Una fuerza irresistible enfrentada a un objeto inamovible: ¿cuánto tiempo más podría prolongarse la situación? Los niños en sus camas, pensó Alicia. Se trataba de éste. Era la mujer que miraba desde la entrada de la habitación a sus hijos dormidos. Piensa en los niños, pensó Alicia, y entonces lo dijo:

—Piensa en los niños.

El viral se quedó petrificado. Una expresión melancólica apareció en su rostro. Durante el instante más ínfimo (apenas medio segundo), sus ojos se encontraron y sostuvieron la mirada en la oscuridad. Mary, pensó Alicia. Te llamas Mary. Su mano estaba llegando al cuchillo. *Te envío a casa, hermana Mary*, pensó Alicia. *Te libero de la cárcel de tu existencia.* Y le hundió el cuchillo hasta la empuñadura en el punto débil.

Alicia apartó el cuerpo a un lado. Los demás seguían donde habían caído. Recogió el cuchillo y la flecha de los dos primeros, los limpió y después se arrodilló junto al cuerpo del último. Al terminar, Alicia se sentía casi siempre vagamente vacía. Le sorprendió descubrir que le temblaban las manos. ¿Cómo lo había sabido? Porque así había sido. Con absoluta claridad, había sabido que la mujer se llamaba Mary.

Extrajo el cuchillo y lo apoyó sobre la cabeza y el corazón. *Gracias, Mary, por no matarme antes de finalizar mi misión. Espero que te hayas reunido con tus pequeños.*

Mary tenía los ojos abiertos, sin ver nada. Alicia los cerró con las yemas de los dedos. No serviría de nada dejarla donde estaba. Levantó el cuerpo en brazos y lo sacó afuera. Había salido un gajo de luna, que bañaba el paisaje con su resplandor, una oscuridad visible. Pero no era la luz de la luna lo que Mary necesitaba. Cien años de cielo nocturno eran suficientes, pensó Alicia, y depositó a la mujer sobre un pedazo de tierra donde, al amanecer, el sol la encontraría y esparciría sus cenizas al viento.

Alicia había empezado la ascensión.

Habían transcurrido un día y una noche. Se hallaba en las montañas, subía por un lecho de río seco por un estrecho desfiladero. Su percepción de los virales era más fuerte aquí: se dirigía hacia algo concreto. Mary, pensó, ¿qué intentabas decirme?

Casi había amanecido cuando llegó a lo alto del risco, el horizonte muy lejano. Bajo ella, en la negrura arañada por el viento, el fondo del valle se desplegaba sin otra compañía que las estrellas. Alicia sabía que era posible discernir figuras diferenciadas a partir de su disposición en apariencia arbitraria, las formas de personas y animales, pero nunca había aprendido a hacerlo. Aparecían ante ella sólo como una dispersión aleatoria, como si cada noche arrojaran las estrellas de nuevo hacia el cielo.

Entonces lo vio: un hueco bostezante de negrura, en una depresión similar a una cuenca. La entrada mediría treinta metros de altura o más. Bancos curvos, como en un anfiteatro, tallados en la faz rocosa de la montaña, se hallaban situados en la boca de la cueva. En el cielo aleteaban murciélagos.

Era la puerta del infierno.

Estás ahí abajo, ¿verdad?, pensó Alicia, y sonrió. *Te he encontrado, hijo de perra.*

II

El familiar

PRIMAVERA

AÑO CERO

Ésta es en verdad la hora bruja de la noche, cuando los cementerios bostezan y el mismísimo infierno expande el contagio a este mundo.

SHAKESPEARE,
Hamlet

3

Departamento de Policía de Denver
Expediente 193874
Distrito 6
Transcripción del interrogatorio a Lila Beatrice Kyle
POR: Det. Rita Chernow
3 de mayo, 04.17

RC: La grabación deja constancia de que el sujeto ha sido informado sobre sus derechos y ha declinado tener a un abogado presente en este interrogatorio. Llevado a cabo por la detective Rita Chernow, DP de Denver, Distrito Seis. Son las cuatro y diecisiete minutos de la madrugada. Doctora Kyle, ¿sería tan amable de decirnos su nombre completo?

LK: Lila Beatrice Kyle.

RC: Es usted cirujana ortopédica del Hospital General de Denver, ¿no es cierto?

LK: Sí.

RC: ¿Sabe por qué está aquí?

LK: Pasó algo en el hospital. Usted quería hacerme algunas preguntas. ¿Dónde estamos?

RC: Estamos en la comisaría de policía, doctora Kyle.

LK: ¿Me he metido en algún lío?

RC: Ya hemos hablado de eso, ¿recuerda? Estábamos intentando averiguar qué había sucedido en Urgencias esta noche. Sé que está alterada. Tengo que hacerle algunas preguntas.

LK: Estoy cubierta de sangre. ¿Por qué estoy cubierta de sangre?

RC: ¿Recuerda lo que sucedió en Urgencias, doctora Kyle?

LK: Estoy muy cansada. ¿Por qué estoy tan cansada?

RC: ¿Quiere que le traigamos algo? ¿Café, tal vez?

LK: No puedo beber café. Estoy embarazada.

RC: ¿Agua, pues? ¿Le apetece un poco de agua?

LK: Vale.

(Interrupción.)

RC: Empecemos por el principio. Esta noche estaba trabajando en Urgencias, ¿no es cierto?

LK: No, estaba arriba.

RC: Pero bajó a Urgencias, ¿verdad?

LK: Sí.

RC: ¿A qué hora?

LK: No estoy segura. Alrededor de la una de la madrugada. Me enviaron un mensaje al busca.

RC: ¿Por qué le enviaron un mensaje al busca?

LK: Era la ortopeda de guardia. Había un paciente con una muñeca rota.

RC: ¿Ese paciente era el señor Letourneau?

LK: Eso creo, sí.

RC: ¿Qué más le dijeron sobre él?

LK: ¿Antes de que bajara, quiere decir?

RC: Sí.

LK: Presentaba una mordedura que parecía de animal.

RC: ¿Como una mordedura de perro?

LK: Supongo. No lo dijeron.

RC: ¿Algo más?

LK: Tenía fiebre elevada. Había vomitado.

RC: ¿Sólo le dijeron eso?

LK: Sí.

RC: ¿Qué vio cuando llegó a Urgencias?

LK: Estaba en la tercera cama. Sólo había otros dos pacientes. El domingo suele ser tranquilo.

RC: ¿Qué hora sería?

LK: Entre la una y cuarto y la una y media.

RC: ¿Y examinó usted al señor Letourneau?

LK: No.

RC: Formularé la pregunta de otra manera. ¿Vio al paciente?

(Pausa.)

RC: ¿Doctora Kyle?

LK: Lo siento, ¿cuál era la pregunta?

RC: ¿Esta noche ha visto al señor Letourneau en Urgencias?

LK: Sí. Mark también estaba presente.

RC: ¿Se refiere al doctor Mark Shin?

LK: Era el supervisor. ¿Ha hablado con él?

RC: El doctor Shin ha muerto, doctora Kyle. Fue una de las víctimas.

LK: *(inaudible).*

RC: ¿Podría hablar en voz alta, por favor?

LK: Es que... No sé. Lo siento, ¿qué quería saber?

RC: ¿Qué puede decirme sobre el señor Letourneau? ¿Cuál era su aspecto?

LK: ¿Aspecto?

RC: Sí. ¿Estaba despierto?

LK: Estaba despierto.

RC: ¿Qué más observó?

LK: Estaba desorientado. Agitado. Su tez tenía un color raro.

RC: ¿Qué quiere decir?

(Pausa.)

LK: He de ir al baño.

RC: Antes le haré unas cuantas preguntas más. Sé que está cansada. Le prometo que la sacaré de aquí lo antes posible.

LK: ¿Tiene hijos, detective Chernow?

RC: ¿Perdón?

LK: ¿Tiene usted hijos? Es simple curiosidad.

RC: Sí, tengo dos chicos.

LK: ¿De qué edad? Si no le importa que se lo pregunte.

RC: Cinco y siete. Tengo que hacerle algunas preguntas más. ¿Cree que está preparada para eso?

LK: Pero apuesto a que quiere una niña, ¿verdad? Créame, no hay nada como tener una niña.

RC: Concentrémonos en el señor Letourneau de momento, ¿de acuerdo? Ha dicho que estaba agitado. ¿Puede explicarse mejor?

LK: ¿Explicarme mejor?

RC: Sí. ¿Qué hacía?

LK: Emitía un ruido peculiar.

RC: ¿Puede describirlo?

LK: Como un chasquido gutural. Estaba gimiendo. Daba la sensación de que padecía un dolor extremo.

RC: ¿Le habían dado algo para el dolor?

LK: Le habían administrado Tramadol. Creo que era Tramadol.

RC: ¿Quién más había, aparte del doctor Shin?

(Pausa.)

RC: ¿Doctora Kyle? ¿Quién más estaba con usted cuando examinó al señor Letourneau?

LK: Una de las enfermeras. Estaba intentando tranquilizarle. Se encontraba muy alterado.

RC: ¿Alguien más?

LK: No me acuerdo. ¿Un camillero? No, dos.

RC: ¿Qué pasó después?

LK: Empezó a sufrir un ataque.

RC: ¿Quiere decir que el paciente sufrió un ataque?

LK: Sí.

RC: ¿Qué hizo usted?

LK: ¿Dónde está mi marido?

RC: Fuera. Vino con usted. ¿No se acuerda?

LK: ¿Brad está aquí?

RC: Lo siento. ¿Quién es Brad?

LK: Mi marido. Brad Wolgast. Es del FBI. Quizá le conozca.

RC: Estoy confusa, doctora Kyle. El hombre que vino con usted se llama David Centre. ¿No es su marido?

(Pausa.)

RC: ¿Doctora Kyle? ¿Entiende lo que le estoy preguntando?

LK: Por supuesto que David es mi marido. Qué cosas tan raras me está diciendo. ¿De dónde ha salido toda esta sangre? ¿Estuve implicada en algún accidente?

RC: No, doctora Kyle. Estaba en el hospital. De eso estamos hablando. Hace tres horas, nueve personas fueron asesinadas en Urgencias. Estamos intentando averiguar qué ocurrió.

(Pausa.)

LK: Eso me miró. ¿Por qué me miró?

RC: ¿Qué la miró, doctora Kyle?

LK: Fue horrible.

RC: ¿Qué era?

LK: Primero mató a la enfermera. Había mucha sangre. Como un mar.

RC: ¿Está hablando del señor Letourneau? ¿Mató a la enfermera? Necesito que sea precisa.

LK: Tengo sed. ¿Puedo beber un poco de agua?

RC: Dentro de un momento. ¿Cómo mató a la enfermera el señor Letourneau?

LK: Sucedió muy deprisa. ¿Cómo es posible que alguien se mueva con tal rapidez?

RC: Necesito que se concentre, doctora Kyle. ¿Qué utilizó el señor Letourneau para matar a la enfermera? ¿Tenía un arma?

LK: ¿Un arma? No me acuerdo de ninguna arma.

RC: ¿Cómo lo hizo, pues?

(Pausa.)

RC: ¿Doctora Kyle?

LK: Yo no podía moverme. Sólo... me miró.

RC: ¿Algo la miró? ¿Había alguien más en la habitación?

LK: Utilizó su boca. Fue así como lo hizo.

RC: ¿Me está diciendo que el señor Letourneau mordió a la enfermera?

(Pausa.)

LK: Estoy embarazada, ¿sabe? Voy a tener un hijo.

RC: Ya me he dado cuenta, doctora Kyle. Sé que esto es muy estresante.

LK: Necesito descansar. Quiero ir a casa.

RC: Intentaremos sacarla de aquí lo antes posible. Sólo para aclarar las cosas, ¿afirma que el señor Letourneau mordió a la enfermera?

LK: ¿Ella se encuentra bien?

RC: Fue decapitada, doctora Kyle. Usted estaba sosteniendo el cuerpo cuando la encontramos. ¿No se acuerda?

LK: *(inaudible)*.

RC: ¿Puede hablar en voz alta, por favor?

LK: No entiendo qué quiere usted. ¿Por qué me hace estas preguntas?

RC: Porque usted estuvo allí. Es nuestra único testigo. Esta noche ha visto morir a nueve personas. Las destriparon, doctora Kyle.

LK: *(inaudible)*.

RC: ¿Doctora Kyle?

LK: Aquellos ojos. Era como mirar el infierno. Como caer eternamente en la oscuridad. ¿Cree en el infierno, detective?

RC: ¿De quién eran los ojos?

LK: No era humano. Es imposible que fuera humano.

RC: ¿Continúa hablando del señor Letourneau?

LK: No puedo pensar en eso. He de pensar en la niña.

RC: ¿Qué vio? Dígame lo que vio.

LK: Quiero ir a casa. No quiero seguir hablando de esto. No me obligue.

RC: ¿Quién mató a esas personas, doctora Kyle?

(Pausa.)

RC: Doctora Kyle, ¿se encuentra bien?

(Pausa.)

RC: ¿Doctora Kyle?

(Pausa.)

RC: ¿Doctora Kyle?

4

Bernard Kittridge, conocido en todo el mundo como el «Último Resistente de Denver», comprendió que había llegado el momento de largarse la mañana en que se fue la luz.

Se preguntó por qué había tardado tanto. Es imposible mantener en funcionamiento una red de suministro eléctrico municipal sin gente que se encargue de ello, y por lo que Kittridge veía desde el piso decimonoveno, en la ciudad de Denver no quedaba ni una sola alma humana con vida.

Lo cual no quería decir que estuviera solo.

Había dedicado las primeras horas de la mañana (una mañana clara y luminosa de la primera semana de junio, temperaturas de veintipico grados con la posibilidad de que monstruos chupadores de sangre se desplazaran en dirección al crepúsculo) a tomar el sol en la terraza del ático que había ocupado desde la segunda semana de la crisis. Era un lugar gigantesco, como un palacio aéreo. Sólo la cocina era del tamaño del apartamento de Kittridge. Los gustos del propietario se inclinaban por lo austero: pulcros grupos de asientos de piel más adecuados para mirarlos que para sentarse, relucientes suelos de travertino centelleante, pequeñas alfombras peludas, mesas de cristal que daban la impresión de flotar en el espacio. Entrar por la fuerza había sido sorprendentemente fácil. Cuando Kittridge hubo tomado la decisión, la mitad de la ciudad estaba muerta, huida o desaparecida. Hacía mucho tiempo que la policía se había marchado. Había pensado en atrincherarse en una de las mansiones de Cherry Creek, pero basándose en las cosas que había visto, quería un lugar más elevado.

El propietario del ático era un hombre al que apenas conocía, un cliente habitual de la tienda. Se llamaba Warren Filo. Por un golpe de suerte, Warren había entrado en la tienda el día antes de que todo empezara para proveerse del equipo necesario con vistas a un viaje de caza a Alaska. Era un tipo joven, demasiado joven para la cantidad de dinero que tenía, dinero de Wall Street, probablemente, o de una de esas OPV de alta tecnología. Aquel día, todo era normal como de costumbre, y Kittridge había ayudado a Warren a transportar sus compras hasta el coche. Un Ferrari, por supuesto. Parado al lado, Kittridge pensó: ¿Por qué no dar un paso más y mercarse una matrícula personalizada que ponga GILIPOLLAS ENGREÍDO? Una pregunta que debió de leerse escrita en su rostro, porque apenas había desfilado por la mente de Kittridge cuando Warren enrojeció avergonzado. No vestía su traje habitual, tan sólo tejanos y una camiseta con el lema SLOAN SCHOOL OF MANAGEMENT impreso delante. Había querido que Kittridge viera su coche, de eso no cabía duda, exhibir un vehículo como aquél a un jefe de planta de Outdoor World que debía de ganar menos de cincuenta de los grandes al año (de hecho, la cifra era cuarenta y seis). Kittridge se permitió una carcajada silenciosa (las cosas que aquel chaval ignoraba ocuparían un libro) y dejó que el momento se prolongara, sólo para dejar las cosas claras. *Lo sé, lo sé,* confesó Warren. *Es un poco excesivo. Me dije que nunca sería uno de esos capullos que conducen un Ferrari, pero juro por Dios que deberías experimentar lo que se siente al conducirlo.*

Kittridge había averiguado la dirección de Warren gracias a la factura. Cuando se trasladó (Warren ya habría llegado sano y salvo a Alaska), resultó de lo más sencillo localizar la llave correcta en la oficina del encargado, introducirla en la ranura del panel del ascensor y subir dieciocho pisos hasta el ático. Descargó su equipaje. Una maleta con ruedas llena de ropa, tres cajas con armas, una radio a manivela, prismáticos de visión nocturna, bengalas, un kit de primeros auxilios, botellas de lejía, una soldadora por arco eléctrico para sellar las puertas del ascensor, su fiel ordenador portátil con su antena de satélite portátil, una caja de libros, y suficiente agua y comida para un mes. La vista desde la terraza, que abarcaba la longitud del lado oeste del edificio, era una panorámica de ciento ochenta grados, encarada hacia la Interestatal 25 y la pista de Mile High. Había dispuesto cámaras equipadas con detectores de movimiento en cada extremo de la terraza, una que cubría la calle, una segunda dirigida hacia el edificio del otro lado de la avenida. Había supuesto que conseguiría un buen montón de imágenes de esa forma, pero los planos memorables serían aquellos de objetivos abatidos. El arma que había seleccionado para dicha tarea era un Remington 700P de cerrojo, calibre 338, un estupendo equilibrio de precisión y poder de parada, con un alcance de trescientos metros. Le había fijado una mira telescópica de vídeo digital con infrarrojos. Aislaría a su objetivo gracias a los prismáticos. El rifle, montado sobre un bípode en el borde de la terraza, se encargaría del resto.

La primera noche, carente de viento e iluminada por una pálida luna en cuarto, Kittridge había abatido a siete: cinco en la avenida, uno en el tejado de enfrente, y uno más a través de la ventana de un banco situada a la altura de la calle. Fue este último quien le hizo famoso. El ser, vampiro o lo que fuera (el término oficial era «Persona Infectada»), había dirigido la vista a la mira telescópica justo antes de que Kittridge le atravesara con una bala el punto débil. Descargada en YouTube, la imagen había dado la vuelta al mundo en cuestión de horas. Por la mañana, todas las cadenas importantes la habían retransmitido. ¿Quién es ese hombre?, quería saber todo el mundo. ¿Quién es ese hombre temerario-loco-suicida, atrincherado en un rascacielos de Denver, convertido en el último resistente?

Y así nació su apodo, el Último Resistente de Denver.

Desde el principio había supuesto que sólo era cuestión de tiempo que alguien se lo cargara, la CIA, la ASN o la Agencia de Seguridad Nacional. Estaba causando un gran revuelo. Trabajaba en su favor el hecho de que el interfecto tendría que desplazarse hasta Denver para darle el pasaporte. La dirección IP de Kittridge era imposible de localizar, apoyada por una cadena de servidores anónimos, cuyo orden cambiaba cada noche. La mayoría se hallaba en el extranjero: Rusia, China, Indonesia, Israel, Sudán. Lugares inalcanzables para cualquier agencia federal que quisiera cargárselo. Su blog (dos millones de visitas el primer día) contaba con más de trescientos sitios espejo, a los cuales se iban añadiendo cada vez más. No tardó ni una semana en convertirse en un fenómeno a escala mundial. Twitter, Facebook, Headshot, Sphere: las imágenes ascendían al éter sin que tuviera que mover un solo dedo. Uno de sus sitios de admiradores contaba ya con más de dos millones de suscriptores. En eBay, camisetas con el logo Soy el Último Resistente de Denver se vendían como rosquillas.

Su padre siempre había dicho: *Hijo, lo más importante en la vida es contribuir en algo.* ¿Quién habría pensado que la contribución de Kittridge consistiría en bloguear por vídeo desde primera línea del apocalipsis?

Pero el mundo seguía adelante. El sol todavía brillaba. Hacia el oeste, las montañas recibían la partida del hombre con un encogimiento de su indiferente mole rocosa. Durante un tiempo hubo mucho humo (manzanas enteras habían ardido hasta los cimientos), pero ahora se había disipado y revelaba la desolación con espantosa claridad. De noche, aparecían manchas de negrura repartidas por la ciudad, pero en otros puntos todavía brillaban luces en las tinieblas: farolas destellantes, gasolineras y supermercados, con su característico brillo fluorescente, y luces de porches que habían quedado encendidas a la espera del regreso de sus moradores. Mientras Kittridge continuaba su vigilancia en la terraza, un semáforo, dieciocho pisos más abajo, aún seguía virando de verde a amarillo a rojo, y vuelta a empezar.

No estaba solo. La soledad le había abandonado, mucho tiempo atrás. Tenía treinta y cuatro años. Algo más entrado en carnes de lo que habría deseado (con la pierna, era difícil mantener el peso a raya), pero todavía era fuerte. Se había casado en una ocasión, años antes. Recordaba aquel período de su vida como veinte meses de superávit sexual y felicidad conyugal, seguido de un número idéntico de meses de chillidos y gritos, acusaciones y contracusaciones, hasta que todo se hundió como una roca, y se sentía contento, en conjunto, de que aquella unión no hubiera producido hijos. Su relación con Denver no era ni sentimental ni personal. Después de abandonar la Administración de Veteranos había aterrizado allí, así de sencillo. Todo el mundo decía que un veterano condecorado no debería tener problemas a la hora de encontrar trabajo. Quizás era cierto. Pero Kittridge no tenía prisa. Había dedicado la mayor parte de un año a leer, lo habitual al principio, novela negra y de intriga, pero al final se había decantado por libros más sustanciosos: *Mientras agonizo*, *Por quién doblan las campanas*, *Huckleberry Finn*, *El gran Gatsby*. Se había entregado un mes entero a Melville, surcando los mares de *Moby Dick*. En su gran mayoría se trataba de libros que, en su opinión, debía leer, los que se había saltado en el colegio, pero la verdad era que los disfrutó casi todos. Sentado en el silencio de su apartamento, su mente perdida en relatos de otras vidas y épocas, era como tomar un trago largo después de años de abstinencia. Hasta se había apuntado a algunas clases en un centro de educación para adultos, trabajaba en Outdoor World de día, leía y redactaba los trabajos por la noche y durante la hora de comer. Había algo en las páginas de aquellos libros que poseía la capacidad de hacerle sentir mejor sobre las cosas, un salvavidas al que aferrarse antes de que las oscuras fuerzas de la memoria lo arrastraran de nuevo corriente abajo, y en días más optimistas podía verse siguiendo aquella rutina durante algún tiempo. Una vida modesta pero soportable.

Y entonces, por supuesto, había llegado el fin del mundo.

La mañana que se había ido la luz, Kittridge había terminado de cargar la grabación de la noche anterior y estaba sentado en el patio, leyendo *Historia de dos ciudades*, de Dickens (el abogado inglés Sydney Carton acababa de declararle su amor eterno a Lucie Manette, la prometida del desventuradamente idealista Charles Darnay), cuando se le ocurrió la idea de que sólo un helado podía mejorar la mañana. La enorme cocina de Warren, desde la cual se podía dirigir un restaurante de cinco estrellas, se encontraba, cosa poco sorprendente, casi vacía de comida, y hacía tiempo que Kittridge había tirado los contenedores mohosos que habían constituido el escaso contenido del frigorífico. Pero era evidente que el tipo tenía debilidad por el Ben and Jerry's Chocolate Fudge Brownie, porque el congelador estaba abarrotado de ellos. Ni Chunky Monkey, ni Cherry Garcia, ni Phish Food, ni siquiera la vulgar vainilla. Sólo Chocolate Fudge Brownie. A Kittridge le habría gustado disponer de más variedad, teniendo en cuenta que el helado iba a escasear durante un tiempo, pero con poca cosa para comer, aparte de sopa de lata y galletitas saladas, tampoco iba a quejarse. Dejó el libro sobre el brazo del sillón, se levantó y atravesó la puerta de cristal deslizante que daba acceso al ático.

Cuando llegó a la cocina, ya había empezado a presentir que algo no andaba bien, si bien esta sensación tenía que fusionarse todavía alrededor de algo específico. No fue hasta que abrió la caja de cartón y hundió la cuchara en la papilla blanda de Chocolate Fudge Brownie fundido cuando lo entendió todo.

Probó un interruptor de la luz. Nada. Atravesó el apartamento mientras accionaba lámparas e interruptores. De nuevo, nada.

En medio de la sala de estar, Kittridge se detuvo y respiró hondo. Vale, pensó, vale. Era lo que cabía esperar. En todo caso, había durado más de lo previsible. Consultó su reloj: las nueve y treinta y dos minutos de la mañana. El sol se ponía algo después de las ocho. Le quedaban unas diez horas y media para poner su culo a salvo.

Llenó una mochila con provisiones: barritas de proteínas, botellas de agua, calcetines y ropa interior limpia, su kit de primeros auxilios, una chaqueta de abrigo, un frasco de Zyrtec (sus alergias le habían dado la lata durante toda la primavera), un cepillo de dientes y una hoja de afeitar. Por un momento pensó en llevarse *Historia de dos ciudades*, pero se le antojó poco práctico, y con una punzada de remordimiento lo dejó a un lado. Se vistió en el dormitorio con una camiseta transpirable y pantalones multibolsillos, junto con un chaleco de supervivencia y un par de botas de excursión. Durante unos momentos meditó sobre las armas que iba a llevarse, hasta decantarse por un cuchillo Bowie, un par de Glocks 19 y el AK de recarga polaco con culata plegable: inútil para alcanzar blancos distantes, pero fiable de cerca, como esperaba que sucediera. Las Glocks encajaban a la perfección en sus fundas. Llenó los bolsillos del chaleco con cargadores. Ciñó el AK a su portafusil, se cargó la mochila a los hombros y regresó al patio.

Fue entonces cuando se fijó en el semáforo de la avenida. Verde, amarillo, rojo. Verde, amarillo, rojo. Podría tratarse de una chiripa, pero lo dudaba.

Le habían localizado.

La cuerda estaba atada a una tubería de desagüe del tejado. Se puso el arnés de rápel, lo sujetó, pasó primero la pierna mala y después la buena por encima de la barandilla. Las alturas no suponían ningún problema para él, pero no miró abajo. Estaba subido sobre el borde de la terraza, de cara a las ventanas del ático. A lo lejos oyó el sonido de un helicóptero que se acercaba.

Último Resistente de Denver, a punto de ser eliminado.

Saltó al vacío y descendió. Un piso, dos pisos, tres, y la cuerda se deslizaba con suavidad entre sus manos. Aterrizó en la terraza del apartamento que había cuatro pisos más abajo. Una familiar punzada de dolor ascendió desde su rodilla izquierda. Apretó los dientes para soportarla. El helicóptero se estaba acercando, el batir de sus paletas resonaba en los edificios. Se desprendió del arnés, desenfundó una Glock y disparó una sola bala que destrozó el cristal de la puerta de la terraza.

El aire del apartamento estaba viciado, como el interior de una cabaña cerrada a cal y canto para salvaguardarse del invierno. Muebles pesados, espejos dorados, una vieja acuarela de un caballo sobre la chimenea. Desde algún lugar percibió un hedor a podrido. Atravesó el espacio en calma sin dedicarle apenas una mirada. Se detuvo ante la puerta para sujetar una linterna al cañón del AK y salió al vestíbulo para luego encaminarse a la escalera.

Llevaba en el bolsillo las llaves del Ferrari, aparcado en el garaje subterráneo del edificio, dieciséis pisos más abajo. Kittridge
abrió con el hombro la puerta de la escalera y barrió a toda prisa el
espacio con el haz de luz de la linterna del AK, arriba y abajo. Despejado. Sacó una bengala del chaleco y desenroscó con los dientes
el tapón de plástico hasta que quedó al descubierto el botón de
encendido. Con un chasquido, la bengala inició su lluvia de chispas. Kittridge la sostuvo a un lado, apuntó y la soltó. Si había algo
allí abajo, pronto lo sabría. Sus ojos siguieron la bengala mientras
descendía, soltando una estela de humo. En algún momento rozó
la barandilla y rebotó hasta perderse de vista. Kittridge contó hasta
diez. Nada, ni el menor movimiento.

Tres bengalas después llegó hasta el fondo. Una pesada puerta
de acero con una barra para empujar y un pequeño cuadrado de
cristal reforzado conducían al garaje. El suelo estaba sembrado de
basura: latas de gaseosa, envoltorios de caramelos, botes de comida. Un saco de dormir arrugado y una pila de ropa mohosa demostraban que alguien había dormido allí: escondido, como él.

Kittridge había explorado el garaje el día de su llegada. El Ferrari estaba aparcado cerca de la esquina sudoeste, a una distancia de
unos sesenta metros. Tendría que haberlo acercado más a la puerta,
pero había tardado tres días en localizar las llaves de Warren (¿quién
guardaba las llaves del coche en un cajón del cuarto de baño?), cuando ya se había atrincherado en el interior del ático.

El mando a distancia tenía cuatro botones: dos para las puertas, uno para la alarma, y confiaba en que el cuarto fuera para poner en marcha el vehículo. Fue éste el que apretó primero.

Desde las entrañas del garaje se oyó un agudo pitido de una
sola nota seguido del rugido gutural del motor del Ferrari. Otra
equivocación: el Ferrari estaba aparcado cerca de la pared. Tendría
que haber pensado en eso. No sólo retrasaría su huida; si el coche
hubiera estado encarado en dirección contraria, los faros le habrían brindado una mejor vista del interior del garaje. Lo único
que podía distinguir a través de la diminuta ventana de la escalera

era una zona lejana y luminosa donde aguardaba el coche, un gato que ronroneaba en la oscuridad. El resto del garaje se hallaba envuelto en negrura. A los infectados les gustaba colgarse de cosas: vigas de techo, cañerías, cualquier cosa de superficie táctil. La más ínfima grieta bastaría. Cuando llegaran, lo harían desde arriba.

Había llegado el momento de tomar una decisión. ¿Tirar más bengalas a ver qué pasaba? ¿Atravesar la oscuridad con sigilo en busca de refugio? ¿Abrir la puerta y correr como un poseso?

Entonces, en lo alto, Kittridge oyó el crujido de una puerta de la escalera al abrirse. Contuvo el aliento y escuchó. Eran dos. Retrocedió de la puerta y torció el cuello para mirar hacia arriba. Diez pisos más arriba, un par de puntos rojos bailaban sobre las paredes.

Abrió la puerta de un empujón y corrió como un poseso.

Había llegado a medio camino del Ferrari cuando el primer viral cayó detrás de él. No había tiempo para volverse y disparar. Kittridge continuó corriendo. Notaba el dolor de la rodilla como la mecha de una llama, un punzón hundido hasta el hueso. Desde la periferia de sus sentidos tomó conciencia de que los seres despertaban, de que el garaje cobraba vida. Abrió la puerta del Ferrari, tiró el AK y la mochila en el asiento del pasajero, subió y cerró la puerta de golpe. El vehículo era tan bajo que tuvo la sensación de estar sentado en el suelo. El salpicadero, lleno de misteriosos indicadores e interruptores, brillaba como el de una nave espacial. Faltaba algo. ¿Dónde estaba el cambio de marchas?

Un ruido metálico, y el ser ocupó toda la visión de Kittridge. El viral había saltado sobre el capó, aovillado como un reptil. Durante un momento le miró con frialdad, un depredador que contemplaba a su presa. Estaba desnudo, salvo por un reloj de muñeca, un reluciente Rolex grueso como un cubito de hielo. *¿Warren?*, pensó Kittridge, pues llevaba uno igual el día en que Kittridge le había acompañado hasta el coche. *Warren, viejo amigo, ¿eres tú? Porque en tal caso, no me iría nada mal que me aconsejaras sobre cómo poner en marcha este trasto.*

Entonces descubrió con las yemas de los dedos un par de levas situadas debajo del volante. Servían para regular el cambio de marchas del coche. También tendría que haber pensado en eso. Acelerar a la derecha, reducir la velocidad a la izquierda, como en una moto. Marcha atrás sería algún botón del salpicadero.

El de la R, genio. Ése.

Apretó el botón y aceleró. Demasiado rápido: con un chirrido de goma humeante, el Ferrari salió disparado hacia atrás y chocó contra un pilar de cemento. Kittridge se hundió en el asiento y rebotó hacia delante. Su cabeza chocó contra el cristal de la ventanilla lateral con un golpe sordo audible. Su cerebro repicó como un diapasón. Partículas de luz plateada bailaban en sus ojos. Eran interesantes, interesantes y hermosas, pero otra voz en su interior le decía que contemplar aquella visión, siquiera un momento, significaría morir. El viral, que había caído del capó, se estaba levantando del suelo. Sin duda intentaría romper el parabrisas.

Dos puntos rojos aparecieron en el pecho del viral.

Con la rapidez de un ave, el ser desvió la vista de Kittridge y se abalanzó sobre los soldados que entraban por la puerta del garaje. Kittridge giró el volante, accionó la leva de la derecha al tiempo que pisaba el acelerador. Una sacudida y después un aumento brusco de velocidad: quedó aplastado contra el asiento al tiempo que oía una ráfaga de armas automáticas. Justo cuando pensaba que había perdido el control del coche una vez más, localizó la salida, mientras las paredes del garaje desfilaban a toda velocidad. La aparición de los soldados sólo le había deparado un momento de ventaja. Un veloz vistazo por el retrovisor y Kittridge distinguió, a la luz de los faros traseros, lo que parecía ser el estallido de un cuerpo humano, miembros que saltaban en todas las direcciones. El segundo soldado no se veía por ninguna parte, aunque si Kittridge hubiera tenido que apostar, diría que el hombre ya estaba muerto, reducido a despojos sanguinolentos.

No volvió a mirar atrás.

La rampa que daba a la calle se hallaba dos pisos más arriba, al otro lado del garaje. Mientras Kittridge doblaba la primera esquina, entre el rugido del motor y el chirriar de los neumáticos, dos virales más cayeron del techo y se interpusieron en su camino. Uno cayó bajo las ruedas con un crujido húmedo, pero el segundo aterrizó sobre el techo del Ferrari a horcajadas, como un corredor de vallas. Kittridge experimentó una punzada de asombro, incluso de admiración. En el colegio, había aprendido que no se puede capturar una mosca con la mano porque el tiempo era diferente para una mosca: en el cerebro de una mosca, un segundo equivalía a una hora, y una hora a un año. Así eran los infectados. Como seres al margen del tiempo.

Estaban por todas partes, salían de todos sus escondites. Se abalanzaban sobre el coche como suicidas, impelidos por la locura de su ansia. Se abrió paso entre ellos, mientras los cuerpos volaban, y sus rostros monstruosos y deformes impactaban contra el parabrisas antes de rebotar en todas direcciones. Dos curvas más y sería libre, pero uno se había aferrado al techo del Ferrari. Kittridge dobló la esquina, patinó en el cemento resbaladizo, y dio la impresión de que la fuerza de la desaceleración enviaba rodando al viral sobre el capó. Una mujer: parecía ir ataviada nada más y nada menos que con un vestido de novia. Hundió los dedos en el hueco de la base del parabrisas y se puso a cuatro patas. Su boca, una trampa para osos con dientes manchados de sangre, estaba abierta de par en par. Un diminuto crucifijo de oro colgaba en la base de su garganta. *Lamento lo de tu boda*, pensó Kittridge mientras desenfundaba una pistola, la apoyaba sobre el volante y disparaba a través del parabrisas.

Dobló la última esquina a toda velocidad. Delante, un haz de luz diurna dorada le mostró el camino. Kittridge entró en la rampa a ciento cinco kilómetros por hora sin dejar de acelerar. La salida estaba bloqueada por una reja metálica, pero este hecho no se le antojó un obstáculo, en absoluto. Kittridge enfiló la puerta, hundió el pedal hasta el suelo y se agachó.

Un impacto furioso. Durante dos segundos completos, una eternidad en miniatura, el Ferrari voló por los aires. Salió disparado como un cohete hacia la luz del sol y se estrelló contra el pavimento con un golpe estremecedor, mientras saltaban chispas del chasis. Libre al fin, pero ahora tenía otro problema: no había nada que pudiera pararlo. Iba a estrellarse contra el vestíbulo del banco que había al otro lado de la calle. Mientras Kittridge rebotaba contra la mediana, pisó el freno y giró a la izquierda, preparado para el choque. Pero no fue necesario: con un chirrido de goma humeante, los neumáticos se agarraron y resistieron, y a continuación Kittridge cayó en la cuenta de que estaba volando por la avenida hacia la mañana primaveral.

Tuvo que admitirlo. ¿Cuáles habían sido las palabras exactas de Warren? *Deberías experimentar lo que se siente al conducirlo.*

Era cierto. Kittridge jamás había conducido algo semejante en su vida.

5

Durante un tiempo, mucho tiempo, que no era tiempo en absoluto, el hombre conocido como Lawrence Grey (exrecluso del Centro Correccional Masculino de Beeville y pederasta fichado por el Departamento de Salud Pública de Texas; empleado civil del Proyecto NOÉ y de la División de Armas Especiales; Grey la Fuente, el Desencadenador de la Noche, Familiar del Llamado Cero) no estuvo en ningún sitio. No era nada y ningún lugar, un ser aniquilado, que no poseía ni memoria ni historia, su conciencia dispersa en un mar carente de orillas y dimensiones. Un ancho y oscuro mar de voces que murmuraban su nombre. *Grey, Grey.* Estaban allí y no estaban, le llamaban mientras flotaba solo, uno con la oscuridad, a la deriva en un mar eterno; y arriba de todo, las estrellas.

Pero no sólo las estrellas. Porque ahora había llegado una luz, una suave luz dorada que ondulaba sobre su rostro. Briznas de sombras se movían a través de ella, giraban como un molinete, y con esta luz un sonido: aórtico, cardíaco, un tamborileo que latía al ritmo de sus giros. Grey contemplaba aquella maravillosa luz giratoria; y en su conciencia se fue insinuando la idea de que estaba viendo a Dios. La luz era Dios que estaba en los cielos, que se movía sobre las aguas, que rozaba el rostro del mundo como el dobladillo de una cortina, que acariciaba y bendecía a su creación. La certeza floreció en el interior de Grey con un estallido de dulzura. ¡Cuánto goce! ¡Cuánta comprensión y perdón! La luz era Dios y Dios era amor. Grey sólo tenía que entrar en ella, entrar en la luz, y sentiría aquel amor eternamente. Y una voz dijo:

Ha llegado la hora, Grey.

Ven a mí.

Sintió que se alzaba, que ascendía. Se levantó, y mientras se levantaba, el cielo extendió sus alas, le recibió, le transportó hacia la luz, que era casi insoportable: un brillo cegador y destructor, como el sonido de un chillido que era el suyo.

Grey, hacia lo alto. Grey, renacido.

Abre los ojos, Grey.

Obedeció. Abrió los ojos. Su visión se fue enfocando lentamente. Una forma oscura estaba girando de una manera desagradable encima de su cara.

Era un ventilador de techo.

Parpadeó para eliminar la mugre. Un sabor amargo, como a cenizas mojadas, pintaba las paredes de su boca. La habitación donde se encontraba tenía la pinta inconfundible de una cadena de moteles: el cubrecama áspero y la almohada de espuma barata, el colchón sembrado de cráteres abajo y el techo de gotelé arriba, el olor a aire reciclado y utilizado excesivamente en sus fosas nasales. Hasta mover la cabeza parecía exigir un esfuerzo sobrehumano, más allá de su alcance. La habitación estaba iluminada por una luz diurna amarillenta pegajosa que se filtraba a través de las cortinas.

Sobre su rostro, el ventilador giraba y giraba, oscilaba en su soporte, y sus gastados cojinetes crujían rítmicamente. La visión era tan abrasiva para sus sentidos como sales aromáticas, pero no podía apartar la vista. (¿Y no había también algo así como un sonido ensordecedor, algo procedente de un sueño? ¿Una luz brillante, que le elevaba? Pero ya no se acordaba.)

—Bien, te has despertado.

Sentado en el borde de la segunda cama, con la mirada baja, había un hombre. Un hombre menudo y fofo, que parecía estar embutido en su mono como una salchicha en su envoltorio. Uno de los empleados civiles del Proyecto NOÉ, conocidos como barrenderos: hombres como Grey, cuyo trabajo consistía en limpiar los orines y la mierda, dar apoyo a los funcionarios y vigilar a los fosforescentes durante horas y horas, hasta que poco a poco iban perdiendo la chaveta; delincuentes sexuales sin excepción, despreciados y olvidados; hombres sin historia que alguien quisiera recordar, su cuerpo debilitado por las hormonas, su mente y espíritu tan neutros como un perro castrado.

—Pensaba que un ventilador lo lograría. Si quieres que te diga la verdad, ni siquiera puedo mirar esa cosa.

Grey intentó responder, pero no pudo. Notaba la lengua reseca, como si hubiera fumado mil millones de cigarrillos. Su vista se había nublado de nuevo. Tenía la impresión de que se le iba a partir la maldita cabeza. Habían pasado años desde que había bebido más de un par de cervezas seguidas (con la medicación, ibas demasiado dormido y perdías el interés por todo), pero Grey recordaba lo que era una resaca. Así se sentía. Con la peor resaca del mundo.

—¿Qué pasa, Grey? ¿Te ha comido la lengua el gato? —El hombre soltó una risita, debido a algún chiste privado—. Es divertido, ¿sabes? Teniendo en cuenta las circunstancias, no le haría ascos ahora a un poco de tartar de gato. —Se volvió hacia Grey y arqueó las cejas—. No pongas esa cara de besugo. Ya sabrás a qué me refiero. Tardas unos días, pero después te enganchas.

Grey recordó el nombre de aquel individuo: Ignacio. Aunque el Ignacio que Grey recordaba era mayor, más hecho polvo, con una frente pronunciada y arrugada, unos poros en los que podías aparcar un coche y unos mofletes que colgaban como los de un basset. Este Ignacio se encontraba en plena forma, todo rosadito, las mejillas encarnadas, piel suave de bebé, ojos que centelleaban como circonitas. Hasta su pelo parecía más joven. Pero no cabía duda de quién era, teniendo en cuenta el tatuaje: tinta carcelaria, borrosa y azulada, una serpiente encapuchada que trepaba por su garganta desde el cuello abierto del mono.

—¿Dónde estoy?

—Eres la monda, ¿sabes? Estamos en el Red Roof.

—¿El qué?

El hombre resopló.

—En el puto Red Roof, Grey. ¿Creías que ellos nos iban a enviar al Ritz?

¿Ellos?, pensó Grey. ¿Quiénes eran *ellos*? ¿Y a qué se refería Ignacio con «enviar»? ¿Enviar con qué propósito? Fue en ese momento cuando Grey reparó en que Ignacio estaba aferrando algo en la mano. ¿Una pistola?

—Iggy, ¿qué estás haciendo con eso?

Ignacio levantó la pistola con un movimiento perezoso, una 45 de cañón largo, y la miró con el ceño fruncido.

—No gran cosa, por lo visto. —Ladeó la cabeza en dirección a la puerta—. Aquellos otros tipos estuvieron un tiempo aquí también. Pero todos se han ido.

—¿Qué tipos?

—Venga, Grey. Ya sabes a quién me refiero. El flacucho, George. Eddie no-sé-qué. Jude, el de la coleta. —Miró hacia las cortinas—. Si quieres que te diga la verdad, nunca me cayó bien. Me enteré de lo que hizo, aunque soy de poco hablar. Pero ese hombre era de lo más desagradable.

Ignacio estaba hablando de los demás barrenderos. ¿Qué estaban haciendo ahí? ¿Qué estaba haciendo él ahí? La pistola no era una buena señal, pero Grey era incapaz de convocar un sólo recuerdo de cómo había ido a parar allí. Lo último que recordaba era que estaba cenando en la cafetería del recinto: guisado de buey con una salsa espesa, acompañado de patatas cortadas muy finas y judías verdes, además de una Cherry Coke para trasegarlo todo. Era su plato favorito. Siempre se relamía de gusto al pensar en el guisado de buey. Si bien, al pensar en su sabor grasiento, el estómago se le revolvió y sintió náuseas. Un chorro de bilis ascendió a su garganta. Tuvo que relajarse un momento para poder respirar.

Ignacio señaló la puerta con un gesto lánguido de la pistola.

—Mira tú mismo, si quieres. Pero estoy convencido de que se han ido.

Grey tragó saliva.

—¿Adónde?

—Eso depende. A donde debían ir.

Grey se sentía confundido por completo. Ni siquiera era capaz de imaginar qué preguntas debía hacer. De todos modos, estaba convencido de que las respuestas no le gustarían. Tal vez lo mejor sería mentir con discreción. Confiaba en no haber hecho algo terrible, como en los viejos tiempos. Los días del Antiguo Grey.

—Bien —dijo Ignacio, y carraspeó—, aprovechando que estás despierto, supongo que lo mejor será que me ponga en marcha. Me espera una larga caminata. —Se levantó y extendió el arma—. Toma.

Grey vaciló.

—¿Para qué quiero yo una pistola?

—Por si te entran ganas de, ya sabes, matarte.

Grey se quedó demasiado estupefacto para contestar. Lo último que deseaba era un arma. Si alguien le descubría con un arma encima, le enviarían a la cárcel sin más dilación. Como no hizo ademán de aceptar el arma, Ignacio la dejó sobre la mesita de noche.

—Piénsalo, de todas formas. No tardes tanto como hice yo. Cuanto más esperas, más difícil se te hace. Mira en qué lío me he metido.

Ignacio avanzó hacia la puerta, desde donde se volvió para pasear la mirada por la habitación por última vez.

—Lo hicimos de verdad. Por si te lo estabas preguntando. —Respiró hondo, expulsó el aire con las mejillas hinchadas y levantó la cabeza hacia el techo—. Lo curioso es que no sé qué hice para merecer esto. No era tan malo, la verdad. No tenía la intención de hacer la mitad de aquellas cosas. Estaba hecho de otra pasta. —Miró de nuevo a Grey. Sus ojos estaban entelados de lágrimas—. Eso decía siempre el loquero. Ignacio, estás hecho de otra pasta.

Grey no tenía ni idea de qué decir. A veces no se le ocurría nada, y supuso que era una de dichas ocasiones. La expresión del rostro de Ignacio le recordó a algunos de los presos que había conocido en Beeville, hombres que, al llevar encerrados tanto tiempo, eran como zombis de alguna película antigua. Hombres sin otra cosa que el pasado para mortificarse, y delante, un tramo interminable de nada.

—Bien, a la mierda. —Ignacio sorbió por la nariz y se la frotó con el dorso de la muñeca—. Ya no sirve de nada quejarse. Si haces la cama, has de acostarte en ella. Piensa en lo que te he dicho, ¿de acuerdo? Hasta la vista, Grey.

Y con un chorro de luz de la puerta abierta, desapareció.

¿Qué deducir de eso? Grey permaneció inmóvil durante mucho rato, mientras su cabeza daba vueltas como un neumático gastado sobre hielo. En parte, no estaba seguro de si se hallaba despierto o continuaba durmiendo. Repasó los datos para proporcionar a su mente algo a lo que aferrarse. Estaba en una cama. La cama estaba en un motel, un Red Roof. El motel se encontraba en algún lugar de Colorado, probablemente, suponiendo que no hubiera ido muy lejos. La luz de las ventanas informaba de que era de mañana. No daba la impresión de estar herido. En algún momento de las últimas veinticuatro horas, tal vez más y tal vez menos, pero no más de un día, había perdido el conocimiento.

Tendría que partir de ahí.

Se incorporó sobre los codos. La habitación hedía a sudor y humo. Tenía el mono manchado y roto en las rodillas. Estaba descalzo. Movió los dedos de los pies, y las articulaciones crujieron y chasquearon. Daba la impresión de que todo funcionaba.

Y ahora que lo pensaba, ¿no era cierto que se encontraba mejor? Y no sólo mejor: mucho mejor. El dolor de cabeza y el mareo habían desaparecido. Se le había aclarado la vista. Notaba las extremidades firmes y fuertes, henchidas de energía nueva y contenida. Todavía notaba un mal sabor en la boca (encontrar un cepillo de dientes o un paquete de chicle era lo primero que debía hacer), pero por lo demás, Grey se sentía perfectamente.

Bajó los pies al suelo. La habitación era pequeña, el espacio justo para las camas, con sus cobertores marrón y naranja, y una mesa pequeña con un televisor. Pero cuando levantó el mando a distancia para encenderlo, sólo consiguió una pantalla azul con el sonido de un tono de marcar. Zapeó de canal en canal. Las emisoras afiliadas, CNN, el Canal de la Guerra, GOVTV, todas apagadas. Bien, era de esperar. Tendría que decírselo al director. Aunque no recordaba haber pagado la habitación, y le habían confiscado el billetero meses antes, cuando había llegado al recinto.

El recinto, pensó Grey, y la palabra cayó sobre su estómago como una roca. Fuera cual fuera la verdad, estaba metido en un buen lío. No te levantabas y te marchabas sin más. Recordó a Jack y a Sam, los dos barrenderos que se habían ausentado sin permiso, y lo mucho que se había cabreado Richards. Alguien a quien era mejor no cabrear, por decirlo de una manera suave. Bastaba una mirada del hombre para que las tripas de Grey se revolvieran.

Tal vez por eso habían huido los barrenderos. Tal vez tenían miedo de Richards.

Su sed se despertó entonces, una sed enloquecedora, como si hiciera días que no bebiera. Puso la cabeza bajo el grifo del cuarto de baño, bebió con ansiedad, dejó que el agua cayera a chorros sobre su cara. Tómalo con calma, Grey, pensó, vas a ponerte enfermo si bebes así.

Demasiado tarde: el agua llegó a su estómago como una ola violenta, y al instante siguiente se encontró de rodillas, aferrado a los bordes del retrete, mientras toda el agua volvía a su boca.

Bien, qué estupidez. Él era el único culpable. Se quedó de rodillas un momento, esperando a que se le pasaran los retortijones, aspirando el hedor de su propio vómito, sobre todo agua, pero con la última arcada una bolita empalagosa, como una yema de huevo, sin duda los restos sin digerir del guiso de buey. Debía de haber hecho un esfuerzo inusitado, porque le zumbaban los oídos: un gemido tenue, casi inaudible, como el sonido de un diminuto motor que zumbara dentro de su cráneo.

Se puso en pie con un esfuerzo y tiró de la cadena. Vio en el tocador una pequeña botella de colutorio en una bandeja con jabones y lociones, todos sin tocar, y dio un trago para eliminar el sabor de su boca, hizo gárgaras un rato y escupió en el lavabo. Después, miró su cara en el espejo.

El primer pensamiento de Grey fue que alguien le estaba gastando una broma: una broma complicada, carente de gracia e improbable, en que el espejo había sido sustituido por una ventana, y al otro lado se alzaba un hombre, un hombre mucho más joven y apuesto. El impulso de extender la mano y tocar la imagen era tan fuerte que lo hizo, y el hombre del espejo reprodujo a la perfección sus movimientos. ¿Qué coño?, pensó Grey, y entonces lo dijo: «¿Qué coño?». El rostro reflejado era delgado, de piel clara, atractivo. El pelo peinado sobre las orejas en una melena lustrosa, de un intenso tono castaño. Tenía los ojos claros y brillantes. De hecho, centelleaban. Jamás en su vida había tenido Grey un aspecto tan estupendo.

Algo más le llamó la atención. Una especie de marca en el cuello. Se inclinó hacia delante y alzó la cabeza. Dos líneas de depresiones simétricas, como cuentas, dispuestas de una manera más o menos circular, con la parte superior del círculo que llegaba hasta la línea de la mandíbula, y la inferior rozaba la curva de la clavícula. La herida tenía un color rosado, como si acabara de curarse.

¿Cuándo demonios había sucedido aquello? Un perro le había mordido cuando era pequeño. Esto se le parecía. Un chucho viejo y desabrido de la perrera, pero a él le gustaba pese a todo, era algo que le pertenecía, hasta el día que había mordido a Grey en la mano, sin ningún motivo. Grey sólo había querido darle una galleta, y su padre lo había llevado a rastras hasta el patio. Dos disparos, Grey lo recordaba con claridad, el primero seguido de un gañido agudo, mientras que el segundo silenció para siempre al perro. El perro se llamaba *Buster*. Hacía años que Grey no pensaba en él.

Pero esa cosa en el cuello, ¿de dónde había salido? Le recordaba algo, una sensación de *déjà vu*, como si el recuerdo hubiera estado guardado en un cajón equivocado de su mente.

Grey, ¿no lo sabes?

Grey dio media vuelta.

—¿Iggy?

Silencio. Volvió al dormitorio. Abrió el armario, se arrodilló para mirar debajo de las camas. Nadie.

Grey. Grey.

—¿Dónde estás, Iggy? Deja de tocarme los huevos.

¿No te acuerdas, Grey?

Algo le estaba pasando, algo grave. No era la voz de Iggy la que estaba escuchando: la voz estaba en su cabeza. Cada superficie sobre la que se posaban sus ojos parecía estar viva. Se frotó los ojos, pero sólo consiguió empeorar la situación. No sólo tenía la impresión de ver cosas, sino también de tocarlas, olerlas y saborearlas, como si se le hubieran cruzado los cables.

¿No te acuerdas... de haber muerto?

Y al instante siguiente se acordó: el recuerdo le atravesó el pecho como una flecha. El azul acuático de la cámara de contención, y la puerta que se abría poco a poco. Sujeto Cero sobre él, asumiendo al cien por cien todas sus terribles dimensiones; el tacto de las mandíbulas de Cero sobre la curva de su cuello y el abrazo de los dientes, alineados fila tras fila; la partida de Cero, que le dejaba solo, el bramido de la alarma y el sonido de disparos y los gritos de los hombres que morían; cuando salió tambaleante al pasillo, una visión infernal, sangre por todas partes, que pintaba las paredes y el suelo, y los restos espeluznantes, un matadero de brazos, piernas y torsos con sus entrañas desenrolladas; el chorro arterial pegajoso que se filtraba entre sus dedos, apretados contra la garganta; el aire que se escapaba con un silbido de su cuerpo, su larga caída al suelo, la negrura que le rodeaba, la vista que oscilaba; y después, la sumisión.

Oh, Dios.

Ven a mí, Grey. Ven a mí.

Salió corriendo de la habitación y la luz del día cegó sus ojos. Era una locura; estaba loco. Atravesó corriendo el aparcamiento como un gran animal torpe, ciego y sin sentido de la orientación, las manos aplastadas contra los oídos. Había algunos coches en el aparcamiento, abandonados en ángulos erráticos, muchos con las puertas abiertas. Pero en su estado enfebrecido, la mente de Grey no consiguió registrar este dato, ni tampoco otros detalles preocupantes: las ventanas rotas de la fachada del motel; la autopista en la que no se veía el movimiento de ningún coche; la gasolinera abandonada del otro lado de la carretera de acceso, con las ventanas manchadas de rojo, y el cuerpo de un hombre derrumbado contra el surtidor como si se estuviera echando una siesta improvisada; el McDonald's destrozado, las sillas, mesas, paquetes de ketchup, juguetes de Happy Meal y clientes de diversas edades y razas arrojados a través de las ventanas con inusitada violencia; la columna de humo químico de los restos todavía en llamas de un tráiler, a tres kilómetros de distancia; las aves. Grandes nubes giratorias de aves enormes y negras, cuervos, buitres y águilas ratoneras, los carroñeros, que daban vueltas perezosas en el cielo. Todo ello suspendido como el desenlace de una terrible batalla, bañado por el sol implacable del verano.

¿Lo ves, Grey?

—¡Basta! ¡Cierra el pico!

Tropezó con algo blando. Algo orgánico, húmedo y blando, bajo sus pies. Cayó a cuatro patas y resbaló sobre el asfalto.

Mira el mundo que hemos creado.

Cerró los ojos con fuerza. No conseguía respirar. Sabía sin necesidad de mirarla que la cosa blanda era un cadáver. *Por favor*, pensó, sin saber muy bien a quién o a qué se dirigía. A él mismo. A la voz de su cabeza. A Dios, en el cual jamás había creído, pero en el que deseaba creer ahora. *Siento lo que hice, fuera lo que fuera. Lo siento, lo siento, lo siento.*

Cuando miró por fin, toda esperanza le había abandonado. El cadáver era de una mujer. La carne de la cara se había pegado tanto a los huesos que costaba discernir su edad. Iba vestida con pantalones de chándal y una camiseta de cuello redondo, con un volante de encaje rosa en la línea del cuello. Grey supuso que habría estado acostada y salió a ver qué pasaba. Estaba espatarrada sobre el pavimento, la espalda y los hombros torcidos. Zumbaban moscas sobre ella, entraban y salían de su boca y ojos. Tenía un brazo estirado sobre el pavimento, y las yemas de sus dedos tocaban la herida de su garganta. No se trataba ni de un corte ni de un tajo; nada tan pulcro como eso. Le habían mordido la garganta hasta el hueso.

No era la única. La visión de Grey se ensanchó, como una cámara que flotara sobre la escena. A su izquierda, a seis metros de distancia, una camioneta Chevy estaba aparcada con la puerta del conductor abierta. Un hombre corpulento con pantalones provistos de tirantes había sido arrancado de su asiento, y ahora colgaba medio dentro y medio fuera de la camioneta, oscilando cabeza abajo sobre el estribo, aunque la cabeza ya no estaba: se hallaría en otro sitio.

Había más cadáveres esparcidos cerca de la entrada del hotel. No eran cuerpos, hablando en términos estrictos, sino más bien una zona de partes humanas. Habían destripado a una mujer policía al salir del coche. Descansaba con la cabeza apoyada contra el guardabarros, la pistola todavía sujeta en la mano, el pecho abierto como las solapas de una trinchera. Un hombre con un chándal púrpura brillante, con suficiente oro alrededor del cuello para llenar el cofre de un pirata, había sido arrojado hacia arriba, y su cuerpo se hallaba alojado como una cometa entre las ramas de un arce. La mitad inferior había ido a posarse sobre el capó de un Mercedes negro. Las piernas del hombre estaban cruzadas en los tobillos, como si la mitad inferior de su cuerpo no se hubiera enterado de que faltaba el resto.

A esas alturas, hasta Grey sabía que sufría una especie de trance. No podías ver algo como aquello y permitirte sentir algo.

El que al final lo consiguió fue el que no estaba. Dos vehículos, un Honda Accord y un Chrysler Countryside, habían padecido una colisión frontal cerca de la salida, con sus extremos delanteros arrugados mutuamente como los fuelles de un acordeón. Habían disparado al conductor del sedán a través del parabrisas. Por lo demás, ese vehículo se hallaba intacto, pero el monovolumen parecía saqueado. Habían arrancado la puerta deslizante para arrojarla al otro lado del aparcamiento como si fuera un disco volador. En el pavimento, junto a la puerta abierta, en un reguero de restos (maletas, juguetes, un paquete de pañales), yacía el cadáver postrado de una mujer. Detrás, fuera del alcance de su mano extendida, volcado de costado, había un cochecito de bebé vacío. *¿Qué habrá sido del bebé?*, pensó Grey.

Y después: *Oh.*

Grey eligió la camioneta. No le habría importado conducir el Mercedes, pero supuso que una camioneta sería lo más sensato. Había sido propietario de una Chevy, en una vida que ahora ya no parecía importar, de modo que estaba acostumbrado a la camioneta. Liberó el cadáver decapitado y lo depositó sobre el pavimento. Le preocupaba no poder devolver la cabeza al pobre tipo. No le parecía justo abandonarlo sin ella. Pero la cabeza no se veía por parte alguna, y Grey ya había visto bastante. Buscó a su alrededor un par de zapatos de su talla (una 45; lo que Cero le hubiera hecho, no había disminuido el tamaño de sus pies), y se decantó al fin por un par de mocasines que calzaba el hombre del Mercedes. Eran de piel de becerro italiana, blandos como mantequilla, y un poco estrechos en la punta del pie, pero una piel como ésa se daría. Subió al vehículo y puso en marcha el motor. Quedaban algo más de las tres cuartas partes del depósito de gasolina. Grey calculó que podría llegar casi hasta Denver.

Estaba a punto de marcharse cuando se le ocurrió una última idea. Puso el coche en punto muerto y regresó a la habitación. Sujetando la pistola a escasa distancia de su cuerpo, volvió a la camioneta y la depositó en la guantera. Después, con la única compañía de la pistola, puso en marcha la camioneta y se alejó.

6

Mami estaba en el dormitorio. Mami estaba en el dormitorio, no se movía. Mami estaba en el dormitorio, que estaba prohibido. Mami estaba muerta, para ser precisos.

Después de que me haya ido, acuérdate de comer, porque a veces te olvidas. Báñate cada dos días. Leche en la nevera, Lucky Charms en la alacena, y guisos de hamburguesa para recalentar en el congelador. Ponlos a 125 grados durante una hora, y recuerda cerrar el horno cuando hayas terminado. Pórtate como mi muchachote, Danny. Siempre te querré. Es que ya no puedo seguir sintiendo miedo. Con amor, Mami.

Había dejado la nota debajo del salero y el pimentero que había en la mesa de la cocina. A Danny le gustaba la sal, pero la pimienta no, porque le hacía estornudar. Habían transcurrido diez días (Danny lo sabía gracias a las marcas que hacía en el calendario cada mañana), y la nota continuaba en su sitio. No sabía qué hacer con ella. Toda la casa olía fatal, como un mapache o una zarigüeya cuando los habían atropellado una y otra vez durante días.

La leche tampoco estaba buena. Al irse la luz se había estropeado, y sabía tibia, amarga y desagradable en la boca. Probó los Lucky Charms con agua del grifo, pero no era lo mismo, ya nada era lo mismo, todo era diferente porque Mami estaba en el dormitorio. Por la noche se sentaba en la oscuridad de su cuarto con la puerta cerrada. Sabía dónde guardaba Mami las velas, estaban en el armario que había encima del lavabo, donde guardaba la botella de Popov para cuando se ponía de los nervios, pero las cerillas no eran para él. Estaban en la lista. En realidad, no era una lista, sólo las cosas que no podía hacer o tocar. La tostadora, porque mantenía apretado el botón y el pan se quemaba. La pistola de la mesita de noche de Mami, porque no era un juguete, podía dispararse. Las chicas de su autobús, porque no les gustaría, y ya no podría conducir el número 12, lo cual sería horrible. Sería lo peor en el mundo de Danny Chayes.

La falta de electricidad significaba que no podía ver la televisión, de modo que tampoco podía ver a Thomas.* Thomas era para niños pequeños, le había dicho Mami un millón de veces, pero el terapeuta, el doctor Francis, le decía que podía verlo mientras Danny viera también otras cosas. Su favorito era James. A Danny le gustaba su color rojo y el ténder a juego, y el sonido de su voz como lo hacía el narrador, tan relajante que le entraban cosquillas en la garganta. Danny era negado para las caras, pero las expresiones de los trenes de Thomas siempre eran precisas y fáciles de seguir, y le divertían las cosas que se hacían mutuamente, las bromas que se gastaban. Cambiar las vías para que Percy se estrellara contra un cargamento de carbón. Derramar chocolate sobre Gordon, quien tiraba del expreso, porque era una máquina muy altiva. A veces, los chicos de su autobús se mofaban de Danny, y le llamaban Topham Hatt, y cantaban la canción con palabrotas en lugar de la letra real, pero Danny desconectaba casi siempre. Aunque había un chico. Se llamaba Billy Nice. Iba a sexto, pero Danny

---

* Se refiere a la serie infantil *Thomas y sus amigos*. (N. del T.)

pensaba que habría repetido varias veces, porque tenía un cuerpo de adulto. Llegaba cada mañana sin ni siquiera un libro en las manos, miraba con desprecio a Danny cuando subía los peldaños, e intercambiaba saludos con los demás chicos mientras recorría el pasillo entre los asientos, seguido del olor a cigarrillos.

Eh, Topham Hatt, ¿cómo va todo hoy en la isla de Sodor? ¿Es verdad que a la señora Hatt le gusta que se la metan por el culo?

¡Ja, ja, ja! reía Billy. ¡Ja, ja, ja! Danny nunca replicaba, porque sólo serviría para empeorar las cosas. Nunca había dicho nada al señor Purvis, porque sabía lo que diría el hombre. *Maldita sea, Danny, ¿vas a permitir que ese gilipollas te trate así? Bien sabe Dios que eres más raro que un perro verde, pero has de defenderte. Eres el capitán de ese barco. Si permites un motín, todo saltará por la borda.*

A Danny le caía bien el señor Purvis, el transportista. El señor Purvis siempre había sido amigo de Danny, y también de Mami. Mami era una de las señoras de la cafetería, y así se habían conocido, y el señor Purvis siempre iba a casa, arreglaba cosas, como el sistema de eliminación de basuras o una tabla suelta del porche, aunque tenía una esposa, la señora Purvis. Era un hombretón calvo a quien le gustaba silbar entre dientes, y siempre se estaba subiendo los pantalones. A veces iba de noche, después de que Danny se hubiera acostado. Danny oía la televisión en marcha en la sala de estar, y los dos reían y hablaban. A Danny le gustaban esas noches. Le daban buen rollo, como cuando jugaba a Happy Click, su videojuego preferido. Cuando alguien preguntaba, Mami siempre decía que el padre de Danny «no estaba en la foto», lo cual era muy cierto. Había fotos de Mami en la casa, y fotos de Danny, y fotos de los dos juntos. Pero nunca había visto una de su padre. Danny ni siquiera sabía cómo se llamaba el hombre.

El autobús había sido idea del señor Purvis. Había enseñado a Danny a conducir en el aparcamiento de la cochera, y le acompañó cuando se sacó el carnet de Clase B, y también le ayudó a rellenar la solicitud. Mami no se había sentido muy segura al principio, porque necesitaba que Danny la ayudara en las tareas domésticas, que fuera un motor útil, y por la Seguridad Social, que significaba dinero del Gobierno. Pero Danny sabía el auténtico motivo, lo diferente y especial que era él. El intríngulis del trabajo, había explicado Mami, utilizando su voz cautelosa, era que una persona debía ser «adaptable». Pasaban cosas, cosas diferentes. Piensa en la cafetería. Algunos días servían perritos calientes; y algunos días, lasaña; y otros días, pollo empanado. Tal vez el menú dijera una cosa, pero resultaba ser otra. Nunca sabías. ¿No le molestaría eso?

Pero un autobús no era una cafetería. Un autobús era un autobús, y se ceñía a un horario, con exactitud. Cuando Danny se sentaba detrás del volante, sentía el placer más grande y profundo que jamás había experimentado en su vida. ¡Conducir un autobús! Uno grande y amarillo, todos los asientos en hileras ordenadas, el cambio de marcha con sus seis velocidades y marcha atrás, todo hermoso y pulcro delante de él. No era un tren, pero casi, y cada mañana, cuando salía de la cochera, imaginaba que era Gordon, Henry, Percy, o incluso el propio Thomas.

Siempre era puntual. Cuarenta y dos minutos desde la cochera hasta el final, doce kilómetros y tres metros, diecinueve paradas, veintinueve pasajeros, para ser precisos. *Robert-Shelly-Brittany-Maybeth-Joey-Darla/Denise (las gemelas)-Pedro-Damien-Jordan-Charlie-Oliver (O-Man)-Sasha-Billy-Molly-Lyle-Dick (Cabeza de Chorlito)-Richard-Lisa-Mckenna-Anna-Lily-Matthew-Charlie-Emily-JohnJohn-Kayla-Sean-Timothy.* A veces, un padre esperaba con ellos en la esquina, una madre en bata o un padre con chaqueta y corbata, sosteniendo una taza de café. *Cómo va hoy, Danny*, decían, con una sonrisa de buenos días en la cara. *Una persona podría poner en hora su reloj contigo.*

Sé mi motor útil, decía siempre Mami, y eso era Danny.

Pero ahora los niños se habían ido. No sólo los niños. Todo el mundo. Mami y el señor Purvis y tal vez toda la gente del mundo. Las noches eran oscuras y silenciosas, no se veían luces en ninguna parte. Durante un tiempo hubo mucho ruido: gente que chillaba, sirenas que aullaban, camiones del ejército que rugían en la calle.

Había oído el sonido de disparos. *¡Pop!*, hacían las armas. *¡Pop-pop-pop-pop!* Danny quería saber contra qué disparaban, pero Mami no se lo decía. Le decía que se quedara en casa, que utilizara su voz fuerte y no viera la tele, y que se mantuviera alejado de las ventanas. ¿Y el autobús?, preguntaba Danny, y Mami sólo decía: Maldita sea, Danny, no te preocupes ahora del autobús. Hoy no hay clases. ¿Y mañana?, preguntaba Danny. Y Mami decía: Mañana tampoco.

Sin el autobús, no sabía qué hacer. Notaba el cerebro tan saltarín como palomitas de maíz en una sartén. Ojalá el señor Purvis viniera a ver la tele con Mami, siempre conseguía que se sintiera mejor, pero el hombre no venía. El mundo enmudeció, tal como estaba ahora. Había monstruos fuera. Danny ya lo había deducido. Por ejemplo, la mujer del otro lado de la calle, la señora Kim. La señora Kim daba clases de violín, los niños iban a su casa a aprender, y en los días de verano, cuando las ventanas estaban abiertas, Danny los oía tocar, twinkle-twinkle y María tenía un corderito y otras cosas cuyos títulos desconocía. Ahora ya no se oía el violín y la señora Kim colgaba sobre la barandilla del porche.

Y entonces, una noche, Danny oyó a Mami llorar en el dormitorio. De vez en cuando lloraba así, sola por completo, era normal y natural, y Danny no tenía por qué preocuparse, pero esta vez era diferente. Durante mucho tiempo estuvo tendido en la cama escuchando, mientras se preguntaba cómo debía de ser sentirse tan triste que acababas llorando, pero la idea era como algo en una estantería lejos de su alcance. Un rato después despertó en la oscuridad, sintió que alguien le tocaba el pelo, abrió los ojos y la vio sentada en la cama. A Danny no le gustaba que le tocaran, le ponía los pelos de punta, pero estaba bien cuando lo hacía Mami, sobre todo porque ya estaba acostumbrado. ¿Qué pasa, Mami?, dijo Danny. ¿Qué ocurre? Pero ella se limitó a decir: Baja la voz, baja la voz, Danny. Algo descansaba sobre su regazo, envuelto en una toalla. Te quiero, Danny. ¿Sabes cuánto te quiero? Yo también te quiero, Mami, porque ésa era la respuesta correcta cuando alguien decía te-quiero, y cayó dormido mientras sentía el tacto de su mano al acariciarlo, y por la mañana la puerta del dormitorio de Mami estaba cerrada y nunca se abría y Danny lo supo. Ni siquiera tuvo que mirar.

De todos modos, decidió que conduciría el autobús.

Porque tal vez no era la única persona viva. Porque conducir el autobús le causaba placer. Porque no sabía qué otra cosa hacer, con Mami en el dormitorio y la leche estropeada y todos los días transcurridos.

Había preparado su ropa la noche anterior, como siempre hacía Mami, unos pantalones caqui y una camisa blanca y zapatos de lazo marrones, y guardado el almuerzo en la fiambrera. No quedaba gran cosa para comer, salvo mantequilla de cacahuete y pan crujiente y una bolsa de malvaviscos rancios, pero había reservado una botella de Mountain Dew, y lo guardó todo en su mochila con la navaja y su centavo de la suerte, después fue al armario para coger su gorra, la gorra de maquinista a rayas azules que Mami le había comprado en Traintown. Traintown era un parque donde los chavales podían conducir trenes, como Thomas. Danny había ido allí desde que era pequeño, era su lugar del mundo favorito, pero los coches eran demasiado estrechos para que Danny cupiera con sus grandes piernas y largos brazos, así que le gustaba ver los trenes dar vueltas y vueltas con los pequeños penachos de humo que brotaban del cañón de la chimenea. Salvo por los viajes a Traintown, Mami no le dejaba llevar la gorra fuera de casa, porque decía que la gente se burlaría de él, pero Danny supuso que ahora podría llevarla sin ningún problema.

Partió al amanecer. Las llaves del autobús estaban en su bolsillo, apoyadas contra su muslo. La cochera se hallaba a cuatro kilómetros y ochocientos metros de distancia, para ser precisos. No había recorrido ni una manzana cuando vio los primeros cadáveres. Algunos estaban en sus coches; otros, tendidos en sus jardines, tirados sobre cubos de basura o incluso colgados de los árboles. Su piel se había teñido del mismo color azul grisáceo de la señora Kim, la ropa ceñida a las extremidades, que se habían hinchado debido al calor del verano. Mirarlos era malo, pero también extraño e interesante. De haber tenido más tiempo, Danny se habría parado para mirar con más detenimiento. Había mucha basura, fragmentos de papel y vasos de plástico y bolsas de comestible aleteantes, cosa que a Danny no le gustó. La gente no debería tirar basura en lugares públicos.

Cuando llegó a la cochera, el sol calentaba sus hombros. Estaban casi todos los autobuses, pero todos no. Se hallaban aparcados en filas con espacios vacíos, como una boca a la que le faltaran dientes. Pero el autobús de Danny, el número 12, estaba esperando en su lugar habitual. Había muchos tipos de autobuses diferentes en el mundo, autobuses lanzadera y autobuses de alquiler y autobuses de ciudad y autocares, y Danny los conocía todos. Eso era algo que le gustaba hacer, aprender todo lo posible sobre lo que fuera. Su autobús era un Redbird 450, el modelo Foresight. Construido siguiendo los patrones de ingeniería más exigentes, con los elementos del bastidor permanentes, Easy Hood Assist™, una pantalla de información avanzada para el conductor, que proporcionaba abundante información tanto al operador como a los técnicos de servicio, y el chasis Redbird Comfortride™ construido especialmente, el 450 era la elección número uno en materia de seguridad, calidad y valor de ciclo vital prolongado de los autobuses del momento.

Danny subió e introdujo la llave en el encendido. Cuando el gran motor diésel Caterpillar cobró vida con un rugido, una cálida oleada inundó su vientre. Consultó su reloj: las 06.52. Cuando el minutero llegara a las doce, pondría en marcha el autobús y se alejaría.

Al principio se le antojó raro conducir por calles vacías sin nadie alrededor, pero cuando se estaba acercando a la primera parada (los Mayfield, Robert y Shelly) ya se había adaptado a los ritmos de la mañana. Era fácil imaginar que se trataba de un día como cualquier otro. Paró el autobús. Bien, Robert y Shelly llegaban tarde en ocasiones. Tocaba la bocina y salían zumbando por la puerta, su madre gritaba que fueran buenos, que se divirtieran, y los despedía con un gesto de la mano. La casa era un chalet no más grande que el que Danny habitaba con Mami, pero más bonito, pintado del color de una calabaza y con un amplio porche delantero con un columpio. En primavera siempre había macetas con flores colgadas de las barandillas. Las macetas seguían en su sitio, pero todas las flores se habían marchitado. También era preciso cortar el césped. Danny estiró el cuello para mirar hacia arriba a través del parabrisas. Daba la impresión de que habían arrancado de cuajo una habitación del segundo piso. La persiana todavía colgaba en el espacio donde antes estaba la ventana, sobresaliendo de ella como una lengua. Tocó la bocina y esperó un minuto. Pero nadie salió.

Las siete y ocho. Le esperaban otras paradas. Se alejó de la esquina y rodeó con el autobús un Prius volcado de costado. Encontró otras cosas en la carretera. Un coche de policía volcado, aplastado. Una ambulancia. Un gato muerto. Montones de casas tenían X pintadas con aerosol en la puerta, con números y letras en los espacios. Cuando llegó a la segunda parada, un complejo de casas adosadas llamado Castle Oaks, ya iba con doce minutos de retraso. *Brittany-Maybeth-Joey-Darla/Denise*. Dio un largo bocinazo, y después otro. Pero era inútil. Danny se estaba limitando a repetir la rutina mecánicamente. Castle Oaks era una ruina humeante. Todo el complejo había ardido hasta los cimientos.

Más paradas: igual que antes. Guió el autobús en dirección oeste hacia Cherry Creek. Las casas eran más grandes, apartadas de la carretera detrás de amplios jardines inclinados. Enormes árboles rebosantes de hojas dejaban caer cortinas de sombras veteadas sobre la calle. Reinaba una sensación serena, más plácida. Las residencias presentaban el mismo aspecto de siempre, y Danny no vio cadáveres. Pero tampoco había niños.

A esas alturas, en su autobús irían veinticinco críos. El silencio era desconcertante. El ruido del autobús aumentaba conforme iban avanzando, y a cada parada se intensificaba un poco más, a medida que iban subiendo los chicos, del mismo modo que la música de una película se iba haciendo más poderosa cuando se acercaba a la escena final. La escena final era el resalte. Un resalte de Lindler Avenue. *¡No frenes, Danny!*, gritaban todos. *¡No frenes!* Y aunque no debía hacerlo, aceleraba un poco el autobús, ellos daban un bote en sus asientos, y aunque fuera por un momento se sentía uno más del grupo. Nunca había sido un niño como ellos, un niño que iba al colegio. Pero cuando el autobús saltaba el resalte, lo era.

Danny estaba pensando en esto y echaba de menos a los chicos, incluso a Billy Nice y sus estúpidas bromas y jajajás, cuando vio delante a un niño. Era Timothy. Estaba esperando con su hermana mayor al final del camino de entrada a su casa. Danny habría reconocido al crío en cualquier sitio, debido a su remolino: dos pinchos de pelo que sobresalían de su nuca como las antenas de un insecto. Timothy era uno de los niños más pequeños, de segundo o quizá de tercero, y menudo. A veces el ama de llaves esperaba con él, una mujer regordeta y morena con bata, pero por lo general era la hermana mayor del niño. Danny imaginaba que iba al instituto. Era una chica de aspecto divertido, pero nada de jajajá, sino divertida por rara, con el pelo a mechas del color del Pepto que Mami le daba cuando el estómago se le ponía nervioso de comer demasiado deprisa, y un delineador de ojos negro y profundo que le daba el aspecto de un cuadro en una película de miedo, de esos cuyos ojos se movían. Llevaba unos diez clavos en cada oreja. Casi siempre llevaba un collar de perro. ¡Un collar de perro! ¡Como si fuera una perra! Lo curioso era que Danny pensaba que era guapa, de no ser por las cosas raras que se ponía. No conocía a chicas de su edad, ni de cualquier edad, en realidad, pero le gustaba la forma en que esperaba con su hermano, sujetándole la mano, que soltaba cuando el autobús se acercaba para que los demás chicos no lo vieran.

Llegó al final del camino de entrada y tiró de la palanca para que la puerta se abriera.

—Eh —dijo, porque fue lo único que se le ocurrió—. Eh, buenos días.

Les tocaba a ellos hablar, pero no dijeron nada. Danny dejó que sus ojos resbalaran sobre sus rostros. No leyó nada en su expresión. Ningún tren de Thomas se parecía a aquel par. Los trenes de Thomas eran felices, tristes o estaban enfadados, pero esto era otra cosa, como la pantalla en blanco de la tele cuando el cable no funcionaba. La chica tenía los ojos hinchados y enrojecidos, y el pelo como apelmazado. Timothy tenía la nariz llena de mocos, que se iba frotando con el dorso de la mano. Su ropa se veía arrugada y manchada.

—Oímos que tocabas la bocina —dijo la chica, con voz ronca y temblorosa, como si hiciera tiempo que no la utilizara—. Estábamos escondidos en el sótano. Nos quedamos sin comida hace dos días.

Danny se encogió de hombros.

—Tenía Lucky Charms. Pero sólo con agua. No están buenos así.

—¿Queda alguien más? —preguntó la chica.

—¿Dónde?

—Vivo.

Danny no supo qué contestar. La pregunta se le antojaba demasiado complicada. Tal vez no: había visto un montón de cadáveres. Pero no quería decirlo, porque Timothy estaba delante.

Miró al chico, que hasta el momento no había dicho nada. Seguía frotándose frenéticamente la nariz con la muñeca.

—Hola, Timbo. ¿Tienes alguna alergia? A veces a mí también me dan.

—Nuestros padres están en Telluride —dijo el chico. Tenía la vista clavada en sus zapatillas de deporte—. Consuela estaba con nosotros. Pero se fue.

Danny no sabía quién era Consuela. Resultaba difícil cuando la gente no contestaba a tus preguntas, sino a una pregunta en la que no habías pensado.

—Vale —replicó Danny.

—Está en el patio de atrás.

—¿Cómo puede estar en el patio de atrás si se fue?

Los ojos del chico se abrieron de par en par.

—Porque está muerta.

Durante un par de segundos, nadie dijo nada. Danny se preguntó por qué no habían subido al autobús todavía, si tal vez tendría que pedírselo.

—Se supone que todo el mundo ha de ir a Mile High —comentó la chica—. Lo oímos en la radio.

—¿Qué hay en Mile High?

—El ejército. Dicen que allí estaremos a salvo.

A juzgar por lo que Danny había visto, el ejército también estaba muy muerto. Pero Mile High era un lugar al que podían ir. No lo había pensado antes. ¿Adónde iba a ir?

—Me llamo April —dijo la chica.

Parecía un abril. Era curioso que algunos nombres parecieran de lo más apropiado.

—Yo soy Danny —replicó.

—Lo sé —contestó April—. Por favor, Danny, sácanos de aquí cuanto antes.

7

El color no era el adecuado, decidió Lila. No, nada adecuado.

El tono se llamaba «crema de mantequilla». En la muestra de la tienda era de un amarillo pálido, descolorido, como lino viejo. Pero ahora, mientras Lila retrocedía para inspeccionar su trabajo, rodillo empapado en mano (la verdad, menudo desastre estaba montando. ¿Por qué no podía David encargarse de esas cosas?), parecía más... ¿qué? Un limón. Un limón *electrificado*. Tal vez en una cocina habría quedado estupendamente, una cocina reluciente y soleada con ventanas que dieran a un jardín. Pero en el cuarto de una niña no. Dios mío, pensó, con ese color un bebé no dormiría ni un segundo.

Qué deprimente. Tanto trabajo desperdiciado. Subir la escalerilla por la escalera desde el sótano, colocar las lonas protectoras, ponerse a cuatro gatas para tapar con cinta adhesiva los rodapiés, sólo para descubrir que tendría que volver a la tienda y empezar de cero. Había planeado tener la habitación acabada para la hora de comer, dejando tiempo suficiente para que la pintura se secara antes de colgar la cenefa del papel pintado, una pauta repetida de escenas de Beatrix Potter. David pensaba que la cenefa era estúpida («sentimental» era la palabra que había utilizado), pero a Lila le daba igual. Le encantaban las historias de Peter Rabbit cuando era pequeña, se aovillaba en el regazo de su padre o se acurrucaba en la cama para escuchar, por enésima vez, la historia de la huida de Peter del jardín del señor McGregor. El jardín de su casa de Wellesley estaba bordeado por un seto, y durante años (mucho después de que dejara de creer en esas cosas) lo había explorado en busca de un conejo con una chaquetita azul.

Pero ahora, Peter Rabbit tendría que esperar. Una oleada de agotamiento se había apoderado de ella. Necesitaba levantarse. Los vapores la estaban mareando, para colmo. Daba la impresión de que la corriente alterna no funcionaba bien, aunque con el bebé se sentía siempre un poco acalorada. Esperaba que David volviera a casa pronto. La situación en el hospital era enloquecedora. La había llamado una vez para avisarla de que llegaría tarde, pero no sabía nada de él desde entonces.

Bajó a la cocina. Estaba hecha un desastre. Platos apilados en el fregadero, las encimeras manchadas, el suelo bajo sus pies descalzos pegajoso a causa de la mugre. Lila se detuvo en la entrada, confusa. No se había dado cuenta de lo dejada que se había vuelto, ¿y qué había sido de Yolanda? ¿Cuánto tiempo había pasado desde que había estado allí? Los martes y viernes eran los días habituales de la chica de la limpieza. ¿Qué era hoy? Mirando la cocina, pensó Lila, una diría que Yolanda no ha pisado la casa desde hace semanas. De acuerdo, el inglés de la mujer no era el mejor, y a veces hacía cosas raras, como confundir las cucharillas de postre con las cucharas de servir (David se quejaba mucho de eso), o depositar las facturas sin leerlas en el cubo de reciclaje. Cosas irritantes como ésas. Pero Yolanda no faltaba ni un día al trabajo. Una mañana de invierno había hecho acto de presencia con un resfriado. Tosía tan fuerte que Lila la oyó desde arriba. Prácticamente tuvo que arrancarle la fregona de las manos, mientras decía: *Por favor, Yolanda, deja que te ayude, soy médico* (era bronquitis, por supuesto. Lila había auscultado el pecho de la mujer en la cocina y extendido la receta de amoxicilina, a sabiendas de que Yolanda no debía de *tener* médico, y ya no digamos seguro). Bien, sí, a veces tiraba el correo, mezclaba los cubiertos y guardaba los calcetines en el cajón de la ropa interior, pero trabajaba sin descanso, sin concederse tregua, una presencia alegre y puntual de la cual dependían, teniendo en cuenta sus demenciales horarios. Y ahora, ni tan sólo una llamada.

Un problema más. Al parecer, el teléfono no funcionaba, y encima no había correo. Ni periódicos. Pero David le había dicho que no saliera de casa bajo ninguna circunstancia, así que Lila no lo había comprobado. Tal vez el periódico estaba tirado en el camino de entrada.

Fue a buscar un vaso al armario y abrió el grifo. Un gruñido desde abajo, un eructo de aire y... nada. ¡También el agua! Entonces recordó: hacía tiempo que no había agua. Ahora tendría que llamar a un fontanero, encima. O lo habría hecho, si los teléfonos funcionaran. Era muy propio de David ausentarse cuando todo se iba a hacer puñetas. Ésa había sido una de las expresiones favoritas de Lila, ir a hacer puñetas. Una curiosa expresión, ahora que Lila lo pensaba. ¿Por qué «puñetas», precisamente? Había montones de frases así, palabras sencillas que, de repente, se te antojaban

extrañas, como si nunca las hubieras visto antes. Pañal. Confundido. Fontanero. Casada.

¿De veras había sido idea de ella casarse con David? Porque no
recordaba haber pensado: *Voy a casarme con David*. Cosa que una
persona *debía* pensar, probablemente, antes de dar el paso. Era
curioso que, en un momento dado, la vida era de una manera determinada, y al siguiente ya no, y eras incapaz de recordar qué habías hecho para que eso sucediera. No habría dicho que amara a
David, exactamente. Le *gustaba*. Le *admiraba* (¿y quién no podía
admirar a David Centre? Jefe de cardiología en el Denver General,
fundador del Instituto de Electrofisiología de Colorado, un hombre que corría en maratones, era miembro de consejos de administración, estaba abonado a los partidos de los Nuggets y a la ópera
al mismo tiempo, que cada día rescataba a sus pacientes de las garras de la muerte). Pero ¿esos sentimientos significaban amor? Y si
no, ¿debías casarte con un hombre semejante porque estabas embarazada de él (nada planificado, simplemente había sucedido), y
porque, en un momento de la característica nobleza de David, había anunciado que albergaba la intención de «hacer lo correcto»?
¿Qué *era* lo correcto? ¿Y por qué a veces David no parecía David,
sino alguien que *se parecía* a David, *basado en* David, un objeto similar a David, de tamaño natural? Cuando Lila había comunicado
a su padre la noticia de su compromiso, lo había leído en su cara:
él lo sabía. Estaba sentado ante el escritorio de su estudio, rodeado
de los libros que amaba, aplicando pegamento al bauprés de la
maqueta de un barco. «Entiendo que, teniendo en cuenta las circunstancias, desees hacerlo. Es un buen hombre. Podéis hacerlo
aquí, si queréis».

Y así había sido, habían volado a Boston, azotado por una tormenta de nieve primaveral, todo atado y bien atado a toda prisa,
tan sólo un puñado de parientes y amigos capaces de llegar a tiempo
en el último momento, de pie en la sala de estar algo incómodos,
mientras ellos intercambiaban los votos (sólo habían necesitado un
par de minutos), antes de excusarse y marcharse. Hasta el del cate-

ring se había ido temprano. No era el hecho de que Lila estuviera
embarazada lo que hacía la situación violenta. Era, y ella lo sabía,
que faltaba alguien.

Siempre faltaría alguien.

Pero daba igual. Daba igual David y su espantosa boda (en
realidad, se había parecido más a un velatorio), con sus montones
de salmón sobrante, la nieve y toda la pesca. Lo importante era la
niña, y cuidar de ella. El mundo podía irse a hacer puñetas si así lo
deseaba. El bebé era lo que contaba. Sería una niña: Lila la había
visto en la ecografía. Una cría. Manos diminutas, pies diminutos,
un corazón y pulmones diminutos, flotando en el caldo tibio de su
cuerpo. A la niña le gustaba hipar. *¡Hip!*, hacía la cría. *¡Hip! ¡Hip!*
Que también era una palabra curiosa. La niña respiraba el líquido
amniótico, contraía el diafragma, provocaba que la epiglotis se
cerrara. Una contracción del diafragma sincronizada o singultus,
del latín *singult*, «el acto de contener el aliento cuando uno llora».
Cuando Lila había aprendido esto en la facultad de Medicina, pensó: Caramba. Sólo, caramba. Y, por supuesto, había empezado a
hipar de inmediato; le había sucedido a la mitad de los estudiantes.
Lila sabía que un australiano llevaba hipando sin cesar diecisiete
años. Le había visto en *Today*.

Hoy. ¿Qué era hoy? Se desplazó hacia el vestíbulo, cada vez
más consciente, como si su mente se estuviera poniendo de puntillas para mirar por encima de un saliente, de que había descorrido
la cortina para echar un vistazo al exterior. No, no había periódico.
Ni *Denver Post* ni *New York Times*, ni siquiera aquel periodicucho
local que iba directo al cubo de la basura. A través del cristal oyó
el zumbido agudo, surgido de los árboles, de insectos veraniegos.
Por lo general veías pasar uno o dos coches, al cartero que recorría
la manzana silbando, una niñera empujando un carrito de bebé,
pero hoy no. *Volveré cuando haya averiguado algo más. Quédate
dentro, cierra con llave las puertas. No salgas bajo ninguna circunstancia.* Lila recordaba que David le había dicho esas cosas. Recordaba haberse detenido junto a la ventana para ver que su coche,

uno de esos Toyotas nuevos que utilizaban hidrógeno a modo de combustible, bajaba en silencio el camino de entrada. Dios bendito, hasta su coche era virtuoso. El Papa debía de viajar en uno igual.

Pero ¿no era aquello un perro? Lila acercó más la cara al cristal. El perro de los Johnson estaba correteando en medio de la calle. Los Johnson vivían a dos puertas de distancia, un par de almas cándidas, la hija casada en algún sitio, el hijo en la universidad. ¿MIT? ¿Caltech? Una de ésas. La señora Johnson («¡Llámame Sandy!») había sido la primera vecina en aparecer ante su puerta el primer día que se mudaron, con un bizcocho de chocolate y grandes holas, y Lila la veía casi cada noche cuando no estaba de guardia, a veces en compañía de su marido, Geoff, cuando salían a pasear a *Roscoe*, un gran golden retriever sonriente, tan dócil que él mismo se tiraba sobre la acera con el estómago al aire cuando alguien se acercaba («Perdonad al mariquita de mi perro», decía Geoff). Era *Roscoe* el que vagaba por la calle, pero algo iba mal. Sus costillas sobresalían como las láminas de un xilófono (Lila se sintió conmovida un momento por el recuerdo de haber tocado el *glockenspiel* en la escuela, y la tintineante melodía de «Frère Jacques»), y andaba de una manera desconcertante, como al azar, con algo aferrado en la boca. Una especie de... cosa fofa. ¿Los Johnson sabrían que andaba suelto? ¿Debería telefonearlos? Pero los teléfonos no funcionaban, y había prometido a David que se quedaría en casa. Alguien más se fijaría en él y diría: Caramba, ahí va *Roscoe*. Se habrá escapado.

Maldito sea David, pensó. Podía ser tan autista, tan poco considerado, haciendo Dios sabía qué, mientras ella estaba allí sin agua ni teléfono ni electricidad, y el color del cuarto de la niña era horrible. Sólo estaba de veinticuatro semanas, pero sabía que el tiempo volaba. En un momento dado faltaban meses, y al siguiente estabas saliendo a toda prisa por la puerta en plena noche con tu maletita, corriendo en coche al hospital, y después te encontrabas tumbada de espaldas bajo las luces, resoplando y jadeando, una contracción tras otra, y no ocurría nada más hasta que nacía el niño. Y a través de la neblina del dolor sentías una mano en la tuya, abrías los ojos y veías a Brad a tu lado, con una expresión indescifrable en el rostro, una hermosa mirada de terror e indefensión, y oías su voz diciendo: *Empuja, Lila, casi lo has conseguido, un empujón más y habrás acabado,* y lo hacías: rebuscabas en tu interior y encontrabas la energía necesaria para llevar a cabo el último esfuerzo para que el niño naciera. Y en el silencio posterior, mientras Brad te tendía el mágico regalo envuelto de tu hijo, ríos de felicidad se desbordaban sobre tus mejillas, sentías que habías hecho lo correcto en la vida, sabías que habías elegido a ese hombre antes que a los demás porque estabas destinada a él, y que tu hija, Eva, ese cálido ser nuevo que habíais hecho juntos, era sólo eso: los dos hechos uno.

¿Brad? ¿Por qué estaba pensando en Brad? *David*. David era su marido, no Brad. El papa David y su papamóvil. ¿Había existido un Papa llamado David? Probablemente. Lila era metodista. No era a ella a quien debían preguntar.

Bien, pensó, después de que *Roscoe* desapareciera de su vista, hasta aquí hemos llegado. Ya estaba harta de encontrarse enclaustrada en una casa mugrienta. David podía hacer lo que le diera la gana. No veía motivos para quedarse sentada sin nada que hacer en aquel hermoso día de junio. Su querido Volvo la esperaba en el camino de entrada. ¿Dónde estaba su bolso? ¿El billetero? ¿Las llaves? Allí estaban, sobre la mesita que había junto a la puerta principal. Justo donde los había dejado hacía cierto tiempo.

Fue al baño de arriba (Dios mío, en qué estado se hallaba el retrete, ni siquiera quería *pensar* en eso) y examinó su cara en el espejo. Bien, eso ya no estaba tan bien. Parecía recién salida de un naufragio: el pelo desgreñado, los ojos hundidos y llorosos. Tenía la piel blanquecina, como si hiciera semanas que no viera el sol. No era de esas mujeres que necesitaban una hora para acicalarse antes de salir de casa, pero, aun así... Le habría gustado darse una ducha, pero eso era imposible, por supuesto. Se decantó por lavarse la cara con el agua de una jarra del lavabo, y utilizó una toallita para restregarse su piel rosada. Se pasó un cepillo por el pelo, aplicó colorete a las mejillas, se puso rímel en las pestañas, y terminó con un poco de lápiz de labios. Vestía tan sólo una camiseta y bragas debido al calor. Volvió al dormitorio, con las velas llenas de goterones, montones de ropa sucia y el olor rancio de las sábanas sin lavar, y sacó del armario una camisa de David. El problema era qué ponerse debajo: ya nada le iba bien. Eligió unos tejanos holgados en los que podría embutirse si no se abrochaba el último botón, y unas sandalias.

Una vez más se miró en el espejo. No estoy mal, concluyó Lila. Una mejora definitiva. Tampoco iba a ningún sitio especial. Aunque sería estupendo parar a comer, una vez terminara los recados. Sin duda se lo merecía después de tanto tiempo encerrada. Algún lugar agradable, donde comer fuera. Había pocas cosas más agradables que un vaso de té y una ensalada, sentada en la terraza un mediodía de primavera. Café des Amis: ése era el sitio. Tenían un maravilloso patio sombreado con enredaderas de flores fragantes, y el chef más increíble (se había acercado a su mesa en una ocasión), que había estudiado en el Cordon Bleu. ¿Pierre? ¿François? El hombre hacía las cosas más asombrosas con salsas, extraía los sabores más profundos de los platos más sencillos. Su *coq au vin* era obligatorio. Pero Des Amis era famoso por sus postres, sobre todo la *mousse* de chocolate. Lila nunca había probado algo tan celestial en su vida. Brad y ella siempre compartían una después de cenar, y se daban cucharadas como dos adolescentes tan enamorados que el mundo apenas existía más allá de ellos dos. Días felices: días de noviazgo, todas las promesas de la vida abiertas ante ellos como las páginas de un libro. Cómo se habían reído cuando ella casi se traga el anillo de compromiso que él había escondido dentro de los etéreos pliegues de cacao, y también una noche cuando Lila había enviado a Brad a la lluvia torrencial (cualquier cosa me irá bien, le dijo, un Kit Kat, un Almond Joy o un Hershey's clásico), y despertó una hora después y le vio parado en la entrada del cuarto, empapado hasta los huesos, con la sonrisa más hilarante en la cara y un gigantesco tupperware que contenía la famosa *mousse* de chocolate de François (¿o sería de Pierre?), suficiente para dar de comer a un ejército. Brad era ese tipo de hombre. Había ido a la entrada de servicio del restaurante, donde aún había encendida una luz, y aporreado la puerta hasta que alguien salió a recibir su billete de cincuenta dólares mojado de la lluvia. Y eso fue lo más dulce de todo. *Dios mío, Lila*, dijo Brad mientras ella se llevaba la cuchara a los labios, *a este paso, la niña que nazca será medio de chocolate, medio de carne.*

Ya lo había vuelto a hacer. *David.* David Centre era su marido ahora. Lila tenía que controlar eso. David y ella no habían compartido jamás una *mousse* de chocolate, ni estado en el Café des Amis, ni nada por el estilo, ni remotamente. El hombre era alérgico al romanticismo. ¿Cómo había permitido que un hombre semejante la convenciera de casarse con él? Como si fuera un elemento más en una lista de deberes. Convertirse en un médico famoso, hecho. Dejar embarazada a Lila, hecho. Comportarse con honorabilidad, hecho. Si apenas parecía saber quién era ella.

Bajó la escalera. El sol invadía el vestíbulo como un gas dorado. Cuando llegó a la puerta, se sentía pletórica de entusiasmo. ¡Qué dulce liberación! ¡Después de tanto tiempo encerrada, aventurarse en el exterior por fin! Apenas podía imaginar qué diría David cuando se enterara. *Por el amor de Dios, Lila, te dije que no era seguro. Has de pensar en la niña.* Pero era en la niña en quien estaba pensando. La niña era el motivo. Eso era lo que David no comprendía. David, quien estaba demasiado ocupado salvando el mundo para ayudar en el cuarto de la niña, quien conducía un coche alimentado por espárragos, o polvos mágicos, o pensamientos sanos, o lo que fuera, y quien la había dejado sola ahí. ¡Sola! Y lo peor de todo era que ni siquiera le *gustaba* Peter Rabbit. ¿Cómo era posible que fuera a tener una hija de un hombre a quien no le gustaba Peter Rabbit? ¿Qué decía eso acerca de él? ¿Qué clase de padre iba a ser? No, no era asunto de David lo que ella hiciera, concluyó Lila, al tiempo que levantaba el bolso y las llaves de la mesa del vestíbulo y abría la puerta. No era asunto suyo si salía, o si pintaba el cuarto de la niña de amarillo verdoso, bermellón o morado. Que se fuera a tomar por el culo David. Eso era lo que David podía hacer.

Lila Kyle compraría la pintura.

8

No era un buen día en la oficina del subdirector. Hoy, 31 de mayo (Día de los Caídos, tampoco era que importara gran cosa), era como el día del fin del mundo.

Básicamente, Colorado no existía. Colorado, *kaput*. Denver, Greeley, Fort Collins, Boulder, Grand Junction, Durango, las mil pequeñas poblaciones diseminadas entre ellas. Las últimas imágenes aéreas parecían una zona de guerra: coches estrellados en las autopistas, edificios en llamas, cadáveres por todas partes. Durante las horas diurnas daba la impresión de que nada se movía salvo los pájaros, enormes espirales giratorias, como si la información se hubiera filtrado desde el Centro de Mando de los Buitres.

¿Alguien haría el favor de contarle de quién había sido la idea de exterminar a todo el estado de Colorado?

Y el virus se estaba desplazando. Se propagaba en todas las direcciones, una mano de doce dedos. Cuando el Departamento de Seguridad Nacional hubo cerrado todos los principales corredores interestatales (aquellos cabrones indecisos eran incapaces de huir de una casa en llamas), el caballo ya había huido a todo galope del establo. Aquella misma mañana, los del Centro para el Control y Prevención de Enfermedades, el CDC, habían confirmado casos en Kearney, Nebraska; Farmington, Nuevo México; Sturgis, Dakota del Sur; y Laramie, Wyoming. Y ésos eran los conocidos. Nada todavía en Utah o Kansas, aunque era cuestión de tiempo, tal vez horas. Eran las cinco y media en el norte de Virginia, faltaban aún tres horas para el ocaso, cinco en el oeste.

Siempre se movían de noche.

La reunión con el Estado Mayor Conjunto no había ido bien, aunque Guilder tampoco lo esperaba. Para empezar, estaba todo el «problema» de Armas Especiales. Los jefazos militares nunca se habían sentido a gusto, y nunca se habían expresado con claridad, acerca de lo que hacía el DAE, ni acerca de por qué existía al margen de la cadena militar de mando, dependiente del presupuesto, nada más y nada menos, del Departamento de Agricultura (respuesta: porque a nadie le importaba una mierda la agricultura). Los militares sólo estaban interesados en las jerarquías, en quién orinaba más alto en la boca de riego, y en cuanto a los jefazos, Armas Especiales no respondía ante nadie, pues los elementos de su estructura estaban ensamblados a partir de una docena de otras agencias y contratistas privados. Se parecía a una partida de trile, en que la bola siempre está en movimiento y nunca se encuentra donde piensas que está. En cuanto a lo que hacía el DAE, bien, Guilder había oído toda clase de motes, la mayoría insultantes y burlones.

De esta forma, el subdirector Horace Guilder (¿aún existían directores de verdad?) se había encontrado sentado ante el Estado Mayor Conjunto (suficientes barras y estrellas alrededor de la mesa para formar una tropa de Girl Scouts), con el fin de ofrecer su análisis oficial de la situación en Colorado. (Lo siento, fuimos nosotros quienes creamos los vampiros; nos pareció una buena idea en su momento.) Siguieron treinta segundos completos de perplejo silencio, todo el mundo a la espera de ver quién hablaba a continuación.

A ver si lo he entendido bien, entonó el presidente. Apoyó las manos juntas sobre la mesa. Guilder sintió que una gota de sudor le caía desde la axila y se deslizaba a lo largo de todo el torso. *¿Ustedes decidieron reactivar un antiguo virus que transformaría a doce*

reclusos del corredor de la muerte en monstruos indestructibles que
se alimentan de sangre, y no pensaron en decírselo a nadie?

Bien, «decidido» no exactamente. Guilder no estaba en el
DAE al principio. Había entrado con el cambio de administración,
con tanto dinero y tantas horas/hombre tiradas que no habría podido aplicar el freno ni que lo hubiera intentado. El Proyecto NOÉ
se hallaba bajo una cadena de mando tan oscura, que ni siquiera
Guilder sabía cuál era su origen. La Agencia de Seguridad Nacional, la ASN, probablemente, aunque él sospechaba que apuntaba
más alto todavía, tal vez incluso a la propia Casa Blanca. Pero sentado ante el Estado Mayor Conjunto comprendió que esta distin-
ción era absurda. Guilder había trabajado durante tres décadas en
agencias tan secretas que nadie era responsable de nada. Daba la
impresión de que las ideas surgían por voluntad propia. *¿Hicimos*
eso? No, no fuimos nosotros. E iban a parar a la trituradora. Justo
lo que estaba a punto de pasar con Armas Especiales. Hasta era
posible que con Guilder.

Pero en el ínterin había que repartir culpabilidades. La reunión
se había transformado enseguida en un concurso de bramidos, y
Guilder había recibido un puñetazo verbal tras otro. Se sintió aliviado cuando le expulsaron de la sala, a sabiendas de que la situación se le había escapado de las manos. De ahí en adelante, los
militares solucionarían ese problema como todos los demás: disparando a cualquier cosa que se moviera.

En retrospectiva, Guilder habría planteado la situación de una
forma más diplomática, pero las proyecciones del CDC hablaban
por sí mismas. Tres semanas, cuatro a lo sumo, y el virus exter-
minaría Chicago, St. Louis, Salt Lake. Seis semanas, y asaltaría las
costas.

Vampiros, Dios bendito. ¿En qué había estado pensando?

¿En qué había estado pensando *todo el mundo*?

Y sin embargo no cabía duda de que Lear había descubierto
algo. El gran Jonas Lear. Hasta Guilder se sentía intimidado por el
hombre, un bioquímico de Harvard con un CI inconmensurable

quien, en la práctica, había inventado el campo de la paleovirología, recuperando y resucitando antiguos organismos para uso moderno. Dentro de su círculo profesional se daba por descontado que, algún día, Lear sería candidato al Premio Nobel. De acuerdo, utilizar reclusos del corredor de la muerte tal vez no había sido la maniobra más inteligente. Se les había ido de las manos. Y desde luego a Lear le faltaba algún tornillo, pero cabía admitir que la idea tenía posibilidades. Como, por ejemplo, no morir. Jamás. Una cuestión en la que, últimamente, Guilder se había implicado a fondo.

Su única esperanza era la niña.

Amy NLN. El decimotercer sujeto de la prueba, raptada de un convento de Memphis, Tennessee, donde su madre la había abandonado. Guilder no se había sentido muy a gusto cuando autorizó la misión. Una niña, por el amor de Dios. Alguien se iba a dar cuenta, como así había sido. Cuando Wolgast la trajo, todo el mundo, desde la Patrulla de Caminos de Oklahoma hasta los U.S. Marshals, estaba peinando el país en su busca, y Richards, aquel lunático, había dejado un rastro de cadáveres de un kilómetro de ancho. Las monjas del convento, asesinadas mientras dormían. Un par de policías de una pequeña población. Seis personas en una cafetería, cuyo único error había sido ir a desayunar a la misma hora que Wolgast y la niña.

Pero la petición de secuestrar a la niña, que había procedido del propio Lear, era algo a lo que Guilder no podía negarse. Todos los reclusos estaban infectados con una variante algo alterada del virus, aunque los efectos habían sido los mismos. Enfermedad, coma, transformación, y al instante siguiente estabas colgado cabeza abajo del techo, chupándole la sangre a un conejo. Pero la variedad del virus de Amy era diferente. No procedía de Fanning, el bioquímico de Columbia que había resultado infectado en el curso de una descabellada excursión de Lear a Bolivia. Procedía de un grupo de turistas, los que habían empezado todo: pacientes de cáncer terminal en un alegre paseo por la selva, con un grupo ecoturístico llamado Último Deseo. Todos habían muerto al cabo de un mes: apoplejía, infarto, aneurisma, el cuerpo hecho trizas. Pero, entretanto, habían experimentado una notable mejoría en su estado (a un hombre le había crecido incluso una buena mata de pelo), y todos habían muerto sin cáncer. Leer la mente de Lear era una tarea inútil, pero había llegado a creer que su variante era la respuesta. El truco consistía en mantener con vida al primer sujeto de la prueba. Por eso había elegido a Amy, una chica joven y saludable.

Y había salido bien. Guilder sabía que había salido bien. Porque Amy seguía con vida.

El despacho de Guilder, en el tercer piso de un edificio de oficinas federal discreto y de escasa altura en Fairfax County (el DAE compartía espacio con, entre otras entidades, la Oficina de Valoración Tecnológica, el Departamento del Destacamento Especial de Energía Especial de Seguridad Nacional, la Administración Oceánica y Atmosférica Nacional, y una guardería), estaba situado en la Interestatal 66. Siendo un lunes del fin de semana del Día de los Caídos, casi no había tráfico. Mucha gente había abandonado la ciudad el viernes. Guilder imaginó que muchos favores se estarían cobrando. Una suegra al norte de Nueva York. Un amigo con una cabaña en las montañas. Pero con todo el transporte aéreo suspendido, la gente no podía ir muy lejos, y al final tampoco importaría demasiado. No podías esconderte de la naturaleza eternamente. Al menos, eso le habían dicho a Horace Guilder.

La chica había conseguido llegar a Colorado de una forma u otra. Habían captado su señal en el sur de Wyoming a las pocas horas. Lo cual significaba que iba en un vehículo, y que no estaba sola: alguien tenía que conducir. Después, había desaparecido. El transmisor de su biomonitor era de corto alcance, demasiado débil para los satélites. Tenía que encontrarse a escasos kilómetros de una torre de comunicaciones, y no de una perteneciente a una cooperativa rural, sino de una conectada con la red de seguimiento federal. Lo cual, en el sur de Wyoming, mientras te mantuvieras apartado de las autopistas principales, sería fácil de evitar. En esos momentos, podía estar en cualquier parte. Quien la acompañaba debía de ser inteligente.

Una llamada a la puerta interrumpió sus pensamientos. Guilder se volvió de la ventana y vio a Nelson, el director de tecnologías de la información del departamento, parado en la puerta. Hostia, y ahora ¿qué?

—Tengo una buena noticia y una mala —anunció Nelson.

Nelson iba vestido, como siempre, con camiseta negra y tejanos, con los sucios pies embutidos en un par de chancletas. Un erudito lenguaraz, antiguo becario Rhodes, con no sólo uno, sino dos doctorados del MIT (bioquímica y sistemas informáticos avanzados), Nelson era el tipo más listo del edificio con diferencia, dato que él conocía muy bien. Todavía poseía la predisposición de los jóvenes a contemplar el mundo como una serie de problemas vagamente irritantes creados por personas menos guais y listas que él. Si bien su relación era cordial, Nelson tenía la costumbre de tratar a Guilder como a un padre anciano y chocho, una figura respetable pero carente de todo valor, lo cual era exasperante, teniendo en cuenta que procedía de un individuo que daba la impresión de peinarse cada cuatro días, aunque no era del todo injustificado, tenía que admitir Guilder. Contaba veintiocho años, y Guilder, cincuenta y siete, y todo en Nelson conspiraba para que se sintiera viejo.

—¿Algún rastro de ella?

—*Nada.* —Nelson se rascó la rala barba—. No sabemos nada de ellos.

Guilder se frotó los ojos, que le escocían a causa de la falta de sueño. Necesitaba ir a casa, ducharse y ponerse un traje limpio. Hacía dos días que no salía del despacho, se amodorraba de vez en cuando en el sofá y vivía de la basura de las máquinas expendedoras. También tenía problemas con los dedos. Los sentía entumecidos, le cosquilleaban.

—¿Has dicho algo acerca de una buena noticia?

—Depende de cómo lo mires. Desde un punto de vista de la libertad de expresión, no debe de ser la mejor, pero da la impresión de que alguien ha liquidado por fin al lunático de Denver. Yo diría que la NSA, o puede que alguno de los secuaces de Lear le localizara al fin. En cualquier caso, nos hemos librado de ese tipo de una vez por todas.

El Último Resistente de Denver. Guilder había visto sus vídeos, como todo el mundo. Había que admitir que el tío tenía pelotas. Abundaban las teorías sobre su identidad, y el consenso general se centraba en que era un exmilitar, Fuerzas Especiales o SEAL.

—¿Y cuál es la mala?

—Han llegado nuevas cifras del CDC. Por lo visto, el algoritmo original no tuvo en cuenta el apetito de esas cosas. Cosa que yo habría podido decirles si lo hubieran preguntado. O eso, o algún interno de verano movió un decimal mientras estaba fantaseando sobre la última vez que se tiró a su novia.

A veces, hablar con Nelson era como intentar ganarse la simpatía de un niño de cinco años. Un genio de cinco años, pero aun así...

—Dilo de una vez, por favor.

Nelson se encogió de hombros.

—Tal como están las cosas en este momento, basándonos en las proyecciones más recientes, parece que nos estamos enfrentando a una cronología más reducida. Alrededor de treinta y nueve días, más o menos.

—Para las costas, quieres decir.

—Um, no exactamente.

—Pues ¿qué?

—Todo el continente norteamericano.

Una sombra gris resbaló sobre la visión de Guilder: tuvo que sentarse.

—Ya se está fraguando una reacción en la Central —continuó Nelson—. Yo imagino que intentarán quemarlo todo. Primero los grandes centros urbanos, y después todo lo que quede.

—Dios todopoderoso.

Nelson frunció el ceño.

—En conjunto, un precio barato. Sé lo que yo haría si fuera, pongamos por caso, el presidente de Rusia. No permitiría que eso saltara el charco.

El hombre tenía razón, y Guilder lo sabía. Tomó conciencia de que su mano derecha había empezado a temblar. La cogió con la izquierda, con la intención de controlar los espasmos, al tiempo que procuraba dotar de naturalidad a la gesticulación.

—¿Se encuentra bien, jefe?

Su pie derecho se había puesto a temblar también. Experimentó el incomprensible impulso de reír. Debía de ser la tensión. Tragó saliva con esfuerzo, y percibió el sabor de la bilis en su garganta.

—Encuentra a la chica.

Después de que Nelson se marchara, Guilder continuó sentado en su despacho unos minutos, mientras intentaba serenarse. Los temblores habían pasado, pero no el impulso de reír, un síntoma conocido eufemísticamente como «incontinencia emocional». Cedió por fin, y emitió un solo bramido purificador. Jesús, parecía poseído. Confió en que nadie le hubiera oído.

Salió del edificio, sacó el coche del garaje (un Toyota Camry beis) y fue a su casa de Arlington. Quería tomar una ducha, pero de repente se le antojó un gran esfuerzo, de modo que se sirvió un whisky y encendió la televisión. Todas las cadenas, incluida el Weather Channel, no habían tardado mucho en etiquetar la emergencia con un lema pegadizo («Nación en crisis», etc.), y todos los locutores tenían aspecto preocupado e insomne, sobre todo los que informaban desde alguna autopista: un campo de trigo al fondo, largas hileras de vehículos que circulaban a paso de tortuga, todo el mundo tocando la bocina inútilmente. Todo el país estaba agarrotado como una mala transmisión. Consultó su reloj: las 20.05. En menos de una hora, medio país se sumiría en la oscuridad.

Levantó con dificultad su cuerpo desobediente del sofá y subió la escalera. La escalera: una preocupación en vistas al futuro. ¿Qué haría cuando ya no pudiera subir escaleras? Pero ahora apenas importaba ya. Abrió la ducha del baño principal y se quedó en calzoncillos, parado ante el espejo, mientras el agua se calentaba. Lo curioso era que no parecía especialmente enfermo. Un poco más delgado, quizás. Hubo un tiempo en que se consideraba atlético (había corrido a campo través en Bowdoin), aunque aquellos días eran cosa del pasado. Su profesión, con la exigencia colateral de secretismo, imposibilitaba el matrimonio; pero ya adentrado en la cuarentena, Guilder se las había ingeniado para, si no llamar la atención exactamente, sí al menos para mantenerse ocupado. Una serie de relaciones discretas, todo el mundo enterado del asunto. Se había enorgullecido de la calidad administrada con tino de aquellos encuentros, pero un día habían terminado, sin más. Miradas que habrían sido devueltas pasaban de largo, conversaciones que antes habían servido de preámbulos trabajados no tenían lugar. Inevitable, suponía Guilder, pero lamentable. Inspeccionó con detenimiento su reflejo. Una cara de mandíbula cuadrada que en otro tiempo había parecido de rasgos duros, pero que desde hacía tiempo se hundía en las mejillas. Una capa de pelo escaso peinada hacia atrás sobre el cráneo, que intentaba sin mucho éxito ocultar la presencia de su calva, de un blanco fantasmal. Bolsas de piel bajo los ojos, una panza gomosa en la cintura, piernas esqueléticas y aspecto insustancial. No era una visión agradable, pero nada que no hubiera aceptado como la degradación ineludible de la edad madura avanzada.

Por su aspecto, nadie habría dicho que se estaba muriendo.

Se duchó y se puso un traje limpio. Su armario no contenía casi nada más: un sencillo traje de dos botones (de color azul oscuro por lo general, pero a veces de color gris con una sutil raya diplomática, a veces popelina caqui en verano) combinado con una camisa azul pálido o blanca almidonada y una corbata tan neutral como Suiza, tan estrechamente alineada con su noción de sí mismo que se sentía desnudo sin una. Con cuidado de conservar el equilibrio, bajó la escalera hasta la sala de estar, donde la televisión estaba bramando obediente su desfile de malas noticias. Aunque no tenía hambre, calentó una lasaña congelada en el microondas, y se detuvo delante mientras los segundos transcurrían. Se sentó a la mesa y se esforzó por comer, pero el diazepán conseguía que todo le supiera insípido y vagamente metálico, y la opresión de su garganta no se había calmado, como si llevara un cuello dos tallas más pequeño. El médico había sugerido que probara batidos de leche, o algo blando como macarrones, pero era incapaz de recurrir a comida infantil. A partir de ahí, todo iría pendiente abajo.

Tiró la lasaña sin terminar al sistema de eliminación de basura y volvió a consultar su reloj. Pasaban unos minutos de las nueve de la noche. Bien, sucediera lo que sucediera en mitad del país, Nelson llamaría si le necesitaba.

Salió de casa y fue en coche a McLean. Le aguardaba una tarea desagradable, pero Guilder era el único capaz de llevarla a cabo. El edificio estaba apartado de la carretera, detrás de un amplio jardín verde. Junto al camino de entrada, un letrero indicaba Centro de convalecencia Shadowdale. En el mostrador de recepción, Guilder enseñó su carnet de conducir a la enfermera, y después recorrió el pasillo impregnado de olor a medicamentos, dejando atrás sus cuadros producidos en masa de campos verdes y puestas de sol veraniegas. El lugar se hallaba en silencio, pese a la hora. Por lo general había camilleros en los pasillos y pacientes en la sala de reuniones, aquellos que todavía podían beneficiarse de compañía humana. Esa noche, el lugar parecía una tumba.

Llegó a la habitación de su padre y llamó a la puerta con suavidad, pero la abrió sin esperar respuesta.

—Soy yo, papá.

Su padre estaba sentado en la silla de ruedas junto a la ventana. Tenía la boca abierta, los músculos de su cara tan fofos como masa para tortitas. Un péndulo de baba colgaba de su boca hasta el babero de papel arrollado alrededor de su cuello. Alguien le había vestido con un chándal manchado y zapatos ortopédicos con tiras de velcro. No dio señales de reconocer a Guilder cuando éste entró en la habitación.

—¿Cómo va, papá?

El aire que rodeaba a su padre hedía a orina. El alzheimer había progresado hasta un punto en que ya no reconocía a nadie, pero aun así había que observar los rituales. Cuán horripilante es, meditó Guilder, la soledad de la mente. No obstante, el silencio de su padre, la sensación de ausencia, no era nada nuevo. En vida (como ahora que la muerte lo rondaba) había sido un hombre de una frialdad casi reptiliana. Guilder sabía que eso era fruto de su educación (el hijo de los dueños de una lechería de una pequeña ciudad que iban a la iglesia tres veces por semana y mataban a sus propios cerdos), pero aun así no podía olvidar su resentimiento por una infancia dedicada a intentar obtener la atención de un hombre que era incapaz. Lo que había pedido a su padre era algo nimio, algo natural, sólo por haber nacido: que le tratara como a un hijo. Jugar al escondite una tarde de primavera, una palabra de alabanza desde la línea de banda, una expresión de interés por su vida. Guilder lo había hecho todo bien. Las buenas notas, las cumplidas actuaciones en auditorios y campos de deportes, la carrera hasta la universidad y el veloz ascenso a una madurez útil. Sin embargo, su padre nunca dijo nada al respecto. De hecho, Guilder no podía recordar ni una ocasión en que su padre le hubiera dicho que le quería, o le hubiera tocado con afecto. El hombre pasaba de todo.

Lo más duro había sido el sufrimiento causado a su madre, una mujer sociable por naturaleza cuya soledad la había empujado al alcoholismo que acabó por matarla. Con posterioridad, Guilder llegó a creer que su madre había buscado consuelo en otra parte, que había tenido relaciones, tal vez más de una. Después de que su padre se trasladara a Shadowdale, Guilder había vaciado la casa de Albany (un desastre absoluto, todos los cajones y armarios abarrotados de toda clase de cosas), y descubrió, en el tocador de su madre, una caja de Tiffany de terciopelo. Cuando miró en el interior descubrió un brazalete, un brazalete de *diamantes*. Debía de haber costado lo que su padre, ingeniero civil, ganaba en un año. Nunca se lo habría podido permitir, y el lugar donde se hallaba la caja (oculta al fondo de un cajón debajo de una pila de guantes y pañuelos enmohecidos) había revelado a Guilder lo que estaba buscando: el regalo de un amante. ¿Quién había sido? Su madre era secretaria en un bufete de abogados. ¿Uno de los abogados de la firma? ¿Alguien a quien había conocido por casualidad? ¿Un romance reavivado de su juventud? Le había alegrado saber que su madre había encontrado cierta felicidad que alegrara su solitaria existencia, pero al mismo tiempo el descubrimiento le había hundido en una depresión que se había prolongado durante semanas. Su madre era un cálido recuerdo de su infancia. Pero su vida, su vida real, había constituido un secreto para él.

Estas visitas a su padre siempre causaban que tales recuerdos emergieran a la superficie. Cuando se marchaba se sentía con frecuencia tan desanimado, o bien presa de una rabia tan contenida, que apenas podía pensar con claridad. Cincuenta y siete años y todavía anhelaba alguna señal de reconocimiento.

Colocó la única silla de la habitación delante de su padre. La cabeza del anciano, calva como la de un bebé, estaba inclinada en un ángulo extraño contra su hombro. Guilder cogió un trapo de la mesita de noche y secó la baba de su barbilla. Un contenedor de budín de vainilla abierto descansaba sobre una bandeja, junto con una endeble cuchara metálica.

—¿Cómo te encuentras, papá? ¿Te tratan bien?

Silencio. No obstante, Guilder podía oír en su cabeza la voz del anciano, llenando los espacios en blanco.

¿Me tomas el pelo? Mírame, por los clavos de Cristo. Ni siquiera puedo cagar como un hombre. Todo el mundo me habla como si fuera un niño. ¿Cómo crees que me encuentro, hijo?

—Veo que no te has tomado el postre. ¿Quieres un poco de budín? ¿Qué te parece?

¡A la mierda el budín! Es lo único que me dan en este sitio. Budín para desayunar, budín para comer, budín para cenar. Sabe a mocos.

Guilder introdujo una cucharada entre los dientes de su padre. Gracias a un reflejo autónomo, el anciano entreabrió los labios y tragó.

Mírame. ¿Crees que esto es un picnic? ¿Que me gusta babear o estar sentado sobre mi propio pis?

—No sé si has seguido las noticias últimamente —dijo Guilder, introduciendo una segunda cucharada en la boca de su padre—. Creo que deberías saber algo al respecto.

¿Qué? Suelta el rollo y déjame en paz.

Pero ¿qué quería decir Guilder? ¿Me estoy muriendo? ¿Que todo el mundo se estaba muriendo, aunque todavía no lo supiera? ¿De qué podía servir aquella información? Un pensamiento estremecedor pasó por su cabeza. ¿Qué sería de su padre cuando todo el mundo se hubiera marchado, los médicos, las enfermeras y los camilleros? Con todo lo sucedido durante las últimas semanas, Guilder se había sentido demasiado preocupado para pensar en esta eventualidad. Porque la ciudad se estaba vaciando. Pronto, en cuestión de semanas o incluso días, todo el mundo correría a salvar su pellejo. Guilder recordaba lo ocurrido en Nueva Orleans después de los huracanes, primero el *Katrina* y después el *Vanessa*, las historias de pacientes ancianos abandonados a su suerte, a perecer lentamente de hambre y deshidratación.

¿Me estás escuchando, hijito? Sentado ahí con esa cara de idiota. ¿Qué es tan importante para que hayas venido a contármelo?

Guilder movió la cabeza.

—No es nada, papá. Nada importante. —Introdujo los últimos restos de budín en la boca de su padre y le secó los labios con el trapo—. Descansa un poco, ¿de acuerdo? Nos veremos dentro de unos días.

Tu madre era una puta. Una puta una puta una puta...

Guilder salió del cuarto. En el pasillo desierto, hizo una pausa para respirar. La voz no era real, eso lo entendía. Pero había momentos en que experimentaba la sensación de que la mente de su padre, tras abandonar su persona corporal, se había instalado en la de él.

Volvió al mostrador de recepción. La enfermera, una joven hispana, estaba haciendo un crucigrama.

—Hay que cambiar el pañal de mi padre.

La mujer no levantó la vista.

—Hay que cambiar los pañales a todos. —Como Guilder no se movió, la mujer alzó los ojos de la página. Eran oscuros, con mucho rímel—. Avisaré a alguien.

—Hágalo, por favor.

Se detuvo en la puerta. La enfermera había vuelto a su crucigrama.

—*Avise* a alguien, maldita sea.

—He dicho que lo haría.

Una intensa ansia protectora se apoderó de él. Guilder tuvo ganas de clavarle el lápiz en la garganta.

—Descuelgue el puto teléfono si no piensa hacerlo.

La mujer, ofendida, levantó el teléfono y marcó.

—Soy Mona, de Recepción. Hay que cambiar a Guilder, de la 126. Sí, su hijo está aquí. De acuerdo, se lo diré. —Colgó—. ¿Contento?

La pregunta era tan absurda que no supo por dónde empezar.

Guilder no moriría como su padre: justo lo contrario. ELA: esclerosis lateral amiotrófica, más conocida como enfermedad de Lou Gehrig. Las principales funciones motrices serían las primeras en verse afectadas, seguidas por el habla y la capacidad de tragar. Las risas y llantos espontáneos eran un misterio: nadie sabía por qué sucedía esto. Al final, moriría en un respirador, con el cuerpo paralizado por completo, incapaz de moverse o hablar. Pero lo peor de todo era que no experimentaría la menor disminución de la capacidad de pensar o razonar. Al contrario que su padre, cuya mente había sido la primera en fallar, Guilder viviría cada momento de su declive con plena conciencia. Una muerte en vida, con la única compañía de alguna enfermera amargada.

Tenía claro que, después del diagnóstico, había pasado por un período de profunda conmoción. Ésa era la explicación que se daba por la tontería que había cometido con Shawna, si bien, por supuesto, ése no era su verdadero nombre. Durante dos años, Guilder había ido a verla cada segundo martes de cada mes, siempre en el apartamento que le proporcionaban sus empleadores. Era de piel oscura y delgada, de sutiles ojos asiáticos, y lo bastante joven para ser su hija, aunque no era eso lo que le atraía. Si acaso, habría preferido que fuera mayor. La había encontrado mediante una agencia, pero después de un período de prueba le habían permitido llamarla directamente. La primera vez se había sentido tan nervioso como un colegial. Había transcurrido tiempo desde la última vez que había estado con una mujer, y se sentía preocupado por si no conseguía estar a la altura de la situación, una preocupación ridícula, en retrospectiva. Pero la chica le había relajado enseguida y tomado el control de la ocasión. El ritual siempre era igual. Guilder tocaba el timbre de la puerta; el interfono sonaba; subía la escalera del apartamento, donde ella le estaría esperando en la puerta, con una sonrisa de bienvenida y vestida con un traje de noche largo que cubría un tesoro erótico de encaje y seda. Unos cuantos cumplidos, como los que intercambiaría cualquier pareja de enamorados al encontrarse por la tarde, tras lo cual depositaba con discreción el sobre con el dinero sobre el tocador; después, al grano. Guilder siempre se desnudaba primero, después la miraba mientras ella lo hacía, permitiendo que el vestido de noche cayera al suelo como una cortina, antes de salir de él con majestuosidad. Le hacía el amor con un entusiasmo que no parecía ni ficticio ni del todo profesional, y durante aquellos escasos minutos, la mente de Guilder encontraba una serenidad como nada más en la vida le deparaba. En el momento del orgasmo, Shawna repetía su nombre una y otra vez, y la voz se perdía en un facsímil de la más persuasiva satisfacción femenina, y Guilder se encontraba flotando en aquellos sonidos y sensaciones, y cabalgaba sobre ellos como un surfero que recalara en una orilla tranquila.

¿Por qué no te veo más a menudo?, le preguntaba ella después. ¿Te gustan las cosas que te hago? No hay otra, ¿verdad? Quiero ser la única, Guilder. Me gustas mucho, decía él, mientras acariciaba su cabello aterciopelado. No podría ser más feliz.

No sabía nada en absoluto de ella, al menos, nada real. No obstante, en las semanas posteriores al diagnóstico, el único refugio al que pudo escapar su mente fue a la absurda idea de que estaba enamorado de ella. El recuerdo le avergonzaba ahora, y el subtexto psicológico era evidente (no quería morir solo), pero en aquel momento estaba convencido por completo. Estaba loca, absolutamente enamorado, ¿y no era posible, incluso probable, que Shawna compartiera sus sentimientos? Porque lo que se hacían y decían mutuamente no podía ser falso. Esas cosas tenían lugar en un plano que sólo dos personas conectadas de verdad podían compartir.

Y así sin cesar, hasta que se puso en tal estado que sólo podía pensar en Shawna. Decidió regalarle algo, un símbolo de su amor. Algo caro, digno de sus sentimientos. Joyas. Tenían que ser joyas. Y no algo nuevo comprado en una tienda, sino algo más personal: el brazalete de diamantes de su madre. Reanimado por esta decisión, envolvió el estuche de Tiffany con papel de plata y fue en coche al apartamento de Shawna. No era martes, pero daba igual. Lo que sentía no era algo que pudiera ceñirse a un horario. Tocó el timbre y esperó. Transcurrieron los minutos, lo cual era raro. Shawna siempre contestaba enseguida. Volvió a llamar. Esta vez, el altavoz emitió un pequeño estallido de estática y oyó su voz.

—¿Hola?

—Soy Horace.

Una pausa.

—No te tengo en la agenda. Quizá sea culpa mía. ¿Has llamado?

—Tengo algo para ti.

Dio la impresión de que el altavoz enmudecía. Después:

—Espera un momento.

Pasaron varios minutos. Guilder oyó pasos que bajaban la escalera. Tal vez el interfono no funcionaba: Shawna bajaba a abrir la puerta. Pero la figura que dobló la esquina no era Shawna. Era un hombre. Aparentaba unos sesenta años, calvo y corpulento, con el rostro glotón de un gánster ruso, vestido con un arrugado traje de raya diplomática, el cuello abierto. Las implicaciones eran evidentes, pero en su agitado estado la mente de Guilder las rechazó. El hombre atravesó la puerta y miró un momento a Guilder cuando pasó a su lado.

—Suerte —dijo, y guiñó un ojo.

Guilder subió corriendo la escalera. Llamó con los nudillos tres veces, esperando con optimista ansiedad. Por fin, la puerta se abrió. Shawna no llevaba el vestido, tan sólo una bata de seda, ceñida a la cintura. Tenía el pelo revuelto y el maquillaje corrido. Tal vez la había interrumpido cuando hacía la siesta.

—Horace, ¿qué estás haciendo aquí?

—Lo siento —dijo él, sin aliento de repente—. Sé que tendría que haber llamado.

—Si quieres que te diga la verdad, no es el mejor momento.

—Sólo será un minuto. ¿Puedo entrar, por favor?

Ella le miró con escepticismo, y después pareció ablandarse.

—Bien, de acuerdo. No obstante, tendremos que ir deprisa.

Se apartó para dejarle entrar. Había algo diferente en el apartamento, aunque Guilder no supo precisar qué. Parecía sucio, y la atmósfera, opresiva de una manera desagradable.

—¿Qué ven mis ojos? —La mujer estaba mirando la caja envuelta en papel plateado—. Horace, no tendrías que haberlo hecho.

Guilder extendió el paquete.

—Es para ti.

Con una luz cálida bailando en sus ojos, ella desenvolvió el paquete y sacó el brazalete.

—Qué detalle. Es muy bonito.

—Es una reliquia. Era de mi madre.

—Eso lo convierte en algo más especial todavía. —Le dio un beso veloz en la mejilla—. Concédeme un momento para adecentarme y estoy contigo enseguida, cariño.

Una gigantesca oleada de amor cayó sobre él. Hizo un esfuerzo sobrehumano por no rodearla entre sus brazos y apretar la boca contra la de ella.

—Quiero hacerte el amor. Amor de verdad.

Ella consultó el reloj.

—Bien, claro. Si eso es lo que quieres. De todos modos, no tengo libre toda la hora.

Guilder había empezado a desnudarse, se estaba quitando el cinturón como un loco, y también los zapatos. Pero algo no iba bien. Percibió que ella vacilaba.

—¿No te estás olvidando de algo?

El dinero. Eso era lo que le estaba pidiendo. ¿Cómo podía pensar en dinero en un momento como aquél? Quiso decirle que aquello que compartían no podía contarse en dólares y centavos, algo por el estilo, pero sólo logró balbucir:

—No llevo nada encima.

Ella frunció el ceño.

—Cariño, la cosa no funciona así. Ya lo sabes.

A aquellas alturas, Guilder estaba tan frenético que apenas procesaba sus palabras. Además, estaba plantado frente a ella en calzoncillos y camiseta, con los pantalones caídos alrededor de los tobillos.

—¿Te encuentras bien? No tienes muy buen aspecto.

—Te quiero.

Ella le dedicó una sonrisa displicente.

—Qué tierno.

—He dicho que te quiero.

—Vale, puedo hacer eso. Ningún problema. Deja el dinero sobre el tocador y diré lo que quieras.

—No tengo dinero. Te he regalado el brazalete.

De pronto, toda señal de cariño, incluso de amistad, desapareció de los ojos de Shawna.

—Horace, esto es un asunto de dinero, ya lo sabes. No me gusta tu forma de hablar.

—Por favor, deja que te haga el amor. —El pulso de Guilder estaba latiendo en sus oídos—. Puedes vender el brazalete si quieres. Vale mucho dinero.

—No creo, cariño. —Lo extendió hacia él con manifiesto desprecio—. Lamento decírtelo, pero es de cristal. No sé quién te lo vendió, pero deberías pedir que te devolviera el dinero. Ahora continúa, y sé amable. Ya conoces la rutina.

Tenía que obligarla a entender cómo se sentía. Desesperado, extendió las manos hacia ella, pero sus pies todavía estaban enredados en las perneras de los pantalones. Shawna lanzó un chillido. Al instante siguiente, Guilder se encontraba espatarrado en el suelo. Alzó la cara y descubrió una pistola apuntada a su cabeza.

—Vete de una puta vez.

—Por favor —gimió él. Tenía la voz ronca a causa de las lágrimas—. Dijiste que querías ser la única.

—Digo montones de cosas. Y ahora, lárgate con tu mierda de brazalete.

Se puso en pie con un esfuerzo. Nunca había experimentado tal humillación. Y no obstante, era principalmente amor lo que sentía. Un amor desamparado y melancólico que le devoraba por completo.

—Me estoy muriendo.

—Todos estamos muriendo, cariño. —La mujer señaló la puerta con la pistola—. Haz lo que digo antes de que te vuele las pelotas.

Sabía que nunca más podría mirarla a la cara de nuevo. ¿Cómo había podido ser tan estúpido? Fue en coche a casa, entró en el garaje, apagó el motor y cerró la puerta con el mando a distancia. Estuvo sentado en el coche media hora, incapaz de hacer acopio de energías para moverse. Se estaba muriendo. Se había puesto en ridículo. Nunca más volvería a ver a Shawna, porque no significaba nada para ella.

Fue entonces cuando cayó en la cuenta de que estaba sentado todavía en el Camry. Lo único que debía hacer era volver a encender el motor. Sería como caer dormido. Nunca más tendría que pensar en Shawna, ni en el Proyecto NOÉ, ni en vivir en la cárcel de su cuerpo enfermo, ni en ir a ver a su padre al centro de convalecencia: nada de ello. Todas sus preocupaciones eliminadas, así de sencillo. A instancias de un impulso que no pudo explicarse, se quitó el reloj, sacó su cartera del bolsillo de atrás y los depositó sobre el salpicadero, como si se estuviera preparando para ir a la cama. Lo habitual debía ser escribir una nota, pero ¿qué diría? ¿Para quién sería esa nota?

Intentó obligarse tres veces a girar la llave. Tres veces le falló la resolución. Para entonces, ya había empezado a sentirse como un idiota, sentado en el coche: una humillación más. Lo único que le quedaba por hacer era ponerse de nuevo el reloj, devolver la cartera al bolsillo y entrar en casa.

Mientras Guilder volvía en coche a casa desde McLean, sonó su móvil. Nelson.

—Se han puesto en movimiento.

—¿Dónde?

—Por todas partes. Utah, Wyoming, Nebraska. Un grupo numeroso concentrado al oeste de Kansas. —Hizo una pausa—. Pero no he llamado por eso.

Guilder fue directamente a la oficina. Nelson le recibió en el vestíbulo.

—Captamos la señal poco antes de anochecer. La recogió una torre al oeste de Denver, una ciudad llamada Silver Plume. Costó un poco, pero pude conseguir que Seguridad Nacional me devolviera algunos favores y desviara un avión no tripulado para ver si podíamos obtener una foto.

Enseñó a Guilder la foto en su terminal, una imagen granulosa en blanco y negro. No era la chica, sino un hombre. Estaba parado detrás de una camioneta aparcada a un lado de la autopista. Daba la impresión de estar meando.

—¿Quién coño es éste? ¿Uno de los médicos?

—Uno de los tipos de Richards.

Guilder se quedó perplejo.

—¿De qué estás hablando?

Por un momento, Nelson pareció algo avergonzado.

—Lo siento, pensaba que estabas en el ajo. Ofrecieron la libertad provisional a delincuentes sexuales. Uno de los pequeños proyectos de Richards. Por razones de seguridad, todo el personal civil de nivel seis fue reclutado a partir del registro nacional de delincuentes sexuales.

—Me estás tomando el pelo.

—Ni hablar. —Nelson dio unos golpecitos con los dedos sobre la imagen de la pantalla—. Este tipo, el único superviviente del Proyecto NOÉ, es un puto pedófilo.

9

La camioneta dejó de funcionar la mañana del segundo día de Grey en la carretera.

Era casi mediodía, con el sol alto en el cielo. Tras una noche de insomnio en un Motel 6 cerca de Leadville, Grey había tomado la I-70 cerca de Vail, y después inició el descenso hacia Den-

ver. Tan al este como la ciudad de Golden, el corredor interestatal estaba despejado en su mayor parte, pero cuando se adentró
en el anillo periférico exterior de la ciudad, con sus enormes centros comerciales y extensas subdivisiones, la situación empezó a
cambiar. Partes de la autopista estaban sembradas de coches
abandonados, lo cual le obligó a tomar la carretera de acceso. Los
inmensos aparcamientos que flanqueaban la autopista eran escenas de un desorden congelado en el tiempo, escaparates destrozados, mercancías esparcidas sobre el pavimento. Ahí el silencio
también era diferente, no una simple ausencia de sonido, sino
algo más profundo, más ominoso. Vio montones de cuerpos de-
capitados, como el hombre colgado en el tejado del Red Roof.
Grey supuso que a Cero y a los demás les gustaba llevarse las cabezas.

Se esforzó en mantener la mirada clavada en la carretera, empujando la carnicería al perímetro de su visión. La extraña energía
entusiasta que había sentido en el Red Roof no se había aplacado.
Su cerebro zumbaba como una cuerda pulsada. No dormía desde
hacía un día y medio, pero no estaba cansado. Ni hambriento, lo
cual era impropio de él. Grey era un tragaldabas, pero por algún
motivo la idea de comer no le resultaba atrayente. En Leadville
había comprado un Baby Ruth en una máquina expendedora, en
el vestíbulo del Motel 6, con la idea de que debía poner algo en el
estómago, pero no consiguió que superara la barrera de su olfato.
Tan sólo el olor consiguió que se le revolvieran las tripas. Prácticamente podía oler los conservantes de aquella cosa, un desagradable hedor químico, como a limpiasuelos industrial.

Cuando el centro de la ciudad apareció ante su vista, Grey
supo que tendría que abandonar la interestatal. No había forma de
maniobrar entre los coches, y la situación sólo iba a empeorar
cuanto más se acercara. Entró con la camioneta en el aparcamiento
de un 7-Eleven y consultó el plano. Decidió que la mejor ruta sería
rodear el centro hasta el sur, aunque sólo era una suposición. No
conocía Denver.

Se desvió hacia el sur, después de nuevo al este, atravesando las zonas residenciales. En todas partes era igual, ni un alma viviente. Se arrepintió de no haber traído la radio para que le hiciera compañía, pero cuando examinó el dial de arriba abajo, sólo obtuvo el mismo ruido de estática que había oído durante un día y medio. Durante un rato tocó la bocina del vehículo, con la idea de que eso alertaría a cualquier ser vivo de su presencia, pero al final se rindió. No quedaba nadie que pudiera oírle. Denver era una cripta.

Cuando el motor dejó de funcionar, Grey se había sumido en un estado de desesperación tan absoluta que, durante varios segundos, no se dio cuenta. Tan inquietante era el silencio que había empezado a parecer posible que nunca más volvería a ver un alma humana, que todo el mundo, no sólo Denver, se hallaba vacío de humanidad. Pero después se dio cuenta de lo que estaba sucediendo, de que el motor había perdido energía. Durante varios segundos la camioneta continuó avanzando impulsada por su aceleración, pero el volante también se había trabado. Grey tuvo que esperar sentado a que se detuviera.

Joder, pensó, sólo me faltaba esto. Deslizó el arma de Iggy en el bolsillo del mono, bajó y levantó el capó. Grey había sido propietario de suficientes coches de desguace a lo largo de su vida para reconocer una correa de ventilador rota. El paso lógico habría sido abandonar la camioneta y buscar otro vehículo con las llaves puestas. Se encontraba en un ancho bulevar de grandes tiendas para minoristas: Best Buy, Target, Home Depot. El sol estaba cayendo de pleno. En cada aparcamiento había varios coches. Pero carecía de ánimos para mirar en el interior, sabiendo lo que encontraría. Había reparado una correa de ventilador infinidad de veces. Todo cuanto necesitaba era la correa y algunas herramientas básicas, un destornillador y un par de llaves inglesas para ajustar el tensor. Tal vez en Home Depot habría piezas de coches. No costaba nada mirar.

Cruzó la autopista y se encaminó hacia la puerta, que estaba abierta. Habían forzado el recinto enrejado con tanques de propano que había junto a la entrada y requisado todas las bombonas, pero por lo demás la fachada de los almacenes parecía ilesa. Una falange de cortacéspedes, encadenados, descansaba incólume al lado de la entrada, así como una serie de muebles de jardín espolvoreados de polen amarillo. La única otra señal de que algo faltaba era un gran cuadrado de contrachapado apoyado contra la pared, en el que habían pintado con aerosol No QUEDAN GENERADORES.

Grey sacó la pistola del bolsillo, abrió un poco la puerta y entró. No había luz eléctrica, pero un simulacro de orden se había mantenido. Habían vaciado un montón de estanterías, aunque el suelo estaba libre de escombros. Con la pistola extendida delante de él, avanzó con cautela a lo largo de la fachada de los almacenes, mientras buscaba con la vista un letrero que anunciara PIEZAS DE COCHES.

Había llegado a la mitad de la fila, cuando Grey se detuvo en seco. Oyó un cauteloso roce delante y a la izquierda, seguido de unos murmullos apenas audibles. Grey avanzó dos pasos y se asomó a la esquina.

Era una mujer. Estaba parada delante de un expositor de muestras de pintura. Iba vestida con tejanos y una camisa de hombre. El pelo, de un castaño claro, estaba remetido detrás de las orejas, y sujeto con unas gafas de sol puestas sobre la cabeza. También estaba embarazada, no como para dar a luz de un momento a otro, pero sí bastante. Mientras Grey miraba, cogió un pequeño cuadrado de color de una ranura y lo movió de un lado a otro, con expresión pensativa y el ceño fruncido.

Tan inesperada fue aquella visión que Grey sólo pudo contemplarla con mudo estupor. ¿Qué estaba haciendo allí? Transcurrió medio minuto sin que la mujer reparara en su presencia, absorta en su misterioso asunto. Como no quería asustarla, Grey colocó con suavidad el arma sobre una estantería abierta y avanzó un paso, cauteloso. ¿Qué debería decir? Nunca había sido bueno a la hora de romper el hielo. O de hablar con la gente, vaya. Se decidió por carraspear.

La mujer le miró por encima del hombro.

—Bien, ya era hora —dijo—. Llevo aquí veinte minutos.

—¿Qué está haciendo, señora?

La mujer se volvió.

—¿Esto es o no el departamento de pintura? —Sujetaba un grupo de pedacitos de muestra, desplegados como una baraja de naipes—. Estaba pensando en Garden Gate, pero me preocupa que quede demasiado oscuro.

Grey estaba muy confundido. ¿Quería que la ayudara a elegir una pintura?

—Es probable que nadie le pida nunca la opinión, lo sé —continuó la mujer con brío, tal vez con demasiado brío, pensó Grey—. Póngala en un bote y coja mi dinero, estoy segura de que eso es lo que dice todo el mundo. Pero yo valoro la opinión de alguien que conoce su oficio. ¿Qué opina, pues? Desde su punto de vista profesional.

Grey estaba parado muy cerca de ella. Su cara era pálida y de huesos finos, con un sutil abanico de patas de gallo.

—Creo que se ha confundido. Yo no trabajo aquí.

Ella le miró con los ojos entornados.

—¿No?

—Nadie trabaja aquí, señora.

La confusión se reflejó en su rostro. Pero desapareció con idéntica rapidez, y sus facciones se reorganizaron en una expresión irritada.

—Oh, no hace falta que me lo diga —contestó con precipitación—. Intentar que alguien te ayude en este lugar es como imposible. Bien, como estaba diciendo, he de saber cuál de estos colores quedará mejor en el cuarto de la niña. —Le dedicó una sonrisa avergonzada—. Supongo que no es ningún secreto, pero estoy embarazada.

Grey había conocido a gente bastante loca últimamente, pero aquella mujer se llevaba la palma.

—Señora, creo que no debería estar aquí. Es peligroso.

Pasó otro breve período de tiempo antes de que ella contestara. Era como si procesara sus palabras, y después, al instante siguiente, reescribiera su significado.

—La verdad, habla igual que David. Si quiere que le diga la verdad, ya estoy harta de este tipo de discursos. —Exhaló un profundo suspiro—. Bien, será Garden Gate. Me llevaré dos latas en semimate, por favor. Si no le importa, tengo un poco de prisa.

Grey se sentía aturdido por completo.

—¿Quiere que le venda pintura?

—Bien, ¿es usted o no el encargado?

¿El encargado? ¿Cuándo había ocurrido eso? Poco a poco se fue dando cuenta de que la mujer no estaba fingiendo.

—Señora, ¿usted no sabe lo que está pasando aquí?

La mujer sacó dos latas de las estanterías y las extendió hacia él.

—Yo le diré lo que está pasando. Voy a comprar un poco de pintura, y usted me la va a mezclar, señor... Bien, creo que no sé su nombre.

Grey tragó saliva. Era como si estuviera por completo a merced de la mujer, como si un caballo desbocado le estuviera arrastrando.

—Grey —dijo—. Lawrence Grey.

La mujer empujó las latas hacia él y le obligó a cogerlas. Joder, prácticamente le estaba forzando a rellenar una solicitud de empleo. Si esto se prolongaba mucho más, nunca encontraría una correa de ventilador.

—Bien, señor Grey. Quiero dos latas de Garden Gate, por favor.

—Um, no sé cómo.

—Pues claro que sí. —La mujer señaló el mostrador—. Póngalos en el como-se-llame.

—No puedo, señora.

—¿Qué quiere decir que no puede?

—Bien, para empezar, no hay electricidad.

Dio la impresión de que el comentario obraba un efecto benéfico. La mujer alzó la cabeza hacia el techo.

—Vaya, creo que ya me había dado cuenta —dijo como sin darle importancia—. Esto está un poco oscuro.

—Es lo que intentaba decirle.

—Bien, ¿y por qué no me lo dijo sin más? —dijo irritada—. Bien, se acabó el Garden Gate. Y el color, a juzgar por lo que está diciendo. Debo manifestarle que me siento muy decepcionada. Confiaba en tener terminado el cuarto de la niña hoy.

—Señora, no creo...

—La verdad es que es David quien tendría que estar haciendo esto, pero, oh, no, ha de irse a salvar el mundo y dejarme encerrada en casa como una prisionera. ¿Y dónde coño está Yolanda? Perdone mi exabrupto. Después de todo lo que he hecho por ella, esperaría un poco de consideración. Aunque sólo fuera una llamada.

David. Yolanda. ¿Quiénes eran esas personas? Era de lo más desconcertante, y bastante extraño, pero una cosa era evidente: aquella pobre mujer estaba más sola que la una. A menos que Grey encontrara una forma de sacarla de allí, no duraría mucho.

—Tal vez podría pintarlo de blanco —sugirió—. Estoy seguro de que les quedan montones.

Ella le miró con escepticismo.

—¿Por qué he de pintarlo de blanco?

—Dicen que va bien con todo, ¿no? —Por el amor de Dios, ¿qué estaba diciendo? Parecía uno de aquellos maricones de la tele—. Con blanco, puede hacer lo que quiera. Tal vez añadir algo más de color a la habitación. Las cortinas y el mobiliario.

La mujer vaciló.

—No sé. Blanco me parece muy sencillo. Por otra parte, quería que estuviera pintado hoy.

—Exacto —dijo Grey con su mejor sonrisa—. Eso es justo lo que le estoy diciendo. Puede pintarlo de blanco, y después ya pensará en el resto cuando vea cómo queda. Eso es lo que yo le recomendaría.

—Y el blanco combina con todo. Tiene toda la razón.

—Ha dicho que era el cuarto de una niña, ¿verdad? Más adelante podría añadir una cenefa, para animarla un poco. Conejos, o algo por el estilo.

—¿Ha dicho conejos?

Grey tragó saliva. ¿De dónde lo había sacado? Los conejos eran el plato favorito de los fosforescentes. Había visto a Cero engullirlos a carretadas.

—Claro —logró articular—. A todo el mundo le gustan los conejos.

Vio que la idea empezaba a fascinarla. Lo cual suscitó otra pregunta. Dando por sentado que la mujer accediera a marcharse, ¿qué haría entonces? No podía permitir que se fuera sola. También se preguntó de cuánto estaría embarazada. ¿Cinco meses? ¿Seis? No era bueno para calcular esas cosas.

—Bien, estoy pensando que tal vez tenga razón —dijo la mujer, y asintió con su barbilla de huesos finos—. Da la impresión de que estamos en la misma onda, señor Grey.

—Me llamo Lawrence.

Ella extendió la mano, sonriente.

—Llámame Lila.

No fue hasta que estuvo sentado en el Volvo de la mujer (Lila había dejado un fajo de billetes en una de las cajas registradoras, junto con una nota en la que prometía volver) cuando Grey se dio cuenta de que, en algún momento entre cargar con las latas hasta el coche y colocarlas en el maletero, ella había conseguido convencerle de que pintara el cuarto de la niña. No recordaba haberlo hecho. Había sucedido, sin más, y al instante siguiente supo que se estaban marchando, mientras la mujer conducía el Volvo a través de la ciudad abandonada, dejando atrás coches accidentados y cadáveres hinchados, camiones del ejército volcados y los escombros todavía humeantes de complejos de apartamentos calcinados.

—Vaya —comentó la mujer, mientras rodeaba los restos quemados de una camioneta de reparto de FedEx sin apenas dirigirle una mirada—, la gente debería tener el sentido común de llamar a una grúa y no dejar los coches tirados en la calle.

También charló sobre el cuarto de la niña (había dado en la diana con lo de los conejos), con más pullas sarcásticas acerca de David, quien debía de ser el marido, en opinión de Grey. Éste supuso que el hombre se habría marchado a algún sitio, y la había dejado sola en casa. A juzgar por lo que había visto, parecía probable que le hubieran matado. Tal vez la mujer ya estaba loca antes, pero Grey no lo creía. Algo malo le había sucedido, muy malo. Tenía un nombre, lo sabía. Una secuela de un trauma. Básicamente, la mujer sabía pero no sabía, y su mente, en su estado aterrorizado, la estaba protegiendo de la verdad, una verdad que, tarde o temprano, Grey tendría que revelarle.

Llegaron a la casa, una gran mansión estilo Tudor que parecía flotar sobre la calle. Ya había supuesto que la mujer era de clase acomodada por la forma en que le había hablado, pero esto era otra cosa. Grey sacó las compras del maletero del Volvo (además de la pintura, la mujer había elegido un paquete de rodillos, un cubo y una selección de brochas) y subió la escalera. Al llegar a la puerta, Lila forcejeó con las llaves.

—Ésta siempre se pega un poco.

Abrió la puerta de un empujón y una bocanada de aire viciado los recibió. Grey la siguió al vestíbulo. Había esperado que el interior de la casa sería como el de un castillo, todo pesados cortinajes, muebles recargados en exceso y candelabros goteantes, pero era justo lo contrario, más una especie de oficina que un lugar donde viviera gente. A su izquierda, un amplio arco conducía al comedor, ocupado por una larga mesa de cristal y algunas sillas de aspecto incómodo. A la derecha se hallaba la sala de estar, un espacio desnudo ocupado sólo por un sofá bajo y un gran piano negro. Grey se quedó inmóvil un momento, sosteniendo las latas de pintura como atontado, mientras intentaba ordenar sus pensamientos.

También percibió el olor de algo: un tufillo acre a basura vieja, procedente de las profundidades de la casa.

Cuando el silencio se hizo mayor, Grey pensó en alguna cosa que decir.

—¿Tocas? —preguntó.

Lila estaba poniendo el bolso y las llaves sobre la mesita que había junto a la puerta.

—¿Tocar qué?

Grey indicó el piano. Ella giró la cabeza y miró el instrumento, con expresión vagamente sorprendida.

—No —contestó con el ceño fruncido—. Fue idea de David. Un poco pretencioso, si quieres saber mi opinión.

Le condujo escaleras arriba, y el aire se enrareció más a medida que subían. Grey la siguió hasta el final del pasillo alfombrado.

—Ya hemos llegado —anunció.

La habitación parecía desproporcionadamente pequeña, teniendo en cuenta las dimensiones de la casa. Una escalerilla se alzaba en una esquina, y el suelo estaba protegido por una tela sujeta con cinta adhesiva a los rodapiés. Un rodillo descansaba en un cubo de pintura, endureciéndose a causa del calor. Grey avanzó un poco más. El tono original del cuarto había sido de un cremoso neutro, pero alguien (Lila, supuso) había pintado con el rodillo anchas franjas aleatorias amarillas arriba y abajo de las paredes, sin seguir una pauta organizada. Sólo taparlas le exigiría tres capas.

Lila estaba parada en la entrada con los brazos en jarras.

—Debe de saltar a la vista —dijo, y puso mala cara al mismo tiempo—. La pintura no es lo mío. No soy una profesional como tú.

Otra vez, pensó Grey. Pero mientras decidiera seguirle la corriente, no veía motivos para desengañarla de la idea de que sabía lo que se llevaba entre manos.

—¿Necesitas algo más antes de empezar?

—Creo que no —balbució Grey.

La mujer se tapó la boca para disimular un bostezo. Daba la impresión de que le había sobrevenido un repentino cansancio, como si fuera un globo que se estuviera deshinchando poco a poco.

—Bien, pues te dejaré a tu aire. Voy a descansar los pies un ratito.

Con estas palabras, le dejó solo. Grey oyó el ruido de una puerta que se cerraba al final del pasillo. Bien, esto era el colmo. Pintar el cuarto de un bebé en casa de una señora rica no era algo que habría imaginado hacer cuando despertó en el Red Roof. Estuvo atento por si oía más sonidos producidos por la mujer, pero no oyó nada. Tal vez lo más divertido de todo fuera que pasaba de Grey. La mujer estaba como un cencerro, y era bastante mandona. Pero él no la había engañado sobre quién era, porque no se lo había preguntado en ningún momento. Era agradable que alguien confiara en él, aunque no lo mereciera.

Fue al vestíbulo a recuperar sus cosas y puso manos a la obra. No era que hubiera pintado mucho, pero no había que saber latín para ello, de modo que enseguida le cogió el truco, con la mente agradablemente en blanco. Casi pudo olvidar lo de haber despertado en el Red Roof, y a Cero, Richards, el Chalet y todo lo demás. Transcurrió una hora, y después otra. Estaba repasando los bordes del techo cuando Lila apareció en la puerta, cargada con una bandeja sobre la que descansaban un bocadillo y un vaso de agua. Se había cambiado y llevaba un vestido vaquero premamá de cintura alta que, pese a su holgura, la hacía parecer todavía más embarazada.

—Espero que te guste el atún.

Grey bajó de la escalerilla para coger la bandeja. El pan estaba cubierto de un moho verde peludo. Percibió el olor a mayonesa rancia. El estómago de Grey se revolvió.

—Tal vez más tarde —tartamudeó—. Antes quiero darle una segunda mano.

Lila no insistió, al contrario, retrocedió para echar un vistazo al cuarto.

—Debo decir que tiene mejor aspecto. Mucho mejor. No sé por qué no se me ocurrió el blanco antes. —Miró a Grey de nuevo—. Espero que no me consideres demasiado atrevida, Lawrence, y no quiero dar nada por sentado, pero ¿no necesitarás por casualidad un sitio donde pasar la noche?

Grey se quedó atónito. Aún no había pensado en eso. No había pensado nada en absoluto, como si el estado delirante de la mujer fuera contagioso. Pero estaba claro que ella quería que se quedase. Después de tantos días sola, no le iba a dejar escapar ahora: retenerle en la casa era su objetivo. Y además, ¿adónde iba a ir?

—Bien. Asunto solucionado. —La mujer lanzó una carcajada nerviosa—. Debo decir que me siento muy aliviada. Me siento tan culpable por haberte arrastrado a esto, sin preguntarte en ningún momento si tenías algún lugar donde quedarte... Y después de haberme ayudado tanto.

—No pasa nada —dijo Grey—. O sea, me alegro de quedarme.

—No se hable más. —Dio la sensación de que la conversación iba a finalizar, pero Lila se volvió al llegar a la puerta y arrugó la nariz en señal de desagrado—. Lamento lo del bocadillo. Sé que no debe de ser muy apetitoso. Tengo la intención de ir al mercado, pero te prepararé una buena cena.

Grey trabajó toda la tarde, y terminó la tercera capa cuando el sol se estaba poniendo tras las ventanas. Tuvo que admitir que la habitación no tenía un aspecto tan malo. Puso los rodillos y las brochas en el cubo, bajó la escalera y siguió el pasillo central hasta la cocina. Como el resto de la casa, la habitación tenía una apariencia austera y moderna, con armarios blancos, encimeras de granito negro y electrodomésticos de cromo reluciente, el efecto sólo estropeado por las bolsas de basura apiladas en todas partes, que hedían a comida rancia. Lila estaba parada ante el horno (el gas funcionaba, por lo visto), y removía una cacerola a la luz de una vela. La mesa estaba puesta con vajilla, servilletas y cubiertos, incluso un mantel.

—Espero que te guste el tomate —dijo Lila, sonriente.

Lila le guió hasta una pequeña habitación que había detrás de la cocina, con un fregadero de servicio. No había agua para lavar las brochas, de modo que Grey las dejó en el lavabo y utilizó un trapo para limpiarse las manos lo mejor posible. La idea de una sopa de tomate le repelía, pero tendría que llevar a cabo un trabajo convincente e intentar deglutir como fuera: no había forma de evitarlo. Cuando regresó, Lila estaba sirviendo la sopa en un par de platos hondos. Los llevó a la mesa junto con un plato de galletitas saladas Ritz.

—*Bon appétit.*

La primera cucharada casi le provocó vómitos. Ni siquiera parecía comida. Consiguió tragar, pese a que todos sus instintos le aconsejaban en contra. Al parecer, Lila no se fijó en sus apuros, porque rompió las galletas en la sopa y se las llevó a la boca con la cuchara. Por pura fuerza de voluntad, Grey tomó otra cucharada, y después una tercera. Notó que la sopa se alojaba en la base de sus tripas, una masa inerte. Cuando intentó comerse la cuarta, fue presa de espantosos retortijones.

—Perdona un momento.

Volvió al lavabo de servicio, procurando no correr, y llegó a la pila justo a tiempo. Por lo general montaba un escándalo cuando vomitaba, pero esta vez no: dio la impresión de que la sopa salía volando de su boca sin el menor esfuerzo. Joder, ¿qué le estaba pasando? Se secó la boca, dedicó un momento a tranquilizarse y volvió a la mesa. Lila le estaba mirando con preocupación.

—¿Está buena la sopa? —preguntó, ansiosa.

Grey fue incapaz ni siquiera de mirar el plato. Se preguntó si se notaría el olor del vómito en su aliento.

—Está buena —logró articular—. Es que... no tengo mucha hambre, supongo.

La respuesta pareció satisfacerla. Le miró durante un largo momento antes de volver a hablar.

—Espero que no te moleste que te lo pregunte, Lawrence, pero ¿andas buscando trabajo?

—¿Como pintor, quieres decir?

—Bien, eso desde luego. Pero también otras cosas. Porque me da la impresión, y perdona si he sacado conclusiones precipitadas, de que estás un poco... perdido. Lo cual está bien. No me malinterpretes. Son cosas que pasan. —Le miró fijamente desde el otro lado de la mesa—. Porque, en realidad, no trabajas en Home Depot, ¿verdad?

Grey negó con la cabeza.

—¡Me lo imaginaba! Y pese a todo, has hecho un hermoso trabajo. Un *hermoso* trabajo. Lo cual sólo viene a demostrar que tengo razón. Si entiendes a qué me refiero. Porque me gustaría ayudarte a recuperarte. Me has sido muy útil, y me gustaría devolverte el favor. Bien sabe Dios que hay muchas cosas que hacer en esta casa. Hay que poner la cenefa, restaurar la electricidad, por supuesto, y el patio, bien, ya has visto el patio...

Si no la acallaba ahora, Grey sabía que nunca saldría de allí.

—Señora...

—Por favor. —Ella levantó una mano y le dedicó una cálida sonrisa—. Lila.

—Lila, vale. —Grey respiró hondo—. ¿No has notado nada... raro?

Frunció el ceño en señal de confusión.

—No sé a qué te refieres.

Mejor proceder poco a poco, pensó Grey.

—Piensa en la electricidad, por ejemplo.

—Ah, eso. —La mujer hizo un gesto con la mano, como desechando la cuestión—. Ya lo dijiste en la tienda.

—Pero ¿no te parece raro que aún no haya vuelto? ¿No crees que ya tendrían que haberlo arreglado?

Una vaga inquietud se reflejó en su cara.

—No tengo ni idea. La verdad, no sé adónde quieres ir a parar.

—Y David, dijiste que no ha llamado. ¿Desde cuándo?

—Bien, es un hombre ocupado. Un hombre muy ocupado.

—No creo que sea ése el motivo de que no haya llamado.

Habló con voz absolutamente inexpresiva.

—No lo crees.

—No.

Lila entornó los ojos con expresión suspicaz.

—Lawrence, ¿sabes algo que me estás ocultando? Porque si eres amigo de David, espero que tengas la decencia de decírmelo.

Era como intentar capturar una mosca de un manotazo.

—No, no es amigo mío. Sólo estoy diciendo... —No había otra solución que ir al grano—. ¿Has observado que la gente ha desaparecido?

Lila le estaba mirando fijamente, con los brazos cruzados sobre el estómago hinchado. Una rabia incontenible se reflejaba en sus ojos. Se levantó con brusquedad, cogió su plato de la mesa y lo llevó al fregadero.

—Lila...

Ella movió la cabeza de manera categórica, sin mirarle.

—No permitiré que me hables así.

—Hemos de irnos de aquí.

Lila tiró el plato al fregadero con estrépito y abrió el grifo, mientras movía la palanca de un lado a otro sin conseguir nada.

—No hay agua, maldita sea. *¿Por qué coño no hay agua?*

Grey se puso en pie. Ella se giró hacia él, con las manos cerradas a causa de la ira.

—¿Es que no lo comprendes? ¡No puedo perderla otra vez! ¡No puedo!

¿Se refería a la niña? ¿Y qué significaba «otra vez»?

—No podemos quedarnos. —Grey avanzó otro paso con cautela, como si se acercara a un animal acorralado—. Aquí corremos peligro.

Lágrimas furiosas empezaron a resbalar sobre las mejillas de la mujer.

—¿Por qué has de hacerlo? ¿Por qué?

Se abalanzó sobre él, con los puños alzados como martillos. Grey trastabilló hacia atrás. Ella empezó a golpearle el pecho como si intentara derribar una puerta. Pero no se trataba de un ataque organizado. Era una expresión de pánico en estado puro, de la tormenta de emociones que se había desatado en su interior. Cuando retrocedió, Grey recuperó el equilibrio y la atrajo hacia él como un boxeador que se aferrara a su contrincante, rodeó su torso y le inmovilizó los brazos a los costados. Fue un acto reflejo. No sabía qué otra cosa hacer.

—No digas eso —suplicó Lila, sin dejar de revolverse—. No es verdad, no es verdad...

Después, expulsando el aliento y con un sollozo de rendición, se derrumbó contra él.

Durante un período de tiempo que pudo ser todo un minuto, permanecieron así, trabados en un abrazo torpe. Grey no habría podido estar más estupefacto, no por la reacción violenta de la mujer, fácil de prever, sino por la simple presencia de un cuerpo femenino en sus brazos. ¡Qué ligera era! ¡Cuán diferente de él! ¿Cuánto tiempo había pasado desde que Grey había abrazado a una mujer, abrazado a alguien, o desde que le había tocado otra persona? Notó la redondez rotunda del estómago de Lila apretado contra él, una presencia insistente. Un bebé, pensó Grey, y por primera vez todas las implicaciones del hecho florecieron en su mente. En medio del caos y la carnicería de un mundo enloquecido, la pobre mujer iba a tener un hijo.

Grey relajó su presa y retrocedió. Lila tenía la mirada clavada en el suelo. La mujer dinámica y emprendedora que había conocido en la sección de pintura había desaparecido. En su lugar se alzaba un ser frágil y diminuto, casi una niña.

—¿Puedo preguntarte algo, Lawrence?

Hablaba en voz muy baja.

Grey asintió.

—¿Qué hacías antes?

Por un momento no entendió su pregunta. Después comprendió que se refería a qué tipo de trabajo se dedicaba.

—Limpiaba —dijo, y se encogió de hombros—. O sea, era conserje.

Lila meditó sobre su respuesta sin la menor expresión.

—Bien, creo que me diste el pego —dijo en tono desdichado. Se frotó la nariz con el dorso de la muñeca—. Si quieres que te diga la verdad, me habría tragado cualquier cosa.

Se hizo de nuevo el silencio; Lila con la mirada fija en el suelo, mientras que Grey se preguntaba qué diría ella a continuación. Fuera lo que fuera, intuía que su supervivencia dependía de ello.

—Ya he perdido uno —dijo Lila—. Otra niña.

Grey esperó.

—El corazón, ¿sabes? —continuó ella, y apoyó una mano sobre el pecho—. Un problema del corazón.

Era extraño. Inmóvil en la oscuridad, Grey experimentó la sensación de que lo había sabido desde el primer momento. O bien, si no el hecho en sí mismo, algo similar. Era como si estuviera mirando uno de esos cuadros que, cuando los observabas de cerca, carecían de sentido, pero luego retrocedías y veías la imagen.

—¿Cómo se llamaba? —preguntó Grey.

Lila alzó su rostro surcado de lágrimas. Por un momento se limitó a mirarle, con los ojos entornados. Grey se preguntó si habría cometido una equivocación al hacer aquella pregunta. Le había salido de manera espontánea.

—Gracias, Lawrence. Nadie me lo ha preguntado nunca. No puedo ni decirte cuánto tiempo ha pasado.

—¿Por qué no?

—No lo sé. —Encogió apenas los hombros—. Supongo que creen que trae mala suerte, o algo por el estilo.

—Yo no.

Se hizo un breve silencio. Grey pensó que nunca había sentido tanta pena por alguien.

—Eva —dijo Lila—. Mi hija se llamaba Eva.

Permanecieron juntos en la presencia de aquel nombre. Fuera, al otro lado de las ventanas de casa de Lila, la noche apremiaba. Grey cayó en la cuenta de que había empezado a llover, una lluvia de verano, silenciosa, que calaba hasta los huesos, que repiqueteaba sobre las ventanas.

—No soy quien crees —confesó Grey.

—¿No?

¿Qué deseaba contarle? La verdad, claro, o alguna versión aproximada, pero durante el último día y medio daba la impresión de que la idea de la verdad se había soltado de sus amarras por completo. No sabía ni por dónde empezar.

—Tranquilo —dijo Lila—. No has de decir nada. Quienquiera que fueras antes, ahora ya da igual.

—Tal vez no. Me he metido... en algunos líos.

—Eso quiere decir que eres como todos los demás, ¿no? Otra persona más que atesora un secreto. —La mujer desvió la mirada—. Eso es lo peor, cuando lo piensas. Por más que te esfuerces, nadie llega a saber quién eres en realidad. No eres más que alguien solo en una casa con tus pensamientos, y punto.

Grey asintió. ¿Qué podía decir?

—Prométeme que no me abandonarás —dijo Lila—. Pase lo que pase, no lo hagas.

—De acuerdo.

—Me cuidarás. Nos cuidaremos mutuamente.

—Lo prometo.

Dio la impresión de que la conversación iba a concluir en ese punto. Lila exhaló un profundo suspiro y echó los hombros hacia atrás.

—Bien, creo que lo mejor será que me acueste. Supongo que querrás marcharte a primera hora de la mañana. Si lo he entendido bien.

—Creo que será lo mejor.

Sus ojos recorrieron con melancolía la habitación, con sus aparatos relucientes, las bolsas de basura rebosantes y las pilas de platos sucios.

—Es una pena, la verdad. Quería terminar el cuarto de la niña. Pero supongo que tendrá que esperar. —Le miró a la cara de nuevo—. Sólo una cosa. No puedes obligarme a pensar en eso.

Grey comprendió lo que le estaba pidiendo. *No me obligues a pensar en el mundo.*

—Si así lo deseas...

—Sólo vamos a... —Buscó las palabras—. De excursión al campo. ¿Qué te parece? ¿Crees que podrás hacer eso por mí?

Grey asintió. La petición se le antojaba extraña, incluso un poco tonta, pero se habría disfrazado de payaso con tal de sacarla de allí.

—Bien, de momento quedamos así.

Grey esperó a que ella dijera algo más, o se fuera de la cocina, pero no ocurrió ninguna de ambas cosas. Apareció un cambio en el rostro de Lila, una expresión de intensa concentración, como si estuviera leyendo unas letras tan diminutas que sólo ella pudiera ver. Después, de repente, abrió los ojos de par en par. Dio la impresión de que estaba a punto de reír.

—¡Oh, Dios mío, menuda escena acabo de montar! ¡No puedo creer que hiciera eso! —Se llevó las manos a las mejillas, al pelo—. Debo de tener un aspecto terrible. ¿Tengo un aspecto terrible?

—Creo que tienes buen aspecto —articuló Grey.

—Aquí estás tú, un invitado en mi casa, y yo llorando sin parar. Eso le pone a Brad de los nervios.

Ella no había pronunciado aquel nombre en ningún momento.

—¿Quién es Brad?

Lila frunció el ceño.

—Mi marido, por supuesto.

—Pensaba que tu marido era David.

Ella le miró inexpresiva.

—Bien, lo es. David, quiero decir.

—Pero dijiste...

Lila desechó sus palabras con un ademán.

—Digo montones de cosas, Lawrence. Tendrás que acostumbrarte a eso. Tal vez pienses que estoy loca, y no te equivocas.

—No lo pienso —mintió Grey.

Una sonrisa irónica se insinuó en el rostro de huesos finos.

—Bien. Ambos sabemos que sólo lo dices porque quieres ser amable. Pero te agradezco el gesto. —Inspeccionó de nuevo la cocina y asintió vagamente—. Bien, ha sido un día muy agitado, ¿no crees? Temo que no tenemos un cuarto de invitados como Dios manda, pero te he preparado el sofá. Si no te importa, creo que dejaré los platos para mañana por la mañana y te diré buenas noches.

Grey no tenía ni idea de qué deducir de todo aquello. Era como si Lila hubiera salido de su obstinado rechazo de la realidad, sólo para volver a recaer en él al instante. Recaer no, pensó. Lo había hecho aposta, obligando a sus pensamientos a redefinirse mediante un acto de voluntad. Miraba aturdido y admirado a la vez que se encaminaba hacia la puerta, donde se volvió para mirarle.

—Me alegro mucho de que estés aquí, Lawrence —dijo, y le dedicó una sonrisa vacía—. Vamos a ser buenos amigos, tú y yo. Lo sé.

Y se fue. Grey escuchó sus pasos, que recorrían poco a poco el pasillo, y luego la escalera. Despejó la mesa de platos. Le habría gustado lavarlos, para que Lila encontrara la cocina limpia por la mañana, pero lo único que podía hacer era ponerlos en el fregadero como los demás.

Llevó una de las velas de la mesa a la sala de estar, pero en cuanto se tendió en el sofá, comprendió que dormir estaba descartado. Su cerebro bullía de pensamientos. Aún se sentía un poco mareado por culpa de la sopa. Su mente volvió a la escena de la cocina, y al momento en que la había rodeado entre sus brazos. No fue un abrazo, exactamente. Sólo había intentado impedir que Lila continuara pegándole. Pero en algún momento se había convertido en algo cercano a un abrazo. Había sido una buena sensación, más que buena, en realidad. Nada que ver con el sexo, al menos tal como Grey lo recordaba. Habían transcurrido años desde la última vez que Grey había experimentado algo que se aproximara a un pensamiento sexual (los antiandrógenos se encargaban de eso), y encima la mujer estaba embarazada, por el amor de Dios. Lo cual, pensándolo bien, quizás era lo más bonito de todo el asunto. Las mujeres embarazadas no iban abrazando a la gente sin motivos. Cuando abrazó a Lila, Grey experimentó la sensación de haber entrado en un círculo, y dentro de ese círculo no sólo había dos personas, sino tres, porque también estaba el bebé, claro. Tal vez Lila estaba loca, y tal vez no. Él no era la persona adecuada para juzgar. Pero no podía deducir si eso marcaba una diferencia o no. Ella le había elegido para ayudarla, y eso era lo que iba a hacer.

Grey casi se había sumido en el sueño, cuando un chillido animal rompió el silencio. Se incorporó al instante en el sofá y se sacudió de encima la desorientación. El sonido había llegado de fuera. Corrió a la ventana.

Fue entonces cuando recordó la pistola de Iggy. Tan distraído estaba, que se la había dejado en el Home Depot. ¿Cómo podía ser tan tonto?

Apretó la cara contra el cristal. Un bulto del tamaño de un perro estaba tendido en medio de la calle. No parecía moverse. Grey esperó un momento, sin aliento. Una sombra pálida saltaba entre las copas de los árboles, la imagen se hizo imprecisa, desapareció.

Grey sabía que no volvería a cerrar los ojos en toda la noche. Pero daba igual. Lila dormía arriba, soñando con un mundo que ya no existía, mientras al otro lado de las paredes de la casa una maldad monstruosa acechaba, una maldad de la que Grey formaba parte. Su mente volvió a la escena de la cocina, y a la imagen de

Lila, parada ante el fregadero, con lágrimas desesperadas resbalando sobre sus mejillas, los puños apretados de rabia. *No puedo volver a perderla. No puedo.*

Montaría guardia ante la ventana hasta el amanecer, y después, cuando saliera el sol, huirían de allí.

Lila Kyle meditaba en la oscuridad.

Había oído el chillido en la calle. Un perro, pensó. Algo le había pasado a un perro. ¿Algún motorista desconsiderado lo habría atropellado? Eso era lo que había pasado, sin duda. La gente debería ser más cuidadosa con sus mascotas.

No pienses, se dijo. No pienses no pienses no pienses.

Lila se preguntó cómo sería ser un perro. Comprendía que comportaría ciertas ventajas. Una existencia con la mente en blanco salvo la siguiente caricia en la cabeza, un paseo alrededor de la manzana, la sensación de la comida en el estómago. Era probable que *Roscoe* (porque lo había oído; el pobre *Roscoe*) ni siquiera se hubiera enterado de lo que le estaba pasando. Tal vez un poquito, al final. En un momento dado estaba olfateando en la calle, a la busca de algo que comer (Lila recordó la cosa fofa que había visto en su boca aquella mañana, pero al instante expulsó aquel recuerdo desagradable), y al siguiente... Bien, no hubo siguiente. *Roscoe* ya formaba parte del olvido.

Y ahora, estaba ese hombre. Ese tal Lawrence Grey. Acerca del cual, cayó en la cuenta Lila, no sabía nada de nada. Era un conserje. Limpiaba. ¿Qué limpiaba? A David le daría un ataque si supiera que había dejado entrar a un desconocido en casa. Le habría gustado ver la expresión de su marido. Lila supuso que quizás había juzgado mal al hombre, a ese tal Lawrence Grey, pero no lo creía. Siempre había sido una buena psicóloga. Desde luego, Lawrence había dicho algunas cosas inquietantes en la cocina, *muy* inquietantes. Lo de que la luz se había ido, que la gente había desaparecido (muertos, muertos, todo el mundo había muerto). La había inquietado, sin duda. Pero para ser justa, había hecho un excelente trabajo en el cuarto de la niña, y bastaba mirarle para caer en la cuenta de que tenía el corazón en el lugar correcto. Otra de las expresiones favoritas de su padre. ¿Qué significaba, con exactitud? ¿Podía estar el corazón en otro sitio? Papá, soy médico, le había dicho en una ocasión. Te lo digo sin la menor duda, el corazón está donde debe.

Lila se oyó suspirar. Qué esfuerzo tan grande, mantener en todo momento la lucidez. Porque eso era lo que debías hacer: debías mirar las cosas a una cierta luz, y no a otra, y pasara lo que pasara, no podías apartar la vista. De lo contrario, el mundo podría abrumarte, ahogarte como una ola, y luego ¿dónde estarías? La casa, en sí, era algo que no echaría de menos. En secreto, la había odiado desde el momento en que entró, con sus dimensiones presuntuosas, tantas habitaciones de más y la luz amarilla gaseosa. No se parecía en nada a la que ella y Brad habían habitado en Maribel Street (acogedora, cómoda, llena de cosas que amaba), pero ¿cómo era posible? Esta monstruosidad ampulosa, este museo de la nada. Había sido idea de David, por supuesto. La Casa de David. ¿No era algo de la Biblia? La Biblia estaba llena de casas, la casa de fulano y la casa de mengano. Lila recordaba que, cuando era pequeña, estaba acurrucada en el sofá viendo *La Navidad de Charlie Brown* (quería tanto a Snoopy como a Peter Rabbit), y el momento en que Linus, el listo, el que era un hombre que fingía ser un niño con una manta, aparecía en el escenario y le contaba a Charlie Brown la verdad sobre la Navidad. *Había en la región unos pastores que pernoctaban al raso, y de noche se turnaban velando sobre su rebaño. Se les presentó un ángel del Señor, y la gloria del Señor los envolvía con su luz, quedando ellos sobrecogidos de gran temor. Díjoles el ángel: No temáis, os traigo una buena nueva, una gran alegría, que es para todo el pueblo; pues os ha nacido hoy un Salvador, que es el Mesías, Señor, en la ciudad de David.*

La ciudad de David, la Casa de David.

Pero la niña..., pensó Lila. No dejaba de pensar en la niña. No en la casa, ni en los ruidos de fuera (acechaban monstruos), ni en el regreso de David a casa (David muerto), ni en todo lo demás. Toda la literatura lo expresaba con absoluta claridad, que las emociones negativas afectaban al feto. Pensaba lo que tú pensabas, sentía lo que tú sentías, y si siempre estabas asustada, ¿qué ocurriría? Esas cosas perturbadoras que Lawrence había dicho en la cocina... El hombre tenía buenas intenciones, sólo intentaba hacer lo que consideraba mejor para ella y para Eva (¿Eva?), pero ¿tenían que ser ciertas esas cosas sólo porque él las había dicho? Eran *teorías*. No eran más que *opiniones*. Lo cual no quería decir que ella no estuviera de acuerdo. Probablemente había llegado el momento de marcharse. Reinaba un silencio espantoso alrededor de la casa (pobre *Roscoe*). Si Brad estuviera ahí, le habría dicho eso a Lila: había llegado el momento de marcharse.

Porque a veces, muchas veces, siempre, Lila Kyle experimentaba la sensación de que la niña que crecía en su seno no era alguien nuevo, una persona nueva. Desde la mañana en que se había puesto en cuclillas sobre el retrete con la varilla de plástico entre los muslos, contemplando con mudo estupor la aparición de la pequeña cruz azul, la idea había echado raíces. El bebé no era una nueva Eva, ni una Eva diferente, ni una Eva sustituta: *era* Eva, su pequeña, que había llegado a casa. Era como si el mundo hubiera deshecho un agravio, corregido el error cósmico de la muerte de Eva.

Quería decírselo a Brad. Era algo más que un simple deseo: su nombre despertaba un anhelo tan intenso que sus ojos se anegaban en lágrimas. ¡No había deseado casarse con David! ¿Por qué Lila se había casado con David (el mojigato, insoportable, eternamente santurrón David), cuando ya estaba casada con Brad? Sobre todo ahora, con Eva de camino, que iba a convertirlos de nuevo en una familia.

Lila todavía le amaba: ésa era la cuestión. Ése era el triste y penoso misterio. Nunca había dejado de amar a Brad, ni él a ella, ni un segundo, incluso cuando su amor suponía demasiado dolor para ambos, porque la niña había muerto. Se habían separado para poder olvidar, pues ninguno de los dos lo lograría en compañía del otro, una ruptura triste e inevitable, como la separación primordial de los continentes. Habían pugnado hasta el final. La noche antes de que él se marchara, con sus maletas en el vestíbulo de la casa de Maribel Street, los abogados informados cumplidamente, tras derramar tantas lágrimas que nadie sabía ya cuál era la causa de sus sollozos (un estado tan general como el tiempo, un mundo de lágrimas imperecederas), él había ido a verla a la habitación que había abandonado tanto tiempo antes, se había deslizado bajo las sábanas, y durante una hora habían vuelto a ser una pareja, moviéndose al unísono en silencio, pues los cuerpos todavía deseaban lo que los corazones ya no soportaban. No habían intercambiado ni una sola palabra. Por la mañana, Lila despertó sola.

Pero ahora todo eso había cambiado. ¡Eva iba a nacer! ¡Eva ya había llegado, prácticamente! Escribiría una carta a Brad, eso haría Lila. Vendría a buscarla, sin duda, era un hombre de esa clase, siempre podías contar con Brad cuando las cosas se iban a hacer puñetas, ¿y qué sentiría cuando descubriera que ya no estaba en casa? Reanimada por esta decisión, Lila se acercó al pequeño escritorio que había bajo las ventanas, buscó en el cajón un lápiz y una hoja de papel. Ahora, ¿qué palabras elegiría? *Me voy. No sé muy bien adónde. Espérame, querido. Te quiero. Eva llegará muy pronto.* Sencillo y claro, capturando con elegancia la esencia de la situación. Satisfecha, dobló el papel en tres, lo introdujo en el sobre, escribió «Brad» en el exterior y lo apoyó sobre el escritorio para verlo por la mañana.

Se tumbó. La carta la miraba desde el otro lado del dormitorio, un rectángulo de blancura reluciente. Lila cerró los ojos y dejó que sus manos resbalaran hasta la dura curva de su estómago. Una sensación de plenitud, y después, desde dentro, una contracción gaseosa, y después otra, y otra. La niña estaba hipando. *¡Hip!*, hacía la niña. Lila cerró los ojos, dejó que la sensación la invadiera. En su interior, en el espacio situado bajo su corazón, una pequeña vida estaba esperando a nacer, pero todavía más: ella, Eva, estaba volviendo a casa. El día se estaba acercando, Lila lo sabía. Su mente estaba cabalgando sobre las corrientes del sueño como un surfero sobre la curva de una ola. Al cabo de un momento, la ola caería sobre ella, la arrastraría al fondo. Eva había enmudecido bajo las yemas de sus dedos. Te quiero, Eva, pensó Lila Kyle, y así se quedó dormida.

10

Eran casi las diez de la mañana cuando llegaron a Mile High. Mientras conducía hacia el centro de la ciudad, Danny se encontró atrapado en un laberinto de barricadas: Humvees abandonados, nidos de ametralladoras con sus pilas de sacos de arena, incluso algunos tanques. Una docena de veces se vio obligado a retroceder en busca de una ruta alternativa, sólo para descubrir el paso bloqueado. Por fin, cuando los últimos rastros de niebla matutina estaban desapareciendo, encontró un camino libre bajo la autovía y ascendió la rampa que conducía al estadio.

La zona de aparcamiento era un cuadrilátero de tiendas verde oliva, sumidas en una siniestra calma bajo el sol de la mañana. Un círculo de vehículos, vagones de tren, ambulancias y coches de policía lo rodeaban, pero la mitad parecían semidestruidos: ventanillas rotas, guardabarros arrancados de los chasis, puertas colgando de sus goznes. Danny detuvo el autobús.

Desembarcaron en medio de un hedor a putrefacción tan intenso que Danny casi vomitó. Peor que Mami, peor que todos los cadáveres que había visto aquella mañana cuando iba a pie a la cochera. Era el tipo de olor capaz de introducirse en tu interior, en la nariz y en la boca, y quedarse durante días.

—¡Hola! —gritó April. Su voz resonó en el aparcamiento—. ¿Hay alguien ahí? ¡Hola!

Danny experimentó una desagradable sensación en la boca del estómago. En parte era el olor, pero había algo más. Se sentía como un manojo de nervios.

—¡Hola! —volvió a llamar April, con las manos formando bocina—. ¿Alguien me oye?

—Tal vez deberíamos irnos —sugirió Danny.

—Se supone que el ejército está aquí.

—Puede que ya se hayan marchado.

April se quitó la mochila, abrió la cremallera de arriba y sacó un martillo. Lo hizo girar, como para probar su peso.

—Tim, quédate a mi lado. ¿Comprendido? No te alejes.

El chico estaba parado en la base de los peldaños del autobús, con la nariz apretada entre los dedos.

—Pero huele fatal —dijo con voz nasal.

April pasó los brazos a través de las correas.

—Toda la *ciudad* huele fatal. Tendrás que aguantarlo. Vámonos.

Danny tampoco quería ir, pero la chica estaba decidida. Siguió a los dos mientras se internaban en el laberinto de vehículos. Paso a paso, Danny empezó a comprender lo que estaba viendo. Habían situado los coches alrededor de las tiendas a modo de defensa. Como en los tiempos de los pioneros, cuando los colonos formaban círculos con las carretas para defenderse de los ataques de los indios. Pero Danny sabía que ahí no se trataba de indios, y había transcurrido bastante tiempo desde lo sucedido, fuera lo que fuera. Había cadáveres en alguna parte (daba la impresión de que el hedor se iba intensificando a medida que avanzaban), pero hasta el momento no habían visto ni rastro de ellos. Era como si todo el mundo se hubiera evaporado.

Llegaron a la primera tienda. April fue la primera en entrar, empuñando el martillo, dispuesta a utilizarlo. El espacio era un caos de camillas volcadas e instrumental quirúrgico, con restos diseminados por todas partes: vendas, palanganas, jeringas. Pero seguían sin ver cadáveres.

Miraron en otra tienda, y después en una tercera. Lo mismo en todas.

—¿Adónde ha ido todo el mundo? —se preguntó April en voz alta.

El único lugar donde faltaba mirar era el estadio. Danny no quería ir, pero April no aceptaba un no por respuesta. Si el ejército había dicho que fueran allí, insistió, tenía que existir un motivo. Subieron la rampa que conducía a la entrada. April abría la marcha, aferrando a Tim con una mano y el martillo en la otra. Por primera vez, Danny se fijó en los pájaros. Una enorme nube negra daba vueltas sobre el estadio, y sus gritos roncos parecían romper el silencio e intensificarlo al mismo tiempo.

Entonces, se oyó una voz de hombre detrás de ellos:

—Yo de vosotros no lo haría.

El Ferrari se paró cuando Kittridge estaba entrando en la zona de aparcamiento. A esas alturas, el coche corcoveaba como un caballo medio reventado, y columnas de humo aceitoso brotaban del capó y el chasis. Era evidente lo que había sucedido: la precipitada salida de Kittridge de la rampa de aparcamiento (aquel salto en el espacio, y después el fuerte aterrizaje sobre el pavimento) había roto el cárter. A medida que el aceite escapaba, el motor se había ido recalentando, y el metal se hinchó hasta que los pistones habían estrangulado sus cilindros.

Lamento lo de tu coche, Warren. Fue bonito mientras duró.

Después de lo que había visto en el estadio, Kittridge necesitó un poco de tiempo para serenarse. Jesús, qué escena. Era algo que habría podido predecir con facilidad, pero verlo en directo era otra cosa. Le había estremecido hasta lo más hondo. De hecho, le temblaban las manos. Pensó que tal vez estaría enfermo. Kittridge había visto algunas cosas en su vida, cosas horribles. Fosas con cadáveres alineados como leña apilada, pueblos enteros gaseados, familias tendidas donde habían caído, con las manos extendidas en vano para tocar por última vez a un ser amado; los restos indescifrables de hombres, mujeres y niños, despedazados en un mercado por un fanático con una bomba sujeta al pecho. Pero nada que se acercara ni remotamente a esta escala.

Estaba sentado sobre el capó del Ferrari, meditando sobre sus opciones, cuando oyó que un vehículo se acercaba a lo lejos. Los nervios de Kittridge se pusieron en acción. A juzgar por el sonido, un motor diésel grande: ¿un APC? Pero entonces, ascendiendo la rampa poco a poco, apareció la visión surrealista de un gran autobús escolar amarillo.

Qué te parece, pensó Kittridge. Hijo de la gran puta. Un maldito autobús escolar, como un viaje de estudios al fin del mundo.

Kittridge vio que el autobús se detenía. Salieron tres personas: una chica con una franja rosa en el pelo, un chico de rodillas huesudas en camiseta y pantalones cortos, y un hombre con una gorra de aspecto peculiar, al que Kittridge adjudicó el papel de conductor. ¡Hola!, gritó la chica. ¿Hay alguien ahí? Un momento de conciliábulo, y después se internaron en el amasijo de vehículos, con la chica en cabeza.

Probablemente había llegado el momento de decir algo, pensó Kittridge. Pero alertarlos de su presencia podía dar lugar a una serie de obligaciones que había jurado evitar desde el principio. Más gente no formaba parte del plan: el plan era seguir adelante. Viajar ligero, mantenerse vivo lo máximo posible, llevarse por delante tantos virales como pudiera antes de que llegara el final. El Último Resistente de Denver, efectuando su brillante y meteórico descenso al vacío.

Pero entonces, Kittridge se dio cuenta de lo que estaba a punto de suceder. Los tres se dirigían directamente al estadio. Pues claro: Kittridge había hecho lo mismo. Eran *críos*, por el amor de Dios. Con plan o sin él, no podía permitir que entraran.

Kittridge agarró el rifle y corrió a cortarles el paso.

Al oír la voz de Kittridge, el conductor reaccionó de una forma tan violenta que Kittridge se quedó petrificado un instante. Al tiempo que lanzaba un chillido, el hombre se precipitó hacia delante, dio un traspié y, al mismo tiempo, sepultó la cara en el hueco del codo. Los otros dos salieron corriendo, mientras la chica apretaba al niño contra su cintura en un gesto protector y se revolvía contra Kittridge, con el martillo extendido hacia ella.

—Eh, quietos ahí —dijo Kittridge. Apuntó el rifle hacia el cielo y levantó las manos—. Soy de los buenos.

Kittridge observó que la chica era mayor de lo que había creído al principio, diecisiete años o así. El pelo rosa era ridículo, y las dos orejas exhibían tantos *piercings* que daban la impresión de estar clavadas a la cabeza, pero por la forma en que le miraba, con frialdad y sin el menor atisbo de pánico, comprendió que su apariencia engañaba. No le cupo la menor duda de que utilizaría el martillo contra él, o lo intentaría, si daba otro paso. Vestía una camiseta negra ceñida, tejanos deshilachados en las rodillas, un par de Chuck Taylors, y brazaletes de cuero y plata en ambos brazos. Una mochila amarilla colgaba de sus hombros. Era evidente que el niño debía de ser su hermano, pues su relación familiar no sólo era evidente en la distribución inconfundible de los rasgos (la nariz acaso demasiado pequeña con su extremo en forma de botón, los planos altos y repentinos de los pómulos, ojos del mismo azul acuático), sino también en la forma de reaccionar, al defenderle con una feroz ansia protectora que a Kittridge se le antojó propia de un padre o una madre.

El tercer miembro del grupo, el conductor, era más difícil de analizar. Aquel tío no estaba del todo en sus cabales. Iba vestido con pantalones caqui y una camisa blanca Oxford abotonada hasta el cuello. El pelo, una mata de un rubio tirando a rojizo que sobresalía por los costados de la peculiar gorra, daba la impresión de haber sido cortado con tijeras de podar. Pero la auténtica diferencia no residía en esas cosas. Era su porte.

El niño fue el primero en hablar. Exhibía el peor remolino que Kittridge había visto en su vida.

—¿Eso es un auténtico AK? —preguntó, al tiempo que señalaba.

—Calla, Tim. —La chica le apretó más contra ella y levantó el martillo, dispuesta a golpear—. ¿Quién coño eres?

Las manos de Kittridge seguían levantadas. Por un momento, la idea de que el martillo representaba una auténtica amenaza fue algo que deseó acariciar.

—Me llamo Kittridge. Y sí —dijo, hablándole al niño—, es un AK auténtico. Pero ni se te ocurra pensar que te lo dejaré tocar.

El rostro del chico se encendió de entusiasmo.

—Qué *guay*.

Kittridge alzó la barbilla hacia el conductor, que tenía la mirada clavada en sus zapatos.

—¿Se encuentra bien?

—No le gusta que le toquen, eso es todo. —La chica continuaba estudiando a Kittridge con cautela—. El ejército dijo que viniéramos aquí. Lo oímos en la radio.

—Imagino que sí, pero da la impresión de que nos han dejado tirados. Bien, creo que no he entendido bien vuestros nombres.

La chica vaciló.

—Yo soy April. Éste es mi hermano, Tim. El otro es Danny.

—Encantado de conocerte, April. —Le ofreció su sonrisa más tranquilizadora—. ¿Te parece bien que baje las manos? Como ya nos hemos presentado como es debido...

—¿De dónde has sacado ese rifle?

—Outdoor World. Soy vendedor.

—¿Vendes armas?

—Equipo de acampada y pesca, sobre todo —contestó Kittridge—. Pero me hicieron un buen descuento. Bien, ¿qué me dices? Jugamos en el mismo equipo, April.

—¿Qué equipo es ése?

Kittridge se encogió de hombros.

—El humano, diría yo.

La chica le estaba sopesando con la mirada. Muy precavida, la tal April. Kittridge se recordó que no sólo era una chica; era una superviviente. Por lo demás, merecía que la tomara en serio. Transcurrieron algunos segundos, y después bajó el martillo.

—¿Qué hay en el estadio? —preguntó Tim.

—Nada que desees ver. —Kittridge miró a la chica de nuevo. Se parecía a un mes de abril, decidió. Era curioso que a veces las cosas fueran así—. ¿Cómo habéis sobrevivido?

—Nos escondimos en una bodega.

—¿Y vuestros padres?

—No lo sabemos. Estaban en Telluride.

Jesús, pensó Kittridge. Telluride era zona cero, el lugar donde todo había empezado.

—Bien, muy inteligente por vuestra parte. Bien pensado. —Señaló de nuevo a Danny. Estaba parado a unos tres metros de distancia con las manos en los bolsillos, la mirada clavada en el suelo—. ¿Y vuestro amigo?

—Danny fue quien nos encontró. Le oímos tocar la bocina.

—Bien por ti, Danny. Yo diría que eso te convierte en el héroe del día.

El hombre dirigió a Kittridge una veloz mirada de soslayo. Su rostro no mostraba la menor expresión.

—Vale.

—¿Por qué no puedo ir a ver lo que hay en el estadio? —interrumpió Tim de nuevo.

April y Kittridge intercambiaron una mirada: *No es una buena idea.*

—Deja en paz el estadio —dijo April. Devolvió su atención a Kittridge—. ¿Has visto a alguien más?

—Hace tiempo que no. Aunque eso no significa que no haya más.

—Pero tú no lo crees.

—Lo más lógico sería suponer que estamos solos.

Kittridge sabía lo que iba a suceder. Una hora antes estaba bajando por el costado de un edificio, huyendo para salvar el pellejo. Ahora se enfrentaba a la perspectiva de cuidar de dos críos y un hombre que era incapaz hasta de sostener su mirada. Pero la situación era la que era.

—Danny, ¿ése es tu autobús? —preguntó.

El hombre asintió.

—Yo hago la ruta azul. Número doce.

Un vehículo más pequeño habría sido ideal, pero Kittridge tenía la sensación de que el hombre no se iría sin él.

—¿Qué te parece si nos sacas de aquí?

La expresión de la chica se endureció.

—¿Qué te hace pensar que vas a venir con nosotros?

Kittridge se quedó sorprendido. No había considerado la posibilidad de que los tres no quisieran su ayuda.

—Nada, en realidad, si lo planteas así. Supongo que deberíais invitarme.

—¿Por qué no puedo *verlo*? —insistió Tim.

April puso los ojos en blanco.

—Por lo que más quieras, Tim, deja de hablar del puto estadio, ¿vale?

—¡Has dicho una palabrota! ¡Me chivaré!

—¿A quién te vas a chivar?

De pronto, el chico estuvo a punto de llorar.

—¡No digas eso!

—Escuchad —los interrumpió Kittridge—, no es el momento más adecuado. Según mis cálculos, nos quedan ocho horas de luz diurna. Creo que no es aconsejable estar cerca de aquí cuando oscurezca.

Fue entonces cuando el niño, presintiendo su oportunidad, giró en redondo y subió corriendo la rampa.

—Mierda —dijo Kittridge—. Vosotros dos, quedaos aquí.

Se puso a correr, pero con la pierna mala no estaba en condiciones de alcanzarle. Cuando Kittridge llegó al lado del niño, éste se encontraba parado boquiabierto en una de las puertas, contemplando aturdido el campo. Tan sólo unos segundos, pero suficiente. Kittridge le cogió por detrás y lo levantó hasta su pecho. El niño se derrumbó contra él. No emitió el menor sonido. Jesús, pensó Kittridge. ¿Por qué había permitido que el crío se le adelantara así?

Cuando llegó a la base de la rampa, Tim había empezado a emitir un sonido medio hipido, medio sollozo. Kittridge le bajó al suelo delante de April.

—¿Qué te creías que estabas haciendo?

La voz de la chica estaba ronca debido a las lágrimas de rabia.

—Lo... sien-siento —tartamudeó el niño.

—No puedes salir corriendo así, *no puedes*. —Ella le sacudió por los brazos, y después le rodeó en un abrazo desesperado—. Te he dicho mil veces que no te separes de mí.

Kittridge se había acercado a Danny, que contemplaba el suelo con las manos en los bolsillos.

—¿De veras estaban solos? —le preguntó en voz baja.

—Consuela estaba con ellos —contestó Danny—. Pero se fue.

—¿Quién es Consuela?

El hombre se encogió de hombros.

—A veces espera el autobús con Tim.

No había mucho más que comentar sobre el tema. Tal vez a Danny le faltara un hervor, pero había rescatado a dos niños indefensos cuyos padres estaban muertos casi con toda seguridad. Era más de lo que Kittridge había hecho.

—¿Qué te parece, amigo? —dijo—. ¿Qué tal si pones en marcha ese autobús tuyo?

—¿Adónde vamos?

—Estaba pensando en Nebraska.

11

Partieron una hora después de amanecer. Grey recogió todo lo que pudo encontrar en la cocina con aspecto de ser todavía comestible (algunas latas de sopa restantes, unas galletitas rancias, una caja de Wheaties y botellas de agua) y lo cargó en el Volvo. No tenía ni siquiera un cepillo de dientes, pero entonces Lila apareció en el vestíbulo con dos maletas de ruedas.

—Me tomé la libertad de ponerte algo de ropa.

Lila iba vestida como si fuera de vacaciones, con pantalones negros combinados con una camisa almidonada de faldón largo. Un pañuelo de seda de alegres colores descansaba sobre sus hombros. Se había lavado la cara y cepillado el pelo, y hasta se había puesto pendientes y aplicado un poco de maquillaje. Al verla, Grey cayó en la cuenta de lo sucio que estaba. Hacía días que no se lavaba. Probablemente, olería fatal.

—Tal vez debería lavarme un poco.

Lila le guió hasta el cuarto de baño que había al final de la escalera, donde ya había preparado una muda para él, pulcramente doblada sobre el asiento del retrete. Un cepillo de dientes nuevo, todavía en su envoltorio, y un tubo de Colgate descansaban sobre el tocador al lado de una jarra de agua. Grey se desprendió del mono y se lavó la cara y las axilas, y después se cepilló los dientes contemplándose en el ancho espejo. No había mirado su reflejo desde el Red Roof, y aún le sorprendía su apariencia juvenil (piel clara y firme, una mata de pelo abundante sobre el cráneo, ojos que proyectaban un brillo similar al de joyas). Daba la impresión de que había perdido un montón de peso también, cosa nada sorprendente, puesto que hacía dos días que no comía nada, pero el grado en que esto había ocurrido, tanto en cantidad como en clase, era sorprendente. No sólo estaba más delgado. Era como si su cuerpo se hubiera reorganizado. Se puso de costado, sin dejar de mirarse, y recorrió su estómago con la mano a modo de experimento. Siempre había tenido tendencia a engordar. Ahora, podía distinguir el perfil firme de los músculos. A partir de ahí bastó un pequeño paso para flexionar los brazos, como un crío admirado de sí mismo. Bien, fíjate en eso, pensó. Bíceps de verdad. Maldita sea.

Se puso la ropa que Lila le había reservado (calzoncillos blancos, tejanos, una camisa deportiva a cuadros), y descubrió, para su continuo asombro, que todo le sentaba bastante bien. Se dirigió una última mirada al espejo y bajó por la escalera a la sala de estar, donde encontró a Lila sentada en el sofá, hojeando un ejemplar de *People*.

—Vaya, vaya. —Ella le miró de arriba abajo, sonriendo a su manera displicente—. Estás estupendo.

Llevó las maletas al Volvo. El aire matutino estaba impregnado de rocío. Los pájaros cantaban en los árboles. Como si los dos fueran a hacer una excursión al campo, pensó Grey, y meneó la cabeza. No obstante, parado en el camino de entrada con la ropa de otro hombre, casi se le antojó cierto. Era como si hubiera accedido a una vida diferente, la vida, quizá, de un hombre cuyos tejanos y camisa deportiva adornaban ahora su nuevo cuerpo esbelto y musculoso. Respiró hondo e hinchó el pecho. Notó el aire fresco y limpio en los pulmones, pletórico de aroma. Hierba, y hojas verdes nuevas, y tierra húmeda. Daba la impresión de no albergar los terrores de la noche, como si la luz del día hubiera purificado el mundo.

Cerró el maletero y vio que Lila estaba parada ante la puerta. Giró la llave en la cerradura, y después extrajo algo de su bolso: un sobre. Sacó un rollo de cinta adhesiva y pegó el sobre a la puerta. Después, retrocedió para mirarlo. ¿Una carta?, pensó Grey. ¿Para quién sería? ¿David? ¿Brad? Uno de ésos, probablemente, pero Grey aún no tenía ni idea de quién era quién. Los dos parecían intercambiables en la mente de Lila.

—Ya está —anunció Lila—. Todo preparado. —Le entregó las llaves del Volvo—. ¿Qué te parece si conduces tú?

Y eso también le gustó a Grey.

Grey decidió que lo mejor sería mantenerse alejado de las carreteras principales, al menos hasta salir de la ciudad. Aunque calló este hecho, parecía formar parte también de su pacto con Lila de pasar por alto las cosas que podían inquietarla. No fue difícil: la mujer apenas levantó la vista de su revista. Grey eligió una ruta a través de las zonas residenciales. A media mañana se encontraban en una tierra ondulante y abrasada por el sol de campos vacíos del color de una tostada quemada, avanzando hacia el este por una carretera rural. La ciudad iba desvaneciéndose detrás de ellos, seguida por la mole azul de las Rocosas, que se desintegraba en la bruma. El paisaje que los rodeaba poseía una cualidad yerma y olvidada, tan sólo unas pinceladas de nubes en el cielo, los campos resecos y la autopista que se iba desplegando bajo las ruedas del Volvo. Por fin, Lila abandonó su lectura y se durmió.

La extrañeza de la situación era indiscutible, pero a medida que los kilómetros y las horas transcurrían, Grey sentía un bienestar sin igual en su interior. Nunca le había importado a nadie. Buscó en su mente algo con lo que comparar el sentimiento. Lo único que se le ocurrió fue la historia de José y María y la huida a Egipto. Un recuerdo de su infancia, porque hacía años que Grey no pisaba una iglesia. José siempre le había parecido más raro que un perro verde, que cuidaba de una mujer embarazada de otro. Pero Grey estaba empezando a comprender la situación, cómo una persona podía pegarse a otra al sentirse deseada.

Y la cuestión era que a Grey le gustaban las mujeres. Siempre le habían gustado. Lo otro, lo de los chicos, era diferente. No era una cuestión de lo que le gustaba o no, sino de lo que *debía* hacer, por culpa de su pasado y las cosas que le habían hecho. Así se lo había explicado Wilder, el loquero de la cárcel. Los chicos eran una compulsión, le dijo Wilder, la forma de Grey de regresar al momento de su violación para volver a representarla y, de esa manera, intentar comprenderla. Lo de tocar a los chicos era como rascarse algo que le picaba, una reacción inconsciente. Muchas de las cosas que decía Wilder le parecían chorradas, pero esa parte no, y conseguía que se sintiera un poco mejor, al saber que no era del todo culpa suya. Tampoco le acababa de tranquilizar. Grey se había autoflagelado a base de bien. De hecho, se sintió aliviado cuando le metieron en la trena. El Antiguo Grey (el que se había encontrado merodeando al borde de patios de recreo, pasando poco a poco ante el centro de enseñanza secundaria a las tres de la tarde, y arrastrando los pies en el vestuario de la piscina comunitaria las tardes de verano), *ese* Grey era alguien a quien no deseaba conocer de nuevo.

Su mente regresó al abrazo de la cocina. No fue una cosa como entre chico y chica, Grey lo sabía, pero tampoco lo contrario. Impulsó a Grey a pensar en Nora Chung, la única chica con la que había salido en el instituto. No era su novia, exactamente. Nunca habían hecho nada. Los dos tocaban en la banda (durante un breve período, a Grey se le había metido en la cabeza tocar la trompeta), y a veces, después de los ensayos, Grey la acompañaba a casa, los dos sin tocarse siquiera, aunque algo de esos paseos le hizo sentir por primera vez que no estaba solo en el mundo. Tenía ganas de besarla, pero nunca hizo acopio de valor. Al final, ella desapareció. Era curioso que Grey la recordara ahora. No había pensado ni en su nombre durante veinte años.

A mediodía se encontraban cerca ya de la frontera de Kansas. Lila continuaba durmiendo. Grey estaba medio dormido, y apenas prestaba atención a la carretera. Había conseguido evitar todas las ciudades de tamaño considerable, pero eso no podía durar: no tardarían en necesitar gasolina. Divisó delante una torre de agua que se elevaba de la llanura.

La ciudad se llamaba Kingwood, apenas una corta y polvorienta calle mayor, la mitad de los escaparates tapados con papel, y algunas manzanas de casas deprimentes a ambos lados. Parecía abandonada. La única prueba de que algo había pasado era la ambulancia aparcada delante del parque de bomberos con las puertas traseras abiertas de par en par. Y sin embargo, Grey presentía algo, un cosquilleo en sus extremidades, como si alguien observara su avance desde las sombras. Recorrió la ciudad en toda su longitud, y llegó por fin a una gasolinera en su borde este, un lugar carente de todo carisma llamado Frankie's.

Lila se removió cuando Grey apagó el motor.

—¿Dónde estamos?

—En Kansas.

Ella bostezó y contempló con ojos entornados la ciudad desolada a través del parabrisas.

—¿Por qué nos hemos detenido?

—Hay que poner gasolina. Sólo será un momento.

Grey probó el surtidor, pero no hubo suerte: no había electricidad. Tendría que trasvasar un poco, pero para eso necesitaría un trozo de manguera y una lata. Entró en la oficina. Un escritorio de metal baqueteado, cubierto de pilas de papel, se alzaba ante la ventana de delante; una vieja silla de oficina descansaba al otro lado, con el respaldo echado hacia atrás, lo cual producía la siniestra impresión de que la habían abandonado hacía poco. Atravesó la puerta que conducía a los talleres de reparaciones, un lugar frío y oscuro que olía a aceite. Un Cadillac Seville, cosecha de finales de los noventa, estaba subido a uno de los elevadores. El segundo taller estaba ocupado por un Chevy 4×4 con la suspensión levantada mediante un gato y gruesos neumáticos manchados de barro. En el suelo descansaba una lata de gasolina de veinte litros. Grey localizó una manguera en uno de los bancos de trabajo. Cortó una sección de unos dos metros, introdujo un extremo en el depósito de combustible, tomó un sorbo que escupió en el suelo y empezó a introducir gasolina en la lata.

La lata estaba casi llena cuando oyó un movimiento sobre su

cabeza. Todos los nervios de su cuerpo se dispararon al unísono, y le petrificaron en el sitio.

Levantó la cara poco a poco.

El ser estaba suspendido de una viga del techo, colgado cabeza abajo con las rodillas dobladas sobre el puntal como un niño sobre una estructura de barras. Era más pequeño que Cero, de apariencia más humana. Cuando sus ojos se encontraron, el corazón de Grey se paralizó entre latido y latido. Desde el interior de la garganta del ser surgió un sonido similar a un gorjeo.

No has de tener miedo, Grey.

¿Qué coño?

Se hizo un lío con los pies cuando saltó hacia atrás, y cayó sobre el duro hormigón. Se apoderó de la lata de gasolina, mientras el combustible continuaba brotando del sifón, y salió corriendo de los talleres hacia la oficina, y un instante después salía por la puerta. Lila estaba apoyada de espaldas contra el coche.

—Sube —dijo él sin aliento.

—¿Te has fijado en si hay una máquina expendedora ahí dentro? Me apetece una chocolatina o algo por el estilo.

—Maldita sea, Lila, sube al coche. —Grey abrió el maletero del Volvo, tiró dentro la lata y lo cerró de golpe—. Hemos de irnos *ya*.

La mujer suspiró.

—De acuerdo, lo que tú digas. No entiendo por qué has de ser tan grosero.

Se alejaron a toda pastilla. Sólo cuando estuvieron a dos kilómetros de la ciudad empezó a calmarse el pulso de Grey. Dejó que el Volvo fuera parando, abrió la puerta y salió del coche dando tumbos. Se paró en la cuneta, apoyó las manos sobre las rodillas y aspiró enormes bocanadas de aire. Jesús, era como si la cosa le hubiera *hablado*. Como si aquellos chasquidos fueran una lengua extranjera que pudiera comprender. Hasta sabía su nombre. ¿Cómo sabía su nombre?

Sintió la mano de Lila sobre su hombro.

—Estás sangrando, Lawrence.

En efecto. Al parecer, se había abierto el codo, y vio un colgajo de piel. Se lo habría hecho al caer, aunque no había notado nada.

—Déjame echarte un vistazo.

Lila apretó los bordes con las yemas de los dedos, con una mirada de intensa concentración.

—¿Cómo ha pasado?

—Creo que tropecé.

—Tendrías que haber dicho algo. ¿Puedes moverlo?

—Creo que sí.

—Espera aquí —ordenó Lila—. No lo toques.

Abrió el maletero del Volvo y empezó a buscar en su maleta. Sacó una caja metálica y una botella de agua, y dejó caer la puerta.

—Siéntate.

Grey se apoyó en la puerta trasera. Lila abrió la caja: un kit médico. Frotó una pizca de Purell entre sus manos, sacó un par de guantes de látex, se los calzó y cogió de nuevo su brazo.

—¿Tienes antecedentes de haber sangrado en exceso? —preguntó.

—Creo que no.

—¿Hepatitis, sida, algo por el estilo?

Grey negó con la cabeza.

—¿Cuándo te pusieron la última inyección del tétanos? ¿Te acuerdas de cuándo fue?

¿Qué Lila era ésta? ¿A quién estaba viendo Grey? No era la mujer perdida del Home Depot, o el alma derrotada de la cocina. Era alguien nuevo. Una tercera Lila, toda eficiencia y competencia.

—Cuando era niño.

Lila dedicó otro momento a examinar la herida.

—Bien, es un corte muy feo. Tendré que suturarlo.

—¿Quieres decir... que me vas a poner puntos?

—Confía en mí, lo he hecho millones de veces.

Limpió la herida con alcohol, sacó una jeringa desechable de la caja, la llenó con el contenido de un frasco diminuto y dio unos golpecitos en la aguja con la yema del dedo.

—Un poco de esto para adormecerte. No sentirás nada, te lo prometo.

El pinchazo de la aguja y, a los pocos segundos, el dolor de Grey se desvaneció. Lila desdobló un paño sobre la puerta trasera, dispuso unos fórceps, un carrete de hilo oscuro y unas tijeras diminutas.

—Puedes mirar si quieres, pero la mayoría de la gente prefiere apartar la mirada.

Sintió una serie de pequeños tirones, pero eso fue todo. Momentos después, bajó la mirada y vio la herida y el colgajo sustituidos por una estrecha línea negra. Lila esparció pomada sobre ella, y después la cubrió con un vendaje.

—Los puntos se disolverán en un par de días —dijo, al tiempo que se quitaba los guantes—. Puede que te piquen un poco, pero no debes rascarte. Olvídate de ellos.

—¿Cómo has hecho eso? —preguntó Grey—. ¿Eres enfermera?

La pregunta pareció pillarla desprevenida. Abrió la boca como si fuera a decir algo, pero después volvió a cerrarla.

—¿Te encuentras bien, Lila?

Estaba cerrando el kit. Devolvió los instrumentos al Volvo y cerró el maletero.

—Será mejor que nos vayamos, ¿no crees?

En un abrir y cerrar de ojos, la mujer que le había curado el brazo había desaparecido, borrado el momento de la emergencia. Grey tenía ganas de hacerle más preguntas, pero sabía lo que pasaría en ese caso. El pacto entre ellos era terminante: sólo podían decirse ciertas cosas.

—¿Quieres que conduzca yo? —preguntó Lila—. Debe de ser mi turno.

La pregunta no era en realidad una pregunta, y Grey lo sabía. Era lo que tocaba preguntar, del mismo modo que su cometido era declinar la oferta.

—No, ya lo hago yo.

Volvieron a subir al Volvo. Cuando Grey puso el coche en marcha, Lila levantó su revista del suelo.

—Si no te importa, creo que voy a leer un poco.

Ciento ochenta kilómetros al norte, en dirección este por la Interestatal 76, Kittridge también había empezado a preocuparse por el combustible. El autobús iba lleno cuando empezaron. Ahora, les quedaba un cuarto de depósito.

Con algunos desvíos de poca importancia, habían logrado mantenerse en la autopista desde Fort Morgan. Mecidos por los movimientos del autobús, April y su hermano se habían dormido. Danny silbaba entre dientes (Kittridge no reconoció la melodía), mientras giraba el volante y manipulaba los frenos y el acelerador, como si fuera un juego, la gorra inclinada sobre la frente, la cara y la postura tan tiesas como las de un capitán de barco ante un temporal.

Por el amor de Dios, pensó Kittridge. ¿Cómo demonios he terminado en un autobús escolar?

—Uy —dijo Danny.

Kittridge se enderezó. Una larga hilera de coches abandonados, que se extendía hasta el horizonte, bloqueaba su camino. Algunos coches estaban volcados de costado. Había cadáveres diseminados por todas partes.

Danny paró el autobús. April y Tim también habían despertado y miraban a través del parabrisas.

—April, sácale de aquí —ordenó Kittridge—. Los dos a la parte de atrás, ya.

—¿Qué quieres que haga? —preguntó Danny.

—Espera aquí.

Kittridge bajó del autobús. Las moscas zumbaban en enormes enjambres. Predominaba un insoportable hedor a carne podrida. El aire estaba absolutamente inmóvil, como si fuera incapaz de moverse. Las únicas señales de vida eran las aves, buitres y cuervos, que daban vueltas en el cielo. Kittridge siguió la hilera de coches. Los virales eran los culpables de eso, no cabía duda. Habría cientos, incluso miles. ¿Qué significaba? ¿Y por qué los coches estaban juntos de aquella manera, como si los hubieran obligado a parar?

De pronto, Danny se materializó detrás de él.

—Creo haberte dicho que esperaras con los demás.

El hombre tenía los ojos entornados para protegerse de la luz del sol.

—Espera. —Levantó una mano—. Oigo algo.

Kittridge escuchó. Nada en absoluto, salvo el chirrido de los grillos en los campos vacíos. Después, lo oyó: un golpeteo apagado, como puños sobre metal.

Danny señaló.

—Viene de allí.

A cada paso que daban, el sonido se oía mejor. Había alguien vivo, atrapado entre los coches siniestrados. Poco a poco, sus componentes empezaron a separarse, el golpeteo subrayado por un eco estrangulado de voces humanas. *¡Sacadnos de aquí! ¿Hay alguien ahí? ¡Por favor!*

—¡Hola! —gritó Kittridge—. ¿Me oís?

¿Quién hay ahí? ¡Ayúdanos, por favor! ¡Deprisa, vamos a morir asfixiados!

El sonido procedía de un camión articulado con la insignia amarillo intenso de la FEMA pintada en los costados. El golpeteo se había vuelto frenético, y las voces un coro estridente de palabras indistinguibles.

—¡Aguantad! —gritó Kittridge—. ¡Os sacaremos!

La puerta había quedado aplastada en diagonal en su marco. Kittridge buscó algo que pudiera utilizar como palanca, encontró una llave de tuerca y deslizó la hoja por debajo de la puerta.

—Ayúdame, Danny.

La puerta se negó al principio. Después empezó, de manera casi imperceptible, a moverse. A medida que aumentaba el hueco, una hilera de dedos apareció por debajo del borde, con la intención de empujarla hacia arriba.

—Todo el mundo a la de tres —ordenó Kittridge.

Con un chirrido metálico, la puerta se elevó.

Eran de Fort Collins: una pareja de treintañeros, Joe y Linda Robinson, los dos todavía vestidos para ir al despacho, con un niño pequeño llamado Boy Jr.; un hombre negro corpulento con uniforme de guardia de seguridad, llamado Wood, y su novia, Delores, una enfermera de pediatría que hablaba con un fuerte acento de las Indias Occidentales; una mujer anciana, la señora Bellamy (Kittridge nunca llegó a averiguar su nombre de pila), con un nimbo de pelo teñido de azul y un enorme bolso blanco que siempre tenía aferrado a su costado; un joven, tal vez de unos veinticinco años, llamado Jamal, con el pelo al cero y tatuajes de brillantes colores que subían y bajaban por sus brazos desnudos. El último era un hombre de unos cincuenta años, de áspero pelo gris y el torso abombado de un atleta envejecido. Se presentó como Pastor Don. No era un auténtico pastor, aclaró. De profesión, censor jurado de cuentas. El mote procedía de los días en que entrenaba en la Pop Warner.*

—Siempre les decía que rezaran para que no nos dieran una buena paliza —contó a Kittridge.

Aunque Kittridge había supuesto al principio que viajaban juntos, se habían encontrado por accidente. Todos contaban versiones diferentes de la misma historia. Habían huido de la ciudad hasta que los había detenido una larga cola de tráfico en la frontera de Nebraska. Se propagó de coche en coche el rumor de que delante había un control del ejército, y de que no permitían pasar a nadie. El ejército estaba esperando la orden de dejarlos pasar. Se

---

* La organización sin ánimo lucrativo de fútbol americano más antigua de Estados Unidos. *(N. del T.)*

quedaron sentados en sus coches un día entero. Cuando la luz empezó a desvanecerse, el pánico había empezado a apoderarse de la gente. Todo el mundo decía que el ataque de los virales era inminente: los habían abandonado a su suerte.

Eso era, más o menos, lo que había pasado.

Llegaron poco después del ocaso, dijo Pastor Don. En algún punto de la cola, más adelante, chillidos, disparos y crujidos metálicos. La gente empezó a pasar corriendo a su lado en dirección contraria. Pero no había adónde huir. Al cabo de pocos segundos, los virales cayeron sobre ellos, centenares que surgieron de los campos y se abalanzaron sobre la multitud.

—Me puse a correr como un demonio, al igual que todos los demás —dijo Pastor Don.

Kittridge y él habían hecho un aparte para conferenciar. Los demás estaban sentados en el suelo junto al autobús. April estaba repartiendo las botellas de agua que habían encontrado en el estadio. Pastor Don sacó una cajetilla de Marlboro Reds del bolsillo de la camisa y extrajo dos con una sacudida. Kittridge no había fumado desde que tenía veinte años, pero ¿qué daño podía hacerle ahora? Aceptó un pitillo y dio una calada cautelosa, y la nicotina se introdujo en su organismo al instante.

—Ni siquiera puedo describirlo —dijo Don, mientras expulsaba una bocanada de humo—. Esas malditas cosas estaban por todas partes. Vi el camión y decidí que era mejor que nada. Los demás ya estaban dentro. Lo que no sé es cómo se atoró la puerta.

—¿Por qué no os dejó pasar el ejército?

Don se encogió de hombros filosóficamente.

—Ya sabes cómo son estas cosas. Es probable que alguien se olvidara de presentar el formulario adecuado. —Miró a Kittridge a través del humo—. ¿Y tú? ¿No tienes a nadie?

Se refería a si Kittridge tenía familia, alguien a quien hubiera perdido o estuviera buscando. Kittridge negó con la cabeza.

—Mi hijo vive en Seattle, es cirujano plástico. Todo el lote: casado con la novia de la universidad, dos hijos, chico y chica. Una

casa grande junto al mar. Acababan de hacer reformas en la cocina.
—Meneó la cabeza con aire melancólico—. La última vez que hablamos, lo hicimos de eso. De la puta cocina.

Pastor Don portaba un rifle, un 30-06 al que le quedaban tres cartuchos. Wood llevaba un 38 vacío. Joe Robinson tenía una pistola del 22 con cuatro cargadores, buena para matar ardillas, quizá, pero poco más.

Don echó un vistazo al autobús.

—¿Y el conductor? ¿Cuál es la historia?

—Un poco ido, tal vez. Yo no intentaría tocarle, no sea que le de un ataque. Por lo demás, está bien. Trata al autobús como si fuera el *Queen Mary*.

—¿Y los otros dos?

—Estaban escondidos en el sótano de sus padres. Los encontré vagando en los alrededores del aparcamiento de un Mile High.

Don dio una última y ansiosa calada y aplastó la colilla con el pie.

—Mile High —repitió—. Supongo que debía de ser horrible.

No había forma de sortear la muralla de coches accidentados. Tendrían que retroceder y buscar otra ruta. Recogerían todas las provisiones que pudieran encontrar (más botellas de agua, un par de linternas que funcionaban y un farol de propano, diversas herramientas y un rollo de cuerda que, de momento, no servía para nada, pero que quizá más tarde le encontrarían alguna utilidad) y subieron al autobús.

Cuando Kittridge pisó el primer peldaño, Pastor Don le tocó el codo.

—Tal vez deberías decir algo.

Kittridge le miró.

—¿Yo?

—Alguien ha de tomar el mando. Y es tu autobús.

—No, la verdad. Técnicamente hablando, es de Danny.

Pastor Don miró a Kittridge a los ojos.

—No me refiero a eso. Esta gente está agotada y asustada. Necesitan a alguien como tú.

—Ni siquiera me conoces.

El hombre le dedicó una sonrisa cautelosa.

—Oh, mejor de lo que crees. Yo también estaba en la reserva, hace mucho tiempo. En intendencia, pero aprendes a leer las señales. Supongo que ex Fuerzas Especiales. ¿Rangers, quizá? —Como Kittridge no dijo nada, Pastor Don se encogió de hombros—. Bien, es tu problema. Pero no cabe duda de que sabes lo que estás haciendo mucho mejor que cualquiera de nosotros. Éste es tu espectáculo, amigo mío, te guste o no. Yo diría que están esperando unas palabras tuyas.

Era verdad, y Kittridge lo sabía. Parado en el pasillo, inspeccionó al grupo. Los Robinson estaban sentados delante, y Linda sostenía en el regazo a Boy Jr.; detrás de ellos se sentaba Jamal, solo; después, Wood y Delores. Don ocupaba el banco del otro lado del pasillo. La señora Bellamy se sentaba detrás, aferrando su gran bolso blanco con ambas manos, como una jubilada en un viaje pagado al casino. April estaba sentada con su hermano en el lado del conductor, detrás de Danny. Sus ojos se abrieron de par en par cuando sus miradas se encontraron. *¿Y ahora qué?*, dijeron.

Kittridge carraspeó.

—Vale, todo el mundo. Sé que estáis asustados. Yo también lo estoy, pero vamos a salir de aquí. No sé adónde iremos, pero si continuamos en dirección este, tarde o temprano encontraremos un lugar seguro.

—¿Y el ejército? —preguntó Jamal—. Esos capullos nos dejaron tirados aquí.

—No sabemos qué pasó en realidad. Pero para velar por nuestra seguridad, seguiremos carreteras secundarias siempre que podamos.

—Mi madre vive en Kearney. —Era Linda Robinson—. Nos dirigíamos allí.

—Jesús, señora —se mofó Jamal—. Ya le he dicho que Kearney es como Fort Collins. Lo dijeron en la radio.

En todos los grupos, pensó Kittridge, siempre había uno. Sólo le faltaba eso.

El marido de Linda, Joe, se giró en su asiento.

—Cierra la boca de una vez, ¿quieres?

—Lamento comunicártelo, pero es muy probable que su madre esté colgada del techo en este momento, devorando al perro.

De pronto, todo el mundo se puso a hablar al mismo tiempo. Dos días en el camión, pensó Kittridge. Se degollarían entre sí, por supuesto.

—Por favor, todos...

—¿Y quién te ha puesto al mando? —Jamal señaló con el dedo a Kittridge—. Sólo porque llevas un rifle y toda esa mierda.

—Estoy de acuerdo —dijo Wood. Era la primera vez que Kittridge oía la voz del hombre—. Creo que deberíamos votar.

—¿Votar qué? —preguntó Jamal.

Wood le dirigió una dura mirada.

—Para empezar, si deberíamos echarte del autobús.

—Que te jodan, segurata.

Wood se levantó como impulsado por un resorte. Antes de que Kittridge pudiera reaccionar, el hombre agarró a Jamal en un abrazo de oso. Ambos cayeron sobre el banco en un frenesí de brazos y piernas. Todo el mundo se puso a chillar. Linda, abrazada al bebé, intentaba alejarse. Joe Robinson se había sumado a la refriega, y trataba de sujetar a Jamal por las piernas.

Un disparo vibró en el aire. Todo el mundo se quedó petrificado. Todos los ojos se volvieron hacia la parte posterior del autobús, donde la señora Bellamy estaba apuntando un enorme pistolón al techo.

—Señora —escupió Jamal—, qué *coño*...

—Jovencito, creo que hablo en nombre de todo el mundo cuando digo que estoy harta de tus estupideces. Estás tan asustado como los demás. Le debes una disculpa a estas personas.

Era surrealista por completo, pensó Kittridge. En parte, estaba aterrorizado; por otra, deseaba lanzar una carcajada.

—Vale, vale —tartamudeó Jamal—. Pero aparte ese cañón.

—Esfuérzate un poco más.

—Lo siento, ¿vale? Deje de menear ese trasto.

La mujer reflexionó un momento, y después bajó la pistola.

—Supongo que habrá que conformarse con eso. Me gusta la idea de la votación. Ese hombre tan simpático de ahí delante, lo siento, mi oído ya no es lo que era, ¿cómo dijo que se llamaba?

—Kittridge.

—Señor Kittridge. A mí me parece perfectamente capacitado. Estoy a favor de que dirija el cotarro. Hagan el favor de levantar las manos.

Todo el mundo alzó la mano, salvo Jamal.

—Sería estupendo que reinara la unanimidad, jovencito.

El rostro de Jamal ardía de indignación.

—Joder, vieja bruja. ¿Qué más quiere de mí?

—En cuarenta años de enseñanza pública, créeme, he tratado con demasiados chicos como tú. Bien, adelante. Ya verás qué bien te sientes.

Con una mirada de derrota, Jamal levantó la mano.

—Así está mejor. —La mujer dirigió su atención a Kittridge de nuevo—. Podemos continuar, señor Kittridge.

Kittridge miró a Pastor Don, que procuraba reprimir las carcajadas.

—De acuerdo, Danny —dijo Kittridge—. Vamos a darle la vuelta a este trasto para buscar una forma de salir de aquí.

12

Le habían perdido. ¿Cómo cojones le habían perdido?

Lo último que supieron era que Grey había entrado en Denver. Había desaparecido de la pantalla en aquel momento (la red de Denver era un desastre), pero un día después una torre de Verizon, en Aurora, captó su señal. Guilder había pedido que otro avión no pilotado rastreara la zona, pero no habían encontrado nada. Y si Grey había salido de las interestatales, como ahora parecía probable, para dirigirse hacia la mitad este del estado, mucho menos poblada, podría recorrer kilómetros sin dejar la menor señal.

Y tampoco ni rastro de la chica. Daba la impresión de que el continente se la había tragado.

Con poco más que hacer que esperar las noticias de Nelson, Guilder tenía mucho tiempo para examinar el expediente de Grey, incluido el examen psiquiátrico del Departamento de Justicia Criminal de Texas. Se preguntó en qué estaría pensando Richards cuando contrató a hombres como ésos. Desechos humanos, aunque ése era precisamente el motivo, supuso Guilder. Como los doce sujetos de la prueba original, Babcock, Sosa, Morrison y todo el resto de escoria, nadie iba a echarlos de menos.

A saber: Lawrence Alden Grey, nacido en 1970, en McAllen, Texas. Madre, ama de casa; padre, mecánico; ambos fallecidos. El padre había servido tres veces en Vietnam como enfermero del ejército, se licenció con honores con una estrella de bronce y un corazón púrpura, pero de todos modos la experiencia había afectado al tipo. Se había disparado en la cabina de su camión, dejando que Grey, de tan sólo seis años, le encontrara. Siguió una serie de padrastros, un borracho tras otro a juzgar por los datos, un historial de malos tratos, etc. Cuando Grey cumplió dieciocho años, vivía solo, trabajaba de peón en los campos petrolíferos cercanos a Odessa, y después en plataformas del Golfo. Nunca se había casado, aunque no era sorprendente. Su perfil psiquiátrico era un saco de problemas, de todo, desde trastorno obsesivo compulsivo hasta disociación traumática, pasando por depresión. En opinión del loquero, el tipo era básicamente heterosexual, pero con tantos problemas se había hecho un lío. Los chicos habían sido la manera elegida por Grey para revivir los abusos sufridos en la infancia, que su mente consciente reprimía. Había sido arrestado en dos ocasiones, la primera por exhibicionismo, que había quedado reducido a delito menor, y la segunda por agresión sexual con agravantes. Básicamente, había tocado al chico, lo cual no era en sí un delito que se castigara con la horca, pero tampoco nada ejemplar. Debido a la primera condena de su historial, el juez le había condenado a la máxima pena, entre dieciocho y veinticuatro años, pero nadie cumplía la pena máxima, y le habían concedido la libertad provisional al cabo de noventa y siete meses.

Después de eso, no había mucho más que contar. Se había trasladado a Dallas, trabajado un poco aquí y allí, pero nada fijo, se encontraba con su funcionario de prisiones cada dos semanas para mear en un vaso y jurar y perjurar que no se había acercado a cien metros de un patio de recreo o de un colegio. Su régimen de antiandróginos, decretado por el tribunal, era el habitual, así como una nueva evaluación psiquiátrica cada seis meses. En todos los sentidos, Lawrence Grey era un ciudadano modelo, al menos todo cuanto podía llegar a serlo un pederasta neutralizado químicamente.

Nada de eso explicaba a Guilder cómo había sobrevivido el hombre. De alguna manera, había escapado del Chalet. De alguna manera, había conseguido evitar que le mataran desde entonces. Era absurdo, así de claro.

El nuevo plan de Nelson consistía en redireccionar las señales de todas las torres de Kansas y Nebraska, cerrar ambos estados durante un período de dos horas, y tratar de aislar la señal del chip de Grey. En circunstancias normales, eso habría exigido una orden de un tribunal federal, una pila de papeles de quince kilómetros de altura, y un mes de tiempo, pero Nelson había utilizado un contacto en Seguridad Nacional, que había accedido a emitir una orden ejecutiva especial a tenor del Artículo 67 de la Ley de Seguridad Nacional, más conocida en la comunidad de inteligencia como la ley de «Haz lo que te pase por los cojones». El chip que Grey llevaba en el cuello era un transmisor de bajo voltaje a 1.432 megahercios. Una vez se hubiera solucionado todo lo demás, y suponiendo que Grey pasara a escasos kilómetros de una torre, podrían triangular su posición y redirigir un satélite para tomar una fotografía.

El apagón estaba previsto para las ocho de la mañana. Guilder había llegado a las seis, y encontró a Nelson tecleando en su terminal. Un zumbido de música salía de los auriculares apretados contra los costados de su cabeza.

—Deja que Mozart trabaje —dijo, e indicó a Guilder con un ademán que le dejara en paz.

Guilder funcionaba a base de café y adrenalina. Bajó a la sala de descanso para comer algo. Sólo había máquinas expenedoras. Ya había pagado tres dólares por unos Snickers, cuando cayó en la cuenta de que le costaría mucho trabajo tragar. Los tiró a la basura y compró un Reese's, pero incluso eso, con la pegajosa mantequilla de cacahuete, le resultaba difícil. Encendió la televisión, conectó la CNN. Nuevos casos estaban apareciendo por todas partes: Amarillo, Baton Rouge, Phoenix. Las Naciones Unidas estaban evacuando su sede central de Nueva York, y enviando el personal a La Haya. Una vez se declarara la ley marcial, los militares destacados en el extranjero serían llamados al país. Menudo fiasco resultaría. En comparación, la caja de Pandora sería una cesta de picnic.

Nelson apareció en la puerta.

—Hazme una reverencia —anunció con una sonrisa—. Houston, tenemos un delincuente sexual.

Nelson ya había apuntado el satélite. Cuando llegaron a la terminal, la imagen estaba llegando.

—¿Dónde coño está eso?

Nelson trabajó en el teclado y enfocó la imagen.

—Oeste de Kansas.

Un cuadrilátero de campos de maíz apareció a la vista y, en el centro, un edificio largo y bajo con una rejilla de espacios para aparcar delante. Un solo vehículo, una especie de ranchera, ocupaba el aparcamiento. Una figura salió del edificio, tirando de una maleta.

—¿Es el mismo tipo? —preguntó Nelson.

—No estoy seguro. Acércalo más.

La imagen se desvaneció, después adquirió mayor resolución, y asumió una distancia aérea aproximada de unos veinticinco metros. Ahora, Guilder se sintió seguro de que estaba viendo a Lawrence Grey. Ya no llevaba el mono, pero era él. Grey regresó al edificio. Un minuto después volvió a salir con una segunda maleta, que depositó en el compartimento de carga del coche. Se quedó inmóvil un momento, como abstraído en sus pensamientos. Después, una segunda figura salió del edificio, una mujer. Algo gruesa, de pelo oscuro. Vestía pantalones y una blusa de color pálido.

¿Qué demonios?

Les quedaban menos de treinta segundos. La imagen ya había empezado a perder definición. Grey abrió la puerta del pasajero. La mujer entró en el coche. Grey paseó la vista a su alrededor una vez más, como si, pensó Guilder, supiera que le estaban vigilando. Subió al vehículo y se alejó, justo cuando la imagen se disolvía en destellos de estática.

Nelson levantó la mirada de la terminal.

—Parece que nuestro objetivo tiene una amiga. A juzgar por lo que afirma el informe psiquiátrico, debo decir que estoy un poco sorprendido.

—Recupera la última toma, cuando sale la mujer. A ver si puedes ampliarla.

Nelson lo intentó, pero los resultados fueron modestos.

—¿Podemos averiguar qué edificio es ése?

Nelson había deslizado su silla hacia la terminal adyacente.

—Calle Mayor 30-8-12, Ledeau, Kansas. Un lugar llamado Angie's Resort.

¿Quién era ella? ¿Qué estaba haciendo Lawrence Grey con aquella mujer? ¿Era del Chalet?

—¿Qué dirección tomó?

—Parece que hacia el este. Si quieres atraparle, será mejor que nos movamos.

—Localiza nuestra instalación más cercana. Algo que esté fuera del perímetro de cuarentena.

Más teclas pulsadas.

—Lo más cercano para algo así sería el antiguo laboratorio de la NBC en Fort Powell —dijo Nelson a continuación—. El ejército lo cerró hace tres años, cuando trasladaron todo a White Sands, pero sería fácil encender las luces.

—¿Qué más hay por allí?

—Poca cosa, salvo Midwest State, que se encuentra a cinco kilómetros al este. Es el típico crisol de fútbol americano con algunas aulas añadidas. Además, tienes un arsenal de la Guardia Nacional, una planta de procesamiento de ganado vacuno y porcino, algunas industrias ligeras. También hay una pequeña instalación hidroeléctrica de la IAC, pero fue clausurada cuando construyeron una más grande río abajo. La única razón de su existencia es la universidad.

Guilder pensó un momento. Eran los únicos que sabían lo de Grey, al menos por ahora. Tal vez había llegado el momento de informar al CDC y al IIMEIEEU.

Pero vacilaba. En parte, debido al mal sabor de boca que le había dejado la reunión con el Estado Mayor Conjunto. ¿Qué ocurriría cuando el Mando Central averiguara que habían puesto a las monstruosidades de Lear bajo la vigilancia de un puñado de delincuentes sexuales en libertad condicional? Sería el cuento de nunca acabar.

Pero ésa no era la auténtica razón.

Una cura para todo. ¿No fueron ésas las palabras exactas de Lear? ¿No había sido ése el principio de todo aquel descabellado plan? Y si Grey estaba infectado, y por alguna razón no había perdido la chaveta, ¿era posible que el virus hubiera mutado en su sangre, alcanzando el resultado al que aspiraba Lear? ¿De modo que él era, en todos los aspectos, tan valioso como la chica? ¿Y no era cierto también que, si bien la muerte era un problema de todos los humanos, sobre todo ahora, para Guilder era igual de acuciante y personal, incluso más, porque el destino que le aguardaba no dejaba nada al azar? ¿Acaso no tenía derecho a recurrir a todos los recursos posibles con el fin de sobrevivir? ¿No haría lo mismo todo el mundo?

Todos estamos muriendo, cariño. Muy cierto. Pero algunos más que otros.

Tal vez Grey fuera su respuesta, y tal vez no. Tal vez no era más que un imbécil con suerte que había logrado salir con vida de un edificio en llamas y esquivar a los fosforescentes el tiempo suficiente para llegar hasta Kansas. Pero cuanto más meditaba Guilder al respecto, más rechazaba esa posibilidad. Las probabilidades en contra eran excesivas. Y una vez entregara el hombre a los militares, dudaba de que volviera a saber algo más de Grey, o de aquella misteriosa mujer.

Lo cual no iba a suceder. Horace Guilder, subdirector de la División de Armas Especiales, se quedaría con Lawrence Grey en exclusiva.

—¿Y bien? ¿Qué quieres que haga?

Nelson le estaba mirando. Guilder pensó en los aspectos prácticos. ¿A quién más necesitaba? Nelson no era alguien a quien Guilder habría descrito como leal, pero de momento podría apelar al manifiesto interés propio del hombre, y era la mejor persona para el trabajo, una banda de un solo hombre de sabiondos bioquímicos. Tarde o temprano se enteraría de lo que Guilder estaba tramando, y habría que tomar decisiones, pero ese puente lo cruzaría Guilder cuando llegara el momento. En cuanto a la captura: siempre había alguien al margen de las reglas para trabajitos así. Una llamada telefónica, y todo se pondría en movimiento.

—Haz la maleta —dijo—. Nos vamos a Iowa.

13

Amanecer del segundo día: se hallaban en la Nebraska profunda. Danny, inclinado sobre el volante, con los ojos irritados a causa de la falta de sueño, había conducido durante toda la noche. Todo el mundo, salvo Kittridge, dormía, incluso el aborrecible Jamal.

Era estupendo volver a tener gente en el autobús. Ser útil, un motor útil.

Habían encontrado más diésel en un pequeño aeropuerto de McCook. Las escasas poblaciones que habían atravesado estaban vacías y abandonadas, como algo surgido de una película del Oeste. De acuerdo, tal vez se habían extraviado, más o menos. Pero Kittridge y el otro hombre, Pastor Don, decían que daba igual, siempre que continuaran en dirección este. Eso es lo único que has de hacer, Danny, dijo Kittridge. Sólo condúcenos hacia el este.

Pensó en lo que había visto en la autopista. Algo gordo. Había visto montones de cadáveres durante los últimos dos días, pero nada tan horrible como aquello. Le gustaba Kittridge, porque en parte *le recordaba* al señor Purvis. No era que se pareciera al señor Purvis, porque no era así. Era la forma en que el hombre hablaba a Danny, como si le importara.

Mientras conducía pensó en Mami, y en el señor Purvis, y en Thomas y Percy y James, y en lo útil que estaba siendo. Qué orgullosos se sentirían de él ahora Mami y el señor Purvis.

El sol estaba asomando detrás del horizonte, y Danny tuvo que entornar los ojos para protegerse de su brillo. Al cabo de poco, todo el mundo empezaría a despertar. Kittridge se inclinó sobre su hombro.

—¿Cómo vamos de gasóleo?

Danny miró el dial. Quedaba un cuarto de depósito.

—Vamos a parar para repostar con los bidones —dijo Kittridge—. Así, estiraremos un poco las piernas de paso.

Se desviaron de la carretera y entraron en un parque estatal. Kittridge y Pastor Don inspeccionaron los lavabos y dijeron que no había problema.

—Treinta minutos, todos —dijo Kittridge.

Ahora contaban con más provisiones, cajas de galletitas saladas y mantequilla de cacahuete y manzanas y botellas de gaseosa y zumos y pañales y leche en polvo para Boy Jr. Kittridge había conseguido incluso una caja de Lucky Charms para Danny, aunque toda la leche de la nevera del súper se había estropeado. Tendría que comerlos a palo seco. Danny, Kittridge y Pastor Don descargaron los bidones que contenían diésel de la parte posterior del autobús y empezaron a llenar el depósito. Danny les había dicho que la capacidad exacta del tanque era de ciento noventa litros: cada depósito lleno les permitiría recorrer unos cuatrocientos cincuenta kilómetros.

—Eres un tipo muy meticuloso —había comentado Kittridge.

Cuando terminaron de repostar, Danny cogió la caja de Lucky Charms y una lata de Dr Pepper tibio y se sentó bajo un árbol. Los demás estaban sentados alrededor de una mesa de picnic, incluido Jamal. No decía gran cosa, pero Danny tenía la sensación de que todo el mundo había decidido olvidar el pasado. Linda Robinson estaba poniendo los pañales a Boy Jr., le arrullaba y el bebé agitaba brazos y piernas. Danny nunca se había relacionado mucho con bebés. Tenía la idea de que lloraban mucho, pero hasta el momento Boy Jr. estaba callado como una tumba. Había bebés buenos y bebés malos, decía Mami, así que Boy Jr. debía de ser de los buenos. Danny intentaba acordarse de cuando había sido bebé, sólo para saber si era capaz de hacerlo, pero su mente no retrocedía tanto, al menos de una manera ordenada. Era raro que no pudieras recordar una parte entera de tu vida, salvo en pequeñas imágenes: el sol brillando sobre el cristal de una ventana, una rana muerta aplastada en el camino de entrada junto a la rodadura de un neumático, o un gajo de manzana en un plato. Se preguntó si habría sido un bebé bueno, como Boy Jr.

Danny estaba contemplando el grupo, metiéndose puñados de Lucky Charms en la boca y trasegándolos con el Dr Pepper, cuando Tim se levantó de la mesa y se acercó a él.

—Hola, Timbo. ¿Cómo te va?

El chico llevaba el pelo desgreñado de haber dormido en el autobús.

—Bien, supongo. —Se encogió de hombros—. ¿Te importa que me siente contigo?

Danny se apartó para dejar sitio.

—Siento que los demás chicos te tomen el pelo a veces —dijo Tim al cabo de un momento.

—Da igual —contestó Danny—. No me importa.

—Billy Nice es un auténtico gilipollas.

—¿También se mete contigo?

—A veces. —El chico frunció el ceño—. Se mete con todo el mundo.

—No le hagas caso. Eso es lo que hago yo.

—Te gusta mucho Thomas, ¿verdad? —preguntó Tim al cabo de un momento.

—Claro.

—Lo veía bastante. Tenía aquella enorme maqueta de trenes de Thomas en mi sótano. La cargadora de carbón, la limpiadora de la locomotora, todo eso.

—Me gustaría verlo. Apuesto a que era fantástico.

Siguió un breve silencio. El sol calentaba la cara de Danny.

—¿Quieres saber qué vi en el estadio? —preguntó Tim.

—Si quieres.

—Como mil millones de personas muertas.

Danny no supo muy bien cómo reaccionar. Supuso que Tim necesitaba contárselo a alguien. Ese tipo de cosas no se pueden guardar dentro.

—Era espantoso.

—¿Se lo contaste a April?

Tim negó con la cabeza.

—¿Quieres guardarlo en secreto?

—¿Estaría bien?

—Claro. Yo soy capaz de guardar un secreto.

Tim había recogido un poco de tierra de la base del árbol y estaba mirando cómo se filtraba entre sus dedos.

—Tú no te asustas mucho, ¿verdad, Danny?

—A veces.

—Pero ahora no.

Danny se quedó pensativo. Suponía que debería estarlo, pero no. Se sentía más bien *interesado*. ¿Qué sucedería a continuación? ¿Adónde irían? Le sorprendía su capacidad de adaptación. El doctor Francis se sentiría orgulloso de él.

—No, supongo que no.

En la zona de picnic, todo el mundo estaba recogiendo. Danny habría deseado encontrar las palabras precisas para que el niño se sintiera mejor, para borrar de su mente el recuerdo de lo que había visto en el estadio. Estaban volviendo al autobús cuando se le ocurrió una idea.

—Tengo algo para ti. —Buscó en la mochila, sacó su centavo de la suerte y se lo dio al chico—. Si te lo guardas, te prometo que no te sucederá nada malo.

Tim tomó la moneda en la palma.

—¿Qué le ha pasado? Está toda aplastada.

—Le pasó por encima un tren. Por eso trae suerte.

—¿De dónde la sacaste?

—No lo sé, siempre la he tenido. —Danny inclinó la cabeza hacia la mano abierta del niño—. Adelante, guárdatela.

Un momento de vacilación, y después Tim deslizó la moneda aplastada en el bolsillo de los pantalones. Danny sabía que no era gran cosa, pero menos daba una piedra, y a veces las pequeñas cosas podían ser útiles. Por ejemplo: el Popov de Mami, al cual acudía cuando sus nervios empeoraban, y las visitas del señor Purvis, las noches en que Danny los oía reír. El rugido del gran motor diésel del Redbird cuando cobraba vida en el momento en que giraba la llave cada mañana. Pasar por encima del resalte de Lindler Avenue, y las risas de los chicos cuando saltaban de los bancos. Esas pequeñas cosas. Danny se sentía complacido consigo mismo por pensar en eso, como si hubiera reparado en algo que no todo el mundo tenía en cuenta, y mientras los dos estaban parados juntos bajo el sol de la mañana, detectó por el rabillo del ojo un cambio en el rostro del niño, como si se le hubiera iluminado. Era posible que hasta hubiera sonreído.

—Gracias, Danny —dijo.

Omaha ardía.

De súbito se les apareció como un resplandor tembloroso sobre el horizonte. Era la hora en que la luz se atenuaba. Se estaban acercando a la ciudad desde el sudoeste, por la Interestatal 80. Ni un solo coche en la autopista. Todos los edificios estaban a oscuras. Un abandono más profundo e intenso del que habían visto hasta el momento. Era una ciudad, o lo había sido, de medio millón de habitantes. Un fuerte olor a humo empezó a filtrarse al interior del autobús. Kittridge ordenó a Danny que se detuviera.

—Hemos de atravesar el río de alguna manera —dijo Pastor Don—. Vayamos hacia el sur o hacia el norte, en busca de una vía de cruce.

Kittridge levantó la mirada del mapa.

—Danny, ¿cómo vamos de gasóleo?

Les quedaba una octava parte del depósito. Las latas estaban vacías. Setenta y cinco kilómetros, en el mejor de los casos. Habían confiado en encontrar más combustible en Omaha.

—Una cosa está clara —dijo Kittridge—. Aquí no podemos quedarnos.

Se desviaron hacia el norte. El siguiente cruce se hallaba en la ciudad de Adair. Pero el puente había desaparecido, lo habían volado, no quedaba ni rastro de él. Sólo el río, ancho y oscuro, que corría eternamente. La siguiente oportunidad sería Decatur, unos cuarenta y cinco kilómetros al norte.

—Hemos pasado ante una escuela elemental hará unos dos kilómetros —dijo Pastor Don—. Eso es mejor que nada. Ya buscaremos combustible por la mañana.

Se hizo el silencio en el autobús, mientras todo el mundo esperaba la respuesta de Kittridge.

—Vale, de acuerdo.

Retrocedieron hacia el corazón de la pequeña población. Todas las luces estaban apagadas; las calles, vacías. Llegaron a la escuela, un edificio de aspecto moderno alejado de la carretera, al borde de los campos. Un letrero estilo marquesina, en el borde de la zona de aparcamiento, anunciaba con letras mayúsculas: ¡ADELANTE, LEONES! ¡FELIZ VERANO!

—Esperad todos aquí —ordenó Kittridge.

Entró. Transcurrieron algunos minutos. Después salió. Intercambió una veloz mirada con Pastor Don, y ambos hombres asintieron.

—Vamos a refugiarnos aquí esta noche —anunció Kittridge—. Permaneced juntos, que nadie se aleje. No hay luz, pero sí agua potable, y comida en la cafetería. Si tenéis que utilizar los lavabos, id de dos en dos.

Los olores indicadores de una escuela elemental los asaltaron en el vestíbulo principal, sudor y calcetines sucios, materiales de arte y linóleo encerado. Una vitrina de trofeos se alzaba junto a una puerta que debía de conducir a la oficina del director: una exposición de *collages* colgaba en las paredes de ladrillos pintadas, imágenes de personas y animales extraídas de recortes de periódicos y revistas. Al lado de cada una había una etiqueta impresa con la edad y grado del creador. Wendy Mueller, Grado 2. Gavin Jackson, Grado 5. Florence Ratcliffe, Pre-K 4.

—April, ve con Wood y Don a buscar colchones para dormir. Debería de haber en las aulas del jardín de infancia.

En la despensa que había detrás de la cafetería encontraron latas de judías y macedonia de frutas, así como pan y mermelada para hacer bocadillos. No había gas para cocinar, de modo que sirvieron las judías frías sobre bandejas metálicas de la cafetería. Fuera ya había oscurecido. Kittridge distribuyó linternas. Hablaban en susurros, dando por sentado que los virales podrían oírlos.

A las nueve, todo el mundo se había acostado. Kittridge dejó a Don de guardia en el primer piso y subió la escalera, provisto de un farol. Muchas puertas estaban cerradas con llave, pero no todas. Eligió el laboratorio de ciencias, un espacio amplio y despejado con encimeras y vitrinas llenas de vasos de precipitación y otros enseres. El aire olía un poco a butano. En la pizarra situada en la parte delantera de la sala estaban escritas las palabras «Examen final, caps. 8-12. Laboratorios reservados miércoles».

Kittridge se quitó la camisa y se lavó en el lavabo de la esquina. Después acercó una silla y se quitó las botas. La prótesis, que empezaba justo debajo de la rodilla izquierda, estaba hecha de un armazón de aleación de titanio cubierto de silicona. Un cilindro hidráulico controlado por microprocesadores, alimentado por una diminuta célula de hidrógeno, se ajustaba cincuenta veces por segundo para calcular la velocidad angular correcta de la articulación del tobillo con el fin de imitar una cojera natural. Era lo último en sustitutos de extremidades protésicos. Kittridge no dudaba de que al ejército le habría costado un pastón. Se subió los pantalones, se quitó el calcetín y se lavó el muñón con jabón del dispensador del lavabo. Aunque muy encallecida, la piel del punto de contacto parecía en carne viva y tierna después de dos días sin cuidados. Secó el muñón con detenimiento, le concedió unos minutos de aire puro, y después calzó la prótesis en su sitio y se bajó la pernera del pantalón.

El sonido de un movimiento detrás de él le sobresaltó. Se volvió y vio a April parada en la puerta abierta.

—Lo siento, no quería...

Kittridge se puso a toda prisa la camisa y se levantó. ¿Qué habría visto la chica? Pero la luz era tenue, y una de las encimeras le ocultaba en parte.

—Ningún problema. Me estaba aseando un poco.

—Yo no podía dormir.

—Tranquila. Entra si quieres.

La joven se adentró vacilante en la sala. Kittridge se acercó a la ventana con el AK. Dedicó un momento a echar un vistazo a la calle.

—¿Cómo está el panorama?

La chica se había parado a su lado.

—Sin novedad, de momento. ¿Cómo está Tim?

—Dormido como un tronco. Es más duro de lo que parece. Más que yo, en cualquier caso.

—Lo dudo. A mí me pareces muy serena, teniendo en cuenta las circunstancias.

April frunció el ceño.

—No te engañes. Esta calma exterior es lo que podría llamarse pura fachada. Si quieres que te diga la verdad, tengo tanto miedo que ya no siento nada.

Una ancha estantería recorría toda la longitud de la sala por debajo de las ventanas. April se sentó sobre ella y levantó las rodillas hasta el pecho. Kittridge la imitó. Estaban cara a cara. Un silencio, expectante pero no incómodo, flotaba entre ellos. Ella era joven, pero intuía un núcleo de resistencia en su interior. Era algo que tenías o no.

—¿Tienes novio?

—¿Estás haciendo un casting?

Kittridge rió y notó que se ruborizaba.

—Era hablar por hablar, supongo. ¿Te portas así con todo el mundo?

—Sólo con la gente que me gusta.

Pasó otro momento.

—¿Por qué te llamaron April? —Fue lo único que se le ocurrió decir—. ¿Es el mes de tu cumpleaños?

—Es de «La tierra baldía». —Como Kittridge no dijo nada, ella enarcó las cejas con recelo—. Un poema de T. S. Eliot.

Kittridge había oído el nombre, pero eso era todo.

—No puedo decir que me suene. ¿Cómo es?

Ella desvió la mirada. Cuando empezó a hablar su voz estaba henchida de un intenso sentimiento que Kittridge no pudo identificar, feliz y triste y plagado de recuerdos.

—«Abril es el mes más cruel: engendra/lilas de la tierra muerta, mezcla/recuerdos y anhelos, despierta/inertes raíces con lluvias primaverales...».

> El invierno nos mantuvo cálidos, cubriendo
> la tierra con nieve olvidadiza, nutriendo
> una pequeña vida con tubérculos secos.
> Nos sorprendió el verano, precipitóse sobre el Starnbergersee
> con un chubasco, nos detuvimos bajo los pórticos,
> y luego, bajo el sol, seguimos dentro de Hofgarten,
> y tomamos café y charlamos durante una hora.
> *Bin gar keine Russin, stamm'aus Litauen, echt deutsch.*
> Y cuando éramos niños, de visita en casa del archiduque,
> mi primo, él me sacó en trineo.
> Y yo tenía miedo. Él me dijo: Marie,
> Marie, agárrate fuerte. Y cuesta abajo nos lanzamos.
> Uno se siente libre, allí en las montañas.
> Leo, casi toda la noche, y en invierno me marcho al Sur.

—Caramba —dijo Kittridge. Ella le estaba mirando de nuevo. Observó que sus ojos eran del color del musgo, con lo que parecían motas de oro cepillado flotando sobre la superficie de los iris—. ¡Fenomenal!

April se encogió de hombros.

—Continúa después de eso. Básicamente, el tipo se encontraba muy deprimido. —Estaba dando tirones a un agujero deshilachado de una rodilla del tejano—. El nombre fue idea de mi madre.

Era profesora de inglés antes de conocer a mi padrastro y de que nos hiciéramos ricas y todo eso.

—¿Tus padres están divorciados?

—Mi padre murió cuando yo tenía seis años.

—Lo siento, no tendría que haber...

Pero ella no le dejó acabar.

—Calla. No era lo que podría llamarse un buen tipo. Restos del período de malos chicos de mi madre. Iba colgado hasta las cejas, empotró el coche contra el estribo de un puente. Y eso, dijo Pooh, fue todo.

Narró aquellos hechos sin la menor inflexión. Podría haberle recitado el parte meteorológico. Fuera, la noche de verano estaba cubierta de negrura. Era evidente que Kittridge la había juzgado mal, pero había aprendido que a casi todo el mundo le pasaba eso. La historia nunca era la historia, y te sorprendía la carga que podía llegar a aguantar otra persona.

—Te vi —dijo April—. La pierna. Las cicatrices en la espalda. Estuviste en la guerra, ¿verdad?

—¿Por qué crees eso?

Ella hizo una mueca de incredulidad.

—Dios, no sé, ¿por todo? ¿Porque eres el único que parece saber lo que hay que hacer? ¿Porque eres, o sea, supercompetente con las armas y toda esa mierda?

—Ya te lo dije. Soy vendedor. Material de acampada.

—No te creo ni por un momento.

Su franqueza era tan desarmante que, por un momento, Kittridge no dijo nada. Pero ella le había calado.

—¿Estás segura de querer saberlo? No es muy bonito.

—Si me lo quieres contar.

Kittridge volvió la cabeza hacia la ventana.

—Bien, tienes razón. Me alisté nada más acabar el instituto. No en el ejército, sino en los marines. Terminé de sargento en la Policía Militar.

—¿Eras poli?

—Más o menos. Sobre todo, aportábamos seguridad a las instalaciones estadounidenses, bases aéreas, infraestructuras conflictivas, ese tipo de cosas. Nos trasladaban muy a menudo. Irán, Irak, Arabia Saudí, Chechenia durante una temporada. Mi última misión fue en en el campo de aviación de Bagram, en Afganistán. Por lo general, todo era rutina: verificar manifiestos de equipos y controlar entradas y salidas de trabajadores extranjeros. Pero de vez en cuando pasaba algo. Aún no había tenido lugar el golpe de Estado, de modo que todavía era territorio controlado por Estados Unidos, pero había talibanes por todas partes, además de gente de Al Qaeda y unos veinte señores de la guerra locales dando la tabarra.

Hizo una pausa para serenarse. La siguiente parte siempre era la más difícil.

—Así que un día vemos aquel coche, la habitual chatarra de desguace, que se acerca por la carretera. Todos los puntos de control estaban bien marcados, todo el mundo sabe parar, pero ese tipo no. Se lanza directamente sobre nosotros. Dos personas en el coche que podamos ver, un hombre y una mujer. Todo el mundo abre fuego. El coche se desvía, da un par de vueltas de campana, se posa sobre sus ruedas. Pensamos que va a estallar de un momento a otro, pero no. Yo soy el suboficial de mayor rango, de modo que soy yo el que va a mirar. La mujer está muerta, pero el hombre continúa con vida. Está derrumbado sobre el volante, cubierto de sangre. En el asiento de atrás hay un crío, un niño. No podría tener más de cuatro años. Le tienen amarrado a un asiento cargado de explosivos. Veo los cables que corren hasta la parte delantera del vehículo, donde papá está sujetando el detonador. Está mascullando para sí. *Anta al-mas'ul*, está diciendo. *Anta al-mas'ul*. El niño está llorando, extiende las manos hacia mí. Su manita. Nunca la olvidaré. Sólo tiene cuatro años, pero es como si supiera lo que va a pasar.

—Jesús. —La expresión de April era de horror—. ¿Qué hiciste?

—Lo único que se me ocurrió. Salí cagando leches. La verdad es que no recuerdo la explosión. Desperté en el hospital de Arabia Saudí. Dos hombres de mi unidad resultaron muertos, y otro recibió un fragmento de metralla en la columna vertebral. —April le estaba mirando fijamente—. Ya te dije que no era muy agradable.

—¿Voló en pedazos a su propio *hijo*?

—Podríamos decirlo así, sí.

—Pero ¿qué clase de gente haría eso?

—A mí que me registren. Aún no he conseguido imaginarlo.

April no dijo nada más. Kittridge se preguntó, como siempre, si había hablado más de la cuenta. Pero le sentaba bien quitarse aquel peso de encima, y si April había recibido más de lo que había imaginado al principio, lo disimulaba bien. Kittridge sabía que, en abstracto, la historia era intrascendente, una más de los centenares, o miles, similares. Tal crueldad absurda era propia del mundo. Pero comprender ese hecho no quería decir aceptarlo, ni mucho menos, sobre todo cuando lo habías vivido en persona.

—¿Qué pasó después? —preguntó April.

Kittridge se encogió de hombros.

—Nada. Fin de la historia. A bailar con las vírgenes durante toda la eternidad.

—Estaba hablando de ti. —Sus ojos no se apartaron de su cara—. Creo que algo así me dejaría hecha polvo.

Ahí había algo nuevo, pensó: la parte de la historia sobre la que nadie preguntaba. Era típico que, una vez expuestos los hechos básicos, el oyente no tardara ni un segundo en desentenderse. Pero esa chica no, April no.

—Bien, a mí no. Al menos, pensaba que no. Pasé medio año en un centro de rehabilitación, aprendiendo a caminar, a vestirme y a comer por mí mismo, y después me dieron puerta. La guerra ha terminado, amigo mío, al menos para ti. Yo no me quedé amargado, como les pasa a muchos. Lo que está hecho, hecho está, pensé. Unos seis meses después de licenciarme volví a Wyoming. Mis padres habían muerto, mi hermana se había trasladado a la Columbia Británica con su marido y había desaparecido del mapa, por así decirlo, pero yo todavía conocía a alguna gente, tíos con los que había ido al colegio, aunque nadie era un crío ya. Uno de ellos organizó una fiesta en mi honor, la típica celebración de bienvenida. Todos tenían familias, hijos, mujeres y trabajos, pero en los buenos tiempos formaban una buena pandilla para ir a soplar. El asunto no era más que una excusa para ponerse ciego, pero a mí me parecía bien. Claro, decía yo, colócate, y el tío lo hacía. Había al menos cien personas, una gran bandera con mi nombre colgada sobre el porche, incluso una banda. Me quedé acojonado. Estoy en el patio de atrás escuchando música, y un amigo me dice: Ven, hay unas mujeres que quieren conocerte. No te quedes parado ahí como un idiota. Así que me lleva dentro y hay tres, todas muy simpáticas. Conocía a una de los viejos tiempos. Están hablando de programas de la tele, chismorreos, lo de costumbre. Cosas cotidianas. Estoy tomando una cerveza y escuchándolas, cuando de repente me doy cuenta de que no tengo ni idea de lo que están diciendo. Ni de las palabras. Ni del *significado*. Nada parecía relacionado con nada, como si hubiera dos mundos, uno interior y otro exterior, y ninguno de ambos tuviera nada que ver con el otro. Estoy seguro de que un loquero sabría darle nombre. Lo único que sé es que despierto en el suelo, y todo el mundo está parado a mi alrededor. Después necesité casi cuatro meses en el bosque para poder estar con gente de nuevo. —Hizo una pausa, un poco sorprendido de sí mismo—. Si quieres que te diga la verdad, no le había contado esa parte a nadie. Tú eres la primera.

—Suena como un día en el instituto.

Kittridge no tuvo otro remedio que reír.

—*Touché.*

Sus miradas se encontraron y sostuvieron. Qué raro, pensó él. En un momento dado estabas a solas con tus pensamientos, y al siguiente aparecía alguien que daba la impresión de conocerte a fondo, con quien podías abrirte como un libro. No habría podido decir cuánto rato hacía que se estaban mirando. Dio la impresión de que se prolongaba indefinidamente, sin poseer la voluntad, la valentía, ni siquiera el deseo, de desviar la vista. ¿Cuántos años tendría April? ¿Diecisiete? Y sin embargo no aparentaba diecisiete. No aparentaba ninguna edad. Un alma antigua: Kittridge había oído la expresión, pero jamás había comprendido su significado. Eso era lo que poseía April. Un alma antigua.

Para sellar el trato entre ellos, Kittridge extrajo una Glock de su funda y se la tendió.

—¿Sabes usarlas?

April la miró insegura.

—Deja que lo adivine. No es como en la tele.

Kittridge dejó caer el cargador y montó la corredera para expulsar el cartucho del cañón. Puso la pistola en su mano, y rodeó sus dedos con los de él.

—No aprietes el gatillo con el nudillo, el disparo saldrá bajo. Utiliza la yema de tu dedo y aprieta, así. —Liberó su mano y le dio un golpecito en el esternón—. Un disparo que lo atraviese. Es lo único necesario, pero no has de fallar. Adelante, quédatela. Conserva una bala en la recámara, tal como te enseñé.

Ella sonrió con ironía.

—Caramba, gracias. Pero yo no tengo nada para ti.

Kittridge le devolvió la sonrisa.

—Quizá la próxima vez.

Transcurrió un momento. April estaba dando vueltas al arma en su mano, y la examinaba como si fuera un artefacto inexplicable.

—¿Qué dijo el padre? *Anta* no sé qué.

—*Anta al-mas'ul.*

—¿Llegaste a averiguar qué significaba?

Kittridge asintió.

—«Tú hiciste esto».

Se hizo otro silencio, aunque diferente de los demás. No significaba una barrera entre ellos, sino una conciencia compartida de sus vidas, como las paredes de una habitación en que sólo ellos dos existieran. Qué raro, pensó Kittridge, decir aquellas palabras. *Anta al-mas'ul. Anta al-mas'ul.*

—Hiciste lo correcto —dijo April—. Habrías muerto también.

—Siempre puedes elegir.

—¿Qué más podrías haber hecho?

Era una pregunta retórica, comprendió él. April no esperaba respuesta. *¿Qué más podrías haber hecho?* Pero Kittridge sabía la respuesta. Siempre la había sabido.

—Podría haber sujetado su mano.

Mantuvo la vigilancia ante la ventana toda la noche. El insomnio no era ningún problema para él. Había aprendido a ir tirando a base de cabezadas. April estaba aovillada en el suelo debajo de la ventana. Kittridge se había quitado la chaqueta para taparla con ella. No había luces en ningún sitio. La vista que deparaba la ventana era la de un mundo en paz, con el cielo tachonado de estrellas. Cuando las primeras luces del alba se congregaron en el horizonte, dejó que sus ojos se cerraran.

Despertó sobresaltado al oír el ruido de unos motores que se acercaban. Un convoy del ejército, de unos veinte vehículos de longitud, estaba avanzando por la calle. Se desprendió de la segunda pistola y se la pasó a April, que se había incorporado también y se estaba frotando los ojos.

—Coge esto.

Kittridge bajó a toda prisa la escalera. Cuando salió por la puerta como una exhalación, el convoy se hallaba a menos de treinta metros de distancia. Corrió por la calle agitando los brazos.

—¡Alto!

El primer Humvee se detuvo a escasos metros de él, mientras el soldado del techo seguía sus movimientos con una ametralladora del calibre 50. Llevaba oculta la mitad inferior de la cara con una mascarilla blanca.

—Párese ahí.

Kittridge levantó las manos.

—Estoy desarmado.

El soldado activó el cerrojo de su arma.

—He dicho que mantenga las distancias.

Transcurrieron cinco tensos segundos. Cabía la posibilidad de que estuvieran a punto de dispararle. Entonces, la puerta del pasajero del Humvee se abrió. Una mujer corpulenta bajó y caminó hacia él. De cerca, su cara se veía ajada y arrugada, cubierta de polvo. Una oficial, pero no trabajaba delante de un escritorio.

—Comandante Porcheki, Noveno Batallón de Apoyo en Combate, Guardia Nacional de Iowa. ¿Quién demonios es usted?

Sólo le quedaba una carta que jugar.

—Sargento Bernard Kittridge. Compañía Charlie, Primer Batallón de PM, USMC.

La mujer entornó los ojos.

—¿Es usted *marine*?

—Licenciado por motivos médicos, señora.

La mujer desvió la vista hacia el edificio de la escuela. Kittridge sabía sin necesidad de mirar que los demás estaban contemplando la escena desde las ventanas.

—¿Cuántos civiles tiene ahí dentro?

—Once. El autobús se ha quedado casi sin gasóleo.

—¿Algún enfermo o herido?

—Todo el mundo está agotado y asustado, pero eso es todo.

Ella le examinó con expresión neutra.

—¡Caldwell! ¡Valdez! —gritó a continuación.

Un par de E-4 se acercaron al trote. También llevaban mascarillas. Todo el mundo, excepto Porcheki.

—Que venga el repostador para ver si podemos llenar el tanque de ese autobús.

—¿Vamos a hacernos cargo de civiles? ¿Podemos hacer eso en estos momentos?

—¿Le he preguntado su opinión, especialista? Y haga venir a un enfermero.

—Sí, señora. Lo siento, señora.

Se alejaron corriendo.

Porcheki sacó una cantimplora del cinturón y se detuvo a beber.

—Han tenido suerte de encontrarnos en este momento. El combustible anda muy escaso. Vamos de regreso al arsenal de Fort Powell, de modo que no podremos acompañarlos más allá. La FEMA ha montado allí un centro de tramitación de refugiados. Luego serán evacuados a Chicago o a Saint Louis.

—Si no le importa que se lo pregunte, ¿tiene alguna noticia?

—No me importa, pero no sé muy bien qué decirle. En un momento dado esos malditos monstruos están por todas partes, y al siguiente nadie puede encontrarlos. Les gustan los árboles, pero cualquier refugio les vale. Según CENTCOM, una enorme vaina se está congregando a lo largo de la frontera entre Kansas y Nebraska.

—¿Qué es una vaina?

La mujer dio otro trago a la cantimplora.

—Llaman vainas a los grupos de monstruos.

Apareció el enfermero. Todo el mundo estaba saliendo de la escuela. Kittridge les contó lo que estaba pasando, mientras los soldados establecían un perímetro. El enfermero examinó a los civiles, les tomó la temperatura, examinó el interior de su boca. Cuando todo el mundo estuvo preparado para marcharse, Porcheki se reunió con Kittridge ante los peldaños del autobús.

—Sólo una cosa. Será mejor que no vaya pregonando por ahí que son de Denver. Digan que son de Iowa, si alguien pregunta.

Kittridge pensó en la autopista, las hileras de coches siniestrados.

—Pasaré la voz.

Kittridge subió al autobús. Con el rifle en equilibrio entre las rodillas, se sentó justo detrás de Danny.

—*Maldita sea* —dijo Jamal, sonriendo de oreja a oreja—. Un convoy del ejército. Retiro todo lo que había dicho sobre ti, Kittridge. —Apuntó con el pulgar a la señora Bellamy, que se estaba secando la frente con un pañuelo de papel que había sacado de la manga—. Joder, ni siquiera me importa que la vieja bruja se metiera conmigo.

—A palabras necias, oídos sordos, jovencito —respondió la mujer—. A palabras necias, oídos sordos.

Jamal se volvió a mirarla.

—Quería preguntarle por qué las viejas se guardan el pañuelo en la manga. ¿No le parece muy antihigiénico?

—Y esto me lo dice un joven con suficiente tinta en los brazos para llenar una máquina de ídem.

—«Una máquina de ídem». ¿De qué siglo es usted?

—Cuando te miro, pienso en una palabra. La palabra es «hepatitis».

—Joder, ustedes dos —gimió Wood.

El convoy se puso en marcha.

14

El plan se había puesto en acción. El equipo estaba reunido, el avión se encontraría con ellos al amanecer. Guilder se había mantenido en comunicación con su contacto de Blackbird: todo estaba atado y bien atado. Habían borrado todos los servidores y discos duros del almacén. Id a casa, dijo al personal. Id a casa y quedaos con vuestras familias.

Fue después de medianoche cuando se dirigió a su casa en coche por las calles silenciosas y resbaladizas a causa de la lluvia. En la radio, un torrente continuo de malas noticias: caos en las autopistas, el ejército reagrupándose, rumores en el extranjero. Desde la Casa Blanca, palabras de tranquilidad y calma, la crisis estaba controlada, las mejores mentes trabajaban en ello, pero nadie engañaba a nadie. Se daba por descontado que impondrían la ley marcial en todo el país al cabo de pocas horas. La CNN informaba de que buques de guerra de la OTAN navegaban a toda velocidad hacia las costas. La puerta del continente norteamericano se cerraría de golpe. Aunque el mundo nos desprecie, pensó Guilder, ¿qué hará cuando hayamos desaparecido?

Mientras conducía tenía un ojo fijo en el retrovisor. No se comportaba como un paranoico; las cosas sucedían así. Un estruendo de neumáticos, una furgoneta que frena delante de él, y hombres con trajes oscuros que saltan al suelo. *¿Horace Guilder? Venga con nosotros.* Asombroso, pensó, que no hubiera sucedido ya.

Entró en el garaje y cerró la puerta a su espalda. En el dormitorio metió en una pequeña bolsa los utensilios esenciales (ropa, artículos de aseo personal, sus medicamentos para dos días) y bajó. Fue al estudio a buscar el ordenador portátil y lo introdujo en el microondas. Los circuitos se frieron en una nube de chispas. Ya se había desprendido también del móvil, arrojado desde la ventanilla del Camry.

Apagó las luces de la sala de estar y corrió las cortinas. Al otro lado de la calle, un vecino estaba cargando maletas en el maletero de su todoterreno. La mujer del hombre estaba parada en la entrada de la casa, abrazando a un niño pequeño dormido. ¿Cómo se llamaban? O nunca lo había sabido, o no podía acordarse. Había visto a la mujer de vez en cuando, paseando arriba y abajo del camino de entrada a la niña en un cochecito de plástico de alegres colores. Al ver a los tres, un recuerdo de Shawna conmovió a Guilder, no de aquel terrible último encuentro, sino de los dos tendidos después de hacer el amor, y su voz ronca y suave que le hacía cosquillas en el pecho. *¿Te gustan las cosas que te hago? Quiero ser la única.* Palabras que no eran más que puro teatro, una forma de coronar una hora diligente. Qué estúpido había sido.

El hombre tomó a la niña de los brazos de su madre y la colocó con ternura en el asiento de atrás. Los dos subieron al coche. Guilder imaginó las palabras que intercambiarían. *Todo saldrá bien. Hay gente trabajando en ello en este mismo momento. Nos quedaremos en casa de tu madre una o dos semanas, hasta que todo esto termine.* Oyó que el motor se encendía. Salieron del camino de entrada en marcha atrás. Guilder vio que sus faros traseros desaparecían manzana abajo. Buena suerte, pensó.

Esperó cinco minutos más. Las calles estaban en silencio; todas las casas, a oscuras. Cuando se convenció de que no le estaban vigilando, llevó la bolsa al Camry.

Pasaban de las dos de la mañana cuando llegó a Shadowdale. La zona de aparcamiento estaba vacía. Una sola luz brillaba junto a la entrada. Atravesó la puerta y encontró el mostrador de recepción desierto. Había una silla de ruedas vacía junto a él, y una segunda en el pasillo. No se oía nada. Habría cámaras de seguridad vigilándole, pero ¿quién examinaría las cintas?

Su padre estaba tendido en la cama a oscuras. La habitación apestaba. Nadie había entrado desde hacía horas, tal vez todo un día. En la bandeja que había al lado de la cama alguien había dejado una docena de tarros de comida para bebés de la marca Gerber y una jarra de agua. Un vaso derramado le reveló que su progenitor había intentado beber agua, pero la comida estaba sin tocar. Su padre no habría podido abrir los tarros ni que lo hubiera intentado.

A Guilder no le quedaba mucho tiempo, pero no era momento de precipitarse. El anciano tenía los ojos cerrados; la voz, aquella voz intimidante, silenciada. Mejor así, pensó. La hora de hablar había terminado. Buscó en sus recuerdos algo agradable relacionado con su padre, por ínfimo que fuera. Lo mejor que pudo localizar fue una ocasión en que él le había llevado a un parque cuando Guilder era pequeño. El recuerdo era vago e impresionista (cabía la posibilidad de que no hubiera sucedido en absoluto), pero era lo único que tenía. Un día de invierno, el aliento de Guilder formando nubes ante su rostro, y la visión de árboles desnudos que subían y bajaban mientras su padre le columpiaba, la mano enorme del hombre en el centro de su espalda, que le atrapaba y lanzaba al espacio. Guilder no recordaba nada más de aquel día. Tal vez no contaría más de cinco años.

Cuando sacó la almohada de debajo de la cabeza del anciano, los ojos del hombre se removieron, pero sin abrirse. Ahí estaba el precipicio, pensó Guilder, el momento mortal: el hecho que, una vez realizado, no podía deshacerse. Pensó en la palabra «parricidio». Del latín *pater*, «padre», y *caedere*, «cortar». Había carecido de valor para matarse, pero mientras colocaba la almohada sobre la cara de su progenitor no experimentó la menor vacilación. Agarró la almohada por los bordes y aumentó la presión hasta asegurarse de que ni una brizna de aire podría acceder a la boca o la nariz de su padre. Transcurrió lentamente un minuto, mientras Guilder contaba los segundos para sí. La mano del autor de sus días, sobre la manta, se agitó un instante. ¿Cuánto tiempo tardaría? ¿Cuándo sabría que había terminado? Si la almohada no funcionaba, ¿qué haría? Miró las manos del anciano por si volvían a moverse, pero no fue así. Poco a poco comprendió que la inmovilidad del cuerpo que tenía bajo sus manos sólo podía significar una cosa. Su padre ya no respiraba.

Apartó la almohada. El rostro del hombre que lo había engendrado continuaba igual. Era como si su paso a la muerte representara tan sólo una ínfima alteración de su estado. Guilder colocó una mano bajo la cabeza de su padre y volvió a poner la almohada en su sitio. No intentaba ocultar su crimen (dudaba que alguien se acercara a examinar la escena), pero quería que el anciano tuviera una almohada sobre la que descansar, sobre todo porque, como parecía probable, estaría tumbado allí durante mucho tiempo. Guilder había esperado que una oleada de emoción le asaltaría en aquel momento, que todo el dolor y el arrepentimiento se desbordarían en su interior. Su espantosa infancia. La vida solitaria de su madre. Su existencia estéril y sin amor, con la única compañía de una mujer de alquiler. Pero lo único que sentía era alivio. La prueba más auténtica de su vida, y la había superado con éxito.

El pasillo continuaba en silencio, nada había cambiado. ¿Quién podía decir qué envilecimientos acechaban tras las demás puertas, cuántas familias afrontarían la misma cruel decisión? Guilder consultó su reloj: habían pasado diez minutos desde que entrara en el edificio. Sólo diez minutos, pero todo era diferente en ese momento. Él era diferente, el mundo era diferente. Su padre ya no estaba. Y en eso, las lágrimas acudieron a sus ojos.

Recorrió a grandes zancadas el pasillo, dejando atrás la sala de espera, el puesto desierto de las enfermeras, hasta salir al amanecer.

15

Ya avanzado el segundo día, cerca de la frontera de Misuri, Grey vio un obstáculo delante. En medio de ninguna parte, a kilómetros de cualquier ciudad. Paró el coche.

Lila alzó la vista de la revista que estaba leyendo: *Today's Parenting*. Grey la había escogido para ella en un súper de Ledeau, junto con una pila de otras. *Family Life, Baby and Child, Modern Toddler*. Durante el último día, su actitud hacia él había cambiado un poco. Tal vez era el esfuerzo mental de mantener la ficción de que su viaje era de lo más normal, pero cada vez se mostraba más impaciente con él, y le hablaba como si fuera un marido poco colaborador.

—Mira eso. —La mujer dejó caer la revista sobre el regazo. En la portada había la imagen de una chica de mejillas coloradas con un pichi rosa. CUANDO LAS CITAS PARA JUGAR SALEN MAL, rezaba el titular—. ¿Qué es eso?

—Creo que es un tanque.

—¿Qué está haciendo ahí?

—Tal vez se ha perdido.

—Creo que los tanques no se *pierden*, Lawrence. No como en plan, perdonen, ¿han visto mi tanque? Sé que lo he dejado por aquí, en alguna parte. —Exhaló un profundo suspiro—. ¿Quién aparca así un tanque en la carretera? Tendrán que apartarlo.

—¿Me estás diciendo que vaya a preguntarlo?

—Sí, Lawrence. Eso es exactamente lo que estoy diciendo.

No quería hacerlo, pero negarse parecía imposible. Salió del coche al ocaso.

—¿Hola? —llamó. Miró a Lila, quien le estaba observando con la cabeza ladeada a través de la ventanilla del pasajero—. Creo que está vacío.

—A lo mejor no te han oído.

—Vamos a dar la vuelta. Ya encontraremos otra carretera.

—Es una cuestión de principios. No pueden bloquear la carretera así. Prueba la escotilla. Estoy segura de que tiene que haber alguien dentro.

Grey lo dudaba, pero no quería discutir. Subió sobre las cadenas articuladas y se alzó hasta lo alto de la torreta. Inclinó la cara sobre la escotilla, pero estaba demasiado oscuro para ver nada. Lila había bajado del Volvo y estaba parada en la base del tanque, sosteniendo una linterna.

—No estoy seguro de que sea una buena idea —dijo Grey.

—Sólo es un tanque, Lawrence. En serio. A veces, todos los hombres sois iguales, ¿lo sabías?

Le pasó la linterna. No tenía otro remedio que mirar dentro. Grey apuntó el haz a través de la escotilla.

Hostia puta.

—¿Y bien? ¿Qué hay ahí dentro?

Grey calculó que habría dos. No era fácil de ver. Daba la impresión de que alguien había tirado una granada, tan destrozados estaban los soldados. Pero no era una granada.

¿Lo ves, Grey?

Se sobresaltó, como si hubiera recibido una descarga eléctrica. La voz. No era la del garaje; la voz estaba en su cabeza. La voz de Cero. Lila le estaba mirando desde la base del tanque. Grey intentó decir algo, advertirla, pero las palabras se negaron a salir de su boca.

¿Estás... hambriento, Grey?

Lo estaba. No sólo hambriento: famélico. Pensó que la sensación se estaba apoderando de él, de cada célula y molécula, de los átomos más diminutos que giraban en su interior. Nunca en su vida había experimentado un hambre tan profunda.

Es mi regalo para ti. El regalo de la sangre.

—¿Qué pasa, Lawrence?

Tragó saliva.

—Sólo tardo... un momento.

Se coló en el hueco. Había dejado caer la linterna, pero daba igual. El oscuro interior del tanque estaba brillante para sus ojos, cada superficie relucía con su hermoso revestimiento de sangre. Una necesidad gigantesca se apoderó de él, y apretó la cara contra el frío metal para recorrerlo con la lengua.

—¡Lawrence! ¿Qué estás haciendo ahí dentro?

Estaba a cuatro patas, lamiendo el suelo, sepultando la cara en los restos pegajosos. ¡Qué maravilla! ¡Como si no hubiera comido en un año, una década, un siglo, y le hubieran invitado al banquete más exquisito de la historia del mundo! ¡Todos los goces del cuerpo se transformaron en uno, un trance del placer más puro!

Un violento estruendo rompió el hechizo. Tenía los dedos metidos en la boca, el rostro cubierto de sangre. ¿Qué coño estaba haciendo? ¿Y qué era aquel ruido, similar a un trueno?

—¡Lawrence! ¡Ven enseguida!

Otro estruendo, más fuerte que el primero. Subió la escalerilla. El cielo estaba raro. Todo parecía iluminado por un brillo feroz.

Lila echó un vistazo a su rostro ensangrentado y se puso a chillar.

Un par de aviones a reacción volaban bajo y hendían el aire. Un intenso brillo blanco iluminaba el cielo, y una muralla de aire recalentado abofeteó a Grey y le arrojó del techo del tanque. Aterrizó con fuerza y se quedó sin aliento. Más aviones pasaron volando, y hacia el este el cielo se tiñó de luz.

Lila se alejaba de él, con las manos sobre la cara como para protegerse.

—¡No te me acerques!

No quedaba tiempo para explicaciones, y en todo caso ¿qué podía decir? Estaba claro lo que estaba sucediendo, habían ido a parar a una zona de guerra. Grey la agarró del brazo y empezó a arrastrarla hacia el coche. La mujer pataleaba, chillaba, tratando de liberarse. Grey consiguió abrir la puerta del pasajero y empujarla adentro, pero entonces comprendió su error: en cuanto cerró la puerta, Lila activó las cerraduras.

Golpeó el cristal.

—¡Lila, déjame entrar!

—¡Vete, vete!

Necesitaba algo pesado. Inspeccionó la tierra cercana al coche, pero no encontró nada. De un momento a otro, Lila caería en la cuenta de lo que debía hacer: ponerse al volante y salir corriendo.

No podía permitir que eso sucediera.

Grey retrocedió, convirtió su mano en un puño y lo descargó contra la ventanilla del pasajero. Esperaba encontrarse con una muralla de dolor, todos los huesos de su mano destrozados, pero eso no ocurrió. Su mano pasó a través del cristal como si estuviera hecho de papel, y convirtió la ventanilla en una cascada de astillas centelleantes. Antes de que Lila pudiera reaccionar, abrió la puerta, se embutió en el asiento del conductor y dio marcha atrás al coche. Describió un giro de ciento ochenta grados, puso la marcha y pisó el acelerador. Pero el momento de la huida se había esfumado. De pronto, estaban en medio de todo. Mientras pasaban más aviones, una muralla de fuego se alzó delante de ellos. Grey giró el volante a la derecha, y al instante siguiente estaban atravesando como un bólido los campos de maíz, mientras los neumáticos giraban locamente en la tierra blanda y pesadas hojas verdes abofeteaban el parabrisas. Salieron disparados del campo y, demasiado tarde, Grey vio la alcantarilla. El Volvo salió disparado hacia abajo, después hacia arriba, y volvió a aterrizar sobre sus ruedas. Lila estaba chillando, chillando-chillando-chillando, y fue entonces cuando Grey la encontró: una carretera. Dio un volantazo y pisó el acelerador a fondo. Estaban corriendo en paralelo a la alcantarilla. El sol se había hundido detrás del horizonte, sumergiendo los campos en una negrura de tinta, mientras el cielo estallaba en llamas.

Pero no sólo llamas. De pronto, una luz brillante bañó el coche.

«Detenga su vehículo».

Una inmensa forma oscura abarcó el parabrisas, como un gran pájaro negro iluminado. Grey pisó el freno, y los dos salieron arrojados hacia delante. Cuando el helicóptero aterrizó en la carretera, Grey oyó el tintineo de cristales rotos y algo cayó sobre su regazo: un contenedor del tamaño y peso de una lata de sopa, que emitía un silbido.

—¡Huye, Lila!

Grey abrió la puerta, pero el gas ya se había infiltrado en su interior, en su cabeza, corazón y pulmones. No recorrió ni tres metros antes de derrumbarse, y el suelo se alzó como una ola para recibirle. Dio la impresión de que el tiempo se detenía. El mundo parecía de agua y muy lejano. Un fuerte viento estaba abofeteando su cara. En el límite de su visión vio a los hombres vestidos de cosmonauta que avanzaban hacia él. Dos más estaban arrastrando a Lila hacia el helicóptero. Iba colgada cabeza abajo, el cuerpo flácido, mientras sus pies rozaban la tierra.

—¡No le hagan daño! —dijo Grey—. ¡No hagan daño al feto, por favor!

Pero dio la impresión de que sus palabras carecían de valor. Las figuras ya estaban encima de él, con el rostro oculto, flotando incorpóreas sobre la tierra, como fantasmas. Las estrellas se estaban apagando.

Fantasmas, pensó Grey. *Esta vez, estoy muerto de verdad.* Y sintió unas manos sobre él.

16

Condujeron durante todo el día. Cuando el convoy se detuvo, la tarde ya estaba avanzada. Porcheki bajó del Humvee y caminó hacia el autobús.

—Aquí los dejamos. Los centinelas de la puerta les dirán lo que deben hacer.

Se encontraban en una especie de zona de almacenamiento temporal: camiones de suministros, repostadores, incluso artillería. Kittridge calculó que estaba contemplando una fuerza de dos batallones, como mínimo. Al lado había un recinto vallado de tiendas de lona, rodeadas de cercas portátiles coronadas de alambre de espino.

—¿Adónde se dirigen? —preguntó Kittridge. Se preguntó dónde se estarían librando combates.

Porcheki se encogió de hombros. *A donde me ordenen.*

—Le deseo lo mejor, sargento. Recuerde lo que le dije.

El convoy se alejó.

—Adelante, Danny —dijo Kittridge—. Despacio.

Dos soldados enmascarados armados con M16 estaban apostados ante la puerta. Un gran letrero sujeto a la alambrada rezaba: AGENCIA FEDERAL DE CONTROL DE EMERGENCIAS. CENTRO DE TRAMITACIÓN DE REFUGIADOS. PROHIBIDA LA REENTRADA. PROHIBIDO ENTRAR CON ARMAS.

A unos seis metros de la entrada, los soldados les ordenaron detenerse. Uno de los centinelas se acercó a la ventanilla del conductor. Un crío, ni un día mayor de veinte años, con un rocío de acné sobre las mejillas.

—¿Cuántos?

—Doce —contestó Kittridge.

—¿Ciudad de origen?

Hacía tiempo que habían quitado las chapas del autobús.

—Des Moines.

El soldado retrocedió y masculló algo en la radio sujeta a su hombro. El segundo continuaba inmóvil junto a la puerta cerrada con el arma apuntada hacia el cielo.

—De acuerdo, apaguen el motor y quédense donde están.

Momentos después, el soldado regresó con un talego de lona, que levantó hasta la ventanilla.

—Depositen armas y teléfonos móviles aquí y pásenlo hacia delante.

Kittridge comprendía la prohibición de armas, pero ¿los móviles? Ninguno de ellos había recibido una señal desde hacía días.

—Con tanta gente, la red local se colapsaría si la gente intentara utilizarlos. Lo siento, pero son las normas.

Esta explicación no satisfizo a Kittridge, pero no podía hacer nada al respecto. Recibió el talego y avanzó por el pasillo central. Cuando llegó a la señora Bellamy, la mujer apretó el bolso contra su cintura en un gesto protector.

—Joven, ni siquiera voy al salón de belleza sin ella.

Kittridge se esforzó por sonreír.

—Y hace muy bien. Pero aquí estamos a salvo. Le doy mi palabra.

Con visible reticencia, la anciana sacó el enorme revólver del bolso y lo colocó junto con el resto. Kittridge fue con el talego hasta la parte delantera del autobús y lo dejó al pie de la escalerilla. El primer soldado lo cogió. Les ordenaron que bajaran junto con el resto de sus pertenencias y se mantuvieran alejados del autobús mientras uno de los soldados registraba sus equipajes. Al otro lado de la puerta, Kittridge vio un cobertizo grande sin techo donde estaban congregando a la gente. Más soldados se movían arriba y abajo de la valla.

—Muy bien —dijo el centinela—, pueden pasar. Preséntense en la zona de tramitación. Se encargarán de alojarlos.

—¿Y el autobús? —preguntó Kittridge.

—Todos los vehículos y el combustible están siendo requisados por el ejército de Estados Unidos. Una vez entren, estarán bajo nuestras órdenes.

Kittridge vio la expresión afligida de Danny. Uno de los soldados estaba subiendo al autobús para llevárselo.

—¿Qué le pasa? —preguntó el centinela.

Kittridge se volvió hacia Danny.

—Tranquilo, ellos lo cuidarán bien.

Vio la indecisión en los ojos del hombre. Después, Danny asintió.

—Más le valdrá —dijo.

El espacio estaba abarrotado de gente que esperaba en filas ante una larga mesa. Familias con hijos, ancianos, parejas, incluso un ciego con su perro lazarillo. Una joven con la camiseta de la Cruz Roja, con el pelo rojizo, andaba arriba y abajo de las filas con un miniordenador.

—¿Algún menor no acompañado? —Al igual que Porcheki, había renunciado a la mascarilla. Tenía una mirada de preocupación en los ojos, agotados por la falta de sueño. Miró a April y a Tim—. ¿Qué me decís vosotros?

—Es mi hermano —dijo April—. Yo tengo dieciocho años.

La mujer la miró dudosa, pero no dijo nada.

—Nos gustaría permanecer todos juntos —dijo Kittridge.

La mujer estaba escribiendo algo en su miniordenador.

—Se supone que no debo hacer esto.

—¿Cómo te llamas?

Siempre era positivo que te dijeran el nombre, pensó Kittridge.

—Vera.

—La patrulla que nos ha traído dijo que seríamos evacuados a Chicago o a Saint Louis.

Una banda de papel salió del puerto del miniordenador. Vera la arrancó y se la dio a Kittridge.

—Todavía estamos esperando autobuses. No deberían tardar mucho. Presente esto al empleado de la recepción.

Les asignaron a una tienda y les dieron discos de plástico que servirían de cupones de racionamiento, y después se internaron en el ruido y los olores del campamento: humo de leña, retretes químicos, las emanaciones humanas de una muchedumbre. El suelo estaba embarrado y sembrado de basura. La gente cocinaba en hornillos de *camping*, tendía la ropa lavada en las cuerdas que tensaban las tiendas, hacía cola en los camiones cisterna para llenar cubos de agua, se estiraba en tumbonas como espectadores en un *picnic*, con una expresión de agotamiento y estupor en la cara. Todos los cubos de basura rebosaban, y sobre ellos se cernían nubes de moscas. Caía un sol cruel. Aparte de los camiones del ejército, Kittridge no vio más vehículos. Daba la impresión de que todos los refugiados habían llegado a pie, tras abandonar sus coches con los depósitos vacíos de gasolina.

Dos personas ya habían sido alojadas en su tienda, una pareja mayor, Fred y Lucy Wilkes. Eran de California, pero tenían familia en Iowa y se dirigían a una boda cuando la epidemia se desató. Llevaban seis días en el campamento.

—¿Alguna noticia sobre los autobuses? —le preguntó Kittridge a Fred. Joe Robinson había ido a indagar sobre las raciones; Wood y Delores, a buscar agua. April había dejado a su hermano marcharse con unos niños de la tienda de al lado, no sin advertirle que no se alejara mucho. Danny le había acompañado—. ¿Qué dice la gente?

—Siempre es mañana. —Fred Wilkes era un hombre delgado de unos setenta años, como mínimo, y brillantes ojos azules. Debido al calor se había quitado la camisa y exhibía una mata de vello blanco. Él y su mujer, de proporciones tan generosas como menudo él (Jack Sprat y la parienta),* estaban jugando al gin rummy,

---

* Personajes de la canción infantil «Jack Sprat». *(N. del T.)*

sentados uno frente a otro en un par de catres, con una caja de cartón a modo de mesa—. Si no llegan pronto, la gente perderá la paciencia. ¿Qué pasará entonces?

Kittridge salió al exterior. Estaban rodeados de militares, de momento a salvo. No obstante, todo parecía suspendido en el tiempo, y todo el mundo parecía a la espera de que algo sucediera. Los soldados de infantería se hallaban apostados a lo largo de la valla. Todos llevaban puestas mascarillas. La única vía de entrada o salida parecía ser la puerta de delante. Lindando con el campamento por la parte norte vio un edificio bajo carente de ventanas sin señales o letreros visibles, con la entrada flanqueada de barricadas de hormigón. Mientras Kittridge miraba, un par de lustrosos helicópteros negros se acercaron desde el este, describieron un amplio círculo y aterrizaron sobre el tejado. Cuatro figuras salieron del primer helicóptero, hombres con gafas de sol y gorras de béisbol y chalecos Kevlar, armados con rifles automáticos. No eran militares, pensó Kittridge. Empleados de Blackbird o de Riverstone. De alguna de esas organizaciones. Los cuatro hombres tomaron posiciones en las esquinas del tejado.

Las puertas del segundo helicóptero se abrieron. Kittridge hizo visera con una mano para ver mejor. Durante un momento no pasó nada. Después emergió una figura, vestida con un biotraje naranja. Le siguieron cinco más. Los rotores de los helicópteros continuaban girando. Siguió una breve conversación, y después las figuras provistas de biotraje sacaron un par de largas cajas de acero de la sección de carga del helicóptero, cada una de las dimensiones aproximadas de un ataúd, con armazones provistos de ruedas. Transportaron las dos cajas hasta una pequeña estructura del tejado, similar a una cabaña: un ascensor de servicio, pensó Kittridge. Transcurrieron unos minutos. Los seis reaparecieron y subieron al segundo helicóptero. Primero uno, y después el otro, despegaron y se alejaron.

April se acercó por detrás.

—Yo también lo he visto —dijo—. ¿Alguna idea de qué es?

—Puede que nada. —Kittridge dejó caer la mano—. ¿Dónde está Tim?

—Ya está haciendo amigos. Ha ido a jugar al fútbol con los chicos.

Vieron que el helicóptero desaparecía de su vista. Fuera lo que fuera, pensó Kittridge, no era nada.

—¿Crees que estaremos bien aquí? —preguntó April.

—¿Por qué no?

—No sé. —Aunque su expresión delataba lo contrario. Estaba pensando lo mismo que él—. Anoche, en el laboratorio... Quiero decir, puedo ser así a veces. No era mi intención fisgonear.

—No te lo habría dicho si no hubiese querido.

De alguna manera, le estaba mirando pero al mismo tiempo no. En momentos como aquél parecía mayor de lo que era. No lo parecía, pensó Kittridge: lo era.

—¿De veras tienes dieciocho años?

Su pregunta pareció divertir a April.

—¿Por qué? ¿No los aparento?

Kittridge se encogió de hombros para disimular su vergüenza. La pregunta le había salido sin pensar.

—No, o sea, sí. Sólo estaba... No sé.

No cabía duda de que April se lo estaba pasando en grande.

—Una chica no debe confesar su edad. Pero para tranquilizarte, sí, tengo dieciocho años. Dieciocho años, dos meses y diecisiete días. No es que los vaya contando, claro.

Sus ojos se encontraron y trabaron tal como parecían desear. ¿Qué le estaba pasando con esta chica, esta tal April?, se preguntó Kittridge.

—Aún te debo una por la pistola —dijo ella—, aunque se la hayan quedado. Creo que fue el mejor regalo que nadie me haya hecho jamás.

—Me gustó el poema. Digamos que estamos en paz. ¿Cómo se llamaba ese tipo?

—T. S. Eliot.

—¿Escribió más cosas?

—Nada que tuviera mucho sentido. Si quieres saber mi opinión, es el típico que da una sola vez en el clavo.

Carecían de armas y no podían comunicarse con el mundo exterior. No por primera vez, Kittridge se preguntó si no habrían debido seguir adelante.

—Bien, cuando salgamos de aquí, pediré que lo investiguen.

17

Grey.

Blancura, y la sensación de flotar. Grey tomó conciencia de que iba en un coche. Lo cual era raro, porque el coche era también una habitación de motel, con camas, tocadores y una televisión. ¿Cuándo habían empezado a fabricar coches así? Estaba sentado al pie de una de las camas, conduciendo la habitación (la columna del volante se elevaba en ángulo del suelo; el televisor era el parabrisas), y sentada en la cama contigua estaba Lila, que apretaba contra el pecho un bulto rosa. «¿Ya hemos llegado, Lawrence? —le preguntó Lila—. Hay que cambiar al bebé». ¿El bebé?, pensó Grey. ¿Cuándo había sucedido eso? ¿No estaba de pocos meses? «Es tan bonita —dijo Lila mientras la arrullaba—. Tenemos una hija muy guapa. Lástima que tengamos que matarla». «¿Por qué hemos de matarla?», preguntó Grey. «No seas tonto —contestó Lila—. Ahora matamos a todos los bebés. De esa forma no se los comerán».

Lawrence Grey.

El sueño cambió (en parte sabía que estaba soñando, y en parte no), y Grey se encontraba ahora en el tanque. Algo venía a por él, pero era incapaz de moverse. Estaba a cuatro patas, sorbiendo la sangre. Su trabajo era beberla, beberla toda, lo cual era imposible: la sangre había empezado a rebosar por la escotilla y llenaba el compartimento. Un mar de sangre. La sangre le estaba llegando a la barbilla, a la boca, y la nariz se le estaba llenando, se estaba atragantando, ahogando...

Lawrence Grey. Despierta.

Abrió los ojos y le recibió una luz áspera. Notaba algo en la garganta. Se puso a toser. ¿Iba a ahogarse? Pero el sueño ya se estaba dispersando, sus imágenes se atomizaban, y sólo dejaban un residuo de miedo.

¿Dónde estaba?

Una especie de hospital. Llevaba una bata, pero nada más. Sentía el frío de la desnudez debajo. Gruesas correas sujetaban sus muñecas y tobillos a las barandillas de la cama, le inmovilizaban como a una momia en un sarcófago. De debajo de la bata salían cables conectados a un carrito con equipo médico: tenía clavada una intravenosa en el brazo derecho.

Había alguien en la habitación.

Dos alguienes, de hecho, ambos al pie de la cama con sus voluminosos trajes, los rostros protegidos por mascarillas de plástico. Detrás de ellos había una pesada puerta de acero y, montada en lo alto de la pared en una esquina, contemplando la escena con su mirada imperturbable, una cámara de seguridad.

—Señor Grey, soy Horace Guilder —dijo el de la izquierda. Su tono de voz se le antojó a Grey extrañamente jovial—. Éste es mi colega, el doctor Nelson. ¿Cómo se encuentra?

Grey se esforzó por enfocar sus caras. El que había hablado parecía de edad madura, de una forma anónima, con una pesada cabeza de mandíbula cuadrada y piel pálida. El segundo hombre era mucho más joven, de ojos oscuros inescrutables y una pequeña perilla. No se parecía a ningún médico que Grey hubiera conocido.

Se humedeció los labios y tragó saliva.

—¿Qué es este sitio? ¿Por qué estoy atado?

Guilder contestó en tono tranquilizador.

—Es por su propia protección, señor Grey. Hasta que averigüemos qué le pasa. En cuanto a dónde está, temo que todavía no puedo decírselo. Bastará con decir que se encuentra entre amigos.

Grey cayó en la cuenta de que debían de haberle sedado. Apenas podía mover un músculo, y no era sólo por las correas. Sentía las extremidades pesadas como hierro, y sus pensamientos se movían en su cerebro con una falta de propósito perezosa, como olominas en un acuario. Guilder le acercó un vaso de agua a los labios.

—Adelante, beba.

A Grey se le revolvió el estómago. Sólo el olor ya era repugnante, como una especie de piscina con mucho exceso de cloro. Acudieron a él diversos pensamientos, pensamientos oscuros: la sangre en el tanque, y el rostro de Grey sepultado en ella con avidez. ¿Había sucedido en realidad? ¿Lo había soñado? Pero tan pronto como se formaron en su mente estas preguntas, una especie de rugido dio la impresión de invadir su cabeza, una inmensa ansia que cobraba vida en su interior, tan abrumadora que todo su cuerpo se tensó contra las correas.

—Caramba —dijo Guilder, retrocediendo con brusquedad—. Quieto ahí.

Más imágenes desfilaban por la cabeza de Grey, se alzaban entre la niebla. El tanque en la carretera, los soldados muertos, explosiones a su alrededor. La sensación de su mano rompiendo la ventanilla del Volvo, los campos en llamas, el coche que atravesaba el maíz, y las luces brillantes del helicóptero, y los hombres con trajes espaciales que se llevaban a rastras a Lila.

—¿Dónde está ella? ¿Qué le han hecho?

Guilder miró a Nelson, quien frunció el ceño. *Interesante*, parecía decir su cara.

—No ha de preocuparse, señor Grey, la estamos cuidando bien. De hecho, está al otro lado del pasillo.

—No le hagan daño. —Tenía las manos cerradas. Su cuerpo se estaba tensando contra las correas—. Si la tocan, yo...

—¿Usted qué, señor Grey?

Nada. Las correas resistieron. Lo que le habían administrado había acabado con sus fuerzas.

—Procure no ponerse nervioso, señor Grey. Su amiga está perfectamente bien. El bebé también. Lo que no tenemos muy claro es cómo llegaron a estar juntos. Abrigo la esperanza de que nos ilumine al respecto.

—¿Por qué quiere saberlo?

Una ceja se enarcó en señal de incredulidad detrás de la mascarilla.

—Para empezar, parece que ustedes dos son las últimas personas que salieron de Colorado vivas. Créame cuando le digo que se trata de una cuestión muy importante para nosotros. ¿Estaba ella en el Chalet? ¿La conoció allí?

Sólo la palabra consiguió que el miedo se apoderara de Grey.

—¿El Chalet?

—Sí, señor Grey. El Chalet.

Negó con la cabeza.

—No.

—Entonces, ¿dónde?

Tragó saliva.

—En el Home Depot.

Por un momento, Guilder no dijo nada.

—¿Dónde estaba eso?

Grey intentó ordenar sus pensamientos, pero su cerebro se hallaba confuso de nuevo.

—En algún lugar de Denver. No lo sé con exactitud. Ella quería que le pintara el cuarto de la niña.

Guilder se volvió al instante hacia el segundo hombre, quien se encogió de hombros.

—Podría ser el fentanyl —dijo Nelson—. Puede que tarde un rato en recobrar la cordura.

Pero Guilder siguió sin inmutarse. Había algo más firme en la mirada del hombre. Daba la impresión de clavarse en él.

—Hemos de saber qué pasó en el Chalet. ¿Cómo huyó?

—No me acuerdo.

—¿Estaba la chica allí? ¿La vio?

¿Había una chica? ¿De qué estaban hablando?

—No vi a nadie. Sólo... No lo sé. Todo era muy confuso. Desperté en el Red Roof.

—¿El Red Roof? ¿Qué es eso?

—Un motel, en la autopista.

Frunció el ceño en señal de confusión.

—¿Cuándo fue eso?

Grey intentó contar.

—¿Hace tres días? No, cuatro. —Cabeceó contra la almohada—. Cuatro días.

Los dos hombres intercambiaron una mirada.

—Es absurdo —dijo Nelson—. El Chalet fue destruido hace veintidós días. Este tío no es Rip Van Winkle.

—¿Dónde estuvo durante esas tres semanas? —insistió Guilder.

La pregunta era absurda. ¿Tres semanas?

—No lo sé —respondió Grey.

—Se lo preguntaré de nuevo, señor Grey. ¿Estaba Lila en el Chalet? ¿Fue allí donde la conoció?

—Ya se lo he dicho. —Empezó a suplicar, agotada su resistencia—. Estaba en el Home Depot.

Sus pensamientos daban vueltas como agua que se escapara por un desagüe. Fuera lo que fuera lo que le habían administrado, le había jodido vivo. De repente comprendió el significado de las correas. Iban a estudiarle. Como a los fosforescentes. Como a Cero. Y cuando hubieran terminado con él, Richards, o alguien como él, enseñaría la tarjeta roja a Grey, y eso significaría su final.

—Por favor, soy yo al que quieren. Siento haber huido. No le hagan daño a Lila.

Por un momento los dos hombres no dijeron nada, se limitaron a mirarle desde detrás de sus visores. Después, Guilder se volvió hacia Nelson y cabeceó.

—Ponle a dormir.

Nelson cogió una jeringa y un frasco de un líquido transparente del carrito. Mientras Grey miraba impotente, introdujo la aguja en el tubo de la intravenosa y apretó el émbolo.

—Sólo limpio —dijo Grey con voz débil—. Sólo soy un conserje.

—Oh, yo creo que es usted mucho más que eso, señor Grey.

Y con estas palabras en sus oídos, Grey se sumió en el sueño una vez más.

Guilder y Nelson atravesaron el compartimento estanco y entraron en la cámara de descontaminación. Primero, una ducha con los biotrajes, después se desnudaron y restregaron de pies a cabeza con un jabón áspero que olía a productos químicos. Carraspearon y escupieron en el lavabo, e hicieron gárgaras un minuto con un fuerte desinfectante. Un ritual engorroso, pero hasta que supieran algo más sobre el estado de Grey, sería prudente observarlo.

Tan sólo el personal indispensable se hallaba presente en el edificio: tres técnicos de laboratorio (Guilder pensaba en ellos como Wynken, Blynken y Nod),* además de un médico y un equipo de seguridad de Blackbird compuesto por cuatro hombres. El edificio había sido construido a finales de la década de 1980 para tratar a soldados expuestos a agentes nucleares, biológicos o químicos, y los sistemas estaban plagados de micrófonos y cámaras (la climatización sobre el nivel del suelo estaba estropeada, así como la videovigilancia de toda la instalación), y daba la curiosa impresión de que el lugar estaba desierto. Pero era el último lugar al que alguien iría a buscarlos.

Nelson y Guilder entraron en el laboratorio, una amplia sala con instrumentos diversos y escritorios, incluidos los poderosos

---

* «Wynken, Blynken y Nod», publicado en 1889, poema infantil popular obra del escritor estadounidense Eugene Field. *(N. del T.)*.

microscopios y centrifugadoras de sangre necesarios para aislar y cultivar los virus. Mientras Grey y Lila seguían inconscientes, les extrajeron sangre y fueron sometidos a un TAC cerebral. Sus análisis de sangre no habían sido concluyentes, pero el escáner de Grey había revelado que el timo estaba hipertrofiado de manera radical, típico de los infectados. Por lo que Guilder y Nelson pudieron deducir, no había experimentado más síntomas. En todo lo demás parecía gozar de una salud excelente. Todavía mejor: tenía aspecto de poder correr una maratón.

—Déjame enseñarte algo —dijo Nelson.

Acompañó a Guilder hasta la terminal del despacho contiguo, donde se había instalado. Nelson abrió un archivo y clicó sobre un JPEG. En la pantalla apareció una foto de Lawrence Grey. O mejor dicho, de un hombre que *se parecía* a Grey. El rostro de la fotografía aparentaba mucha más edad. Piel flácida, pelo ralo, ojos hundidos que lanzaban a la cámara una mirada apagada, casi bovina.

—¿Cuándo la tomaron? —preguntó Guilder.

—Hace diecisiete meses. Son los archivos de Richards.

Maldita sea, pensó Guilder. Era justo lo que Lear había dicho.

—Si tiene el virus —continuó Nelson—, la pregunta es por qué está actuando de manera diferente en su cuerpo. Podría tratarse de una variedad que no hemos detectado, que activa el timo como las demás y luego queda latente. O podría ser otra cosa, exclusiva de él.

Guilder frunció el ceño.

—¿Por ejemplo?

—Sé tanto como tú. Alguna especie de inmunidad natural parece la culpable más probable, pero no hay forma de saberlo con certeza. Podría estar relacionado con los antiandróginos que estaba tomando. Todos los barrenderos estaban tomando dosis muy elevadas. Depo-Provera, espironolactona, prednisona.

—¿Crees que esto es obra de los esteroides?

Nelson se encogió de hombros sin mucho entusiasmo.

—Podría ser un factor. Sabemos que el virus interactúa con el sistema endocrino, al igual que los antiandróginos. —Cerró el archivo y se volvió en la silla—. Pero aquí hay algo más. He investigado un poco a la mujer. Nada del otro mundo, pero lo que hay podría ser interesante. Te lo he impreso.

Nelson le entregó un grueso fajo de papeles. Guilder lo abrió por la primera página.

—¿Es médico?

—Traumatóloga. Continúa.

Guilder leyó. Lila Beatrice Kyle, nacida el 29 de septiembre de 1974, Boston, Massachusetts. Ambos padres académicos, el padre profesor de inglés en la Universidad de Brandeis, la madre historiadora en Simmons. Andover, después Wellesley, seguidos de cuatro años en Dartmouth-Hitchcock para licenciarse. Residente, y después una beca en ortopedia del Denver General.

Todo impresionante, pero no le decía nada. Guilder pasó a la siguiente página. ¿Qué estaba mirando? La primera página de un formulario 1.040 de Hacienda, fechado cuatro años antes.

Lila Kyle estaba casada con Brad Wolgast.

—Me estás tomando el pelo.

Nelson estaba exhibiendo una de sus sonrisas victoriosas.

—Ya te dije que te iba a gustar. *El* agente Wolgast. Tenían una hija, fallecida. Una especie de defecto cardíaco congénito. Divorciados tres años después. Volvió a casarse hace cuatro meses con un médico que trabaja en el mismo hospital, un cardiólogo de mucho prestigio. También hay algunas páginas sobre él, aunque en realidad no añade nada.

—Bien, ella es médico. ¿Existe algún informe sobre ella en el Chalet? ¿Es posible que formara parte del equipo?

Nelson negó con la cabeza.

—Nada. Y dudo muy en serio que a Richards se le hubiera pasado por alto esto. Por lo que yo veo, no hay motivos para dudar de que Grey la conociera tal como dijo.

—Podría haber estado en la camioneta cuando tomamos la primera foto aérea. No la habríamos visto.

—Cierto, pero no creo que Grey mienta acerca de dónde la conoció. La historia es demasiado enrevesada para que la haya inventado. Y lo he comprobado: su dirección de Denver la sitúa a unos tres kilómetros de un Home Depot. La ruta de Grey le llevaba directamente allí. Tú has hablado con ella. Por lo visto cree que Grey es una especie de manitas. También creo que no tiene ni idea de lo que está pasando. Esa mujer está más loca que una cabra.

—¿Es ése tu diagnóstico *oficial*?

Nelson se encogió de hombros.

—No existe historial de enfermedades psiquiátricas en la documentación, pero piensa en la situación. Está embarazada, escondida, a la fuga. Están despedazando a la gente. Consigue permanecer con vida, pero la dejan plantada. ¿Cómo te sentirías? El cerebro es un órgano muy delicado. En este preciso momento le está reescribiendo la realidad, un trabajo estupendo. Teniendo en cuenta el historial de Grey, yo diría que tiene mucho en común con ese tipo, la verdad.

Guilder pensó un momento y devolvió el expediente al escritorio.

—Bien, no me lo trago. ¿Cuáles son las probabilidades de que ese par llegara a encontrarse? Es una coincidencia demasiado grande.

—Es posible. En cualquier caso, no nos dice gran cosa. Y es posible que la mujer esté infectada, pero no se ve. Tal vez su embarazo consigue ocultarlo.

—¿De cuánto está?

—No soy un experto, pero a juzgar por el tamaño del feto, yo diría que de unas treinta semanas. Pregúntaselo a Suresh.

Suresh era el médico que Guilder había traído del IIMEIEEU. Especialista en enfermedades infecciosas, había sido destinado a Armas Especiales tan sólo seis meses antes. Guilder no le había contado gran cosa, sólo que Grey y la mujer eran «personas interesantes».

—¿Cuánto tardaremos en obtener un cultivo decente de él?

—Eso depende. Suponiendo que podamos aislar el virus, entre cuarenta y ocho y setenta y dos horas. Si lo que estás pidiendo es mi opinión, lo más sensato sería enviarle a Atlanta. Son los que están mejor equipados para tratar casos como éste. Y si Grey es inmune, no dejarán pasar la oportunidad. Sobre todo con tanto en juego.

Guilder movió la cabeza.

—Esperaremos a contar con algo sólido.

—Yo no esperaría mucho. Teniendo en cuenta la situación.

—No esperaremos, pero ya oíste a ese tipo. Cree que ha estado durmiendo en un motel. Dudo que alguien nos tome en serio si sólo contamos con eso. Nos encerrarán a los dos y tirarán la llave, eso si tenemos *suerte*.

Nelson frunció el ceño y se tocó la barba con gesto pensativo.

—Ya te entiendo.

—No estoy diciendo que no se lo digamos, pero procedamos con cautela. Setenta y dos horas, y después haré esa llamada, ¿de acuerdo?

Siguió un momento de tensión. ¿Se lo habría tragado Nelson? Entonces, el hombre asintió.

—Sigue investigando. —Guilder apoyó una mano sobre el hombro de Nelson—. Y di a Suresh que los mantenga sedados a los dos, de momento. Si alguno de ellos pierde la chaveta, no quiero correr riesgos.

—¿Crees que esas correas aguantarán?

La pregunta era retórica: ambos hombres sabían la respuesta.

Guilder dejó a Nelson en el laboratorio y subió al tejado en ascensor. Estaba arrastrando de nuevo la pierna izquierda, una cojera en el paso como un hipido. El oficial al mando del destacamento de Blackbird, llamado Masterson, le saludó con un breve cabeceo, pero por lo demás le dejó en paz. Típico de Blackbird, aquel tipo:

construido como un volquete, con brazos gruesos como bocas de riego y un rostro petrificado en la expresión desdeñosa satisfecha de sí misma de un colegial demasiado grande para su edad. Con sus gafas de sol envolventes, la gorra de béisbol y el chaleco antibalas, Masterson parecía menos una persona que un muñeco coleccionable. ¿De dónde sacaban a aquellos personajes? ¿Crecían en alguna especie de granja? ¿Los cultivaban en placas de Petri? Eran matones, así de sencillo, y a Guilder nunca le había gustado tratar con ellos (Richards era la Prueba A), aunque también era cierto que su obediencia casi robótica los convertía en elementos ideales para ciertos trabajos. Si no existieran, habría que inventarlos.

Se acercó al borde del tejado. Pasaban unos minutos de mediodía, el aire irrespirable bajo un sol blanco deforme, la tierra tan llana y monótona como una mesa de billar. Las únicas interrupciones que aparecían en el horizonte perfectamente lineal eran un edificio abovedado reluciente, tal vez algo relacionado con la universidad, y, al sur, un estadio de fútbol americano en forma de cuenco. Una de esas escuelas, pensó Guilder, una franquicia deportiva disfrazada de universidad en que los delincuentes pasaban de un curso ficticio a otro y llenaban las arcas del fondo de los alumnos a base de hacer trizas a sus homónimos contrarios las tardes de otoño.

Dejó que sus ojos recorrieran el campamento de la FEMA. La presencia de refugiados era algo con lo que no había contado, y al principio le había preocupado. Pero cuando había meditado sobre la situación más en profundidad, no vio que fuera a alterar nada. El ejército afirmaba que dentro de uno o dos días todos se habrían ido. Un grupo de chicos estaban jugando cerca de la alambrada, dando patadas a una pelota medio deshinchada. Guilder los contempló durante varios minutos. El mundo podía encontrarse al borde de la destrucción, pero los niños seguían siendo niños. En un momento dado podían dejar de lado todas sus preocupaciones y absorberse en el juego. Tal vez era eso lo que Guilder había sentido con Shawna: unos escasos minutos en los que podía ser el niño

que nunca había sido. Tal vez era eso lo que siempre había deseado, lo que todo el mundo deseaba.

Pero Lawrence Grey... Algo de ese hombre le atormentaba, y
no era sólo la increíble historia o la improbable coincidencia de
que la mujer en cuestión fuera la esposa del agente Wolgast. Era la
forma en que Grey había hablado de ella. *Por favor, es a mí a quien
quieren. No hagan daño a Lila.* Guilder jamás habría supuesto que
Grey era capaz de preocuparse por otra persona, y mucho menos
por una mujer. Todo en su historial había conducido a Guilder a
esperar a un hombre que, en el mejor de los casos, era un solitario,
y en el peor un sociópata. Pero las súplicas de Grey en nombre de
Lila habían sido sinceras, sin la menor duda. Algo había pasado
entre ellos. Se había forjado un vínculo.

Sus ojos absorbieron la visión de todo el campamento. Todas
aquellas personas estaban atrapadas. Y no sólo por la alambrada
que los rodeaba. Las barreras físicas no eran nada comparadas con
las alambradas de la mente. Lo que realmente los encarcelaba eran
sus relaciones interpersonales. Maridos y mujeres, padres e hijos,
amigos y compañeros: lo que creían que les había dado fuerza en
su vida había conseguido justo lo contrario. Guilder recordó a la
pareja que vivía enfrente de su casa, que se habían intercambiado
a su hija dormida mientras iban hacia el coche. Habrían notado un
gran peso en los brazos. Y cuando el fin se abatiera sobre todos
ellos, abandonarían el mundo en una oleada de sufrimiento, sus
agonías magnificadas un millón de veces por la pérdida de la niña.
¿Tendrían que ser testigos de su muerte? ¿Perecerían antes, a sabiendas de lo que sería de ella en su ausencia? ¿Qué era preferible?
Pero la respuesta era que nada de eso. El amor había sellado su
perdición. Ése era el efecto del amor. El padre de Guilder le había
enseñado muy bien aquella lección.

Guilder se estaba muriendo. Eso era incontrovertible, un hecho natural. Como el hecho de que Lawrence Grey (aquel don
nadie desechable, un hombre que, a lo largo de su patética vida,
no había causado otra cosa que desdicha al mundo) no. En algún

lugar del cuerpo de Lawrence Grey se hallaba el secreto de la libertad definitiva, y Horace Guilder lo descubriría y lo guardaría para sí.

18

Los días iban transcurriendo con lentitud. Y todavía ni una palabra de los autobuses.

Todo el mundo estaba nervioso. Al otro lado de la alambrada, el ejército iba y venía, y el número de soldados iba disminuyendo. Cada mañana, Kittridge iba al cobertizo para interesarse por la situación, y cada mañana se marchaba con la misma respuesta: los autobuses están de camino, tenga paciencia.

Llovió durante todo un día, y el campamento quedó hecho un gigantesco barrizal. Cuando el sol volvió a brillar convirtió el barro en una corteza de tierra seca. Cada tarde, desde un camión del ejército, les arrojaban más comida preparada, pero no había ninguna noticia. Los retretes químicos apestaban, los cubos de basura desbordaban. Kittridge pasaba horas con la mirada clavada en la puerta principal. No aparecieron más refugiados. A cada día que pasaba, el lugar empezaba a parecer una isla rodeada de un mar hostil.

Había conseguido una aliada en Vera, la voluntaria de la Cruz Roja que los había recibido en la cola de entrada. Era más joven de lo que Kittridge había pensado al principio, estudiante de enfermería en Midwest State. Como todos los trabajadores civiles, parecía agotada por completo, y los días de tensión se reflejaban en su cara. Comprendía la frustración de Kittridge, dijo, como todo el mundo. Ella también había esperado subir a un autobús. Se sentía tan abandonada como los demás. Un día venían de Chicago; otro, de Kansas City; después, de Joliet. Una cagada de la FEMA. Se suponía que contaban con un montón de teléfonos por satélite para que la gente pudiera llamar a sus parientes e informarlos de que estaban bien. Vera ignoraba qué había pasado con eso. Ni siquiera la red local de móviles funcionaba.

Kittridge había empezado a ver las mismas caras: una mujer vestida con elegancia con un gato atado a una correa, un grupo de jóvenes negros vestidos con la camisa blanca y la corbata negra de los Testigos de Jehová, una chica con indumentaria de animadora. La apatía se había apoderado del campamento: el drama diferido de la no partida había dejado a todo el mundo en un estado de pasividad. Corrían rumores de que la provisión de agua estaba contaminada, y el dispensario estaba lleno de gente que se quejaba de calambres en el estómago, dolores musculares, fiebre. Algunas personas tenían radios que todavía funcionaban, pero lo único que oían era una especie de timbre, seguido por el ya familiar anuncio del Sistema de Transmisión de Emergencia. *No abandonen sus hogares. Refúgiense en ellos. Obedezcan todas las órdenes del ejército y de los cuerpos de policía.* Otro minuto de timbrazos, y las palabras se repetían.

Kittridge había empezado a preguntarse si algún día saldrían de allí. Y durante toda la noche vigilaba las vallas.

Atardecer del cuarto día: Kittridge estaba jugando otra partida de cartas con April, Pastor Don y la señora Bellamy. Habían cambiado el bridge por el póquer tapado, y apostaban ridículas cantidades de dinero que eran puramente hipotéticas. April, quien afirmaba no haber jugado nunca, ya había ganado a Kittridge cerca de cinco mil dólares. Los Wilkes habían desaparecido; nadie los había visto desde el miércoles. Fuera cual fuera su destino, se habían llevado el equipaje.

—Jesús, nos estamos asando —dijo Joe Robinson. Apenas se había movido de su catre en todo el día.

—Juega una mano —sugirió Kittridge—. Conseguirá que te olvides del calor.

—Joder —protestó el hombre. Estaba cubierto de sudor—. Apenas puedo moverme.

Kittridge, con sólo un par de seises, dejó las cartas sobre la mesa. April, con una perfecta cara de póquer, se llevó la mano.

—Me aburro —anunció Tim.

April estaba haciendo montones con las hojas de papel que utilizaban a modo de fichas.

—Puedes jugar conmigo. Te enseñaré a apostar.

—Quiero jugar al ocho loco.

—Confía en mí —dijo ella a su hermano—, esto es mucho mejor.

Pastor Don estaba jugando la nueva mano cuando Vera apareció en la puerta de la tienda. Miró a Kittridge al instante.

—¿Podemos hablar fuera?

Kittridge se levantó del camastro y salió al calor del atardecer.

—Algo está pasando —dijo Vera—. La FEMA acaba de enterarse de que todo el transporte civil al este de Misisipí ha sido suspendido.

—¿Estás segura?

—Los oí hablar de ello en el despacho del director. La mitad del personal de la FEMA se ha largado ya.

—¿Quién más lo sabe?

—¿Estás de broma? Ni siquiera te lo he dicho.

Eso era todo: iban a abandonarlos.

—¿Quién es el oficial al mando?

—La comandante no sé qué. Creo que se apellida Porcheki.

Un golpe de suerte.

—¿Dónde está ahora?

—Debería estar en el cobertizo. Había un coronel, pero se ha ido. *Muchos* se han ido.

—Hablaré con ella.

Vera frunció el ceño, dudosa.

—¿Qué puedes hacer?

—Puede que nada, pero al menos vale la pena intentarlo.

Ella se fue a toda prisa. Kittridge volvió a la tienda.

—¿Dónde está Delores?

Wood levantó los ojos de sus cartas.

—Creo que está trabajando en uno de los dispensarios. La Cruz Roja solicitó voluntarios.

—Que alguien vaya a buscarla.

Cuando todo el mundo estuvo presente, Kittridge explicó la situación. Suponiendo que Porcheki les proporcionara combustible para el autobús (una suposición muy arriesgada), tendrían que esperar a marcharse a la mañana siguiente, pues antes no sería posible.

—¿De veras crees que va a ayudarnos? —preguntó Pastor Don.

—Admito que es una posibilidad muy remota.

—Yo digo que lo robemos y salgamos cagando leches —dijo Jamal—. No esperemos.

—Puede que lleguemos a eso, y yo estaría de acuerdo, salvo por dos cosas. Una, estamos hablando del ejército. Robarlo suena a muchas probabilidades de ser fusilados. Y dos, quedan dos horas de luz como máximo. Chicago está muy lejos, y no quiero intentarlo en la oscuridad. ¿Entendido?

Jamal asintió.

—Lo importante es guardar el secreto y mantenernos juntos. En cuanto corra el rumor, se armará un gran cirio. Que todo el mundo se mantenga cerca de la tienda. Tú también, Tim. Nada de vagabundeos.

Kittridge había salido de la tienda cuando Delores le alcanzó.

—Estoy preocupada por esta fiebre —dijo a toda prisa—. Los dispensarios no dan abasto. Todos los suministros se han agotado, no hay antibióticos, nada. La situación se nos está escapando de las manos.

—¿Qué crees que pasa?

—El culpable evidente sería el tifus. Lo mismo pasó en Nueva Orleans después del huracán *Vanessa*. Con tanta gente hacinada, sólo era cuestión de tiempo. Si quieres saber mi opinión, cuanto antes nos vayamos, mejor.

Otra preocupación, pensó Kittridge. Aceleró el paso y se dirigió hacia el cobertizo, dejando atrás cubos de basura rebosantes donde los cuervos se estaban dando un festín. Las aves habían aparecido la noche anterior, atraídas, sin duda, por el hedor de la basura acumulada. Ahora, el campamento parecía invadido de ellas, tan osadas que prácticamente te quitaban la comida de las manos. Nunca era una buena señal, pensó, que aparecieran los cuervos.

En la tienda de mando, Kittridge se decantó por el enfoque más directo, y no hizo nada por anunciar su presencia antes de entrar. Porcheki estaba sentada a una larga mesa, hablando en un teléfono por satélite. Tres suboficiales ocupaban la habitación, junto con un apretado revoltijo de aparatos electrónicos. Uno de los soldados se quitó los auriculares y se puso en pie como impulsado por un resorte.

—¿Qué está haciendo aquí? Esta zona está prohibida a los civiles.

Pero cuando el soldado avanzó hacia Kittridge, Porcheki le detuvo.

—No pasa nada, cabo. —Su rostro era una máscara de cansancio cuando colgó el teléfono—. Sargento Kittridge. ¿Qué puedo hacer por usted?

—Se retiran, ¿verdad?

La idea se había formado en su mente al mismo tiempo que pronunciaba las palabras.

Porcheki le sopesó con los ojos.

—¿Nos excusan, por favor? —dijo a los soldados.

—Comandante...

—Eso es todo, cabo.

Los tres salieron de la tienda con visible reticencia.

—Sí —dijo Porcheki—. Nos han ordenado regresar a la frontera de Illinois. Todo el estado será sometido a cuarentena a partir de las dieciocho horas de mañana.

—No puede abandonar a esta gente. Está totalmente indefensa.

—Yo también lo sé. —Le estaba mirando fijamente. Daba la impresión de que estaba a punto de anunciar algo—. Usted estuvo en Bagram, ¿verdad?

—¿Señora?

—Creí haberle reconocido. Yo estaba allí, con el Grupo Expedicionario Médico Setenta y Dos. No creo que se acuerde de mí. —Bajó la mirada—. ¿Qué tal la pierna?

Kittridge estaba demasiado estupefacto para contestar.

—Me las arreglo bien.

Un leve asentimiento y, en el rostro preocupado de la mujer, lo que habría podido pasar por una sonrisa.

—Me alegro de que sobreviviera, sargento. Me enteré de lo sucedido. Fue algo terrible, lo de ese niño. —Recuperó sus maneras oficiosas—. En cuanto a lo otro, tengo dos docenas de autocares en ruta desde el arsenal de Rock Island y un par de camiones repostadores. Además de su autobús, con lo cual son veinticinco. No es suficiente, obviamente, pero es todo cuanto he podido reunir. Esto no debe saberse, se lo advierto. No queremos que cunda el pánico. Le mentiría si no dijera que toda cautela es poca. ¿Me he expresado con claridad?

Kittridge asintió.

—Cuando esos autobuses lleguen, tendrán que estar preparados. Ya sabe cómo son esas cosas. Mantienes el control lo máximo posible, pero tarde o temprano la cosa empieza a degenerar. La gente efectuará los cálculos, y ya puede apostar a que nadie querrá quedarse atrás. Deberíamos tener tiempo de hacer cuatro viajes antes de que la frontera se cierre. Es posible, pero nos quedará muy poco margen. ¿Tiene conductor para su autobús?

Kittridge volvió a asentir.

—Danny.

—¿El de la gorra? Perdone, sargento, no quiero faltar al respeto a ese hombre, pero he de estar segura de que puede hacerse cargo de la situación.

—Usted no lo hará mejor que él. Le doy mi palabra.

Una rápida vacilación, y después la mujer accedió.

—Que se presente aquí a las tres. El primer cargamento partirá a las cuatro y media. Recuerde lo que le he dicho. Si quiere sacar a su gente de aquí, métala en esos autobuses.

Lo siguiente fue una verdadera sorpresa para Kittridge. Porcheki se inclinó, abrió el último cajón del escritorio y sacó un par de pistolas. Las Glock de Kittridge, todavía en sus fundas. Le entregó una cazadora azul con la palabra FEMA grabada detrás.

—Guárdelas escondidas. Preséntese al cabo Danes fuera, y él le acompañará hasta el arsenal. Coja toda la munición que necesite.

Kittridge pasó los brazos a través de las correas y se puso la chaqueta. El significado de las palabras de la mujer era evidente. Se encontraban detrás de las líneas enemigas. El frente los había rebasado.

—¿Están muy cerca? —preguntó Kittridge.

La expresión de la comandante se ensombreció.

—Ya están aquí.

Lawrence Grey nunca había sentido tanta hambre.

¿Cuánto tiempo llevaba allí? ¿Tres días? ¿Cuatro? El tiempo había perdido todo significado, el paso de las horas interrumpido tan sólo por las visitas de los hombres con traje de cosmonauta. Llegaban sin avisar, apariciones surgidas de una bruma narcótica. El silbido del compartimento estanco, y allí estaban. Después, el pinchazo de la aguja y la bolsa que se iba llenando poco a poco de su magnífico tesoro. Había algo en su sangre, algo que ellos deseaban. Sin embargo, nunca parecían satisfechos. Harían que se desangrara como un buey sacrificado. ¿Qué queréis?, suplicaba. ¿Por qué me estáis haciendo esto? ¿Dónde está Lila?

Se sentía famélico. Era un ser de necesidad extremada, un agujero de tamaño natural en el espacio que sólo necesitaba ser llenado. Una persona podría volverse loca así. Suponiendo que todavía fuera una persona, lo cual parecía improbable. Cero le había cambiado, alterado la mismísima esencia de su existencia. Le estaban conduciendo al redil. En su mente había voces, murmullos, como el zumbido de una muchedumbre lejana. A cada hora que transcurría, el sonido aumentaba de intensidad; la muchedumbre se estaba acercando. Se revolvía contra las correas como un pez en una red. Por cada bolsa de sangre que le robaban, sus energías iban disminuyendo. Se sentía envejecer por dentro, un declive precipitado en el núcleo de sus células. El universo le había abandonado a su suerte. Pronto se desvanecería, se dispersaría en la nada.

Le estaban observando, el hombre llamado Guilder y el hombre llamado Nelson. Grey intuía su presencia al acecho detrás de la lente de la cámara de seguridad, los haces inquisitivos de sus ojos. Le necesitaban. Le tenían miedo. Era como un regalo que, una vez abierto, estallaría como serpientes. Carecía de respuestas para ellos. Se habían cansado de preguntar. El silencio era el último poder que le quedaba.

Pensó en Lila. ¿Le estaba pasando lo mismo a ella? ¿Se encontraría bien el feto? Sólo había querido protegerla, obrar ese único bien en su despreciable vida. Era una especie de amor. Como Nora Chung, sólo que mil veces más profundo, una energía que no deseaba nada, que no tomaba nada; sólo deseaba entregarse. Era cierto: Lila había llegado a su vida con un propósito, concederle una última oportunidad. No obstante, le había fallado.

Oyó el silbido en el compartimento estanco. Entró una figura. Uno de los hombres con traje de cosmonauta, que avanzaba hacia él como un gran muñeco de nieve anaranjado.

—Señor Grey, soy el doctor Suresh.

Grey cerró los ojos y esperó el pinchazo de la aguja. Adelante, pensó, róbala toda. Pero eso no sucedió. Grey alzó la mirada y vio que el médico retiraba una aguja del puerto de la intravenosa. Con movimientos cautelosos, tapó la aguja y la depositó en el cubo de la basura con un ruido metálico. Al instante, Grey sintió que la niebla se despejaba de su mente.

—Ahora podremos hablar. ¿Cómo se encuentra?

Quiso decir: ¿Cómo cree que me encuentro? O quizá tan sólo: Que le den.

—¿Dónde está Lila?

El doctor extrajo una pequeña linterna del bolsillo del biotraje y se inclinó sobre el rostro de Grey. A través de la visera de su casco, sus rasgos se definieron: una frente amplia, piel oscura de tono amarillento, pequeños dientes blancos. Paseó la luz sobre los ojos de Grey.

—¿Le molesta? La luz.

Grey negó con la cabeza. Estaba tomando conciencia de un nuevo sonido: un latido rítmico. Estaba oyendo el corazón del hombre, el rítmico rumor de la sangre que corría por sus venas. Una oleada de saliva inundó las paredes de su boca.

—No ha tenido deposiciones, ¿verdad?

Grey tragó saliva y volvió a negar con la cabeza. El médico se trasladó al pie de la cama y extrajo una pequeña sonda plateada. La pasó muy deprisa a lo largo de las plantas de los pies de Grey.

—Muy bien.

El examen continuó. Anotaba cada dato en su portátil. Suresh subió la bata de Grey sobre sus piernas y tomó sus testículos con una mano.

—Tosa, por favor.

Grey forzó una tosecita. El rostro del médico detrás de la visera no revelaba nada. El sonido rítmico invadía todo el cerebro de Grey, aniquilaba cualquier otro pensamiento.

—Voy a inspeccionar sus glándulas.

El doctor extendió manos enguantadas hacia el cuello de Grey. Cuando las yemas de dedos entraron en contacto, Grey lanzó la cabeza hacia delante. La reacción fue automática. Grey no habría podido impedirla aunque lo hubiera intentado. Sus dientes se hundieron en la piel blanda de la palma de Suresh, se aferraron como una lapa. El sabor químico del látex, profundamente repugnante, y después un estallido de dulzura llenó su boca. Suresh estaba chillando, pugnaba por liberarse. Empujó con su mano libre la frente de Grey, en un intento de equilibrar la situación. Echó la mano hacia atrás y golpeó la cara de Grey. No fue doloroso, sino sorprendente. Grey soltó su presa. Suresh se tambaleó hacia atrás, mientras se aferraba la mano ensangrentada por la muñeca, que rodeaba con el índice y el pulgar a modo de torniquete. Grey esperaba que sucediera algo gordo, el sonido de una alarma, hombres que entraban corriendo, pero no ocurrió nada por el estilo. Era como si el momento se hubiera congelado en el tiempo y nadie lo hubiera observado. Suresh retrocedió, con los ojos abiertos de par en par a causa del pánico y clavados en Grey. Se quitó el guante ensangrentado y corrió hacia el lavabo. Abrió el grifo y empezó a restregarse la mano con energía, mientras mascullaba para sí: «Oh, Dios, oh, Dios, oh, Dios».

Después desapareció. Grey permaneció inmóvil. Durante el forcejeo, la intravenosa se había soltado. Tenía sangre en la cara, en los labios. La lamió con lento placer hasta hacerla desaparecer. El sabor más ínfimo, pero suficiente. Recuperó las energías como una ola que abrazara la orilla. Se tensó de nuevo contra las correas, sintió que los remaches empezaban a ceder. El compartimento estanco era otro asunto, pero tarde o temprano se abriría, y, en ese momento, Grey estaría esperando. Ardería como un ángel de la muerte.

Ya voy, Lila.

19

Las 03.30 horas: el grupo estaba reunido delante de la tienda, con el equipaje hecho, a la espera del amanecer. Kittridge les había dicho que deberían dormir, prepararse para el viaje que les aguardaba. Poco después de medianoche, los autobuses prometidos habían aparecido ante la valla, una larga hilera gris. Ningún anuncio del ejército, pero su llegada no había pasado desapercibida a la atención general. En todo el campamento se hablaba de la partida. ¿Quién se iría primero? ¿Llegarían más autobuses? ¿Y los enfermos? ¿Serían evacuados por separado?

Kittridge había ido con Danny a la tienda de mando para que Porcheki los informara. Lo que quedaba del personal civil, la FEMA y la Cruz Roja, se encargaría de supervisar la carga, mientras el resto de los hombres de Porcheki, tres pelotones, se encargarían de la multitud. Una docena de Humvees y un par de blindados esperarían al otro lado de la valla para escoltar al convoy. El viaje a Rock Island ocuparía menos de dos horas. Suponiendo que todo fuera tal como se había planeado, el último de los cuatro cargamentos llegaría a Rock Island a las 17.30, justo antes del plazo límite.

Cuando terminó la reunión, Kittridge se llevó a Danny aparte.

—Si ocurre algo, no esperes. Coge lo que puedas cargar y vete. Mantente alejado de las carreteras principales. Si el puente de Rock Island está cerrado, dirígete al norte, como hicimos la última vez. Sigue el río hasta que encuentres un puente abierto. ¿Comprendido?

—No debería esperar. Mantenerme alejado de las carreteras principales. Ir al norte.

—Exacto.

Los demás conductores ya se dirigían hacia los autobuses. Kittridge sólo tenía un momento para decir el resto.

—Pase lo que pase, Danny, no habríamos llegado tan lejos sin ti. Estoy seguro de que lo sabes, pero quería decírtelo.

El hombre asintió con brusquedad y desvió la mirada.

—De acuerdo.

—Me gustaría estrecharte la mano. ¿Crees que estaría bien?

Danny frunció el ceño con una expresión, casi, de dolor. Kittridge estaba preocupado por si se había pasado, cuando Danny extendió la mano con celeridad furtiva, y las palmas de ambos hombres entrechocaron. Su presa, aunque vacilante, no carecía de energía. Una sacudida vigorosa. Por un segundo, Danny le miró a los ojos. Al siguiente, desvió la vista.

—Buena suerte —dijo Kittridge.

Regresó a la tienda. No cabía hacer otra cosa que esperar. Se sentó en el suelo con la espalda apoyada contra una caja de madera. Transcurrieron unos minutos. Los faldones de la tienda se apartaron. April se sentó a su lado y apretó las rodillas contra el pecho.

—¿Te importa?

Kittridge negó con la cabeza. Estaban mirando hacia la entrada del recinto, a unos cien metros de distancia. Bajo el resplandor de los focos, la zona circundante brillaba como un escenario bien iluminado.

—Sólo quería darte las gracias —dijo April—. Por todo lo que has hecho.

—Cualquiera lo habría hecho.

—No. O sea, a ti te gusta pensar eso. Pero no.

Kittridge se preguntó si sería cierto. Supuso que daba igual. El destino los había reunido, y ahí estaban. Después recordó las pistolas.

—Tengo algo tuyo.

Introdujo la mano bajo la chaqueta y sacó una Glock. Montó la corredera para introducir una bala, le dio la vuelta en la mano y se la tendió.

—Recuerda lo que te dije. Una bala en el centro del pecho. Se derrumban como un castillo de naipes si lo haces bien.

—¿Cómo la has recuperado?

Kittridge sonrió.

—La gané en una partida de póquer. —La acercó a ella—. Adelante, cógela.

Había llegado a ser importante para él que April la tuviera. Ésta la tomó en su mano, se inclinó hacia delante y deslizó el cañón bajo el cinto de los tejanos, de manera que quedó apoyada contra su columna vertebral.

—Gracias —dijo con una sonrisa—. Haré un buen uso de ella.

Durante un minuto, ninguno de los dos habló.

—Es muy evidente cómo va a acabar todo esto, ¿verdad? —dijo April—. Tarde o temprano, quiero decir.

Kittridge volvió la cara para mirarla. Ella había desviado los ojos, y las luces de los focos bañaban sus facciones.

—Siempre existe una probabilidad.

—Eso es muy amable por tu parte, pero no cambia nada. Quizá los demás necesiten oírlo, pero yo no.

Había refrescado. Ella se recostó contra él. El gesto fue instintivo, pero significaba algo. Kittridge la rodeó con el brazo y la atrajo hacia sí para darle calor.

—Piensas en él, ¿verdad? —April apoyó la cabeza sobre su pecho. Hablaba en voz muy baja—. El niño del coche.

—Sí.

—Cuéntame.

Kittridge respiró hondo y exhaló hacia la oscuridad.

—Pienso en él todo el tiempo.

Se hizo un silencio más profundo alrededor del campamento, como en las habitaciones de una casa cuando todo el mundo se ha ido a dormir.

—Me gustaría pedirte un favor —dijo April.

—Adelante.

Kittridge sintió que el cuerpo de la joven se ponía un poco en tensión.

—¿Te he dicho que era virgen?

No pudo reprimir una carcajada, pero no se le antojó una reacción equivocada.

—Bien, creo que recordaría algo por el estilo.

—Sí, vale. No es que haya habido un montón de hombres en mi vida. —Hizo una pausa—. No mentía sobre lo de tener dieciocho años. Tampoco es que importe mucho. No creo que en este mundo tales cosas tengan mucha importancia.

Kittridge asintió.

—Supongo que no.

—Lo que estoy diciendo es que no tiene por qué ser algo grandioso.

—Siempre es algo grandioso.

April rodeó la mano de Kittridge con los dedos, y acarició lentamente sus nudillos con el pulgar. La sensación fue tan leve y tierna como un beso.

—Es curioso. Incluso antes de ver tus cicatrices, sabía lo que eras. No sólo el ejército, eso era evidente para todo el mundo. Que algo te había pasado en la guerra. —Una pausa—. Creo que ni siquiera sé tu nombre.

—Bernard.

Ella se apartó para mirarle. Tenía los ojos húmedos y brillantes.

—Por favor, Bernard. Sólo por favor, ¿vale?

No era una petición a la que pudiera negarse, ni tampoco lo deseaba. Utilizaron una de las tiendas contiguas. ¿Quién sabía adónde habrían ido los ocupantes? Kittridge estaba falto de práctica, pero se esforzó en ser amable, en ir despacio, mientras vigilaba el rostro de April a la tenue luz. Ella emitió algunos sonidos, pero no demasiados, y cuando terminaron le besó, un beso largo y tierno, acurrucada contra él, y se durmió enseguida.

Kittridge se quedó tendido en la oscuridad, escuchando su respiración, sintiendo la tibieza de las partes del cuerpo donde se habían tocado. Pensó que podría ser extraño, pero no lo era. Parecía una parte natural de todo lo que había ocurrido. Sus pensamientos vagaron sin rumbo. Los mejores recuerdos: los recuerdos del amor. No guardaba muchos. Ahora tenía otro. Qué estúpido había sido cuando quiso terminar con su vida.

Acababa de cerrar los ojos, cuando al otro lado de la puerta se oyó un rugido de motores y el destello de faros delanteros. April se estaba removiendo a su lado. Se vistió a toda prisa y apartó los faldones cuando oyó, procedente del oeste, el retumbar de un trueno. No cabía duda de que se marcharían acompañados por la lluvia.

—¿Están aquí?

Pastor Don salió de la tienda, frotándose los ojos. Wood iba detrás de él.

Kittridge asintió.

—Coged vuestras cosas, todos. Nos vamos.

¿Dónde demonios estaba Suresh?

Hacía horas que nadie le había visto. En un momento dado, se suponía que estaba examinando a Grey; al siguiente, se había desvanecido sin dejar rastro. Guilder había enviado a Masterson a buscarle. Veinte minutos después había vuelto con las manos vacías. Suresh no se encontraba en el edificio, informó.

La primera deserción, pensó Guilder. Una grieta así no haría otra cosa que ensancharse. ¿Adónde esperaba huir aquel hombre? Se hallaban en medio de un campo de maíz, estaba anocheciendo a marchas forzadas. Los días habían transcurrido de manera estéril. No habían logrado aislar el virus ni reproducirlo en un cultivo celular. No cabía duda de que Grey estaba infectado, como revelaba el timo agigantado del hombre. Pero daba la impresión de que el virus se estaba escondiendo. ¡Escondiendo! Ésas habían sido las palabras de Nelson. ¿Cómo era posible que un virus se escondiera? Pues encontradlo, joder, había dicho Guilder. Se nos está acabando el tiempo.

Guilder pasaba cada vez más tiempo en el tejado, atraído por su sensación de espacio. Ya pasaba de la medianoche otra vez, y allí estaba. El sueño era tan sólo un recuerdo. Nada más entregarse a él despertaba sobresaltado, con las paredes de su garganta cerrándose. El plazo de setenta y dos horas había expirado. Nelson se limitó a enarcar las cejas: *¿Y bien?* La tráquea de Guilder estaba tan obstruida que apenas podía tragar. Su mano izquierda aleteaba como un pájaro. Todo un lado de su cuerpo se estaba arrastrando como si llevara atada al tobillo una pesa de cuarenta kilos. No podría ocultar la situación a Nelson mucho más tiempo.

Desde el tejado, Guilder había visto que las filas del ejército iban disminuyendo día a día. ¿Estarían muy lejos los virales? ¿Cuánto tiempo les quedaba?

Su móvil zumbó en la cintura. Nelson.

—Será mejor que vengas a ver esto.

Nelson se reunió con él en la puerta del ascensor. Llevaba una bata de laboratorio sucia y tenía el pelo desordenado. Tendió a Grey una hoja de papel.

—¿Qué me estás enseñando?

La expresión de Nelson era sombría.

—Limítate a leer.

DEPARTAMENTO DEL EJÉRCITO
MANDO CENTRAL DE ESTADOS UNIDOS
SOUTH BOUNDARY BOULEVARD, 7115
MACDILL AFB, FL 33621-5101

010500JUN16

ORDEN OPERATIVA USCENTCOM-IMMACULATA

REFERENCIAS: ORDEN EJECUTIVA 929621, 1r,
HL Recon BDE
OPORD 18-26, Hoja de mapa V107

ORGANIZACIÓN DE TAREAS: Destacamento Especial Conjunto (DEC) SCORCH, incluidos elementos de: Escuadrilla de Caza y Ataque 388 (388 ECA), Grupo de Combate 23 (GC 23), Grupo de Defensa Aérea Nacional 62 (GDAN 62), Guardia Nacional del Ejército de Colorado (GNE CO), Guardia Nacional del Ejército de Kansas (GNE KS), Guardia Nacional del Ejército de Nebraska (GNE NE), y Guardia Nacional del Ejército de Iowa (GNE IA).

1. SITUACIÓN

a. Fuerza enemiga: desconocida, +/– 200K.

b Terreno: mezcla de mesetas/praderas/urbano.

c. Tiempo: condiciones variables, visibilidad diurna moderada, visibilidad nocturna limitada, luz de luna entre escasa y nula.

d. Situación del enemigo: a 010500JUN16, 763 grupos de personas infectadas («vainas») observados agrupados en Áreas Designadas 1-26. Movimiento enemigo esperado nada más anochecer (2116).

2. MISIÓN

DEC SCORCH libra combates desde 012100JUN16 hasta 052400JUN17 dentro de la Zona de Cuarentena decretada con el fin de destruir a todas las personas infectadas.

3. EJECUCIÓN

Intención: DEC lanzará operaciones de combate aéreo y terrestre dentro de la Zona de Cuarentena. Tarea prioritaria de DEC SCORCH es la eliminación de todo el personal infectado dentro de la Zona de Cuarentena. *Todo el personal, incluido el civil, dentro de la Zona de Cuarentena se considera infectado, y se autoriza su eliminación de acuerdo con la Orden Ejecutiva 929621. El objetivo final es la eliminación de todo el personal infectado dentro de la Zona de Cuarentena.*

Concepto de la Operación: será una operación en dos fases:

FASE 1: DEC despliega unidades aéreas tácticas del 388 ECA, 23 ECA y 62 GDAN en 012100JUN16 para llevar a cabo un bombardeo masivo de las Zonas Designadas 1-26. FASE 1 completa con bombardeo masivo del 100% de la Zona de Cuarentena. FASE 2 empezará nada más concluir la FASE 1.

FASE 2: DEC desplegará 3 Divisiones Mecanizadas de Infantería desde las unidades terrestres tácticas del GNE CO, GNE KS, GNE NE, GNE IA para llevar a cabo ataques de fuego a discreción contra las restantes fuerzas enemigas en las Zonas Designadas 1-26. La FASE 2 concluye con el 100% de personal infectado destruido dentro de la Zona de Cuarentena.

A partir de ahí: logística, táctica, mando y señal. La burocracia de la guerra. El resultado estaba claro: cualquiera que se hallara dentro de la zona de cuarentena estaba condenado.

—Jesús.

—Ya te lo adelanté —dijo Nelson—. Tarde o temprano, esto iba a suceder. Quedan menos de dos horas para que amanezca. No creo que esta noche pase nada, pero me parece que no deberíamos esperar.

Así como así, el reloj había llegado a cero. ¡Después de todo lo que había hecho, aceptar ahora la derrota!

—¿Qué quieres que haga?

Guilder respiró hondo para serenarse.

—Evacuar a los técnicos en los vehículos, pero no te deshagas de Masterson. Podemos empaquetar a Grey y a la mujer nosotros mismos y pedir que vengan a recogernos.

—¿Debo avisar a Atlanta? Para que al menos sean conscientes de la situación.

Debía reconocer que Nelson no se había permitido un segundo «ya te lo había adelantado».

—No, yo me encargo de eso.

Había una línea terrestre segura en el despacho del jefe de la estación. Guilder subió y recorrió el pasillo desierto, arrastrando la pierna izquierda dolorida. Habían vaciado todos los despachos. Lo único que quedaba en la habitación eran una silla, un escritorio metálico barato y un teléfono. Se sentó en la silla y contempló el teléfono. Al cabo de un rato se dio cuenta de que tenía las mejillas mojadas: había empezado a llorar. El extraño llanto carente de sentimiento que había empezado a parecer un heraldo de su destino, y la confesión espontánea de su mediocre y desdichada vida. Como si su cuerpo le estuviera diciendo: Tú espera. Espera y verás lo que te tenemos reservado. Una muerte en vida, campeón.

Pero esto nunca sucedería. En cuanto descolgara el teléfono, todo habría terminado. Un pequeño consuelo, saber que al menos no viviría lo suficiente para padecer toda la agonía de su declive. Lo que no había logrado aquel día en el garaje, ahora lo harían por él.

¿Señor Guilder? Venga con nosotros. Una mano sobre el hombro, el paseo por el corredor.

No.

20

Cuando llegaron a los autobuses, los soldados habían establecido un perímetro. Una muchedumbre se estaba formando en la oscuridad previa al amanecer. El autobús de Danny estaba en el tercer espacio. Kittridge le vio a través del parabrisas, con la gorra encasquetada en la cabeza, las manos aferrando el volante. Vera se encontraba en la base de la escalerilla, sujetando una tablilla.

Dios te bendiga, Danny Chayes, pensó Kittridge. Éste será el viaje de tu vida.

—¡Que todo el mundo mantenga la calma, por favor! —Porcheki, que paseaba arriba y abajo de la hilera de autobuses, detrás de la barrera de soldados, estaba gritando por un megáfono—. ¡Formen una cola ordenada y suban por atrás! ¡Si no encuentran asiento, esperen el segundo turno!

Los soldados habían erigido barreras para crear una especie de puerta. La muchedumbre se apelotonaba detrás de ellos y avanzaba hacia el portillo. ¿Adónde iban?, preguntaba la gente. ¿El destino era Chicago, u otro sitio? Justo delante del grupo de Kittridge había una familia con dos hijos, un chico y una chica, vestidos con pijamas mugrientos. Pies sucios, pelo enmarañado. No tendrían más de cinco años. La niña aferraba una Barbie desnuda. Más truenos resonaron hacia el oeste, acompañados de destellos de luz en el horizonte. Kittridge y April llevaban de la mano a Tim, temerosos de que la muchedumbre lo engullera.

Una vez cruzaron el portillo, el grupo se dirigió a toda prisa hacia el autobús de Danny. Los Robinson y Boy Jr. fueron los primeros en subir. Al pie de la escalerilla se encontraban Wood y Delores, Jamal y la señora Bellamy. Pastor Don iba detrás, seguido de Kittridge, Tim y April.

Un estallido de luz, de un blanco espectral, iluminó el aire y congeló la escena en la mente de Kittridge. Medio segundo después, se oyó un fuerte trueno. Kittridge notó la vibración producida por el impacto en el suelo.

No era un trueno. Era fuego de artillería.

Tres aviones a reacción pasaron sobre sus cabezas, y después dos más. De pronto, todo el mundo se puso a gritar, un sonido potente y agudo de pánico desatado que llegaba desde atrás y envolvía a la multitud como una ola. Kittridge volvió la cara hacia el oeste.

Nunca había visto virales formando un grupo grande. A veces, desde lo alto de la torre, había visto a tres juntos, nunca menos o más, y por supuesto estaban los del garaje subterráneo, que sumarían unos veinte como máximo. No eran nada comparado con eso. La visión sugería una bandada de aves terrestres, una masa coordinada de cientos, quizá miles, que corrían hacia la alambrada. *Una vaina*, recordó Kittridge. *Por eso los llaman vainas.* Durante un segundo experimentó una especie de admiración, un asombro pasmado ante su majestuosidad orgánica.

Arrasarían el campamento como un tsunami.

Los Humvees estaban corriendo hacia la alambrada oeste, y sus ruedas levantaban nubes de polvo. De pronto, los autobuses se quedaron sin vigilancia. La muchedumbre se precipitó hacia ellos. Un gran peso humano se estrelló contra Kittridge por detrás. Cuando la multitud le envolvió, oyó chillar a April.

—¡Tim!

Buscó la voz, abriéndose paso entre la masa como un nadador contra la corriente, apartando cuerpos a un lado. Un montón de gente intentaba embutirse en el autobús de Danny, sin dejar de empujar y propinar codazos. Kittridge vio que el hombre que estaba delante de ellos en la cola sostenía a su hija sobre la cabeza.

—¡Por favor, que alguien la coja! —estaba gritando—. ¡Que alguien coja a mi hija!

Entonces, Kittridge vio a April atrapada entre la muchedumbre. Agitó las manos en el aire.

—¡Sube al autobús!

—¡No puedo encontrarle! ¡No puedo encontrar a Tim!

Un rugido de motores: en la parte posterior de la hilera, uno de los autobuses se abrió paso, y después otro y otro. Con un estallido de furia, Kittridge consiguió llegar hasta April, la agarró por la cintura y saltó hacia la puerta, pero la chica se resistió. Estaba debatiéndose, intentaba librarse de su presa.

—¡No puedo irme sin él! ¡No puedo!

Vio a Pastor Don al pie de la escalerilla. Kittridge empujó a April hacia delante.

—¡Ayúdame, Don! ¡Súbela al autobús!

—¡No puedo irme, no puedo irme!

—¡Yo le encontraré, April! ¡Cógela, Don!

Un empujón final entre la masa humana, Don extendió los brazos, encontró la mano de April y tiró de ella hacia la puerta. Después desapareció. El autobús sólo iba lleno hasta la mitad, pero no había tiempo para esperar. Lo último que vio Kittridge fue la cara de April apretada contra la ventanilla, llamándole.

—¡Sácalos de aquí, Danny!

Las puertas se cerraron. El autobús se puso en marcha.

En su habitación subterránea del edificio de la NBC, Lila Kyle, que había pasado los últimos cuatro días en un estado de suspensión narcótica (un crepúsculo de semiinconsciencia en que experimentaba la habitación como si fuera una más de las diversas pantallas de cine que estaba viendo al mismo tiempo), estaba dormida y soñaba: un sueño sencillo y feliz en que iba en coche de noche, camino del hospital para dar a luz a su hija. Lila no podía ver al conductor. La periferia de su visión estaba cubierta de negrura. Brad, dijo, ¿estás ahí? Y entonces la negrura se levantó, como el telón de un escenario, y Lila vio que *era* Brad. Una reluciente alegría dorada, ingrávida como el sol de junio, estremeció todo su ser. Pronto llegaremos, querida, dijo Brad. De un momento a otro. Esto no se irá a hacer puñetas. Tú aguanta. La niña está a punto de nacer. Ya lo ha hecho, prácticamente.

Y ésas eran las palabras que Lila se estaba diciendo (la niña está a punto de nacer, la niña está a punto de nacer) cuando una violenta explosión sacudió la habitación (los cristales se hicieron añicos, las cosas cayeron, el suelo se alzó como una barca diminuta en el mar) y ella se puso a chillar.

21

La vaina viral que arrasó el centro de tramitación de refugiados del este de Iowa a primera hora del 9 de junio formaba parte de una masa más grande procedente de Nebraska. Posteriores cálculos del destacamento especial conjunto, nombre en código DEC Scorch, diferían acerca de su tamaño. Algunos creían que se componía de unos cincuenta mil individuos, y otros muchos más. En los días siguientes convergió con una segunda vaina, de mayor tamaño, procedente de Misuri en dirección norte, y una tercera, todavía mayor, en dirección sur desde Minnesota. Su número siempre iba en aumento. Cuando llegaron a Chicago eran medio millón, atravesaron el perímetro defensivo el 17 de julio y se apoderaron de la ciudad en menos de veinticuatro horas.

Los primeros virales que atravesaron las alambradas del complejo de tramitación de refugiados llegaron a las 04.58 hora de verano del centro. A esa hora se estaban llevando a cabo extensas operaciones aéreas en las partes central y este del estado desde hacía ocho horas y, de hecho, todos los puentes que cruzaban el Misisipí salvo uno (Dubuque) habían sido destruidos. El momento de decretar la cuarentena había sido informado erróneamente aposta por el destacamento especial. Los jefes del destacamento especial creían (una conclusión apoyada por la sabiduría combinada de los militares estadounidenses y las agencias de inteligencia) que una presencia humana concentrada dentro de la zona de cuarentena actuaba como un imán para los infectados, y provocaba que se concentraran en ciertas zonas, lo cual aumentaba la eficacia de los bombardeos aéreos. La analogía más cercana, según un miembro del destacamento especial, era utilizar un depósito de sal para cazar ciervos. Abandonar a una población de refugiados era el precio que había que pagar en una guerra que carecía de precedentes. Y en cualquier caso, aquellas personas iban a morir de todos modos, lo más probable.

La comandante Frances Porcheki, de la Guardia Nacional de Iowa (en la vida civil, representante regional de una fábrica de aparatos deportivos para mujeres), desconocía la misión de DEC Scorch, pero no era idiota. Aunque era una oficial militar muy preparada, la comandante Porcheki era también una fervorosa católica que encontraba consuelo, y guía, en su fe. La decisión de no abandonar a los refugiados bajo su protección, como le habían ordenado hacer, fue fruto de sus profundas convicciones, así como la de dedicar las últimas energías de su vida, y la de los soldados que continuaban bajo su mando (165 hombres y mujeres que, casi hasta el último, tomaron posiciones en la alambrada oeste), a proteger a los autobuses que escapaban. En ese momento, los civiles rezagados corrían detrás de los vehículos, suplicaban a gritos que pararan, pero no había nada que hacer. Bien, eso es todo, pensó Porcheki. Habría salvado a más de haber podido. Una pálida luz verde se había concentrado hacia el este, una muralla de brillo tembloroso, como un seto incandescente. Volaban aviones a reacción en el cielo y descargaban la furia de sus cargas explosivas en el corazón de la vaina: balas trazadoras relucientes, chorros de fuego. El aire vibraba a causa de las detonaciones. La vaina surgió a través de un halo de destrucción, sin dejar de avanzar. Porcheki saltó del Humvee antes de que frenara, y gritó:

—¡Que nadie dispare! ¡Esperad a que lleguen a la alambrada!

Adoptó la posición de fuego (como ya no tenía más órdenes que dar, se enfrentaría al enemigo en las mismas condiciones que sus hombres) y empezó a rezar.

Fue como si el tiempo hubiera sido pasto del desorden. Entre el caos, las vidas se estaban superponiendo de maneras imprevistas. En el sótano del edificio de la NBC se estaba librando una amarga batalla. En el mismo momento en que el helicóptero de Blackbird aterrizó en el tejado, Horace Guilder, quien se había escondido de Nelson en su despacho cuando empezó el asalto, una vez tomada su decisión de no telefonear a sus colegas del Centro para el Control y Prevención de Enfermedades, lo cual le había quitado un peso de encima, sólo para crear otro (no tenía ni idea de qué hacer a continuación), había bajado por la escalera al sótano con considerables dificultades, y descubrió a Masterson y a Nelson guardando frenéticamente muestras de sangre en una nevera portátil llena de hielo seco, mientras chillaban frases como «¿Dónde coño estabas?», «¡Hemos de largarnos de aquí!» o «¡El edificio se está viniendo abajo!». Pero estos sentimientos, por razonables que fueran, afectaban a Guilder tan sólo de una manera vaga. Lo único importante ahora era Lawrence Grey. Y de repente, como si le hubieran abofeteado en la cara, Guilder supo lo que debía hacer.

Sólo había una forma. ¿Por qué no se le había ocurrido hasta entonces?

Todo su cuerpo estaba a punto de ser presa de espasmos paralizantes. Apenas podía respirar a través del estrecho conducto de su garganta. No obstante, hizo acopio de valor (el valor de los agonizantes) para apoderarse del arma de Masterson y extraerla de su funda.

Y después, ante su asombro, Guilder le disparó.

Estaban pisoteando a Kittridge.

Mientras los autobuses se alejaban, Kittridge fue derribado. Al intentar levantarse, alguien le pisó la cara, tras lo cual la persona cayó sobre él con un gemido. Sufrió más pisotones y más cuerpos lo aplastaron. Sólo fue capaz de asumir una postura defensiva, así que se aplastó contra el suelo con las manos sobre la cabeza.

—¡Tim! ¿Dónde estás?

Entonces le vio. La multitud había dejado al chico atrás. Estaba sentado en el suelo, a menos de diez metros de distancia. Kittridge cojeó hasta él y resbaló en el polvo.

—¿Estás bien? ¿Puedes correr?

El chico se sujetaba un lado de la cabeza. Tenía los ojos desenfocados, aturdidos. Lloraba con sollozos entrecortados y moqueaba.

Kittridge le puso en pie.

—Vamos.

No tenía ningún plan: el único plan era escapar. Los autobuses se habían ido, fantasmas de polvo y humo de gasóleo. Kittridge agarró a Tim por la cintura, se lo colgó a la espalda y le ordenó que se sujetara bien. Tres pasos, y sintió dolor en la rodilla. Se tambaleó, recuperó el equilibrio y consiguió mantenerse erguido. De una cosa estaba seguro: con su pierna, y con el peso extra del niño, no llegaría muy lejos a pie.

Entonces recordó el arsenal. Había visto el Humvee con la parte trasera abierta aparcado dentro. Tenía el capó levantado. Un soldado había estado trabajando en él. ¿Seguiría allí? ¿Funcionaría?

Mientras los soldados de la alambrada oeste abrían fuego, Kittridge apretó los dientes y corrió.

Cuando llegó al arsenal, su pierna estaba a punto de ceder. No tenía ni idea de cómo había logrado recorrer aquellos doscientos metros. Pero la suerte le acompañaba. El vehículo seguía aparcado donde lo había visto, entre las estanterías ahora vacías. El capó estaba bajado (una buena señal), pero ¿funcionaría el vehículo? Colocó a Tim en el asiento del pasajero, se puso al volante y oprimió el botón de arranque.

Nada. Respiró hondo para serenarse. Piensa, Kittridge, piensa. Colgada debajo del salpicadero había una red de cables desconectados. Alguien había estado trabajando en el encendido. Liberó los cables, eligió dos y acercó los extremos hasta que se tocaron. No hubo reacción. No tenía ni idea de lo que estaba haciendo. ¿Por qué había pensado que eso saldría bien? Había elegido al azar dos cables, uno rojo y otro verde.

Saltó una chispa. El motor cobró vida con un estruendo. Puso en marcha el Humvee, se dirigió hacia las puertas y pisó el acelerador a fondo.

Se lanzaron contra la puerta. Pero un nuevo problema apareció ante ellos: cómo abrirse paso. Varios miles de personas intentaban hacer lo mismo, una masa humana agitada que intentaba pasar a través de la estrecha salida. Sin subir el pie del acelerador, Kittridge tocó la bocina, y se dio cuenta demasiado tarde de que era una idea muy mala, de que la turba no tenía nada que perder.

Se volvió. Le vio. Cargó.

Kittridge frenó y dio un volantazo, pero demasiado tarde: las hordas engulleron el Humvee como una ola al romper. Su puerta se abrió, unas manos tiraron de él, intentaron que soltara el volante. Oyó que Tim chillaba mientras trataba de recuperar el control. La gente se lanzaba sobre el vehículo desde todas las direcciones, estaba acorralado. Una cara se estrelló contra el parabrisas, después desapareció. Unas manos cubrieron su cara por detrás, manos como garras, y otras tiraron de sus brazos. «¡Soltadme!», chilló, intentó rechazarlas, pero fue inútil. Había demasiadas, y cuando más cuerpos rodaron sobre el parabrisas y bajo los neumáticos del vehículo, y el Humvee empezó a inclinarse, buscó a Tim, preparándose para el impacto. Y eso fue el final.

Entretanto, a unos cinco kilómetros de distancia, la hilera de autobuses (que transportaban en total a 2.043 refugiados civiles, 36 trabajadores de la FEMA y de la Cruz Roja, y 27 militares) avanzaba veloz hacia el este. Muchas personas lloraban. Otras se dedicaban a rezar. Los que tenían hijos los abrazaban con fiereza. Unos pocos, pese a las fervientes súplicas de sus compañeros de que cerraran la boca, todavía continuaban chillando. Mientras un puñado ya se estaba reprochando haber abandonado a tantos, la inmensa mayoría no albergaba tales recelos. Eran los afortunados, los que habían huido.

Al volante del Redbird, Danny Chayes estaba experimentando, por primera vez en su vida, una emoción que sólo podría describirse como una magnífica conciencia global de sus posibilidades. Era como si hubiera vivido todos aquellos veintiséis años en el interior de un ancho de banda artificialmente estrecho de su personalidad en potencia, y de repente había abierto los ojos. Como el autobús cuyo curso guiaba, Danny había salido disparado hacia delante, impulsado a un nuevo estado de existencia en el que un abanico de sentimientos contradictorios, en todos sus contornos distintivos, existían a la vez en su mente. Tenía miedo, un miedo auténtico y estremecedor, pero ese miedo no era una fuente de parálisis, sino de poder, un pozo lleno de valentía que parecía alzarse y rebosar en su interior. *Tú eres el capitán de esa nave*, decía el señor Purvis, y eso era Danny. Detrás de su hombro izquierdo, Pastor Don y Vera estaban hablando en tono perentorio de esto y de lo otro. Detrás de ellos, en los bancos, los demás se acurrucaban en parejas. Los Robinson y su hijo, que emitía una especie de maullido; Wood y Delores, que se cogían de las manos mientras rezaban; Jamal y la señora Bellamy, abrazados; April, sentada sola y afligida, su rostro demasiado aturdido para ceder a las lágrimas. Su salvación se había convertido en el único objetivo de la vida de Danny, el punto fijo de su cosmos personal alrededor del cual giraba todo lo demás, pero en la exaltación del momento y el descubrimiento de Danny del asombroso hecho de que estaba vivo, su presencia era pura abstracción. Al volante de su Redbird 450, Danny Chayes estaba en comunión consigo mismo y con el universo, y cuando vio, como sin duda hicieron los conductores de los demás autobuses, la segunda masa de virales que se alzaba de la oscuridad previa al amanecer hacia el sur, y después la tercera, que llegaba del norte, y discernió, con rápidos cálculos tridimensionales, que aquellos dos cuerpos se unirían a continuación para formar una sola masa que rodearía a los autobuses y se lanzaría sobre ellos como avispones liberados de un avispero, supo lo que debía hacer. Giró el volante a la izquierda, se apartó del convoy y pisó el acelerador a fondo, dejando atrás a los demás autobuses de la fila. Ciento cinco, ciento diez, ciento veinte kilómetros por hora. Animó a su autobús a correr más con cada gramo de su ser. ¿Qué estás haciendo?, gritó Pastor Don. Por el amor de Dios, Danny, ¿qué estás haciendo? Pero Danny sabía lo que estaba haciendo. Su objetivo no era la evasión, una empresa imposible. Su objetivo era ser el primero. Empotrarse contra la vaina a tal velocidad que la atravesaría, creando un pasillo de destrucción. El espacio que tenía detrás había estallado en un coro de chillidos. Las vainas se estaban fundiendo al otro lado del parabrisas, una gigantesca legión de luz. Sus nudillos estaban blancos sobre el volante.

—¡Todo el mundo al suelo! —gritó—. ¡Al suelo!

—¡Qué coño!

Nelson estaba retrocediendo, con las manos extendidas ante él en un gesto defensivo. Guilder se dio cuenta de que el hombre sospechaba que iba a dispararle a él también. Contra lo cual no se sentía muy en contra, aunque en aquel momento le acuciaban otras preocupaciones.

—Ve a buscar a la mujer —dijo, e hizo un gesto con la pistola.

—¡No hay tiempo! ¡Joder, no tenías por qué matarle!

Se oyeron más explosiones en el cielo. Remolineaba polvo en el aire.

—Yo seré el juez. Muévete.

Más tarde, Guilder tendría motivos para preguntarse cómo había sabido que debía apoderarse antes de la mujer, una de las decisiones más aciagas de su vida. Habría podido decantarse por abandonarla, lo cual habría dado lugar a un desenlace muy diferente. ¿Intuición, quizá? ¿Sentimentalismo por el vínculo que había percibido entre ella y Grey, un vínculo que él había esquivado toda su vida? Encañonando a Nelson cruzó el laboratorio hasta detenerse ante la puerta de la habitación de Lila.

—Ábrela.

Lila Kyle, despertada por las explosiones, no paraba de proferir una serie de chillidos incoherentes y aterrorizados. No tenía ni idea de dónde se encontraba ni qué estaba pasando. Estaba atada a una cama. La cama se hallaba en una habitación. La habitación y todo su contenido se estaban moviendo. Era como si se hubiera despertado de un sueño para encontrarse perdida en otro, cada uno irreal, y experimentó tan sólo una conciencia parcial de Nelson y Guilder cuando entraron en la habitación. Los dos hombres estaban discutiendo. Oyó la palabra «helicóptero». Oyó la palabra «huida». El más pequeño de los dos le estaba clavando una aguja en el brazo. Lila no pudo ofrecer resistencia, pero en el instante en que la aguja perforó su piel, sintió que una oleada de energía invadía su corazón, como si la hubieran conectado a una batería gigante. Adrenalina, pensó. Me han sedado, y ahora me están inyectando adrenalina para despertarme. El más pequeño la estaba poniendo en pie. Debajo de la bata, una fría desnudez cosquilleaba su piel. ¿Podría mantenerse erguida? ¿Podría caminar? Sácala de aquí, dijo el segundo hombre.

Con una tremenda premura que no pudo obligarse a compartir, el hombre medio la acarreó medio la arrastró a través de una amplia sala, una especie de laboratorio. Las luces estaban apagadas. Sólo brillaban luces de emergencia en las esquinas. A lo lejos, una serie de estruendos, y después de cada uno un estremecimiento prolongado, como un terremoto. Los cristales emitían una especie de silbido. Llegaron a una pesada puerta con una rueda metálica, como en un submarino. El hombre pequeño la giró y entró. El hombre más grande procedió a sujetarla. Blandía una pistola. La agarró por detrás, abrazando su cintura con una mano, y con la otra apretó el cañón contra su estómago. Ahora pensaba con más claridad. Su corazón estaba latiendo como un metrónomo. ¿Qué saldría de la puerta? Percibió el olor del aliento del hombre cerca de su cara, una podredumbre tibia. Sintió miedo entre sus brazos. Sus manos, todo su cuerpo, estaban temblando.

—Estoy embarazada —dijo Lila, o empezó a decirlo, con la idea de que aquello podría alterar la situación. Pero su voz fue ahogada cuando se oyeron unos gritos femeninos al otro lado de la puerta.

Las operaciones aéreas sobre el centro y el oeste de Iowa la noche del 9 de junio no carecieron de riesgos. El principal era que los pilotos no cumplieran sus órdenes y, de hecho, algunos no lo hicieron: siete tripulaciones se negaron a lanzar sus bombas sobre objetivos civiles, y tres más adujeron problemas mecánicos que les impidieron hacerlo, un fracaso operativo del seis por ciento (de esas diez tripulaciones, tres fueron sometidas a un consejo de guerra, cinco fueron amonestadas y devueltas al servicio, y dos desaparecieron para siempre). Durante las semanas siguientes, a medida que la misión de DEC Scorch se extendía e incluía centros de población repartidos por toda la parte central de la nación y la región del Intermountain West, miembros del destacamento especial recordarían estas estadísticas con algo similar a la nostalgia: los buenos viejos tiempos. A primeros de agosto, tantos aviadores estaban encerrados en prisiones militares como prisioneros de conciencia, o se habían desvanecido en el cielo sobre el continente moribundo, que cada vez costaba más organizar una ofensiva aérea coherente, lo cual ponía en duda la misión de DEC Scorch. Estas dificultades se veían acrecentadas por movimientos secesionistas en California y Texas, y ambos estados procedieron a declararse soberanos y a apropiarse de todos los recursos militares federales existentes dentro de sus fronteras, desafiando a Washington a impedírselo por la fuerza, una jugada particularmente astuta, tanto desde el punto de vista militar como del político, pues a aquellas alturas la situación se hallaba en caída libre. Las bravuconerías se sucedieron por ambos bandos hasta culminar en las batallas de Wichita Falls y de Fresno, en las que un gran número de militares estadounidenses, tanto de destacamentos terrestres como aéreos, arrojaron la toalla, depusieron las armas y pidieron asilo. De esta manera, a mediados de octubre del año que las generaciones posteriores llegaron a conocer como año cero, podía decirse que la nación antes conocida como Estados Unidos ya no existía.

Pero durante las primeras horas del 9 de junio, bajo un cielo de Iowa sin nubes, DEC Scorch continuaba todavía operativo y gozaba de toda, o casi toda, la colaboración de sus fuerzas. Confirmando las proyecciones del destacamento especial, grandes masas de Personas Infectadas se habían congregado en cuatro lugares distintos del estado: Mason City, Des Moines, Marshalltown y el centro de tramitación de refugiados de la FEMA en Fort Powell. A las dos de la madrugada, las tres primeras habían sido erradicadas. Fort Powell fue el premio final. Un combinado de Warthogs A-10 y bombarderos F-18 iniciaron el ataque. Al mismo tiempo, un transporte C-130 había despegado de MacDill. En su bodega descansaba un artefacto explosivo llamado GBU-43/B Massive Ordnance Air Blast Bomb, o MOAB. Contenía unos ocho mil quinientos kilos de explosivo H6. La MOAB era la bomba no nuclear más poderosa del arsenal militar de Estados Unidos, capaz de producir un cráter de ciento cincuenta metros de diámetro y una onda expansiva suficiente para arrasar una zona de nueve manzanas urbanas. Los incendios arderían durante días.

Cuando Nelson se agachó para desanudar las correas de Grey (correas que ya no sujetaban nada), Grey saltó hacia delante, le aferró por los bíceps y clavó sus dientes en el cuello del hombre. Un mordisco profundo: notó que la tráquea de Nelson se rompía bajo sus mandíbulas. Mientras los dos caían sobre la cama, Grey le sacudió como un conejo entre las fauces de un lobo. Un chorro de sangre caliente llenó la boca de Grey. Cayeron al suelo, con Nelson cara al techo, Grey sobre él. Un último estremecimiento de los pies y manos de Nelson, y ahí terminó todo. Grey hundió más las mandíbulas en la carne blanda.

Bebió.

¿Habría sido tan fácil para Cero, tan satisfactorio?, se preguntó Grey. Una intensa vitalidad recorrió su cuerpo, una inmensidad gloriosa de sensación pura. Se permitió contemplar un par de segundos el cadáver tendido en el suelo. Parecía que la carne de la cara de Nelson se hubiera encogido y pegado a su estructura subyacente: sus ojos, como los ojos de la mujer del aparcamiento del Red Roof, sobresalían como los de un reptil de sus órbitas huesudas, clavadas en el corazón de la eternidad. Grey buscó en su mente alguna emoción que se correspondiera con sus actos: culpa, quizás, o compasión, incluso asco. Era un asesino, un hombre que había matado. Había robado la vida a otra persona. Pero no sentía nada de esto. Había hecho lo que debía.

La puerta de su habitación estaba abierta. Lila, pensó. Voy a salvarte. Todo cuanto ha sucedido lo ha estipulado así.

Atravesó la puerta.

Lo que salió por la puerta era un hombre. La figura estaba iluminada por detrás, hundida en las sombras. Cuando avanzó, las luces de emergencia barrieron su rostro. Tenía la bata empapada en sangre.

¿Lawrence?

—No.

El hombre de la pistola estaba arrastrando a Lila hacia atrás, con el cañón hundido entre sus costillas. Sus pasos eran inseguros, vacilantes. Todo su cuerpo temblaba como una hoja. Daba la impresión de ir a desplomarse de un momento a otro.

—Mantén las distancias.

Grey extendió las manos en un gesto de súplica.

—Soy yo, Lila.

Horror, repugnancia, un aturdimiento mental protector ante el giro violento de los acontecimientos, todo se combinó en la mente de Lila para que fuera presa de un terror desenfocado en que su cuerpo y su mente sólo parecían asociar fenómenos de una forma tangencial. A través de la niebla se dio cuenta de lo que significaban los chillidos de la habitación. Si el estado de la bata indicaba algo, Lawrence no sólo había matado al hombrecillo, sino que lo había despedazado. Lo cual era lógico: Lila tendría que haberlo previsto. Recordó el tanque. Recordó la cara de Lawrence, una máscara de sangre como salida de algún horror de Halloween, cuando salió por la escotilla, y el cristal de la ventanilla del Volvo al romperse bajo su puño. Lawrence se había convertido en un monstruo. Se había convertido en una de aquellas... cosas (pobre *Roscoe*). Y, no obstante, había algo en sus ojos que no podía pasar por alto, que le decía que no tuviera miedo. Parecían clavarse en su interior, brillaban con una luz casi santa.

—¿No sabes lo que está pasando? —bramó el hombre—. Hemos de salir de aquí.

—Suéltala.

Otra explosión, y una oleada de sacudidas recorrió el suelo. Caían cristales por todas partes; todo se estaba derrumbando. El cañón de la pistola estaba hundido entre las costillas de Lila como un dedo frío apuntado a su corazón. El hombre ladeó la cabeza hacia una esquina de la habitación.

—Sube la escalera. Hay un helicóptero esperando.

—Baja la pistola y te acompañaré.

—¡Maldita sea, no hay tiempo para esto!

Algo le estaba pasando a Lila. Una especie de despertar, y no era sólo la pistola. Era como si estuviera recobrando la conciencia después de años de sueño. ¡Qué idiota había sido! ¡Pintar el cuarto de la niña, nada menos! ¡Fingir que iban de excursión al campo, como si eso pudiera cambiar algo! Porque David estaba muerto, y Eva estaba muerta, y también Brad, a quien había partido el corazón. Se había convencido de que no era el fin del mundo, porque ya lo había sido. Y ahí tenía a ese hombre, el tal Lawrence Grey, que había llegado a ella como un redentor, un ángel que la guiaría hacia la salvación, como si el hijo que llevaba en su seno fuera de él, y supo lo que tenía que decir.

—Por favor, Lawrence. Haz lo que te pide. Piensa en nuestro hijo.

Siguió un tirante momento, tan suspendido que daba la impresión de ser ajeno al flujo del tiempo. Lila leyó la pregunta en el rostro de Lawrence. ¿Podría arrebatarle la pistola antes de que el hombre disparara? Y en ese caso, ¿qué harían después?

—Sácanos de aquí.

Cuando llegaron al tejado, las palas del helicóptero estaban girando, y arrojaban un viento arremolinado sobre el tejado. Una extraña luz esmeralda brillaba en el cielo, como en el interior de un invernadero. Dio la sensación de que el helicóptero iba a partir sin ellos, una ironía final, pero entonces Lila vio que el piloto les hacía señas perentorias desde la cabina. Subieron a bordo. Guilder cerró la puerta a sus espaldas.

Arriba.

Kittridge tomó conciencia de que estaba tendido boca abajo en la tierra. Notó el sabor de la sangre en la boca. Intentó ponerse en pie pero se dio cuenta de que sólo le quedaba uno: había perdido la prótesis. Alzó la cabeza y vio el Humvee caído de costado a unos cien metros de distancia, como un ser marino varado. Tenía el parabrisas destrozado. Brotaba humo del capó y el chasis. La turba había caído sobre él como una manada de animales. Algunos estaban intentando ponerlo sobre las ruedas, pero se trataba de un esfuerzo desorganizado, procedente de todos los lados. Otros estaban parados encima, empujaban y propinaban patadas a sus competidores, defendían sus posiciones como si la mera posesión del vehículo pudiera ofrecer cierta protección.

Kittridge se arrastró hacia donde yacía Tim. El chico respiraba, pero estaba inconsciente, una pequeña clemencia. Su cuerpo estaba espatarrado en un ángulo tortuoso. Tenía el pelo pegoteado de sangre. También sangraba por boca y nariz. Kittridge reparó en que los disparos habían cesado. Los soldados huían, pero no había adónde ir. Una masa de virales había caído en la alambrada, derribados por las balas de los soldados, pero mientras Kittridge examinaba la escena comprendió que el ataque había sido un ensayo, una avanzadilla enviada para agotar las defensas de los soldados. Una segunda vaina, mucho mayor, se estaba congregando. Cuando se abalanzó sobre ellos, la imagen se ensanchó, fluida como un reluciente líquido verde al tiempo que rodeaba el campamento. El ataque final llegaría de todas las direcciones.

Levantó el cuerpo de Tim por los hombros y apretó su pecho contra el de él. El caos los rodeaba, la gente corría, resonaban voces, caían bombas. No obstante, acurrucados en el polvo, daba la impresión de que una burbuja de inactividad silenciosa los rodeaba, los protegía de la destrucción. Kittridge volvió la cara hacia el este. Por un breve instante imaginó ver el autobús de Danny alejándose en la oscuridad, aunque era una fantasía, lo sabía. A esas alturas ya estarían muy lejos del alcance de su visión. *Buen viaje, Danny Chayes.* Una profunda tranquilidad invadió su ser, y con él una sensación del pasado, una experiencia similar a algo ya vivido: estaba donde estaba y al mismo tiempo no, estaba ahí y también allí, era un niño que jugaba y un hombre en la guerra y lo tercero en que se convertiría. Destellaron imágenes en su conciencia: el viral con traje de novia aferrado al capó del Ferrari; April, la noche que habían estado sentados juntos en la ventana del colegio, contemplando las estrellas, y la mirada de serena paz en su rostro cuando hicieron el amor; el niño del coche, con una terrible certeza en los ojos, y su mano, la mano de aquel niño, extendida con desesperación hacia él, para luego desaparecer. Todo esto y más. Recordó a su madre, cuando le cantaba. El calor de su aliento en la cara, y la sensación de ser muy pequeño, un nuevo ser en el mundo. *El mundo no es mi hogar*, cantaba con su voz sedosa, *porque sólo estoy de paso. Los tesoros están amontonados en algún lugar, al otro lado del azul. Los ángeles me llaman desde la puerta abierta del cielo, y ya no me puedo sentir como en casa en este mundo.**

Tim había empezado a emitir un sonido como si se atragantara. Sus ojos se movieron, lucharon por abrirse, después se quedaron quietos. Los virales, tras haber completado el círculo, estaban corriendo hacia la alambrada. Kittridge tomó conciencia del silencio a su alrededor. La batalla había terminado. Los aviones se habían ido. Después, en el silencio, detectó muy arriba el zumbido de un avión pesado. Torció la cara hacia el cielo. Un transporte C-130, procedente del sur. Cuando pasó por encima, liberó un objeto de su vientre, su caída detenida bruscamente al abrirse un paracaídas. El avión ganó altura y se alejó.

Kittridge cerró los ojos. Bien, el fin. Sucedería en un instante, una partida indolora, más veloz que el pensamiento. Notó la presencia de su cuerpo por última vez: el sabor del aire en sus pulmones, la sangre que corría por sus venas, el latido de su corazón como el batir de un tambor. La bomba estaba cayendo hacia ellos.

---

* «The World Is Not My Home», canción country de Jim Reeves. *(N. del T.)*

—Te tengo —dijo, y abrazó a Tim con fuerza, y una y otra vez, para que el niño oyera las palabras—: Te tengo, te tengo, te tengo, te tengo.

La onda de choque de la MOAB golpeó de costado el helicóptero que transportaba a Grey y a Lila: un brillo de luz cegadora, seguido de un bofetón ensordecedor de calor y sonido. Cuando se elevó sobre la cresta de la ola, el helicóptero saltó hacia delante, con el morro apuntado hacia el suelo en un ángulo de cuarenta y cinco grados, volvió a ascender y empezó a girar, su impulso angular acelerando como una fila de patinadores corriendo sobre una pista de patinaje. Giró, y mientras giraba el piloto escoró a un lado, con el cuello roto debido a la fuerza del impacto contra el parabrisas, pero a aquellas alturas, entre el sonido de la alarma (un estruendo chillón) y la fuerza centrífuga de su velocidad, ningún pasajero del helicóptero estaba pensando mucho. Las fuerzas que los habían mantenido en el aire habían desaparecido, y no sucedería nada más hasta que tocaran suelo.

Lawrence Grey experimentó el impacto como un corte en el tiempo: en un momento dado estaba aplastado contra la pared del helicóptero en su espiral mortífera, y al instante estaba tendido entre los restos. Sentía, pero no recordaba en concreto el momento del impacto. Se había alojado en su cuerpo como una sensación resonante, como si él hubiera sido una campana que hubieran tañido. Olía a combustible, y a aislante caliente, y se oía un sonido eléctrico chisporroteante. Algo pesado y blando de una manera inerte estaba tendido sobre él. Era Guilder. Respiraba, pero estaba inconsciente. El helicóptero, lo que quedaba de él, estaba caído de lado. Donde debería estar el techo estaba la puerta.

—¡Ayúdame, Lawrence!

La voz llegó desde detrás de él. Empujó el cuerpo de Guilder a un lado y se arrastró hacia la parte posterior del helicóptero. Uno de los bancos se había soltado y mantenía a Lila inmovilizada contra el suelo, aplastándola en la cintura. Sus piernas desnudas, la tenue tela de su bata, todo brillaba debido a la sangre espesa y oscura.

—Ayúdame —repitió con voz estrangulada. Tenía los ojos cerrados, pero escapaban lágrimas por las comisuras—. Por favor, Dios, ayúdame. Me estoy desangrando, me estoy desangrando.

Intentó soltarla tirando de los pies, pero ella se puso a chillar de dolor. No había otra forma: tendría que mover el banco. Grey lo agarró por el marco y empezó a girarlo. Un gruñido, una pequeña explosión, y se separó de la cubierta.

Lila estaba llorando, gemía debido al dolor. Grey sabía que no debía moverla, pero no tenía otro remedio. Colocó el banco debajo de la puerta abierta, se la cargó al hombro, subió al banco y la puso con delicadeza sobre el techo. A continuación, subió por el lado opuesto. Bajó por el fuselaje, dio la vuelta y alzó las manos para recibirla, hasta bajar su cuerpo por el lado del helicóptero.

—Oh, Dios. Por favor, no permitas que la pierda. No permitas que pierda a la niña.

Bajó a Lila hasta el suelo, sembrado de escombros del laboratorio destruido, vigas retorcidas, hormigón convertido en pedazos por la explosión, astillas de vidrio. Él también estaba llorando. Era demasiado tarde, y lo sabía. La niña había muerto. Las piernas de Lila, un río imparable. Al cabo de un momento, seguiría a su hija hacia la oscuridad. Una oración infantil llegó a los labios de Grey y empezó a murmurarla, una y otra vez.

—Santa María, Madre de Dios, ruega por nosotros pecadores, ahora y en la hora de nuestra muerte, amén. Santa María, Madre de Dios, ruega por nosotros pecadores, ahora y en la hora de nuestra muerte, amén...

Sálvala, Grey.

Ya sabes lo que hay que hacer.

Sí: lo sabía. La respuesta había morado en su interior desde el primer momento. Desde el Red Roof, Ignacio, el Home Depot y el Proyecto NOÉ, y desde mucho antes.

¿Lo ves, Grey?

Alzó la cara para contemplarlos. Los virales. Estaban por todas partes, a su alrededor, emergían de la oscuridad y las llamas: carne de su carne, impíos y sedientos de sangre, le rodeaban como un coro demoníaco. Estaba de rodillas ante ellos, el rostro surcado de lágrimas. No sentía miedo, tan sólo estupor.

Son tuyos, Grey. Yo te los doy.

—Sí. Son míos.

Sálvala. Hazlo.

Necesitaba algo afilado. Sus manos tantearon el suelo y se posaron sobre una astilla metálica, un fragmento desgajado de un mundo de cosas rotas de manera poco sistemática. Veinte centímetros de longitud, los bordes mellados como los de una sierra. Lo apoyó sobre su muñeca, cerró los ojos y efectuó un profundo corte en su carne. La sangre brotó a chorros, un río ancho y oscuro que inundó la palma de su mano. La sangre de Grey, el Desencadenador de la Noche, Familiar del Llamado Cero. Lila estaba gimiendo, agonizante. Podía expirar en cualquier momento. Un instante de titubeo (la última luz humana que se extinguía en su interior), y Grey apoyó su muñeca sobre los labios de Lila, con ternura, como una madre que le diera el pecho a su bebé recién nacido.

—Bebe —dijo.

Grey no llegó a ver el pedazo de hormigón, quince kilos de roca sólida, que Guilder, con todas las fuerzas que pudo reunir, alzó en el aire sobre la cabeza del pederasta y dejó caer.

22

Entraron en Chicago cuando el sol se estaba poniendo y teñía el cielo de una luz dorada. En primer lugar, el anillo exterior de los suburbios, desierto y silencioso. Después, alzándose ante ellos como una promesa, la forma de la ciudad. Los únicos supervivientes, sus vidas unidas por el vínculo misterioso de la supervivencia: viajaban en silencio, soñadores en una tierra olvidada, su avance indicado tan sólo por el retumbar del motor del autobús, el hipnótico zumbido del asfalto bajo las ruedas. Fantasmas sentados a su lado, la gente a la que habían perdido.

Cuando la urbe se fue definiendo ante sus ojos, Pastor Don se inclinó hacia Danny. Había helicópteros circunvolando la ciudad, zumbando entre los rascacielos como abejas alrededor de una colmena. En el cielo, las nubes de vapor de los aviones arrojaban cintas de color sobre el azul profundo. Una zona segura, en apariencia, pero aquello no podía durar. En el fondo de su corazón, sabían que no existía ninguna.

—Paremos un momento.

Danny aparcó en la cuneta. Pastor Don se levantó para dirigir la palabra al grupo. Tenían que tomar una decisión. ¿Debían detenerse o continuar? Tenían el autobús, agua, comida, combustible. Nadie sabía lo que les aguardaba. Reflexionad un momento, dijo Pastor Don.

Un murmullo de acuerdo, y luego las manos alzadas. El veredicto fue unánime.

—Adelante, Danny.

Rodearon la ciudad en dirección sur y continuaron hacia el este por senderos rurales. La noche cayó como una cúpula que se abatiera sobre la tierra. Al amanecer, se encontraban en algún lugar de Ohio. El paisaje era de un anonimato absoluto. Podían estar en cualquier parte. El tiempo daba la impresión de avanzar a paso de caracol. Campos, árboles, casas, buzones rebosantes que desfilaban, el horizonte siempre inalcanzable, alejándose. En las ciudades pequeñas se perpetuaba una semblanza de vida. La gente no tenía ni idea de adónde ir, de qué hacer. Decían que las autopistas estaban atascadas. En un súper donde se detuvieron a comprar provisiones, la cajera, echando una mirada al autobús a través de la ventana, preguntó: ¿Puedo ir con ustedes? En la pared que tenía detrás,

una pantalla de televisión mostraba una ciudad en llamas. Habló
en voz baja, para que no la oyeran. No preguntó adónde iban. Su
destino era seguir huyendo. Una llamada telefónica sin pérdida de
tiempo, y minutos después su marido y dos hijos adolescentes estaban junto al autobús, provistos de maletas.

Otros se les unieron. Un hombre en mono que caminaba solo
por la autopista con un rifle colgado al hombro. Una pareja anciana, vestida como para ir a la iglesia, su coche fallecido en la cuneta
con el capó levantado y humo surgiendo del radiador partido. Un
par de ciclistas, franceses, que habían estado recorriendo el país
cuando empezó la crisis. Familias enteras se apretujaron a bordo.
Muchos habían tirado la toalla, lloraron de gratitud cuando ocuparon sus asientos. Como peces que se sumaran a un cardumen, fueron absorbidos por la comunidad. Iban dejando atrás ciudades,
una tras otra: Columbus, Akron, Youngstown, Pittsburgh. Hasta
los nombres habían empezado a parecer históricos, como ciudades
de un imperio perdido. Guiza. Cartago. Pompeya. Habían aparecido aduanas entre ellas como si fueran una especie de ciudad ro-
dante. Hacían algunas preguntas, pero otras no. ¿Saben algo de
Salt Lake, Tulsa, Saint Louis? ¿Ya saben qué es; han descubierto la
respuesta? La salvación residía en seguir adelante. Cada parada
parecía plagada de peligros. Durante un rato cantaron. «The Ants
Go Marching», «On Top of Spaghetti», «A Hundred Bottles of
Beer on the Wall».

El paisaje ascendía y descendía, los envolvía en un verde abrazo: Pennsylvania, las Endless Mountains. Existían escasas señales
de que los lugares hubieran estado habitados, los restos de una era
periclitada hacía mucho tiempo. Las decadentes ciudades mineras,
las aldeas olvidadas con una sola fábrica cerrada desde hacía años,
chimeneas de ladrillo rojo que se alzaban solitarias hacia un cielo
azul de verano. El aire olía mucho a pino. Ya eran más de setenta
almas, cuerpos apretujados en el autobús, niños sobre los regazos,
rostros apretados contra las ventanillas. El combustible significaba
una preocupación constante, pero de alguna manera siempre en-

contraban más en el último momento, como si su viaje estuviera protegido por una mano invisible.

Al atardecer del tercer día, se estaban acercando a Filadelfia. Habían recorrido medio continente. Delante los esperaba la costa este, con su barricada de ciudades, una muralla de humanidad apretujada contra el mar. Una sensación de que todo estaba a punto de acabar se había apoderado del grupo. No había otro lugar adonde huir. Se dirigían hacia la ciudad alzada junto al río Schuylkill, su superficie tan oscura e impenetrable como el granito. Parecía que las ciudades exteriores se estaban escondiendo, con las casas tapiadas y las carreteras vacías de coches. El río se ensanchó hasta formar una ancha cuenca: árboles corpulentos, bañados por la luz del sol, caían como un telón sobre la carretera. Un letrero rezaba: Punto de control 3 kilómetros. Un breve conciliábulo, y todos estuvieron de acuerdo: habían llegado al final. Su destino los encontraría allí.

Los soldados les dieron instrucciones. Faltaban dos horas para el toque de queda, pero las calles ya estaban silenciosas, prácticamente sin el menor movimiento salvo por los vehículos del ejército y algunos coches de policía. Calles estrechas bañadas de sol, casas de piedra caliza destartaladas, las esquinas de triste fama donde grupos de jóvenes habían holgazaneado. Entonces, de repente, apareció el parque, un oasis verde en el corazón de la ciudad.

Siguieron los letreros que había al otro lado de las barricadas. Soldados enmascarados les daban permiso para avanzar. El parque estaba abarrotado de gente, como si se fuera a celebrar un concierto. Tiendas, vehículos recreativos, figuras aovilladas en el suelo junto a sus maletas, como arrojadas allí por la marea. Cuando las multitudes aumentaron de número, se vieron obligados a abandonar el autobús en la cuneta y continuar a pie. Un acto terminal: abandonarlo parecía una deslealtad, como sacrificar a un perro amado que ya no podía andar. Avanzaban como un solo hombre, incapaces de separarse todavía para fundirse en un colectivo anónimo. Se había formado una larga cola. El aire era tan denso como la leche. Sobre sus cabezas, invisibles, ejércitos de insectos zumbaban en los árboles ensombrecidos.

—No puedo hacerlo —dijo Pastor Don. Se había parado en el sendero, con una mirada de repentino horror en el rostro.

Wood también se había detenido. A veinte metros de distancia había una serie de vertederos, iluminados por la luz áspera de unos focos situados en lo alto de postes. Cacheaban a la gente y les preguntaban el nombre.

—Sé qué quieres decir.

—Lo digo en serio, por Dios. Todo esto para nada.

La multitud pasaba de largo. Los dos franceses pasaron a su lado sin apenas mirarlos, con sus escasas pertenencias empaquetadas bajo los brazos. Todos lo intuían: algo se estaba perdiendo. Se apartaron.

—¿Crees que podremos encontrar gasóleo? —preguntó Jamal.

—Sólo sé que yo ahí no voy —contestó Pastor Don.

Regresaron al autobús. Un hombre ya estaba intentando hacer un puente para ponerlo en marcha. Estaba esquelético, con el rostro ennegrecido por la mugre, los ojos erráticos en sus cuencas como si estuviera colocado. Wood le agarró por el cuello y le arrojó al suelo. Lárgate de aquí, dijo.

Subieron. Danny giró la llave. El motor rugió bajo sus pies. Dieron marcha atrás poco a poco, y la multitud se abrió a su alrededor como olas alrededor de un barco. El aire estaba absorbiendo los últimos rayos de luz. Describieron un amplio círculo sobre la hierba y se alejaron.

—¿Adónde? —preguntó Danny.

Nadie supo qué contestar.

—Creo que da igual —murmuró Pastor Don.

Daba igual. Pasaron la noche en el parque de Valley Forge, durmieron en el suelo junto al autobús, y después se dirigieron hacia el sur, lejos de las autopistas. Maryland, Virginia, Carolina del Norte: no paraban. El viaje había adquirido su propio significado, independiente de cualquier destino. El objetivo era moverse, continuar avanzando. Estaban juntos: eso era lo único que contaba. El autobús brincaba bajo ellos sobre sus cansados neumáticos. Las ciudades iban cayendo una a una, las luces se apagaban. El mundo se estaba desvaneciendo, y se llevaba sus historias con él. Pronto desaparecería por completo.

Ella se llamaba April Donadio. El hijo que llevaba en su seno sería un chico, Bernard. April le pondría el apellido Donadio para que llevara un trozo de cada uno en el nombre, y a lo largo de los años habló con frecuencia al muchacho de su padre, del tipo de hombre que era, valiente y bondadoso y también un poco triste, y de que, pese al escaso tiempo compartido, le había ofrecido el mayor regalo, que era la valentía de continuar adelante. Eso es el amor, decía al muchacho, lo que consigue el amor. Espero que algún día ames a alguien como yo le amé.

Pero eso vino después. Este autobús de supervivientes, doce en total, habría podido continuar así eternamente. Y lo hizo, en cierto sentido. Los verdes campos del verano, las ciudades abandonadas congeladas en el tiempo, los bosques repletos de sombras, y el autobús siempre en marcha. Eran como una visión, se habían deslizado en la eternidad, una zona más allá del tiempo. Real e irreal, una presencia invisible pero intuida, como estrellas en un cielo diurno.

III

El campo

**COMPLEJO AGRÍCOLA DEL NORTE
ZONA NARANJA, EXTRAMUROS
KERRVILLE, TEXAS**

JULIO, 79 d. V.

Porque el que vierte hoy su sangre conmigo será mi hermano.

SHAKESPEARE,
Enrique V

ADVERTENCIA

ESTÁ ENTRANDO EN LA <u>ZONA NARANJA</u>.

CONSULTE EL RELOJ.
INFÓRMESE DEL EMPLAZAMIENTO DEL HABITÁCULO
MÁS CERCANO.

NO ENTRE EN ZONAS SIN BARRER.

SI PIERDE EL ÚLTIMO TRANSPORTE, NO ESPERE
A QUE LE RESCATEN. REFÚGIESE DONDE PUEDA.

OBEDEZCA TODAS LAS ÓRDENES DE LA AUTORIDAD LOCAL.

LOS INFRACTORES SERÁN MULTADOS Y/O ENCARCELADOS
SEGÚN EL ARTÍCULO 694, SECCIÓN 12, DEL CÓDIGO DE LA
LEY MARCIAL MODIFICADA DE LA REPÚBLICA DE TEXAS.

EN CASO DE DUDA, HUYA.

23

Fue Dee Vorhees quien dijo que quería llevar a los niños.

Aunque no era la única. Todas las mujeres, como su marido, Curtis, no tardaría en descubrir, eran cómplices en el plan. Sally, la prima de Dee, y Mace Francis, y Shar Withers y Cece Cauley y Ali Dodd e incluso Matty Wright (la siempre nerviosa y agitada Matty Wright), dijeron a su marido lo mismo. Una verdadera emboscada, las mujeres flanqueando a sus hombres por la izquierda y por la derecha con una insistencia de esposa a la que no podían negarse: *Unas cuantas horas al sol*, dijeron todas, tendidas en la cama, lavando los platos, o preparando a los niños para ir a la escuela. *¿Qué tiene de malo? Llevemos a los niños esta vez.*

Y no era que no hubieran sacado a las chicas extramuros antes, le recordó Dee, mientras los dos compartían un tranquilo momento en la cocina, después de poner a dormir a las niñas. Hubo aquella vez (¿cuándo fue?) en que habían ido a Green Field para celebrar el cumpleaños de Nitia. La pequeña Siri aún gateaba, y Nitia todavía arrastraba la manta sucia allá adonde fuera. Aquellas plácidas horas bajo el aliviadero, y las mariposas. ¿Se acordaba él? La forma en que parecían flotar a lo largo de un río aéreo, sus brillantes alas cayendo y pugnando por alzarse de nuevo, y aquella que, para sorpresa de todos, se posó sobre la nariz de Nitia. Dee dijo: ¿No sentiste la presencia de Dios en algo semejante? La dulce sensación de libertad, las pequeñas que no paraban de reír, la sirena de advertencia a horas de distancia, un futuro lejano, y el cielo azul suspendido como el paraíso sobre las cabezas, y los cuatro extramuros juntos. La Zona Verde, era cierto, ella no decía lo contrario, pero desde allí se podía *ver* el perímetro, las torres de vigilancia y los centinelas y las vallas con su alambre de espino, y en cualquier caso, ¿quién decidía estas cosas? ¿Quién decidía dónde empezaba una zona y empezaba la siguiente? ¿Por qué una excursión a Ag Norte era diferente, más peligrosa? Cruk estaría allí, y también Tifty (le había salido el nombre antes de poder callar, pero ¿qué podía hacer?). Había los habitáculos si algo pasaba, pero ¿para qué? ¿En mitad de un día de verano? Las trampas habían aparecido vacías desde hacía meses, ni siquiera había lelos. Todo el mundo lo decía. Unas horas al sol, lejos del gris y la mugre de la ciudad. Un picnic de verano en el campo. Era lo único que pedía.

¿Lo haría, esta minucia? ¿Por las niñas? ¿Por qué no lo decía de una vez? ¿Lo haría por ella, la esposa que le amaba?

Fue por eso que, dos días después, una bochornosa mañana de julio, con la temperatura disparada ya hacia los treinta grados, Curtis Vorhees, de treinta y dos años, capataz del Complejo Agrícola del Norte, con la vieja 38 de su padre embutida en el cinto con tres balas en la recámara (su padre había disparado las otras tres), se encontró en un transporte lleno de familias enteras, y no sólo familias: niños. Nitia y Siri y su primo Carson, recién cumplidos los doce años, pero todavía tan menudo que sus pies colgaban unos siete centímetros sobre el suelo; Bab y Dunk Withers, los gemelos; las niñas Francis, Rena y Jules, sentadas atrás para que no llamaran la atención de los chicos; la pequeña Jenny Apgar, a caballito sobre el regazo de su hermano mayor, Gunnar; Dean y Amelia Wright, ambos lo bastante mayores para fingir que estaban aburridos y ofendidos; Merry Dodd y su hermano pequeño, Satch, y Louis Cauley, todavía en el moisés; Reese Cuomo y Dash Martinez y Cindy-Sue Bodine. Diecisiete en total, una masa concentrada de calor y ruidos infantiles, tan definido para los sentidos de Vorhees como el zumbido de un enjambre de abejas. Era habitual que las esposas se reunieran con sus maridos para plantar, y durante la época de la cosecha, por supuesto, cuando cada par de manos encontraba trabajo que hacer; pero esto era algo nuevo. Incluso cuando el autobús salió por la puerta, el viejo motor diésel rugiendo y petardeando, con el cansado chasis oscilando bajo sus pies, Curtis Vorhees lo sintió. Un trabajo pesado y sudoroso se había convertido de repente en una ocasión especial. El día poseía el espíritu esperanzado de una tradición que nacía. ¿Por qué no lo habían pensado antes, que llevar a los niños convertiría el día en algo especial?

Tras dejar atrás el dique, el depósito de combustible y la verja, mientras los centinelas los saludaban con la mano, valle abajo se fueron, adentrándose en la dorada luz de una mañana de julio. Las mujeres, sentadas detrás con las cestas y las provisiones, chismorreaban y reían entre ellas. Los niños, después de un intento infructuoso de una de las madres (fue Ali Todd, por supuesto) de organizarlos en un entusiasta coro del himno de Texas (*¡Texas, Texas! ¡Saludemos todos al poderoso estado! ¡Texas, nuestro Texas! ¡Tan maravilloso, tan grande!*), se habían dividido en diversas facciones guerreras, mientras las chicas mayores susurraban y reían por lo bajo e intentaban minuciosamente hacer caso omiso de los chicos, y los chicos fingían minuciosamente hacer caso omiso de las chicas, los pequeños saltaban en los bancos y corrían por el pasillo para lanzar diversos asaltos; los hombres de delante iban sentados en su habitual silencio comedido, y se comunicaban tan sólo mediante el intercambio ocasional de una mirada irónica o una sola ceja enarcada: *¿En qué nos hemos metido?* Eran hombres de los campos, de manos encallecidas por el trabajo. El pelo muy corto, medias lunas de suciedad bajo las uñas, barbas. Vorhees sacó su reloj del bolsillo y consultó la hora: las 7.05. Faltaban once horas para la sirena, doce para el último transporte, trece para la oscuridad. *Consulte el reloj. Infórmese del emplazamiento del habitáculo más cercano. En caso de duda, huya.* Palabras impresas en su conciencia de manera tan indeleble como una canción de cuna o una oración de sus hermanas. Vorhees se volvió en el asiento para encontrarse con la mirada de Dee. Tenía a Siri en el regazo, la nariz de la niña apretada contra la ventanilla para ver el mundo desfilar. Dee le dedicó una sonrisa cansada, compuesta de palabras: *Gracias*. Siri había empezado a saltar, movía las rodillas con deleite. La niña sacó un dedo rechoncho por la ventanilla y lanzó un chillido de placer. *Gracias por esto.*

Y entonces, antes de darse cuenta, ya habían llegado. A través del parabrisas del transporte los campos del Complejo Agrícola del Norte aparecieron ante su vista, su enorme mosaico extendido ante ellos como los cuadrados de un edredón abigarrado: trigo y maíz, algodón y judías, arroz, cebada y avena. Seis mil setenta hectáreas pespunteadas gracias a un calado de carreteras polvorientas y, en los bordes, cortavientos de álamos y robles. Las torres de vigilancia y estaciones de bombeo, con sus colectores y laberintos de tuberías y, dispersos a intervalos regulares, los habitáculos, señalizados mediante altas banderas naranja, que colgaban flácidas en el aire inmóvil. Vorhees sabía su emplazamiento de memoria, pero cuando el trigo estaba alto no siempre podías localizarlos enseguida sin las banderas.

Se levantó y caminó hacia la parte delantera, donde el hermano de Dee, Nathan (todo el mundo le llamaba Cruk), estaba de pie al lado del conductor. Vorhees era el capataz, pero era Cruk, como oficial de Seguridad Nacional más antiguo, quien ostentaba el mando.

—Parece que vamos a tener un buen día —dijo Vorhees.

Cruk se encogió de hombros, pero no dijo nada. Como los peones, iba vestido con lo primero que encontraba: tejanos remendados y una camisa caqui deshilachada en el cuello y las muñecas. Encima de todo eso llevaba un chaleco de plástico, de un naranja intenso, con las palabras DEPARTAMENTO DE TRANSPORTES DE TEXAS impresas en la espalda. Sujetaba un rifle, un 30-06 de cañón largo con mira telescópica, sobre el pecho, y un 45 trucado en la cadera. El rifle era un arma normal, pero el 45 era algo especial, un arma antigua militar o quizá de la policía, con un acabado negro lubricado y culata de madera pulida. Hasta tenía nombre: lo llamaba Abigail. Tenías que conocer a alguien para conseguir un arma así, y Vorhees no tuvo que esforzarse en pensar demasiado para imaginar quién sería esa persona. Todo el mundo sabía que Tifty se dedicaba al tráfico. La 38 de Vorhees, con sus irrisorias tres balas, parecía precaria en comparación, pero no habría podido permitirse un arma como aquélla.

—Siempre puedes decir que fue idea de Dee —dijo Cruk.

—Por lo tanto, no crees que sea una buena idea.

Su cuñado lanzó una carcajada ahogada. Era en tales momentos cuando el parecido de Cruk con su hermana resultaba más asombroso, si bien también era cierto que se trataba más de una insinuación que de un parecido físico real, algo en lo que sólo Vorhees habría podido reparar. La mayoría de la gente, en realidad, comentaba lo poco que se parecían.

—Da igual lo que yo piense. Lo sabes tan bien como yo. Cuando a Dee se le mete algo en la cabeza, ya puedes colgarte de las pelotas y tirar la toalla.

El autobús dio un brinco estremecedor. A Vorhees le costó mantener el equilibrio. Detrás de ellos, los niños chillaron de contento.

—Eh, Dar —dijo Cruk—, ¿crees que puedes sortear los baches?

La anciana que iba al volante respondió con un *gruñido*. Decir a Dar lo que debía hacer con su autobús era el equivalente a un acto de guerra. Todos los conductores de transportes eran mujeres mayores, por lo general viudas. No era una regla escrita; las cosas eran así, sencillamente. Dar, que fruncía el ceño permanentemente, era una cascarrabias legendaria, la mujer más sensata que había pisado jamás la Tierra. Su reloj era un cronómetro que llevaba colgado al cuello, y te dejaba tirado en medio de una nube de polvo si llegabas un minuto tarde al último transporte. Más de un peón había pasado la noche en un habitáculo muerto de miedo, contando los minutos que faltaban para el amanecer.

—Un autobús cargado de críos, por el amor de Dios. Apenas puedo pensar con todo este ruido. —Dar alzó los ojos hacia el espejo lleno de agujeros que había encima del parabrisas—. ¡Por el amor de Dios, callad de una vez ahí detrás! ¡Duncan Withers, bájate de ese banco ahora mismo! ¡Y no creas que no puedo verte, Jules Francis! Así está mejor —advirtió con una mirada gélida—. Estoy hablando contigo, jovencita. Ya puedes borrar de tu cara esa expresión desdeñosa.

Todo el mundo guardó un repentino silencio, incluso las esposas. Pero cuando Dar volvió los ojos hacia la carretera, Vorhees se dio cuenta de que su ira era fingida. Estaba a punto de ponerse a reír.

Cruk apoyó una manaza sobre su hombro.

—Relájate, Vor. Deja que todo el mundo disfrute del día.

—¿He dicho que estuviera preocupado?

La expresión de Cruk se suavizó.

—Escucha, ya sé que preferirías que Tifty no viniera con nosotros. ¿De acuerdo? Lo entiendo. Pero es el mejor tirador que tenemos. Digas lo que digas, ese tipo es capaz de darle a un colgante a trescientos metros de distancia.

Vorhees no era consciente de haber estado pensando en Tifty. Pero ahora que Cruk sacaba a colación el asunto se preguntó si a lo mejor sí había pensado en él.

—De modo que crees que le vamos a necesitar.

Cruk se encogió de hombros.

—En un día de verano como hoy no tendremos problemas. Sólo soy cauteloso, eso es todo. Ellas también son mis chicas. —Sonrió—. Siempre que Dee no lo convierta en una costumbre. Tuve que pedir la devolución de unos cincuenta favores para montar esta partida, y puedes decirle que yo lo he dicho.

El autobús entró en la zona de estacionamiento. Los últimos barrenderos estaban saliendo del maíz, vestidos con sus abultados trajes acolchados, pesados guantes y cascos con rejillas que ocultaban su rostro. Portaban una gran variedad de armas: escopetas, rifles, pistolas, incluso algunos machetes. Cruk ordenó a los niños que se quedaran donde estaban. Sólo cuando todo estuviera despejado recibirían permiso para bajar del autobús. Cuando los adultos empezaron a bajar las provisiones, Tifty bajó de la plataforma situada sobre el techo del autobús y se reunió con Cruk para conferenciar con el agente de SN al mando del pelotón de barrenderos, un hombre llamado Dillon. El resto del equipo de Dillon, ocho hombres y cuatro mujeres, habían ido a recoger agua al abrevadero que había junto a la estación de bombeo.

Cruk volvió a donde Vorhees esperaba con el resto de los hombres. El sol ya estaba abrasando la tierra. La humedad de la mañana se había evaporado.

—Todo despejado..., incluidos los cortavientos. —Guiñó el ojo a Vorhees—. Eso le costará un extra a Dee.

Antes de que Cruk pudiera terminar la frase, los niños se levantaron del asiento como impulsados por un resorte y salieron corriendo del autobús, dejando sitio a los barrenderos, que regresarían a la ciudad. Cuando vio a los niños mientras invadían los terrenos, sus cuerpos y rostros iluminados de entusiasmo, Vorhees se quedó fascinado un momento, su mente detenida en una marea de recuerdos. Para muchos, sobre todo para los más pequeños, la excursión de aquel día representaba su primer viaje más allá de los muros. Lo había sabido desde el primer instante. No obstante, presenciar el momento era algo muy diferente. ¿Sentirían el aire en los pulmones de manera distinta, el sol en la cara, el suelo bajo los pies?, se preguntó. ¿Había experimentado él también esa diferencia cuando bajó del transporte por primera vez, tantos años antes? No cabía duda: ir extramuros significaba descubrir un mundo de dimensiones ilimitadas, un mundo cuya existencia conocías, pero del que no creías formar parte. Recordaba la sensación como una especie de goce físico ingrávido, pero también aterrador, como un sueño en el que le hubieran otorgado el don de volar, pero descubría que era incapaz de aterrizar.

Junto a la torre de vigilancia, Fort y Chess estaban colocando postes para erigir un toldo. Las mujeres estaban sacando mesas, sillas y cestas de comida. Ali Dodd, con la cara protegida por el ala de su ancho sombrero de paja, ya estaba intentando organizar a algunos niños en un juego colectivo. Justo como Dee había previsto cuando abordó la cuestión de llevar a los niños.

—Algo es algo, ¿no?

El primo de Vorhees, Ty, un hombre que medía más de metro ochenta de estatura, estaba parado a su lado, con una cesta apretada contra el pecho. La cara estrecha y afligida de Ty, siempre le recordaba a Vorhees un perro de aspecto particularmente triste. A espaldas suyas, Dar tocó la bocina tres veces: con un eructo de humo aceitoso, el autobús se alejó.

—¿Te he contado alguna vez mi primera salida?

—Creo que no.

—Hazme caso —dijo Ty, mientras movía la cabeza de una forma que indicó a Vorhees las pocas ganas de explicarse del hombre—. Menuda historia.

Cuando todo estuvo descargado, Cruk llamó a los niños bajo la lona para repasar las reglas, que todos sabían ya. Lo primero de todo, empezó Cruk, era que todos sabían necesitaba un colega. Tu colega podía ser cualquiera, un hermano, una hermana o un amigo, pero debías tener uno, y tenías que estar siempre con tu colega. Eso era lo más importante. El terreno despejado situado al pie de la torre de vigilancia era seguro, dentro de aquellos límites podían ir a donde les diera la gana, pero no debían aventurarse en el maíz bajo ninguna circunstancia. También estaba prohibido ir al bosque del extremo sur.

Bien, ¿veis esas banderas?, indicó Cruk. Las naranja, colgadas así. ¿Quién sabe decirme qué son?

Media docena de manos se levantaron. Los ojos de Cruk recorrieron el grupo antes de detenerse en Dash Martinez. Siete años, desgarbado, con una mata de pelo oscuro. Bajo el rayo de la atención de Cruk, se quedó paralizado. Estaba sentado entre Merry Dodd y Reese Cuomo, que se tapaban la boca para reprimir las carcajadas. ¿Los habitáculos?, probó el niño. Exacto, contestó Cruk, y asintió. Ahí están los habitáculos. Bien, ahora decidme, continuó, dirigiéndose a todos, si las sirenas se disparan, ¿qué debéis hacer?

¡Correr!, dijo alguien, y después otro y otro. *¡Correr!*

—¿Correr adónde? —preguntó Cruk.

Esta vez, un coro de voces: *¡Correr a los habitáculos!*

Se relajó y sonrió.

—Bien. Ahora, vamos a divertirnos.

Salieron disparados, salvo los adolescentes, que se demoraron un momento más bajo el toldo, con el fin de separarse de los niños más pequeños. Pero incluso ellos, sabía Vorhees, encontrarían su espacio bajo la luz del sol. Aparecieron las barajas, así como madejas de hilo para tejer. Al cabo de poco rato, las mujeres ya estaban ocupadas, vigilaban a los niños desde debajo del toldo, se abanicaban la cara. Vorhees llamó a los hombres para distribuir tabletas de sal. Aunque bebiera sin parar, un hombre que trabajara con aquel calor podía deshidratarse hasta extremos peligrosos. Llenaron sus botellas en la estación de bombeo. No fue necesario explicar la tarea que les aguardaba: desgranar era un trabajo agotador, aunque sencillo, que habían hecho muchas veces. Por cada tres hileras de maíz, habían plantado una cuarta de una segunda variedad. Esa fila sería despojada de sus espiguillas para impedir la autopolinización. Llegado el tiempo de la cosecha, produciría una nueva variedad híbrida más vigorosa, que sería utilizada como trigo de siembra al año siguiente. Cuando el padre de Vorhees le había explicado por primera vez el proceso, años antes, se le había antojado excitante, incluso vagamente erótico. Al fin y al cabo, lo que estaban haciendo formaba parte del proceso reproductivo, aunque sólo fuera maíz. Pero las incomodidades físicas del trabajo (las horas bajo el sol implacable, la incesante lluvia de polen en las manos y la cara, los insectos que zumbaban alrededor de su cabeza, en busca de la menor oportunidad de meterse en su boca, nariz y oídos) le habían disuadido enseguida de aquella idea. Durante su primera semana en el campo, un hombre se había desmayado debido a un golpe de calor.

Vorhees no recordaba quién era o qué había sido de él. Le habían subido al siguiente transporte. Era muy posible que el hombre hubiera muerto.

Pesados guantes de lona, sombreros de ala ancha y camisas de manga larga abotonadas hasta las muñecas. Cuando los hombres estuvieron preparados para marchar, ya estaban sudando profusamente. Vorhees alzó la vista hacia lo alto de la torre de vigilancia, donde Tifty había tomado posiciones e inspeccionaba la hilera de árboles con la mira telescópica. Cruk tenía razón: Tifty era el hombre ideal para estar allí arriba. Fuera lo que fuera Tifty Lamont, su habilidad como tirador era indiscutible. Sin embargo, incluso oír el nombre del individuo, tantos años después, conseguía que Vorhees se sintiera invadido por la ira. En todo caso, el paso del tiempo sólo había aumentado esa sensación: cada año que pasaba era un año más de vida que Boz no había vivido. ¿Por qué Tifty vivía y Boz no? En momentos más calmos, Vorhees comprendía que su sentimiento era irracional. Tal vez Tifty había sido el instigador de aquella noche nefasta, pero cualquiera de ellos habría podido negarse, y Boz estaría vivo. Sin embargo, dijera lo que dijera Dee, o Cruk, o el propio Tifty (quien incluso en este momento, mientras barría la hilera de árboles con el rifle, ofrecía una silenciosa promesa de proteger a los hijos de Vorhees), nada podría disuadir a Vorhees de la creencia de que Tifty era portador de una culpa singular. Al final, se veía obligado a aceptar sus sentimientos como un defecto de su carácter y tragárselos.

Dividió a los trabajadores en tres grupos, cada uno responsable de cuatro filas. Después fueron al refugio para despedirse. En el campo estaban jugando a la pelota. Desde el lado más alejado de la torre de vigilancia se oía el sonido de las herraduras en el pozo. Dee estaba descansando a la sombra con Sally y Lucy Martinez, jugando una ronda de corazones. Sus partidas eran épicas, y a veces se prolongaban durante días.

—Parece que estamos preparados para marchar.

Ella dejó las cartas y alzó la cara hacia él.

—Ven aquí.

Se quitó el sombrero y se dobló en dos para recibir el beso.

—Dios, ya apestas —rió ella, al tiempo que arrugaba la nariz—. Éste es tu último del día, me temo. Bien, ¿debo decirte que tengas cuidado?

Era lo que decía siempre.

—Como quieras.

—Bien, sea: ten cuidado.

Nit y Siri habían entrado en la tienda. Briznas de hierbas se habían enredado en su pelo y en la urdimbre de sus faldas. Como cachorrillos que hubieran rodado por la tierra.

—Abrazad a vuestro padre, niñas.

Vorhees se arrodilló y las tomó en brazos como un fardo tibio.

—Portaos bien con mamá, ¿vale? Volveré a la hora de comer.

—Somos el colega de cada una —anunció Siri.

Vorhees limpió la hierba de su pelo húmedo de sudor. A veces, sólo verlas le despertaba un torrente de amor que le anegaba los ojos en lágrimas.

—Por supuesto. Recordad lo que dijo vuestro tío Cruk. No os alejéis de la vista de mamá.

—Carson dice que hay monstruos en el campo —dijo Siri—. Monstruos que beben sangre.

Vorhees desvió los ojos hacia Dee, quien se encogió de hombros. No era la primera vez que el tema salía a colación.

—Bien, pues se equivoca —les dijo—. Intenta asustaros, gastaros una broma.

—Entonces, ¿por qué no podemos ir al campo?

—Porque ésas son las reglas.

—¿Lo prometes?

Se esforzó por sonreír. Vorhees y Dee habían acordado mostrarse poco concretos sobre el problema lo máximo posible. No obstante, ambos comprendían que no podrían mantener en la inopia a las niñas indefinidamente.

—Lo prometo.

Las abrazó de nuevo, una por una y después a las dos al mismo tiempo, y fue a unirse con su cuadrilla en el borde del campo. Una muralla verde de dos metros de altura: las filas de maíz, una serie de largos pasadizos, se alejaban hasta el cortavientos. El sol había cruzado una barrera invisible hacia mediodía. Nadie hablaba. Vorhees consultó su reloj por última vez. *Consulte el reloj. Infórmese del emplazamiento del habitáculo más cercano. En caso de duda, huya.*

—Muy bien, todo el mundo —dijo, y se calzó los guantes—. Pongamos manos a la obra.

Y con estas palabras, todos juntos entraron en el campo.

En cierto sentido, todos se habían convertido en lo que eran por culpa de una sola noche: la última noche de su infancia. Cruk, Vorhees, Boz, Dee: formaban una pandilla, sus órbitas diarias restringidas tan sólo por los muros de la ciudad y los ojos vigilantes de las hermanas, que dirigían la escuela, y el SN, que dirigía todo lo demás. Un tiempo de chismes, de rumores, de historias intercambiadas en el polvo. Caras sucias, manos sucias, los cuatro haraganeando en la callejuela que había detrás de sus casas, cuando volvían de la escuela. ¿Qué era el mundo? ¿Dónde estaba el mundo, y cuándo lo verían? ¿Adónde iban sus padres, y a veces también sus madres, que regresaban con olor a trabajo y deber y misteriosas preocupaciones? Al exterior, sí, pero ¿era muy diferente de la ciudad? ¿Qué sensación te daba, a qué sabía, cómo sonaba? ¿Por qué, de vez en cuando, alguien, una madre o un padre, se marchaba para no regresar jamás, como si el reino invisible que había al otro lado de los muros poseyera el poder de engullirlos por completo? Lelos, dragones, vampiros, brincos: sabían los nombres, pero no sentían todo el peso de su significado. Había los dragones, los más malvados, que eran lo mismo que los brincos o los vampiros (una palabra que sólo utilizaban los viejos); y estaban los lelos, que eran similares pero no iguales. Peligrosos, sí, pero no tanto, más un engorro, como los escorpiones y las serpientes. Algunos decían que los lelos eran dragones que habían vivido demasiado; otros, que eran unos seres diferentes por completo. Nunca habían sido humanos del todo.

Lo cual era otra cosa. Si los virales habían sido personas como ellos, ¿cómo se habían tranformado en lo que eran?

Pero la historia más impresionante de todas era la del gran Niles Coffee: el coronel Coffee, fundador de la Fuerza Expedicionaria, hombre intrépido que cruzó el mundo para luchar y morir. Los orígenes de Coffee, como todo lo relacionado con él, estaban contaminados por el mito. Era un tercer hijo, criado por sus hermanas; era un huérfano de la Incursión del Este del 38, que había visto morir a sus padres; era un rezagado que había aparecido en la puerta un día, un niño guerrero vestido con pieles, cargado con una cabeza de viral clavada en una pica. Había matado a cien virales con las manos desnudas, a mil, a diez mil. El número siempre aumentaba. Nunca puso el pie en la ciudad. Caminaba entre ellos vestido como un hombre normal, un peón, que ocultaba su identidad. No existía en absoluto. Se decía que sus hombres hacían un juramento, un juramento de sangre, pero no a Dios sino entre sí, y que se afeitaban la cabeza como señal de su promesa, que era una promesa de morir. Habían viajado hasta muy lejos de los muros, y no sólo en Texas. Oklahoma City. Wichita, Kansas. Roswell, Nuevo México. En la pared, encima de su catre, Boz tenía un mapa de los antiguos Estados Unidos, bloques de color desvaídos reunidos como las piezas de un rompecabezas. Para señalar cada lugar nuevo, clavaba uno de los alfileres de su madre, y conectaba dichos alfileres con un cordón para indicar las rutas que Coffee había recorrido. En la escuela preguntaban a la hermana Peg, cuyo hermano trabajaba en la Carretera del Petróleo, ¿qué había oído, qué sabía? ¿Era cierto que los Expedicionarios habían descubierto a otros supervivientes, poblaciones enteras e incluso ciudades llenas de gente? A esto no contestaba nada la hermana, pero en el destello de sus ojos, cuando pronunciaban el nombre de su hermano, veían la luz de la esperanza. Eso era Coffee: viniera de donde viniera, cómo lo logró, Coffee era un motivo de esperanza.

Llegaría un tiempo, muchos años después, mucho después de que Boz hubiera muerto, y su madre también, en que Vorhees se preguntaría: ¿por qué su hermano y él nunca habían hablado de estas cosas con sus padres? Habría sido lo más natural. No obstante, mientras investigaba en sus recuerdos, no pudo recordar a su padre o a su madre diciendo ni una palabra sobre el mapa de Boz. ¿Por qué? ¿Y qué había sido del mapa, que en el recuerdo de Vorhees un día estaba y al siguiente había desaparecido? Era como si las historias de Coffee y los Expedicionarios hubieran formado parte de un mundo secreto, un mundo de la infancia que, una vez pasado, ya no volvía a emerger. Durante varias semanas estas preguntas le habían consumido hasta tal punto que una mañana, mientras desayunaba, hizo acopio de valor por fin para preguntar a su padre, quien rió. *¿Estáis de coña?* Thad Vorhees aún no era un ancionado, pero lo parecía: se le había caído casi todo el pelo y le faltaba media dentadura. Su piel estaba impregnada de una humedad rancia, las manos sobre la mesa de la cocina eran como nidos de hueso. *¿Hablas en serio? Bien, tú no eras tan malo, pero Boz... Siempre estaba dando la tabarra con ello. Coffee, Coffee, Coffee, todo el santo día. ¿No te acuerdas?* Sus ojos se nublaron debido a un repentino dolor. *Aquel estúpido mapa. Si quieres que te diga la verdad, no tuve ánimos para romperlo, pero me sorprendió que tú lo hicieras. Nunca te había visto llorar de aquella manera en toda la vida. Supongo que descubriste que todo eran chorradas. Coffee y los demás. Nada de nada.*

Pero no era nada. Nunca había sido, nunca podría ser, nada. ¿Cómo podía ser nada, cuando habían amado a Boz como lo habían hecho?

Fue Tifty, por supuesto: Tifty el mentiroso, Tifty el cuentista, Tifty, quien necesitaba con tanta desesperación que alguien le necesitara, que cualquier estupidez podía salir de su boca. El que afirmaba haber visto a Coffee con sus propios ojos. *Tifty*, rieron todos, *eres un saco de mierda. Tifty, tú nunca viste a Coffee ni a ningún otro.* No obstante, pese a sus burlas, la idea se fue imponiendo. Desde el principio, el chico poseía talento para convencerte de algo aunque supieras que no era cierto. Se había introducido en su círculo con tal sigilo que nadie sabía decir cómo había ocurrido. Un día no existía Tifty, y al siguiente sí. Un día que empezó como cualquier otro: con la capilla y la escuela, mientras las tres de la tarde se acercaban con una lentitud agónica. El sonido de la campana y la repentina liberación, trescientos cuerpos que corrían por los pasillos y bajaban la escalera hasta salir a la tarde. El paseo desde la escuela hasta sus viviendas, los rostros que se afligían cuando el camino de los compañeros de clase se separaba, hasta que sólo quedaban los cuatro.

Aunque no exactamente. Cuando se internaron en el callejón, con su revoltijo de carritos de la compra antiguos, colchones empapados y sillas rotas (la gente siempre tiraba los objetos desechados allí, dijera lo que dijera el intendente), se dieron cuenta de que los seguían. Un chico delgaducho, con una cara demacrada coronada por una mata de pelo rubio rojizo que daba la impresión de haber caído desde una gran altura sobre su cabeza. Aunque era enero, y el aire estaba impregnado de humedad, no llevaba abrigo, sólo jersey, tejanos y chancletas de plástico en los pies. La distancia a la que los seguía, con las manos hundidas en los bolsillos, era lo bastante cercana para despertar su curiosidad, pero sin dar la impresión de entrometerse. Una distancia de prueba, como si estuviera diciendo: Yo podría ser alguien interesante. Tal vez os gustaría concederme una oportunidad.

—¿Qué crees que quiere? —preguntó Cruk.

Habían llegado al final de la callejuela, donde habían erigido un pequeño refugio con trozos de madera. Un colchón mohoso, con los muelles al aire, hacía las veces de suelo. El muchacho se había detenido a una distancia de nueve metros, mientras arrastraba los pies en el polvo. Su porte daba la impresión de que las partes de su cuerpo estaban conectadas de una forma vaga, como si lo hubiera hecho a partir de cuatro chicos diferentes.

—¿Nos estás siguiendo? —gritó Cruk.

El chico no contestó. Tenía la mirada gacha y desviada a un lado, como un perro que intentara evitar el contacto visual. Desde aquel ángulo, todos pudieron ver la marca que tenía en el lado izquierdo de la cara.

—¿Eres sordo? Te he hecho una pregunta.

—No os estoy siguiendo.

Cruk se volvió hacia los demás. Al ser el mayor por un año, era el líder extraoficial.

—¿Alguien conoce a este chico?

Nadie le conocía. Cruk volvió a mirarle.

—Tú, ¿cuál es tu nombre?

—Tifty.

—¿Tifty? ¿Qué clase de nombre es Tifty?

Los ojos del muchacho inspeccionaron las puntas de las sandalias.

—Sólo un nombre.

—¿Tu madre te llamó así? —preguntó Cruk.

—No tengo.

—¿Está muerta o te abandonó?

El chico estaba manoseando algo en el bolsillo.

—Ambas cosas, supongo. Da igual, en todo caso. —Los miró con los ojos entornados—. ¿Sois como un club?

—¿Por qué lo preguntas?

El chico alzó sus hombros huesudos.

—Os he visto, eso es todo.

Cruk miró a los demás, y después volvió a mirar al chico. Exhaló un suspiro de cansancio.

—Bien, es absurdo que estés parado ahí como si fueras tonto del culo. Acércate para que podamos echarte un vistazo.

El chico caminó hacia ellos. Vorhees pensó que tenía algo familiar, su aspecto abatido. Aunque tal vez fuera tan sólo el hecho de que cualquiera de ellos habría podido estar tan solo como él. Observó que la marca de su cara era un gran morado púrpura.

—Yo conozco a este chico —dijo Dee—. Vives en Protección Oficial, ¿verdad? Te vi cuando te trasladaste con tu padre.

Viviendas de Protección Oficial de Hill Country: un laberinto de apartamentos y familias apretujadas. Todo el mundo lo llamaba Protección Oficial.

—¿Es eso cierto? —preguntó Cruk—. ¿Acabas de mudarte?

El muchacho asintió.

—Desde Ciudad-H.

—¿Estás con tu padre? —preguntó Cruk.

—También tengo una tía, Rose. Es la que más cuida de mí.

—¿Qué llevas en el bolsillo? Te he visto jugar con ello.

El chico sacó la mano para enseñárselo: un cuchillo plegable lleno de aparatitos. Cruk lo cogió, mientras los otros tres le rodeaban para mirar. Las hojas habituales, más una sierra, un destornillador, unas tijeras y un sacacorchos, incluso una lupa, con la lente oscurecida por los años.

—¿De dónde has sacado esto? —preguntó Cruk.

—Mi padre me lo regaló.

Cruk frunció el ceño.

—¿Se dedica al tráfico?

El chico negó con la cabeza.

—Noooo. Es un hidro. Trabaja en la presa. —Indicó el cuchillo—. Puedes quedártelo, si quieres.

—¿Para qué quiero un cuchillo?

—Joder, si él no lo quiere, yo me lo quedaré —dijo Boz—. Dámelo.

—Cierra el pico, Boz. —Cruk examinó al muchacho poco a poco—. ¿Qué te has hecho en la cara?

—Me caí.

Su tono no era defensivo. Y no obstante todos percibieron el vacío de su mentira.

—Te caíste sobre un puño, lo más probable. ¿Lo hizo tu padre, u otra persona?

El chico no dijo nada. Vorhees vio que su mandíbula temblaba un momento.

—Déjale en paz, Cruk —dijo Dee.

Pero los ojos de Cruk continuaron clavados en el chico.

—Te he hecho una pregunta.

—Lo hace a veces. Cuando está cocido. Rose dice que no quiere hacerlo. Es por culpa de mi madre.

—¿Porque te abandonó?

—Porque murió cuando me dio a luz.

Dio la impresión de que las palabras del muchacho quedaban suspendidas en el aire. Era verdad, o no. En cualquier caso, ahora nadie podía negarse a su petición.

Cruk extendió el cuchillo.

—Anda, cógelo. No quiero el cuchillo de tu padre.

El chico lo devolvió al bolsillo.

—Soy Cruk. Dee es mi hermana. Los otros dos son Boz y Vor.

—Sé quiénes sois. —Los miró vacilante—. ¿Ya soy miembro del club?

—¿Cuántas veces te lo he de repetir? —dijo Cruk—. No somos un club.

De esta manera quedó decidido: Tifty era uno de ellos. A su debido tiempo, todos llegaron a conocer a Bray Lamont, un hombre feroz, incluso aterrador, sus ojos siempre encendidos debido al whisky ilegal que todo el mundo llamaba lingotazo, su voz ronca a causa de la bebida gritando el nombre de Tifty desde la ventana cada noche cuando sonaba la sirena. *¡Tifty, maldita sea! ¡Tifty, ven aquí antes de que salga a buscarte!* En más de una ocasión, el chico aparecía en el callejón con un moratón nuevo, cardenales, una vez con el brazo en cabestrillo. En su ira desatada, el padre le había arrojado al otro lado de la habitación y le había dislocado el hombro. ¿Debía decírselo al de SN? ¿A sus padres? ¿Y tía Rose, no podía ayudarle? Pero Tifty siempre negaba con la cabeza. Daba la impresión de que sus heridas no le encolerizaban, tan sólo un fatalismo reservado que no podían dejar de admirar. Parecía una especie de energía. No se lo digáis a nadie, suplicaba el muchacho. Él es así. Nadie lo puede cambiar.

Había más historias. El bisabuelo de Tifty, afirmaba él, había sido uno de los signatarios originales de la Declaración de Texas y había supervisado la habilitación de la Carretera del Petróleo. Su abuelo fue un héroe de la Incursión al Este del 38. Mordido mortalmente en la primera oleada, había conducido la carga desde el aliviadero y sacrificado su vida en el campo de batalla delante de sus hombres, suicidándose con su cuchillo. Un primo, cuyo nombre Tifty se negó a revelar («todo el mundo le llama Primo»), era un gángster buscado por la justicia, el encargado de la mayor destilería de Ciudad-H. Su madre, una gran belleza, había recibido nueve propuestas de matrimonio antes de cumplir los dieciséis años, incluida la de un hombre que más tarde llegaría a ser miembro del equipo de gobierno del presidente. Héroes, dignatarios, criminales, un inmenso y colorido abanico de peces gordos, tanto en el mundo que conocían como en aquel que acechaba bajo él, el mundo del tráfico. Tifty conocía a gente que conocía a gente. Las puertas se abrían al instante para Tifty Lamont. Daba igual que fuera el hijo de un hidro borracho de Ciudad-H, otro chico esquelético con moratones en la cara y ropa que no le quedaba bien y que nunca lavaba, al cuidado de una tía soltera y que vivía en Protección Oficial. Las historias de Tifty eran demasiado buenas, demasiado interesantes, para no creerlas.

Pero ver a Coffee... Eso era demasiado. Tal afirmación chocaba con la realidad. Era imposible conocer a Coffee. Coffee, como los virales, era un ser de las sombras. Y no obstante, la historia de

Tifty tenía visos de realidad. Había ido con su padre a Ciudad-H, a sus calles sin ley compuestas de chabolas, para conocer a Primo, el gángster. Allí, en el cuarto interior del cobertizo donde se hallaba la destilería (algo colosal, como un dragón viviente de cables, tuberías y calderos resollantes), entre hombres de ojos peligrosos, sonrisas grasientas de dientes ennegrecidos y pistolas embutidas en los cintos, el dinero cambiaba de manos, se entregaba el zumo del lingotazo. Estas excursiones eran pura rutina, Tifty las había descrito muchas veces, pero en esa ocasión había algo diferente. Esa vez había un hombre. Era distinto de los demás, no se dedicaba al tráfico, Tifty se dio cuenta enseguida. Alto, con el porte erguido de un soldado. Estaba apartado a un lado, la cara oculta, con un sobretodo oscuro ceñido a la cintura. Tifty vio que llevaba la cabeza afeitada. No cabía duda de que aquel hombre, fuera quien fuera, venía por un asunto urgente. Por lo general, el padre de Tifty se rezagaba, mientras bebía e intercambiaba historias de Ciudad-H con los demás hombres, pero aquella noche no. Primo, su gran forma redondeada encajada detrás del escritorio como un huevo en su nido, aceptaba las facturas de su padre sin comentarios. Dio la impresión de que, nada más llegar, ya salían a toda prisa por la puerta. No fue hasta salir del cobertizo cuando su padre dijo: *¿No sabes quién había ahí dentro, muchacho? ¿Eh? ¿No? Yo te diré quién era. Era Niles Coffee en persona.*

—Os diré algo más. —Los cinco estaban apretujados en el refugio de la callejuela. Tifty estaba escarbando en el polvo con la navaja, que a fin de cuentas continuaba en su poder—. Mi viejo dice que conserva un campamento debajo de la presa. Al aire libre, como si vivir fuera no significara nada. Dejan que los dragones se acerquen, y después los achicharran en las trampas.

—¡Lo sabía! —exclamó Boz. El rostro del muchacho más joven brillaba literalmente de entusiasmo. Giró las rodillas hacia Vorhees—. ¿Qué te dije?

—Es imposible —bufó Cruk. Entre ellos, su papel era el de

escéptico. Cargaba con esta responsabilidad como si fuera un deber.

—Te lo digo, era él. Se sentía. Todo el mundo se daba cuenta.

—¿Y qué querría Coffee de una pandilla de traficantes? Dímelo tú.

—¿Cómo quieres que lo sepa? Tal vez compre lingotazo para sus hombres. —Una nueva idea alumbró en el rostro de Tifty. Se inclinó hacia delante y bajó la voz—. O armas.

Cruk lanzó una carcajada sarcástica.

—Escuchad lo que dice este crío.

—Bromea todo lo que quieras, yo los he visto. Estoy hablando de armas auténticas del ejército, de antes. Fusiles M16, pistolas automáticas, incluso lanzagranadas.

—Caramba —exclamó Boz.

—¿Dónde compraría Primo armas como ésas? —preguntó Vorhees.

Tifty se incorporó para pasear la mirada a su alrededor, como para asegurarse de que nadie los estaba escuchando.

—No sé si debería contaros esto —continuó—. Hay un búnker, una antigua base del ejército cerca de San Antone. Primo tiene patrullas allí.

—No puedo seguir escuchándole ni un segundo más —dijo Cruk—. Tú no viste ni a Coffee ni a nadie.

—¿Estás diciendo que no crees en su existencia?

La idea era un sacrilegio.

—No estoy diciendo eso. No le viste.

—¿Qué opinas tú, Vor?

Vorhees se sentía indeciso. La mitad de lo que decía Tifty eran chorradas, quizá más de la mitad. Por otra parte, la necesidad de creer era muy fuerte.

—No sé —logró articular—. Supongo... No sé.

—Bien, *yo* le creo —anunció Dee.

Tifty abrió los ojos de par en par.

—¿Lo veis?

Cruk hizo un ademán desdeñoso.

—Es una chica. Se lo cree todo.

—¡Eh!

—Bien, es verdad.

Tifty desvió la mirada hacia el chico mayor.

—¿Y si te dijera que hasta tú podrías ver a Coffee?

—¿Cómo lo conseguiría?

—Fácil. Iremos a través de una de las tuberías del aliviadero. He estado allí montones de veces. En esta época del año no descargan hasta el amanecer. Los conductos de ventilación llegan hasta la base de la presa. Deberíamos poder ver el campamento desde allí.

El desafío se había lanzado. No había forma de negarse.

—No existe ese maldito campamento, Tifty.

Tardaron tres días en armarse de valor y Cruk prohibió a su hermana acompañarlos. El plan era salir a hurtadillas después de que sus padres se durmieran y citarse en el refugio. Tifty había planificado una ruta hasta la presa que los alejaría de las patrullas de SN.

Pasaba de la medianoche cuando Tifty llegó. Los demás ya estaban esperando. Apareció al final de la callejuela y avanzó hacia ellos a buen paso, con la capucha de la chaqueta subida sobre la cabeza, las manos hundidas en los bolsillos. Cuando entró agachado en el refugio, sacó una botella de plástico.

—Valentía líquida.

Desenroscó el tapón y la pasó a Vorhees.

Era lingotazo. Los padres de Vorhees y Boz, gente piadosa que iba a la iglesia de las hermanas cada domingo, no tenían en casa. Vorhees sostuvo la botella abierta bajo la nariz. Un líquido transparente con un acre olor químico, como a jabón de sosa.

—Trae aquí —ordenó Cruk. Se apoderó de la botella y bebió, y después la devolvió a Vorhees.

—¿Nunca habías bebido lingotazo? —preguntó Tifty a Vorhees.

Vorhees se esforzó por mostrarse ofendido.

—Claro. Montones de veces.

—¿Cuándo has bebido tú lingotazo? —preguntó Boz en tono burlón.

—Hay muchas cosas que desconoces, hermano.

Vorhees, lamentando no poder apretarse la nariz, tomó un cauteloso sorbo y tragó a toda prisa para no notar el sabor. Un chorro de calor ardiente invadió su nariz. Un río de fuego descendió por su garganta. ¡Dios, era espantoso! Terminó con una tos asmática, los ojos anegados en lágrimas, y todo el mundo rió.

Boz bebió a continuación. Para vergüenza de Vorhees, su hermano pequeño logró tomar un sorbo respetable sin ni siquiera encogerse. La botella recorrió el círculo tres veces más. A la cuarta, hasta Vorhees le había cogido el tranquillo y consiguió engullir un buen trago sin toser. Se preguntó por qué no sentía nada, pero en cuanto se puso en pie comprobó que no era así: el suelo osciló bajo sus pies, y tuvo que extender una mano para no caerse.

—Vamos —dijo Tifty.

Cuando llegaron a la presa, todos reían como maníacos. El paso de los minutos se había alterado en cierta manera. Daba la impresión de que habían tardado mucho tiempo en llegar, y al mismo tiempo nada. Vorhees tenía un recuerdo fragmentado de esconderse de una patrulla de SN bajo un camión, pero no recordaba en qué circunstancias exactas, ni cómo habían evitado ser capturados. Sabía que estaba borracho, pero su mente era incapaz de concentrarse en este detalle. Se detuvieron en las sombras mientras alguien (Boz, cayó en la cuenta Vorhees, el más borracho de todos) vomitaba en un matojo de malas hierbas. Y Dee, ¿qué estaba haciendo allí? ¿Los había seguido? Cruk le estaba gritando que volviera a casa, pero Dee era Dee: en cuanto se le metía algo en la cabeza, era como intentar quitarle a un perro un hueso de la boca. La verdad era que Vorhees amaba a Dee. Siempre la había amado. De repente, aquel amor se convirtió en algo abrumador, como un globo de emociones que se estuviera hinchando dentro de su pecho, y estaba armándose de valor para confesar sus sentimientos, cuando Tifty volvió hasta ellos de dondequiera que hubiera ido y les dijo que le siguieran.

Los guió hasta un pequeño edificio de hormigón con un tramo de escaleras metálicas que descendía bajo tierra. Al pie había un pozo de mantenimiento, húmedo y tenebroso, cuyas paredes rezumaban humedad. Se encontraban dentro de la presa, encima de los conductos del aliviadero. Bombillas encastradas en cestas metálicas arrojaban sombras sobre las paredes. Una descarga de adrenalina había empezado a despejar a Vorhees. Llegaron a una trampilla en la pared, cerrada con una rueda metálica oxidada. Cruk y Tifty se situaron a cada lado y empujaron con todas sus fuerzas, pero la rueda no se movió.

—Necesitamos una palanca —dijo Tifty.

Desapareció en el túnel y volvió con un trozo de tubería. La introdujo a través de los radios de la rueda y ejerció presión con todas sus fuerzas. Con un chirrido, la rueda empezó a girar. La puerta se abrió.

Dentro había un pozo vertical y una escalerilla que bajaba. Tifty sacó una bengala, la encendió y la arrojó al abismo. Él fue el primero en bajar, seguido de Vor, Dee y Boz, con Cruk en la retaguardia.

Se encontraban en un ancho pasadizo. Un conducto del aliviadero, uno de los seis. A través de esos conductos se liberaba el agua del embalse una vez al día, y canalizada mediante el aliviadero llegaba a los campos. Detrás de ellos había millones de litros de agua almacenados en la presa. El aire era frío y olía a piedra. Un reguero de agua corría a lo largo del suelo hacia la salida, un disco pálido de cielo iluminado por la luna. Avanzaron hacia él, alejándose de la luz de la bengala de Tifty. El corazón de Vorhees retumbaba en su pecho. El mundo de la noche, al otro lado de los muros. Era algo inimaginable. A tres metros de la salida, Tifty se acuclilló. Los demás le imitaron. Barrotes de pesado acero protegían la abertura.

—Yo iré primero —susurró Tifty.

Avanzó a cuatro patas hacia el final del túnel. Todos los demás se quedaron inmóviles. En la mente ebria de Vorhees, ver el campamento de Coffee se había convertido en un objetivo secundario. La noche era una prueba de valor, irrelevante su objetivo. Los barrotes eran lo bastante sólidos para mantener a raya a un viral, pero ése no era el peligro. Vorhees casi esperaba que una mano similar a una garra pasara a través de los barrotes, asiera a su amigo y le despedazara. A través de la neblina persistente del lingotazo, se le ocurrió la idea de que Dee debía de tener miedo también, y de que él tal vez podría ofrecerle cierta seguridad, pero no sabía qué decir, y la idea murió en su mente.

En la boca del túnel, Tifty se alzó sobre las rodillas, agarró los barrotes y miró afuera.

—¿Qué ves? —susurró Cruk.

Una pausa. Después, dos palabras de su amigo.

—Hostia... puta.

El tono no le gustó a Vorhees. La expresión no indicaba que hubiera descubierto algo, sino que hablaba de un terror repentino.

—¿Qué pasa? —susurró Cruk con más brusquedad—. ¿Coffee está ahí?

—¡Quiero mirar! —gritó Boz.

—¡Silencio! —bramó Cruk—. Tifty, maldita sea, ¿qué pasa?

Vorhees lo sintió en las rodillas. Un estruendo, como un trueno, seguido de un crujido chirriante de engranajes metálicos al acoplarse.

Tifty se puso en pie de un salto.

—¡Larguémonos de aquí!

Era agua. El sonido que Vorhees estaba oyendo era agua liberada del embalse. Un conducto, y luego otro, y luego el siguiente, avanzando en línea. Eso era lo que Tifty había visto.

Quedarían hechos trizas.

Vorhees se levantó y agarró a Boz del brazo para llevárselo, pero el chico se soltó.

—¡Quiero verlo!

—¡Ahí no hay nada!

La voz del muchacho se quebró a causa de las lágrimas.

—¡Sí, sí!

Boz se precipitó hacia la salida. Tifty y los demás ya estaban corriendo hacia la escalerilla. El sonido del trueno se oía más cerca. El tubo contiguo se había vaciado. El suyo sería el siguiente. Pasados unos segundos, una muralla de agua caería sobre ellos. En la boca del túnel, Vorhees asió a su hermano por la cintura, pero el muchacho se agarró a los barrotes.

—¡Lo veo! ¡Es Coffee!

Vorhees tiró con todas sus fuerzas. Los dos cayeron al suelo. Los demás gritaban: *¡Vamos, vamos!* Vorhees asió a su hermano de la mano y se puso a correr. Cruk les hacía señas desde el pie de la escalera. Vorhees sintió que se le tapaban los oídos. Un viento helado estaba azotando su cara. Cuando Cruk desapareció escaleras arriba, Vorhees empezó a subir, seguido de su hermano.

Entonces, llegó el agua.

Le golpeó como un puño, cien puños, mil. Debajo de él, Boz gritó aterrorizado. Vorhees consiguió continuar agarrado a la escalera, pero no pudo hacer nada más. Soltar una mano significaría ser arrastrado por las aguas. El agua inundó su nariz y boca. Intentó llamar a su hermano, pero no emitió el menor sonido. Así acaba todo, pensó. Una sola equivocación, y todo termina. Así de sencillo. ¿Por qué la gente no moría de esta forma más a menudo? Pero sí que moría, comprendió, cuando su presa sobre la escalera empezó a debilitarse. Moría así constantemente.

Fue Cruk quien le salvó. Cruk, quien sería su amigo por siempre, quien un día estaría a su lado cuando se casara con Dee; quien cuidaría de sus hijos el día en que todo el mundo llevó a sus hijos a un picnic de verano en el campo; quien se reuniría con él en la última batalla de sus vidas, a muchos kilómetros y años de distancia en el futuro. Cuando la mano de Vorhees se soltó, Cruk le agarró por la muñeca y le izó, y lo siguiente que supo Vorhees fue que estaban subiendo, que estaban ascendiendo por el pozo hasta la salvación.

Pero Boz no. No recuperarían el cuerpo del muchacho hasta la mañana siguiente, aplastado contra los barrotes. Tal vez había visto a Coffee y tal vez no. Tifty nunca les dio una respuesta. Con el paso del tiempo, Vorhees llegó a pensar que daba igual. Aunque la recibiera, no le consolaría.

A mediodía, la cuadrilla había cubierto seis hectáreas. El sol quemaba, ni una nube en el cielo. Hasta los niños, después de una mañana de juegos y risas, se habían recluido en el refugio. En la estación de bombeo, Vorhees se quitó el sombrero, llenó un vaso y bebió, y después volvió a llenarlo para tirarse agua sobre la cara. Se quitó la camisa empapada en sudor y se secó con ella. Dios todopoderoso, qué calor.

Las mujeres y los niños ya habían comido. A la sombra del refugio, la cuadrilla se reunió para comer. Pan y mantequilla, huevos duros, carne seca, tacos de queso, jarras de agua y limonada. Cruk bajó de la torre para llenarse un plato. Tifty había desaparecido de vista. Bien, ¿y qué? Que hiciera lo que le viniera en gana. Comieron con apetito, sin hablar. Pronto, todos estarían dormitando a la sombra.

—Una hora —anunció Vorhees al cabo de un rato, al tiempo que se levantaba de la mesa—. No os apoltronéis demasiado.

Subió por la escalera hasta lo alto de la torre, donde encontró a Cruk inspeccionando el campo con los prismáticos. Tenía el rifle apoyado contra la barandilla.

—¿Algo interesante ahí fuera?

Cruk tardó un segundo en contestar. Pasó los prismáticos a Vorhees.

—Seis en punto, a través de la línea de árboles. Dime qué es.

Vorhees miró. Nada en absoluto, sólo árboles y las colinas de color marrón resecas detrás.

—¿Qué has creído ver?

—No lo sé. Algo brillante.

—¿Como metal?

—Sí.

Al cabo de un momento, Vorhees bajó los prismáticos.

—Bien, ya no está. Tal vez fue el sol al reflejarse en la mira telescópica.

—Es probable. —Cruk tomó un sorbo de agua de su botella—. ¿Cómo va ahí abajo?

—Pronto estarán dormidos todos. Muchos críos ya han caído. Creo que nadie se esperaba tanto calor.

—Julio en Texas, hermano.

—Gunnar quería saber si podía echar una mano. Ese chico es todo corazón y nada de cerebro.

Cruk cogió el rifle.

—¿Qué le dijiste?

—Espera y verás. Algún día te darás cuenta de lo que pides.

Cruk rió.

—Y sin embargo nosotros éramos iguales. Estábamos ansiosos por salir al mundo.

—Tal vez tú sí.

Cruk guardó silencio y miró por encima de la barandilla. Vorhees presintió que su amigo estaba preocupado por algo.

—Escucha —empezó Cruk—, he tomado una decisión y quería que lo supieras por mí. Ya sabes que corren rumores de que los Expedicionarios se están reagrupando.

Vorhees también había oído los rumores. No era ninguna novedad. Siempre circulaba ese tipo de rumores. Desde que Coffee y sus hombres habían desaparecido (¿cuántos años hacía ya?), el asunto nunca había muerto por completo.

—La gente siempre dice eso.

—Esta vez no son sólo habladurías. Los militares están reclutando voluntarios de SN, con la intención de formar una unidad de doscientos hombres.

Vorhees escrutó la cara de su amigo. ¿Qué le estaba diciendo?

—Cruk, no lo pensarás en serio. Son cosas de críos.

Cruk se encogió de hombros.

—Tal vez lo fue en aquel entonces. Y ya sé cuál es tu opinión, después de lo que le pasó a Boz. Pero piensa en mi vida, Vor. Nunca me he casado. No tengo familia. ¿Qué estaba esperando?

Captó el significado al instante.

—¡Jesús! Ya has firmado, ¿verdad?

Cruk asintió.

—Presenté mi dimisión al SN ayer. No obstante, no será oficial hasta que tome el juramento.

Vorhees estaba estupefacto.

—Escucha, no se lo digas a Dee —insistió Cruk—. Quiero hacerlo yo.

—Se lo tomará muy mal.

—Lo sé. Por eso te lo he dicho a ti primero.

El sonido de un camión que se acercaba por la carretera de servicio interrumpió la conversación. Entró en la zona de estacionamiento y paró ante el refugio. Tifty bajó. Se encaminó a la parte posterior del vehículo y bajó la puerta trasera.

—¿Qué trae ahora?

Eran sandías. Todo el mundo se congregó a su alrededor. Tifty empezó a cortarlas y pasó grandes tajadas chorreantes a los niños. ¡Sandías! ¡Qué manjar, en un día como aquél!

—Por los clavos de Cristo —gruñó Vorhees, mientras contemplaba la representación—. ¿De dónde demonios las habrá sacado?

—¿De dónde saca Tifty todo? No obstante, hay que reconocerlo. No morirá sin amigos.

—¿Yo he dicho eso?

Cruk le miró.

—No hace falta que te caiga bien, Vor. No seré yo quien lo diga, pero se esfuerza. Has de reconocerlo.

La puerta de la escalera se abrió. Salió Dee con dos platos, cada uno con una tajada rosada de sandía.

—Tifty ha traído...

—Gracias. Ya lo hemos visto.

Su rostro adoptó una expresión que Vorhees conocía demasiado bien. *Relájate. Sólo hoy, por favor. Sólo son sandías.*

Cruk cogió los platos.

—Gracias, Dee. Estarán para chuparse los dedos. Dale las gracias a Tifty.

Ella miró a Vorhees, y después desvió la vista hacia su hermano.

—Lo haré.

Vorhees sabía que había quedado como un idiota resentido, como también sabía que si no decía algo, o cambiaba de tema, esa sensación incómoda perduraría durante el resto del día.

—¿Cómo están los niños?

Dee se encogió de hombros.

—Siri está dormida como un tronco. Nit se ha ido con Ali y otros más. Están recogiendo flores silvestres. —Hizo una pausa para secarse la frente con el dorso de la muñeca—. ¿Vais a volver allí en serio? No sé cómo lo aguantáis. Tal vez deberíais esperar a que el sol esté un poco más bajo.

—Hay mucho que hacer. No tienes que preocuparte por mí.

Ella lo miró otro momento.

—Bien, ya lo he dicho. ¿Puedo traerte algo más, Cruk?

—Nada, gracias.

—Os dejo, pues.

Cuando Dee se fue, Cruk extendió uno de los platos, pero Vorhees negó con la cabeza.

—Paso, gracias.

El hombretón se encogió de hombros. Ya estaba devorando su tajada, y ríos de zumo resbalaban sobre su barbilla. Cuando ya sólo quedaba la corteza, indicó el segundo plato, que descansaba sobre el parapeto.

—¿Te importa?

Vorhees se encogió de hombros a modo de respuesta. Cruk terminó la segunda tajada, se secó la cara con la manga, y tiró las cortezas por el borde.

—Deberías decírselo a Dee pronto —comentó Vorhees.

Tres de la tarde, el día se estaba agotando. Una leve brisa se había levantado avanzada la mañana, pero el aire se había calmado de nuevo. Bajo el toldo, Dee estaba jugando una partida de ronda sin mucho entusiasmo con Cece Cauley, mientras el pequeño Louise descansaba a sus pies en el moisés. Un bebé rollizo y pacífico, de dedos gordezuelos y boca fofa y fruncida. Pese al calor, apenas había protestado en todo el día, y en ese momento estaba profundamente dormido.

Dee recordaba aquellos días, los días de bebé. Sus peculiares sensaciones, los sonidos y los olores, y la impresión de una profunda unión física, como si ella y el bebé fueran un solo ser. Muchas mujeres se quejaban de ello (*¡No tengo un momento para mí, qué ganas tengo de que empiece a andar!*), pero Dee no. Con sólo treinta, habría tenido otro de buena gana, tal vez incluso dos. Sería estupendo tener un hijo, pensó. Pero las normas eran claras. Dos y punto, decía la frase hecha. La oficina del gobernador estaba hablando de extender los muros, y entonces tal vez se levantara la prohibición. Pero probablemente llegaría demasiado tarde, y hasta entonces la comida, el combustible y el espacio seguirían racionados.

Y Vor... Bien, ¿qué podía hacer ella? La muerte de Boz era una barrera infranqueable en la mente del hombre, la verdad distorsionada y exagerada con el paso de los años hasta que se convirtió en la herida singular de su vida. Tifty era Tifty, siempre lo sería. En un día determinado le metían en la cárcel por estrellar contra la ventana la cabeza de un hombre, en el curso de una reyerta de bar, y al siguiente aparecía, como por arte de magia de Tifty, con un camión cargado con sandías del mercado negro una calurosa tarde de verano. Debía de ser cuestión de tiempo que acabara en la cárcel durante una larga temporada. Sin embargo, no podía negarse. Tifty siempre sería uno de ellos, y de Dee sobre todo. Había veces en que Dee miraba a su hija mayor y no sabía cuál era la verdad. Podía ser una cosa, o la otra. A una cierta luz, Nitia era Vor, pero entonces la niña sonreía de un modo particular, o entornaba los ojos de aquella manera, y era Tifty Lamont.

Una sola noche, ni siquiera eso. Todo el asunto, la totalidad de su relación, había durado poco más de noventa minutos, y ya empezaba a terminar. ¿Cómo era posible que noventa minutos influyeran tanto en una vida? Dee y Tifty habían convenido al terminar que había sido una terrible equivocación, inevitable, quizás, una fuerza de años que ninguno de ambos podía negar, pero no podía repetirse. Ambos amaban a Vor, ¿verdad? Se lo tomaron como un chiste, incluso llegaron a estrecharse la mano para sellar el trato, como los dos viejos amigos que eran, aunque por supuesto no era un chiste: ni en aquel momento ni nueve meses después. En ese momento tampoco era un chiste.

Nunca dejaré que nadie te haga daño, le había dicho Tifty no sólo aquella noche, sino muchas veces, muchas noches. *Ni a ti, ni a las niñas, ni a Vor. Sea cual sea la verdad, te lo juro solemnemente por Dios. Seré la tierra que pisarán tus pies. Siempre sabrás que estoy contigo.* Y Dee lo sabía. Si se permitía admitirlo, era sólo porque la idea de la excursión al campo había tomado cuerpo cuando Tifty había accedido a acompañarlos.

¿Le amaba Dee? Y en ese caso, ¿qué clase de amor era? Lo que sentía por Tifty era diferente de lo que sentía por Vor. Vor era firme, formal. Un ser forjado por el deber y la resistencia, y un buen padre para las niñas. Sólido, mientras que Tifty era vaporoso, un hombre compuesto de rumores tanto como de realidad. Y no cabía duda de que Vor y ella estaban hechos el uno para el otro. Eso nunca había supuesto ningún problema. Solos en la oscuridad, en momentos íntimos compartidos, él pronunciaba su nombre con tal anhelo que casi parecía dolor. Él la hacía sentir... ¿qué? Más real. Como si ella, Dee Vorhees (esposa y madre; hija de Sis y Jedediah Crukshank, reclamados por Dios; ciudadana de Kerrville, Texas, último oasis de luz y seguridad en un mundo que no conocía nada de eso), existiera de verdad.

Entonces, ¿por qué había vuelto a pensar, una vez más, en Tifty Lamont?

Excepto las cartas, y esa tarde ardiente de julio, cuando habían llevado los niños al campo. La mente de Dee daba tantas vueltas que no se había fijado en lo que Cece estaba haciendo. Antes de darse cuenta, la mujer, con una sonrisa de victoria, le había comido la reina. Dos bazas, tres, y todo terminó. Cece apuntó la puntuación en una libreta muy satisfecha.

—¿Otra?

En circunstancias normales, Dee habría accedido, aunque sólo fuera para matar el tiempo, pero con el calor la partida había empezado a pesarle.

—Tal vez Ali quiera jugar.

La mujer, que había entrado en la tienda a buscar agua, desechó la invitación con un ademán, al tiempo que se llevaba el cucharón a los labios.

—Ni hablar.

—Vamos, sólo un par de manos —dijo Cece—. Estoy en racha.

Dee se levantó de la mesa.

—Será mejor que vaya a ver qué están haciendo las niñas.

Se alejó del refugio. A lo lejos vio las copas de los tallos del maíz que se agitaban donde los hombres estaban trabajando. Volvió la cara hacia lo alto de la torre y se tapó los ojos para protegerse del brillo. Una luna espectral, de un blanco diurno, colgaba cerca del sol. Tanto Cruk como Tifty estaban en el puesto. Cruk con sus prismáticos, Tifty barriendo el campo con su rifle. La vio y saludó con la mano, cosa que la puso nerviosa. Era casi como si supiera que había estado pensando en él. Saludó a su vez sintiéndose culpable.

Un grupo de una docena de niños estaba jugando a *kickball*, y
Dash Martinez esperaba junto al *home*. Como lanzador jugaba
Gunnar, quien se había convertido en canguro extraoficial a lo lar-
go de la tarde.

—Eh, Gunnar.

El muchacho (un hombre, en realidad, con dieciséis años) la
miró.

—Hola, Dee. ¿Quieres jugar?

—Demasiado calor para mí, gracias. ¿Has visto a las chicas?

Gunnar paseó la mirada a su alrededor.

—Estaban aquí hace un momento. ¿Quieres que las busque?

La preocupación de Dee aumentó. ¿Adónde habrían podido
ir? Supuso que podría subir a la torre y pedir a Cruk que las bus-
cara con los prismáticos. Pero subir la escalera, una vez la imaginó,
se le antojó un esfuerzo excesivo. Lo más fácil, en suma, sería ir a
buscar a las chicas ella misma.

—No, gracias. Si vuelven, diles que las quiero un rato fuera
del sol.

—¡Gunnar, lanza la pelota!

—Espera un momento. —Gunnar miró a Dee a los ojos—. Estoy seguro de que no andan lejos. Estaban aquí hace un par de segundos.

—Estupendo. Yo misma las iré a buscar.

El campo de flores silvestres, pensó. Es probable que hayan
ido allí. Se sentía más irritada que preocupada. No debían alejarse
sin avisar a alguien. Habría sido idea de Nit, probablemente. Esa
chica siempre estaba tramando algo.

Les quedaban cinco minutos.

Desde la plataforma de observación, Tifty vio que Dee se alejaba.

—Cruk, pásame los prismáticos.

Cruk se los dio. El campo de flores silvestres se hallaba en el
lado norte de la torre, contiguo al maíz. Daba la impresión de que

iba en esa dirección. Debía de querer aislarse unos minutos, pensó Tifty, lejos de los niños y las demás esposas.

Devolvió los prismáticos a Cruk. Inspeccionó el campo con su rifle, y después alzó la mira telescópica hacia la línea de árboles.

—La cosa brillante ha vuelto.

—¿Dónde?

—Justo enfrente, diez grados a la derecha.

Tifty miró de nuevo por la mira telescópica: una lejana forma rectangular, que reflejaba la luz, a través de los árboles.

—¿Qué demonios es eso? —preguntó Cruk—. ¿Es un vehículo?

—Podría ser. Hay una carretera de servicio al otro lado.

—Ahí no debería haber nada ahora. —Cruk bajó los prismáticos. Hizo una pausa—. Escucha.

Tifty obligó a su mente a seleccionar. El chirrido de los grillos, la brisa que se movía a través de sus oídos, el goteo del agua en el sistema de irrigación. Entonces, lo oyó.

—¿Un motor?

—Eso he oído yo también —contestó Cruk—. Quédate aquí.

Bajó la escalera. Tifty aplicó el ojo a la mira telescópica del rifle. Ahora tenía una imagen clara: un tráiler grande, el compartimento de carga cubierto con una especie de metal galvanizado.

Sacó el *walkie-talkie*.

—Es un camión, Cruk. En la parte más alejada de los árboles. No parece de SN.

La línea crepitó.

—Lo sé.

Vio que Cruk salía de la base de la torre y corría hacia el refugio, mientras hacía señas a Gunnar de que acercara a los niños. Tifty barrió el campo con la mira telescópica: los hombres trabajaban, las hileras de maíz, las banderas de los habitáculos caídas por falta de aire. Todo en su sitio.

Pero no era así. Algo estaba fuera de lugar. ¿Era su visión? Alzó el rostro. Una hoja de sombra estaba avanzando sobre el campo.

Entonces oyó la sirena.

Se volvió hacia el sol. Al instante lo supo. Habían pasado muchos años desde la última vez que tuvo miedo, desde aquella noche en el dique. Pero Tifty sentía miedo ahora.

Un minuto.

Al principio, Vorhees experimentó la alteración de la iluminación como una disminución del detalle visual, un repentino oscurecimiento, como un crepúsculo prematuro. Pero como llevaba gafas de sol, a modo de defensa contra la lluvia de polen y el brillo de la tarde, su mente no computó este cambio como algo digno de mención. Fue sólo al oír los gritos cuando se quitó las gafas.

Una gran forma redonda, envuelta en una penumbra reluciente, estaba deslizándose sobre el sol.

Un eclipse.

Cuando las sirenas se dispararon, se puso a correr. Todo el mundo corría también, mientras chillaba. *¡Eclipse! ¡Eclipse! ¡Los habitáculos, id a los habitáculos!* Salió como una exhalación del maíz, y casi se topó de bruces con Cruk y Dee.

—¿Dónde están las niñas?

Dee estaba frenética.

—¡No las encuentro!

La oscuridad se estaba esparciendo como tinta. Pronto invadiría todo el campo.

—Cruk, lleva a esa gente a los habitáculos. Dee, acompáñale.

—¡No puedo! ¿Dónde estarán?

—Yo las encontraré. —Sacó la pistola del cinto—. ¡Cruk, sácala de aquí!

Vorhees volvió corriendo al campo.

Tifty, con el corazón acelerado a causa de la adrenalina, estaba barriendo el campo desde la torre. Ninguna señal todavía, pero sólo era cuestión de tiempo. Y el camión: ¿qué era? Continuaba parado en el extremo del cortavientos. Intentó hablar con Cruk mediante el *walkie*, pero no pudo. Con todo aquel caos, era probable que el hombre no pudiera oírle.

Apretó la culata contra el hombro. ¿De dónde saldrían? ¿De los árboles? ¿De un campo contiguo? El equipo de Dillon lo había barrido todo. Lo cual no significaba que no hubiera virales, sólo que no podía verlos.

Entonces: en la periferia de su visión, un tenue movimiento de los tallos de maíz, apenas un susurro, cerca de una de las banderas situadas en el borde del campo. Acercó la mira telescópica y aplicó el ojo a la lente. La puerta del habitáculo estaba abierta.

Era el único lugar en el que no habían mirado. Nunca inspeccionaban los habitáculos.

Todo el mundo corría, agarraba a sus hijos, atravesaba el campo en dirección a las banderas. Tifty descendió de la torre y se puso a correr.

—¡No!

Cruk cargaba con dos niños, Presh Martinez y Reese Cuomo, bajo los brazos. Dee corría a su lado, con Cece y Ali a tan sólo unos pasos detrás. Cece apretaba al pequeño Louis contra su pecho, Ali con Merry y Satch.

—¡Los habitáculos! —estaba gritando Cruk—. ¡Id a los habitáculos!

—¡Están *en* los habitáculos!

Un tiroteo estalló en el campo. Dee vio que Tifty hincaba una rodilla en el suelo y disparaba tres veces seguidas. Se volvió cuando el primer viral salió del maíz.

Aterrizó justo encima de Ali Dodd.

Dee experimentó unas ansias urgentes de vomitar. De repente, no logró convencer a sus pies de que se movieran. El viral, que había terminado con Ali, estaba hundiendo ahora sus fauces en el cuello de Cece. La mujer estaba dando sacudidas, chillando, y sus brazos y piernas se agitaban como las patas de un insecto panza arriba. La imagen abrasó la visión de Dee como un estallido de luz. Lo único que pudo hacer fue contemplar la escena con horror impotente.

Cruk avanzó, apoyó el cañón del rifle en el lado de la cabeza del ser y disparó.

¿Dónde estaba Satch? El chico se había esfumado de repente. Merry estaba parada en el polvo, chillando. Dee levantó a la niña por la cintura y empezó a correr.

Los virales estaban por todas partes. Ciega de pánico, la gente corría hacia la tienda, un gesto inútil: no podía ofrecer la menor protección. Los virales se abalanzaron sobre ella, la hicieron trizas, y el aire se llenó de chillidos. «¡La torre! —estaba gritando Tifty—. ¡Id a la torre!» Pero era demasiado tarde; nadie le hacía caso. Dee pensó en sus hijas y se despidió. Al final, todo resultaba tan horrible..., todo cuanto alguien deseaba para sus hijos destilado por la veloz crueldad del mundo en la esperanza desesperada de que la muerte se los llevara lo antes posible. Rezó para que no sufrieran. O, todavía peor, los secuestraran. Eso era lo peor: que te secuestraran.

Una inmensa fuerza se estrelló contra su espalda. Dee cayó al suelo, y la pequeña Merry se balanceó en sus brazos. Tumbada boca abajo, levantó los ojos y vio a su hermano, a seis metros de distancia, que apuntaba su rifle contra ella. Dispárame, pensó Dee. Con independencia de lo que vaya a suceder, no lo deseo. Una oración de la infancia encontró el camino hasta sus labios, cerró los ojos y la masculló a toda prisa contra el polvo.

Un disparo. Detrás de ella, algo se desplomó con un gruñido animal. Antes de que su mente pudiera procesarlo, Cruk la puso en pie, mientras su boca se movía de una forma incomprensible, palabras que ella era incapaz de distinguir. Ya no tenía el rifle. Sólo blandía la pistola, *Abigail*. ¿Por qué bautizar *Abigail* a un arma? ¿Por qué bautizarla, para empezar? Algo le debía de haber pasado a su cabeza, comprendió, porque estaba preocupándose por la pistola de Cruk, cuando todo el mundo estaba muriendo. Otros pensamientos acudieron a su mente, cosas extrañas, cosas espantosas. Qué se sentiría cuando te partían en dos, como a Ali Dodd. Sus hijas, en el campo, y lo que les estaba pasando en ese momento. Qué terrible, pensó Dee, vivir un segundo más que tus hijos. En un mundo de cosas terribles, ésa debía de ser la más espantosa de todas. Cruk la estaba arrastrando hacia la puerta. Estaba haciendo lo que creía que ella deseaba, pero no lo era, en absoluto (de hecho, no podía morir lo bastante deprisa), y con un estallido de energía Dee se soltó de él y corrió al campo, mientras llamaba a sus hijas.

Vorhees oía a sus hijas riendo en el maíz. Sabía que eran demasiado pequeñas para estar asustadas. Se habían escapado para hacer exactamente lo que les habían prohibido, y todo era una especie de juego para ellas, esa cosa rara de la luz. Vorhees corrió entre las filas, gritando sus nombres, el aliento tembloroso de pánico, mientras intentaba localizar sus voces. El sonido estaba a su espalda, estaba delante, al otro lado. Daba la impresión de llegar de todas partes, incluso de dentro de su cabeza.

—¡Nit! ¡Siri! ¿Dónde estáis?

Entonces vio a una mujer. Estaba parada en medio de la hilera. Llevaba una capa oscura, como una mujer de un cuento de hadas, una habitante del bosque. Una capucha cubría su cabeza, y unas gafas de sol sus ojos, que además ocultaban la mitad superior de su cara. Tan enorme fue la sorpresa de Vorhees que, por un momento, pensó que eran imaginaciones suyas.

—¿Son tus hijas?

¿Quién era aquella mujer del maíz?

—¿Dónde están? —preguntó con voz ahogada—. ¿Sabes dónde están?

La mujer se quitó las gafas con un gesto lánguido y reveló un rostro de tersura sensual y belleza juvenil, con ojos que brillaban como diamantes en sus cuencas. Vorhees experimentó una oleada de náuseas.

—Estás cansado —dijo ella.

De repente, así se sintió. Vorhees nunca se había sentido tan cansado en su vida. Se sentía como un yunque: pesaba quinientos kilos. Le costó un supremo esfuerzo de voluntad continuar de pie.

—Tengo una hija. Una hija guapísima.

Detrás de él oyó los últimos estampidos aleatorios de disparos espoleados por el pánico. El campo y el cielo se habían hundido en una oscuridad sobrenatural. Experimentó la necesidad de llorar, pero incluso aquello parecía fuera de su control. Había caído de rodillas; no tardaría en desplomarse.

—Por favor —suplicó con voz estrangulada.

—Venid a mí, hermosos niños. Venid a mí en la oscuridad

Alguien le puso en pie por la fuerza. Tifty. Vio su cara muy cercana. Vorhees apenas podía concentrarse en ella. El hombre le estaba tirando del brazo.

—¡Vamos, Vor!

Sintió la lengua enorme en su boca.

—La mujer... —Pero no había ninguna mujer. El lugar donde se hallaba antes estaba vacío—. ¿La has visto?

—¡No hay tiempo! ¡Hemos de llegar a la torre!

No era ése el deseo de Vorhees. Con sus últimas fuerzas, se soltó.

—¡He de encontrarlas!

Fue la culata del rifle de Tifty lo que puso punto final a todo. Un solo golpe en la cabeza, ejecutado con pericia. Vorhees vio las estrellas. Después, el mundo quedó al revés cuando Tifty le agarró por la cintura, se lo cargó al hombro y empezó a correr. Hojas enormes desfilaron ante su vista y abofetearon su rostro. «¡Nit! ¡Siri! ¡Volved!», iba gritando Vorhees, pero no tenía fuerzas para resistirse. Sabía que su familia había muerto. Tifty no habría ido a buscarle si hubieran continuado con vida. Más disparos, los gritos de los agonizantes. Los habitáculos, decía una voz. Salían de los habitáculos. ¿Quién sobreviviría a aquel día? Y Vorhees supo, con infinito dolor, que una vez más sería uno de los afortunados.

Salieron del maíz a terreno despejado. El refugio estaba destrozado, el toldo arrancado, todo disperso. Cadáveres esparcidos por todas partes, pero no vio niños: los pequeños habían desaparecido. *Venid a mí, hermosos niños. Venid a mí en la oscuridad.* Y cuando la puerta de la torre se cerró con estrépito a su espalda y cayó al suelo, sumiéndose por fin en una misericordiosa inconsciencia, su pensamiento final fue éste:

¿Por qué ha tenido que ser Tifty?

IV

La cueva

OTOÑO, 97 d.V.

Mas esas llamas lanzan, no luz, sino tiniebla visible,
que sólo sirve para descubrir señales de congoja.

MILTON,
El paraíso perdido

24

Wolgast había acudido a Amy por fin. Había acudido a ella en sus sueños.

A veces estaban en un sitio, y a veces, en otro. Eran historias de cosas que habían sucedido, acontecimientos y sentimientos del pasado que volvían a reproducirse; eran una mescolanza, un pastiche, una superposición de imágenes que, al reconfigurarse, parecían nuevas. Eran su vida, su pasado y su presente mezclados, y ocupaban su conciencia hasta tal punto que, después de despertarse, ella se sobresaltaba al descubrir que existía en una realidad sencilla de objetos firmes y tiempo ordenado. Era como si el mundo de la vigilia y el mundo del sueño hubieran intercambiado posiciones, y el segundo poseyera una capacidad de suplantación que no remitía cuando ella llevaba a cabo sus tareas cotidianas. Estaba llenando una olla con agua, o leía a los niños sentados en círculo, o barría hojas en el patio y, sin previo aviso, su mente se inundaba de sensaciones, como si se hubiera deslizado bajo la superficie del mundo visible en las corrientes de un río subterráneo.

Un tiovivo, sus luces giratorias y música de campanillas desvaneciéndose. Un sabor a leche fría y el polvo del azúcar glasé en sus labios. Una habitación de luz azul, su mente flotando a causa de la fiebre, y el sonido de una voz, la voz de Wolgast, que la liberaba con delicadeza de la oscuridad.

Vuelve a mí, Amy, vuelve.

El más potente de todos era el sueño de la habitación: ropa sucia y maloliente diseminada en pilas, contenedores de comida rancia sobre todas las superficies, una televisión que pregonaba a todo volumen crueldades sin sentido en un rincón, y la mujer que Amy pensaba que era su madre (experimentaba esta sensación con un

torrente de anhelo desesperanzado) moviéndose en el espacio abarrotado con energía alimentada por el pánico, recogiendo cosas del
suelo, metiéndolas en sacos. *Vamos, cariño, despierta de una vez.
Amy, hemos de irnos.* Se marchaban, su madre se marchaba, el
mundo se había dividido en dos, con Amy en un lado del abismo y
su madre en el opuesto, el momento y los sentimientos que despertaba en ella la separación prolongados de una manera anormal,
como si estuviera mirando a su madre desde la popa de un barco
cuando zarpaba del muelle. Comprendía que era allí, en aquella
habitación, donde su vida había empezado. Que estaba siendo testigo de una especie de nacimiento.

Pero no estaban sólo las dos. Wolgast también se hallaba presente. Lo cual era absurdo: Wolgast había entrado en su vida más
adelante. Sin embargo, la lógica del sueño era tal que su presencia
no tenía nada de raro: Wolgast estaba allí porque sí. Al principio,
Amy experimentó su presencia no como una realidad corporal,
sino como un resplandor emocional vaporoso que flotaba sobre la
escena. Cuanto más sentía a su madre alejándose de ella, debido a
una urgencia privada que Amy ni comprendía ni compartía (algo
terrible había sucedido), más vívida era su sensación de él. Una
profunda calma se apoderó de Amy. Contemplaba lo que ocurría
con una sensación de distanciamiento, a sabiendas de que aquellos acontecimientos, que daban la impresión de suceder en un
vívido presente, habían ocurrido hacía muchísimo. Los experimentaba por primera vez, al mismo tiempo que también los recordaba (era participante y también observadora), con la anomalía
de Wolgast, a quien descubría ahora sentado en el borde de la
cama, con su madre ausente de la escena. Vestía traje oscuro y
corbata. Iba descalzo. Estaba contemplando con embeleso sus
manos, extendidas ante él con las yemas de los dedos en contacto.
Aquí está la iglesia, entonó, juntando todos los dedos salvo los
índices, *y aquí está la aguja. Abres la puerta* (los pulgares se separaron para revelar los dedos que se movían), *y ves a la gente. Hola,
Amy.*

—Hola —dijo ella.

Siento haberme ausentado. Te he echado de menos.

—Yo también te he echado de menos.

El espacio circundante se había alterado. La habitación se había descompuesto en una oscuridad en la que sólo existían los dos, como un par de actores en un escenario iluminado por focos.

Algo está cambiando.

—Sí, creo que sí.

Tendrás que ir a verle, Amy.

—¿A quién? ¿A quién debo ir a ver?

Es diferente de los demás. Me di cuenta la primera vez que le vi. Un vaso de té helado. Sólo quería eso, para refrescarse y aliviar un poco el calor. Amaba a aquella mujer con todo su corazón. Pero tú también lo sabes, ¿verdad, Amy?

—Sí.

Un océano de tiempo, eso le dije. Eso es lo que puedo darte, Anthony, un océano de tiempo. Su cara reflejó una repentina amargura. *Siempre odié Texas, ya lo sabes.*

Aún no la había mirado. Amy intuyó que la conversación no lo exigía, ni siquiera lo permitía. Después:

Ahora estaba pensando en el campamento. Los dos, leyendo juntos, jugando al Monopoly. Park Place, Boardwalk, Marvin Gardens. Siempre me ganabas.

—Creo que tú me dejabas.

Wolgast rió para sí. *No, eras siempre tú, con todas las de la ley. Y Jacob Marley.* Cuento de Navidad, *que era tu favorito. Creo que te sabías de memoria todo el libro. ¿Te acuerdas?*

—Me acuerdo de todo. El día que nevó. Hicimos ángeles de nieve.

Él llevaba las cadenas que había forjado en vida. Wolgast frunció el ceño, estupefacto de repente. *Qué historia tan triste.*

Allí estaba el río, pensó Amy. El gran río sinuoso del pasado.

Podría haber continuado así eternamente. Wolgast alzó los ojos y habló a la oscuridad. *¿No lo ves, Lila? Eso era lo que yo quería. Lo que siempre quise.* Después: *¿Conoces... este lugar, Amy?*

—Creo que no existe. Creo que estoy dormida.

Él consideró estas palabras con un leve asentimiento. *Bien. Eso me parece bien. Ahora que lo has dicho, es muy lógico.* Respiró hondo y expulsó el aire poco a poco. *Es curioso. Hay muchas cosas que no consigo recordar. La vida es así. Sólo llegas a conocer una pequeña parte de tu ser. Pero las cosas se están aclarando más ahora.*

—Te echo de menos, papá.

Lo sé. Yo también te echo de menos, corazón, más de lo que imaginas. Creo que nunca fui más feliz que cuando estaba contigo. Ojalá hubiera podido salvarte, Amy.

—Pero lo hiciste. Me salvaste.

Sólo eras una niña, sola en el mundo. Nunca habría debido permitir que te secuestraran. Lo intenté, pero no me esforcé lo suficiente. Ésa es la auténtica prueba. La verdadera medida de la vida de un hombre. Siempre tuve demasiado miedo. Espero que puedas perdonarme.

Una oleada de dolor rompió en su interior. Cuánto anhelaba consolarle, tomarle en sus brazos. Pero sabía que si lo intentaba, si se acercaba un paso más, el sueño se disolvería, y volvería a estar sola.

—Pues claro que sí. No hay nada que perdonar.

Hay muchas cosas que no te dije. Estaba contemplando ensimismado sus manos. *Sobre Lila, sobre Eva. Nuestra pequeña. Te parecías mucho a ella.*

—No era necesario, papá. Yo lo sabía, siempre lo supe.

Tú llenaste mi corazón, Amy. Eso fue lo que hiciste por mí. Llenaste el lugar que había ocupado Eva. Pero no pude salvarte, como no pude salvarla a ella.

Como si esas palabras lo hubieran logrado a fuerza de voluntad, la imagen de la habitación había empezado a disminuir de tamaño, y el espacio que los separaba se estaba alargando como un pasillo. Una repentina desesperación se apoderó de ella.

Me alegro de recordar estas cosas contigo, Amy. Si te parece bien, creo que me quedaré un rato aquí.

La estaba abandonando, se estaba alejando a la velocidad de la luz

—Papá, por favor, no te vayas.

Mi valiente chica. Mi valiente Amy. Él te está esperando. Te ha estado esperando todo este tiempo, en el barco. Las respuestas están allí. Has de ir a él cuando llegue el momento.

—¿Qué barco? No sé nada de un barco.

Pero su súplica fue inútil: el sueño se estaba evaporando. Wolgast casi se había ido. Se encontraba al borde de la oscuridad envolvente.

—Por favor, papá —gritó ella—. No me abandones. No sé qué hacer.

Por fin, Wolgast volvió la cara hacia ella y la miró a los ojos. Brillantes, destellantes, atravesaron su corazón.

Oh, creo que nunca te abandonaré, Amy.

25

CAMPAMENTO VORHEES, OESTE DE TEXAS
Cuartel general occidental de los Expedicionarios

Aunque el teniente Peter Jaxon era un oficial militar condecorado, veterano de tres campañas diferentes y un hombre del que se contaban historias, a veces experimentaba la sensación de que su vida se había detenido.

Esperaba órdenes; esperaba para comer; esperaba para utilizar la letrina. Esperaba a que cambiara el tiempo, y cuando no lo hacía, esperaba un poco más. Órdenes, armas, suministros, noticias... Esperaba todo eso. Durante días y semanas, incluso meses, esperaba, como si su tiempo en la Tierra hubiera sido consagrado al acto de esperar, como si fuera una máquina de esperar de tamaño natural.

Ahora, estaba esperando.

Algo importante estaba sucediendo en la tienda de mando. No le cabía la menor duda. Apgar y los demás llevaban toda la mañana encerrados. Peter había empezado a temer lo peor. Durante meses, todos habían oído los rumores: si el destacamento especial no mataba a uno pronto, abandonarían la cacería.

Cinco años desde que había subido a la montaña con Amy. Cinco años cazando a los Doce. Cinco años sin ningún resultado.

Houston, hogar de Anthony Carter, sujeto Número Doce, habría sido el lugar lógico por donde empezar, si el lugar no hubiera sido un pantano impenetrable. Y también Nueva Orleans, hogar de Número Cinco, Thaddeus Turrell. Tulsa, Oklahoma, hogar de Rupert Sosa, no había aportado nada salvo el desastre. La ciudad era una inmensa ruina, dragones por todas partes, y habían perdido a dieciséis hombres antes de lograr escapar.

Había más. Jefferson City, Misuri. Oglala, Dakota del Sur. Everett, Washington. Bloomington, Minnesota. Orlando, Florida. Black Creek, Kentucky. Niagara Falls, Nueva York. Todas lejanas e inalcanzables, a muchos kilómetros y años de distancia. Peter conservaba un plano, clavado con tachuelas en la parte interior de la puerta de su taquilla, con cada una de estas ciudades rodeada de un círculo de tinta. Las sedes de los Doce. Matar a uno de los Doce equivalía a matar a sus descendientes, liberar su mente para el viaje hacia la muerte. Al menos, eso creía Peter. Eso le había enseñado Lacey cuando había detonado la bomba que mató a Babcock, sujeto Número Uno. Lo que Amy le había enseñado, cuando salió de la cabaña de Lacey al campo nevado, donde los Muchos se habían tendido al sol para morir.

Tú eres Smith, tú eres Tate, tú eres Dupree, tú eres Erie Ramos Ward Cho Singh Atkinson Johnson Montefusco Cohen Murrey Nguyen Elberson Lazaro Torres...

Entonces formaban un grupo de diez. Ahora eran seis. El hermano de Peter había muerto, y Maus y Sara también. De los cinco que habían efectuado el viaje a la guarnición de Roswell, sólo Hollis y Caleb habían escapado, «Baby Caleb», aunque ya no era un bebé, ahora en el orfanato de Kerrville, educado por las hermanas. Cuando los virales habían roto el perímetro de la guarnición de Roswell, Hollis había huido con Caleb a uno de los habitáculos. Theo y Maus ya habían muerto. Nadie sabía qué había sido de Sara. Se había evaporado en la confusión. Hollis había buscado su cadáver después, pero no encontró nada. La única explicación era que la habían secuestrado.

Los años habían dispersado a los demás como el viento. Michael estaba en la refinería de Freeport, engrasador de primera clase. Greer, que se había unido a ellos en Colorado, estaba en la cárcel, condenado a seis años por desertar de su mando. Y a saber dónde estaba Hollis. El hombre al que habían conocido y amado como a un hermano se había venido abajo debido al peso de la muerte de Sara, y su dolor le había arrojado al oscuro bajo vientre de la ciudad, el mundo de los traficantes. Peter había oído que había ascendido hasta convertirse en uno de los principales lugartenientes de Tifty. Del grupo original, sólo Peter y Alicia se habían sumado a la cacería.

Y Amy. ¿Qué había sido de Amy?

Peter pensaba en ella a menudo. Conservaba el mismo aspecto de siempre, el de una chica de catorce años, no los ciento tres que tenía en realidad, pero muchas cosas habían cambiado desde su primer encuentro. La Chica de Ninguna Parte, que cuando hablaba sólo lo hacía con acertijos, ya no existía. En su lugar había una persona mucho más presente, más *humana*. Hablaba con frecuencia de su pasado, no sólo de sus años solitarios de vagabundeo, sino de sus primeros recuerdos del Tiempo de Antes: de su madre, y de Lacey, y de un campamento en las montañas y del hombre que la había salvado: Brad Wolgast. No era su verdadero padre, decía Amy, nunca había sabido quién era, pero padre era, no obstante.

Siempre que hablaba de él, el peso del dolor se reflejaba en sus ojos. Peter sabía sin necesidad de preguntarlo que había muerto para protegerla, y que era una deuda que ella nunca podría pagar, aunque intentara dedicar su vida (aquel infinito, inabarcable período de tiempo) justo a eso.

Estaba con Caleb, entre las hermanas, tras haber tomado el hábito negro de la Orden. Peter no creía que Amy compartiera sus creencias (las hermanas eran unas amargadas de mucho cuidado, y profesaban una castidad filosófica y física con el fin de reflejar su convicción de que estaban viviendo los últimos días de la humanidad), pero era un disfraz más que adecuado, del que Amy podía pasar con facilidad. Basándose en lo sucedido en la Colonia, todos estaban de acuerdo en que la verdadera identidad de Amy, así como el poder que poseía, era algo que nadie debería saber, aparte de los líderes.

Peter fue al comedor, donde pasó una hora sin hacer nada. Su pelotón, compuesto de veinticuatro hombres, acababa de regresar de una barrida de reconocimiento en Lubbock en busca de productos útiles. La suerte les había sonreído, y habían concluido la misión sin incidentes. El mayor trofeo había sido un montón de neumáticos viejos. Volverían al cabo de uno o dos días con un camión para recoger tantos como pudieran transportar de vuelta a la planta de reciclaje de Kerrville.

Los oficiales de mayor rango llevaban horas en la tienda. ¿De qué estarían hablando?

Su mente derivó de nuevo hacia la Colonia. Era extraño que, a veces, pasaran semanas o incluso meses sin pensar en ello, y después, de repente, los recuerdos afluían a su mente. Experimentaba la sensación de que los acontecimientos que habían precipitado su partida le hubieran sucedido a otra persona, no al teniente Peter Jaxon de la Fuerza Expedicionaria, o incluso a Peter Jaxon, Vigilancia Completa, sino a una especie de hombreniño, su imaginación circunscrita por el diminuto pedazo de terreno que definía toda su vida. ¿Cuántas energías había empleado en alimentar su sensación de ineficacia, manifestada en su mezquina rivalidad con su hermano Theo? Pensaba con orgullo nostálgico en lo que su padre, el gran Demitrius Jaxon, Jefe del Hogar, Capitán de las Largas Marchas, le habría dicho ahora. *Lo has hecho bien. Has encabezado la lucha contra ellos. Me siento orgulloso de llamarte hijo.* Pero Peter lo habría dado todo a cambio de una hora más con Theo.

Y siempre que miraba a Caleb, veía a su hermano.

Satch Dodd se sentó con él a su mesa. Oficial de rango menor como Peter, Satch todavía no andaba cuando habían matado a su familia en la Masacre del Campo. Por lo que Peter sabía, Satch nunca había contado nada al respecto, aunque se trataba de una historia bien conocida.

—¿Alguna idea de qué está pasando? —preguntó Satch. Tenía una cara redonda y juvenil que le dotaba de una apariencia entusiasta en todo momento.

Peter negó con la cabeza.

—Buen botín en Lubbock.

—Sólo neumáticos.

Ambos tenían la cabeza en otra parte. Sólo estaban matando el rato.

—Los neumáticos son neumáticos. No podemos hacer gran cosa sin ellos.

El escuadrón de Satch partiría al amanecer con el fin de efectuar un barrido de ciento cincuenta kilómetros hacia Midland. Era una mala misión: la zona era una balsa de petróleo que burbujeaba en los antiguos pozos que nunca habían sido tapados.

—Te contaré algo que me han dicho —dijo Satch—. La Autoridad Civil está investigando si algunos de esos pozos antiguos pueden funcionar todavía, para cuando los depósitos se queden secos. Es posible que dentro de poco estemos acuartelados allí.

Peter se quedó sorprendido. Nunca había considerado esa posibilidad.

—Pensaba que había suficiente petróleo en Freeport para durar siempre.

—Siempre no es siempre. En teoría sí, hay mucho petróleo allí, pero tarde o temprano todo se acaba. —Satch le miró con los ojos entornados—. ¿No tienes un amigo engrasador? ¿No era de tu cuadrilla de California?

—Michael.

Satch movió la cabeza.

—Venir andando desde California —dijo Satch—. Es la historia más demencial que he escuchado en mi vida. —Apoyó las palmas sobre la mesa y se levantó—. Si sabes algo de las alturas, avísame. Si tuviera que apostar, nos van a enviar a todos a Midland para chapotear en el petróleo dentro de nada.

Dejó solo a Peter. Las palabras de Satch no habían conseguido animarle; ni mucho menos. Media docena de reclutas irrumpieron en la cantina, hablando entre ellos con la familiaridad bronca y trufada de tacos de hombres en busca de comida. A Peter no le habría importado un poco de compañía para alejar las preocupaciones de su mente, pero cuando se apartaron de la cola en busca de una mesa, ninguno miró en su dirección. El galón plateado deslustrado del cuello de la camisa y el mal rollo que proyectaba eran suficientes para desalentarlos.

¿De qué podrían estar hablando los oficiales de mayor graduación?

Abandonar la cacería: Peter no lo podía ni imaginar. Durante cinco años apenas había pensado en otra cosa. Se había alistado en los Expedicionarios justo después de Roswell, como tantos y tantos hombres. Por cada persona que había perecido aquella noche, había un amigo, hermano o hijo que había ocupado su lugar. Los que sólo se sentían motivados por la necesidad de venganza eran propensos a tirar la toalla al principio o a hacerse matar (era preciso contar con un motivo mejor), y Peter no se hacía ilusiones consigo mismo. El desquite era un factor, pero las raíces de su deseo eran más profundas. Durante toda su vida, desde los días de las Largas Marchas, había anhelado integrarse en algo, luchar por una causa más grande que él. Lo había sentido en el momento en que tomó el juramento que le vinculaba con sus compañeros. Su propósito, su destino, su persona, estaban unidos ahora a los de ellos. Se preguntó si su personalidad se encogería cuando su identidad se diluyera en la colectiva, pero lo contrario demostró ser cierto. Era algo de lo que no se podía hablar, ya que Theo y los demás habían perecido, pero unirse a los Expedicionarios le había hecho sentir más vivo que nunca. Ver comer a los soldados (reír y bromear y meterse judías en la boca como si fuera la última comida de su vida) le recordó aquellos primeros tiempos con envidia.

Porque en algún momento del trayecto aquel sentimiento le había abandonado. A medida que se lanzaban campañas morían hombres y se conquistaban y perdían territorios, sin que nada de ello pareciera tener el menor significado, se había disgregado poco a poco. Su vínculo con los hombres perduraba, una fuerza tan permanente como la gravedad, y se habría sacrificado por cualquiera de ellos sin un momento de vacilación porque, creía, ellos lo habrían hecho por él. Pero faltaba algo, y no sabía qué era. Sabía lo que Alicia le habría dicho: *Sólo estás cansado. Es una tarea muy larga. Le pasa a todo el mundo, ten paciencia.* No iba errada, pero tampoco había dado en el clavo del todo.

Por fin, Peter ya no pudo aguantar más. Salió de la tienda y atravesó el recinto. Sólo necesitaba un pretexto para llamar. Con suerte, le dejarían entrar, y tal vez se haría una idea de lo que estaban tramando.

No tendría que haberse preocupado. Cuando se acercó, la puerta se abrió: el comandante Henneman, ayudante del coronel. Delgado, el pelo rubio muy corto, dientes algo torcidos que sólo exhibía cuando sonreía, lo cual no sucedía nunca.

—Jaxon. Iba a buscarle. Entre.

Peter entró en la sombra de la tienda y se detuvo en la puerta para dejar que sus ojos se adaptaran. Sentados alrededor de la ancha mesa estaban todos los oficiales de mayor graduación: los comandantes Lewis y Hooper, los capitanes Rich, Pérez y Childs, y el coronel Apgar, el oficial al mando del destacamento especial..., y uno más.

—Hola, Peter.

Alicia.

—Pude localizar dos entradas, aquí y aquí.

Alicia estaba dirigiendo la atención de todo el mundo hacia un plano extendido sobre la mesa: ESTUDIO GEOLÓGICO DE ESTADOS UNIDOS, SUR DE NUEVO MÉXICO. Al lado había desplegado un segundo plano, más pequeño y descolorido debido a la edad: SERVICIO DE PARQUES NACIONALES, CAVERNAS DE CARLSBAD.

—La principal entrada de la cueva tiene unos trescientos metros de anchura. No podríamos cerrarla ni con nuestro mayor ED, y el terreno es demasiado abrupto para que un comando suba.

—¿Qué está proponiendo? —preguntó Apgar.

—Que le acorralemos. —Alicia volvió a señalar el plano—. Localicé otra entrada, a medio kilómetro de distancia. Es el pozo de un viejo ascensor. Martínez tiene que estar en algún punto entre esas dos entradas. Detonamos un paquete de H2 en la base de la entrada principal, dentro del túnel que conduce al pozo. Eso debería expulsarle hacia el pie del ascensor, donde apostamos a un solo hombre para cortarle el paso cuando huya.

—Un solo hombre —repitió Apgar—. Se refiere a usted.

Alicia asintió.

El coronel se arrellanó en la silla. Todo el mundo esperaba.

—No me malinterprete, teniente. Sé de lo que es usted capaz. Todos lo sabemos. Pero si esa cosa se parece en algo a lo que usted vio en Nevada, a mí me parece un viaje sólo de ida.

—Alguien más sólo conseguiría retrasarme.

El hombre frunció el ceño con escepticismo.

—Y usted está segura de que Martínez se encuentra allí.

—Todo encaja, señor. Babcock también utilizó una cueva. Y El Paso está a sólo ciento cincuenta kilómetros de Carlsbad. Es el jardín de su casa.

Apgar reflexionó un momento.

—Estoy de acuerdo, la pauta encaja, pero ¿cómo puede estar tan segura?

Alicia titubeó.

—No se lo puedo explicar, coronel. Lo sé, así de sencillo.

Peter estaba sentado al final de la mesa.

—Permiso para hablar, señor.

Apgar puso los ojos en blanco.

—De acuerdo, Jaxon, diga lo que todos sabemos que va a decir.

—Soy la única persona presente que ha visto a uno de los Doce. Confío en la teniente Donadio. Si dice que Martínez está allí, es que está allí.

—Todos conocemos su historial, teniente. Eso no altera el hecho de que estemos hablando de una corazonada. No pienso poner en peligro a nadie a menos que nuestra certeza sea absoluta.

—Puede que exista otra forma. Todos los sujetos de prueba originales llevaban un chip, como Amy. Podemos utilizar la señal para localizarlo.

—Ya he pensado en eso. Pero existe un problema. Las ondas de radio no atraviesan la roca. ¿Cómo cree que se puede recibir una señal desde trescientos metros bajo tierra?

—No la obtendremos desde la superficie. La obtendremos desde la cueva.

Peter desvió su atención de nuevo hacia el diagrama.

—Haremos lo que dice Alicia, colocar un paquete de explosivo dentro del túnel que conduce desde la base de la entrada principal hasta las demás cámaras. Los Doce son grandes, pero en un espacio reducido debería ser suficiente para llamar la atención de Martínez. El paquete estará conectado mediante cables a la base de la entrada principal, donde a su vez estará conectado a la superficie mediante un detonador de radio, para que podamos detonarlo desde una distancia prudencial. Llamémoslo Escuadrón Azul.

Apgar asintió.

—Hasta aquí le sigo.

—De acuerdo, pero no enviamos a un solo hombre por el pozo del ascensor para cortar la retirada a Martínez. Enviamos dos, con un buscador radiodireccional. Llamémoslo Escuadrón Rojo. Lo primero que hace Escuadrón Rojo es colocar un segundo paquete de explosivo cerca de la base del pozo. Le damos menos tiempo, pongamos quince segundos. Hombre uno entra en la cueva, utiliza el RDF para localizar a Martínez, pero hombre dos no varía su posición en el ascensor. El truco consistirá en mantener líneas de visión con el fin de no perder contacto por radio con la superficie, y ése será el trabajo de hombre dos. Es el intermediario. Básicamente, utilizamos un sistema en serie. Hombre uno está conectado por radio con hombre dos, quien está conectado con quien esté situado en lo alto del pozo, llamémoslo hombre tres, quien está conectado con Escuadrón Azul. De esa manera podemos coordinar todos los elementos de la operación. Nada de conjeturas.

Apgar asintió.

—No está mal, pero ya veo los problemas, teniente. Aquello es un laberinto. ¿Y si hombre uno y hombre dos pierden el contacto? Todo se viene abajo.

—Es un peligro, pero no deberían perderlo, mientras el primer hombre no vaya más allá de estos tres puntos. —Peter se los enseñó en el plano—. No nos proporcionará una visión general de la cueva, pero deberíamos explorarla casi toda.

—Adelante.

—Bien. Colocamos dos paquetes, hombre uno va en busca de Martínez, hombre dos espera a oír la explosión. Después de eso, es una cuestión de sincronización. Una vez hombre uno localiza a Martínez, avisa por radio a hombre dos, quien se pone en contacto con la superficie. Escuadrón Azul vuela el pozo. Martínez se cabrea. Hombre uno lo rechaza de vuelta al pozo, le atrae hacia el ascensor. Hombre dos ajusta el temporizador. Ambos suben, el segundo paquete estalla, Martínez es historia. —Dio una palmada con las manos—. Sencillo.

Apgar meditó.

—No existe mucho margen de error. Sé que Donadio es veloz, pero quince segundos no serán suficientes para alejarse de la explosión. No sé si podremos izar a alguien con tanta celeridad.

—No será necesario. El pozo en sí ofrecerá protección suficiente. Quince metros deberían bastar.

—Sólo para tenerlo claro, está hablando de utilizar a hombre uno como cebo.

—Correcto, señor.

—Da la impresión de que ya lo ha hecho antes.

—Yo no. La hermana Lacey.

—Su monja mística.

—Lacey era mucho más que eso, coronel.

Apgar juntó las yemas de los dedos, echó un vistazo al plano, y después alzó los ojos hacia la cara de Peter.

—Hombre uno es Donadio, evidentemente. ¿Alguna idea de quién podría ser el otro elemento suicida?

—Sí, señor. Me gustaría presentarme voluntario.

—¿Por qué no me sorprende? —Apgar se volvió hacia los demás—. ¿Alguien más quiere meter baza? ¿Hooper? ¿Lewis?

Ambos hombres fueron aceptados.

—¿Donadio?

Ella miró a Peter (*¿Estás seguro de esto?*), y después asintió con brusquedad.

—Soy una experta, coronel.

Una breve pausa, seguida por un suspiro de rendición.

—De acuerdo, tenientes, el espectáculo es todo suyo. Henneman, ¿cree que dos escuadrones bastarían?

—Creo que sí, coronel.

—Informe al teniente Dodd y reúna un destacamento para organizar los portátiles. Y miremos eso del RDF. Me gustaría poner en marcha esto antes de cuarenta y ocho horas. —Apgar volvió a mirar a Peter—. Última oportunidad de cambiar de opinión, teniente.

—No, señor.

—Ya me lo imaginaba. —Apgar alzó los ojos hacia la habitación—. De acuerdo, todo el mundo. Vamos a demostrar al Mando de qué estamos hechos y a matar a ese hijo de puta.

Dos noches después instalaron el campamento en la base de la montaña. Un par de portátiles, veinticuatro hombres dormían en literas. Despertaron al alba para preparar el ascenso. El terreno circundante a los portátiles estaba sembrado de rastros en el polvo, los visitantes nocturnos, atraídos por el olor de dos docenas de hombres dormidos, un gran festín rechazado por murallas de acero. La montaña era demasiado empinada para los vehículos, y el sendero, sinuoso. Todo cuanto llevaban tendrían que cargarlo en las mochilas. Sin portátiles que los protegieran en la cumbre de la montaña, no habría segunda oportunidad. A la brillante luz de la mañana, los términos de su misión estaban definidos con claridad meridiana: encontrar a Martínez y matarle, o morir en la oscuridad.

Henneman era el oficial de mayor graduación: una anormalidad. Pocas veces se aventuraba más allá de los muros de la guarnición. Pero, con el paso de los años, había ido ascendiendo hasta una posición de relativa seguridad haciendo justo lo contrario. Tulsa, Nueva Orleans, Kearney, Roswell... Henneman había ido ascendiendo por una escalerilla de batalla y sangre. Nadie dudaba de su capacidad, y su presencia significaba algo. Peter iría al frente de un escuadrón; Dodd, del otro. Alicia era Alicia: la tiradora exploradora, la tercera en discordia, la única que no encajaba y daba la impresión, en general, de no responder ante nadie. Todo el mundo sabía de lo que era capaz, pero, no obstante, su situación constituía una fuente de inquietud entre los hombres. Nadie decía nunca nada, que Peter supiera (si hablaban de sus preocupaciones no era a él), pero su desasosiego era evidente en la forma de mantener la distancia, las miradas cautelosas que le dirigían, como si no se atrevieran a sostener su mirada. Era un puente entre los humanos y los virales, situada en un punto intermedio: ¿en cuál caería?

Partieron justo después de amanecer. Era una carrera contrarreloj. Tenían que colocar las cargas y tener a todo el mundo en posición antes del ocaso. La fría noche del desierto había dado paso a un sol abrasador, sus rayos vibrantes se ensañaban con su espalda, después los hombros, y la cabeza por fin. No había tiempo para descansar. Las raciones iban pasando entre las filas mientras ascendían. Alicia iba al frente de la expedición, y de vez en cuando se rezagaba para conferenciar con Henneman. Cuando llegaron a la boca de la cueva, estaba atardeciendo.

—¡Jesús!, no estaba bromeando —comentó Henneman.

Se encontraban parados ante la boca de la cueva. El sol iluminaba el interior desde el oeste, aunque sus rayos no penetraban a mucha profundidad. Al otro lado se veían unas fauces de negrura. El anfiteatro, con sus bancos de piedra curvos, los espacios intermedios sembrados de hojas secas y otros restos, era inexplicable: si un público se sentaba allí, ¿qué veía? Barandillas metálicas enmarcaban un sendero que se perdía zigzagueando en el interior de la cueva. Les quedaban tres horas de luz útiles.

Repasaron el plan por última vez. El escuadrón de Dodd colocaría las cargas en la base de la cueva. Según el plano de Alicia, el sendero terminaba sesenta metros bajo tierra, donde un estrecho túnel descendía otros noventa metros hasta la primera de varias cámaras grandes. Las cargas se colocarían dentro del túnel, conectadas mediante cables a un detonador de radio con una clara línea de visión a la boca del túnel. La explosión produciría una ola de compresión a través del túnel, su fuerza destructora aumentada exponencialmente por su trayectoria a través del angosto espacio, y en teoría enviaría a lo que hubiera allí abajo hacia el pozo del ascensor. Una vez colocadas las cargas en su sitio y los hombres de Donadio hubieran regresado a la superficie, Peter y Alicia iniciarían el descenso. La caja del ascensor descansaba en el fondo, a doscientos diez metros bajo la superficie, sujeta por sus contrapesos, alojados en la parte superior. Un cabrestante bajaría a Peter y a Alicia mediante una cuerda hasta la base del pozo, y los subiría cuando iniciaran su huida.

Dodd y su equipo se pusieron en marcha. Un cuarto de hora después llamaron por radio desde el fondo. Habían llegado a la boca del túnel.

—Esto es espeluznante —dijo Dodd—. Tenéis que verlo con vuestros propios ojos.

Pronto lo harían. El escuadrón de Dodd tenía noventa metros de cable para conectar el detonador con el paquete. Siguió un silencio de cinco minutos. Después se oyó de nuevo la voz de Dodd. La bomba y el cable estaban preparados. Su equipo había iniciado el ascenso. Peter y Alicia estaban esperando en lo alto del pozo del ascensor, que se hallaba situado a medio kilómetro de distancia, en un edificio que antaño había albergado las oficinas del parque. El cabrestante estaba en su sitio. Eran las cinco en punto de la tarde. Les iba a ir por los pelos.

La voz de Dodd en la radio:

—Escuadrón Azul, estamos preparados.

Alicia y Peter se ciñeron su arnés de seguridad. Henneman les deseó buena suerte. Se detuvieron al borde del pozo y saltaron a la negrura como monedas a un pozo. Luces fluorescentes portátiles sujetas a sus chalecos bañaron las paredes de un resplandor amarillento. La mente de Peter estaba despejada; sus sentidos, agudizados. Existía un tipo de miedo que aumentaba la conciencia y concentraba la mente. El suyo era de ese tipo. La temperatura descendió de golpe, y se le puso la piel de gallina. Treinta metros, sesenta metros, noventa metros, el descenso veloz, su peso suspendido por el arnés, como si estuvieran bajando en dos manos ahuecadas. Los cables del ascensor (un grueso tronco de acero entrelazado y dos cables más pequeños envueltos en plástico) desfilaban con celeridad. Una forma oscura emergió abajo: la parte superior del ascensor. Los cables estaban sujetos con pernos a una placa del techo. Aterrizaron con un impacto suave.

—Escuadrón Rojo ha llegado.

Alicia forzó la escotilla y entraron. Las puertas de la caja estaban abiertas. Una sensación de espacio incalculable al otro lado, como si estuvieran parados ante la entrada de una catedral. El aire era húmedo y frío, con un fuerte olor a tierra, impregnado de urea. Examinaron el espacio con las luces de sus rifles, y los haces penetraron en la inmensa negrura. A su alrededor distinguieron extrañas formas de aspecto orgánico, como si las paredes estuvieran hechas de carne arrugada.

—Voladores, fíjate en este lugar —exclamó Alicia.

Se había quitado las gafas. Ahora se encontraba en su elemento, una zona de noche permanente. A la luz de los fluorescentes, se arrodilló y extrajo dos objetos de su mochila. El primero era el paquete de explosivos, ocho cartuchos de HEP conectados a un temporizador mecánico. Lo colocó con cautela sobre el suelo de la cueva. El segundo era el localizador de radio, un pequeño objeto cuadrado con una antena direccional y un contador para registrar la potencia de una señal entrante a 1.432 megahercios. Accionó el interruptor y salió de la caja, sosteniendo el RDF delante de ella para barrer el espacio que tenía ante sí. Empezó a emitir un pitido tenue pero constante. La aguja cobró vida.

—Lo tengo.

Peter llamó por radio a la superficie: el blanco se hallaba presente. Carecía de motivos para refutar la afirmación de Alicia, pero de repente la situación había adquirido una realidad más potente. En algún lugar de esas cavernas, Julio Martínez, Décimo de los Doce, aguardaba.

—Dile a Dodd que esté preparado a la espera de mi señal —dijo Peter a Henneman.

—Recibido. Vayan con mucho cuidado.

El momento había llegado. Alicia y Peter intercambiaron una última mirada, cargada de significado. Ahí estaban de nuevo, los dos parados al borde del precipicio. No era necesario reconocerlo con palabras; todo estaba dicho. Ninguno podía existir sin el otro, pero la distancia entre ambos nunca se salvaría. Eran quienes eran, soldados en guerra. El vínculo trascendía todos los demás salvo uno, el que no podían compartir. Alicia llevaba, como siempre, sus bandoleras distintivas, pero había abandonado la ballesta a cambio de un rifle M4 con el grueso tubo de un lanzagranadas fijado bajo el cañón. Martínez no recibiría piedad de ella, ni bendición final.

—Hasta luego.

Se fundió con la oscuridad.

En la boca de la cueva, el escuadrón de Satch Dodd había formado una línea de fuego a lo largo de la fila más baja del anfiteatro. El cielo había empezado a oscurecerse de una forma discernible, una intensificación de sus colores a medida que el día desfilaba hacia la noche. Dodd aferraba el detonador. Su señal, transmitida al receptor situado en la base de la cueva, cerraría un circuito eléctrico sencillo y enviaría una descarga de corriente por el cable hacia la bomba.

Incluso desde esa distancia, el estruendo sería atronador.

Aunque no podía permitir que sus hombres se dieran cuenta, el descenso hasta el fondo de la cueva le había puesto muy nervioso. Dodd jamás había conocido un lugar semejante en toda su vida, un mundo sobrenatural de formas extrañas, colores raros y dimensiones distorsionadas, bolsas de oscuridad por todas partes, que descendían hacia la nada. El recorrido del túnel había sido como reptar hasta entrar en tu propia tumba. En el orfanato habían enseñado a Dodd lo que era el infierno, un reino de penumbras eternas donde el alma de los malvados se retorcía de dolor eternamente. Aunque la idea le había aterrorizado al principio, en parte se le había antojado, ya entonces, levemente increíble. Si bien no era más que un muchacho, había intuido que el infierno no era más que un cuento inventado por las hermanas para mantener la disciplina de los niños, más o menos como las fábulas que leían a los niños para inculcarles lecciones morales sencillas. La condición de Dodd como superviviente más joven de la Masacre del Campo siempre le había permitido gozar de un rango algo más elevado entre los niños, como si esa experiencia le hubiera infundido sabiduría. Eso, por supuesto, era totalmente infundado (como en realidad nunca había conocido a sus padres, no sentía su pérdida, y no recordaba nada de aquel día), pero bajo el hechizo de la admiración de sus compañeros por la carga imaginaria de aquel dolor, Dodd llegó a considerarse un chico con poderes de percepción especiales, sobre todo en lo tocante a las proclamaciones místicas de las hermanas. Dodd destacaba en eso, como si tuviera lógica. El cielo era una idea agradable que le gustaba aceptar, puesto que creer en él no costaba nada. Pero no deseaba ir más allá. Infierno: un puro contrasentido.

Parado ante la boca de la cueva, detonador en mano, Dodd no estaba tan seguro.

Esperar nunca resultaba fácil. En cuanto empezaba el tiroteo se imponía siempre una sensación de lucidez. Morirías o no, matarías o te matarían: o una u otra, y nada en medio. Sabías dónde estabas, y durante aquellos violentos y estremecedores minutos, Dodd se sentía a caballo de una ola de adrenalina que erradicaba prácticamente todo lo referido a él que fuera personal. Podría decirse que, en el caos del combate, el hombre conocido como Satch Dodd dejaba de existir, incluso para sí mismo. Y cuando el polvo se despejaba, y se descubría todavía en pie, se sentía más vivo que nunca, como si le hubieran disparado de nuevo al mundo desde un cañón.

Era en la espera cuando una persona experimentaba demasiadas cosas de sí misma. Recuerdos, dudas, arrepentimientos, angustias, todo el abanico de posibilidades que contenía el futuro: todo remolineaba mezclado en la mente como una sopa. Mientras la mitad de la atención de Dodd estaba concentrada en la situación (el detonador en su mano, la presencia de sus hombres a su alrededor, el *walkie-talkie* sujeto al hombro, a través del cual llegaría la orden de Henneman de volar el agujero), la otra mitad estaba rebotando en las cámaras de su yo privado. Sólo cuando Henneman diera la orden de detonar la bomba se calmaría esa sensación, una especie de náusea psicológica que paralizaba todo su cuerpo, y activaría su poder de actuar.

La voz del comandante crepitó en la radio.

—Escuadrón Azul, ojo avizor. Donadio va a entrar.

Algo se tensó en su interior. Notó que regresaba al momento.

—Recibido.

Ardía en deseos de que sucediera cuanto antes.

A doscientos diez metros bajo tierra, en las cavernas carentes de luz, abandonadas cuando las aguas ricas en sulfuros se habían filtrado en los depósitos de piedra caliza agrietada de un antiguo arrecife, Alicia Donadio estaba siguiendo la señal. No le cabía la menor duda de que la señal procedía del chip implantado en el cuello de Julio Martínez, uno de los doce reclusos del corredor de la muerte infectados con el virus del CV creado por el Proyecto NOÉ en el alba de la era actual.

Louise, pensó. *Louise.*

En el momento en que habían pisado la cueva, este nombre se había instalado en su mente. Lo cual era extraño; de acuerdo con los documentos que habían requisado en el recinto de NOÉ, Martínez había sido sentenciado a muerte por asesinar a un policía, no por la violación y asesinato de una mujer. Tal vez su muerte no se había documentado, o nunca la habían relacionado con él. El tiroteo del policía también estaba presente, un destello de violencia como una chispa al rojo vivo, pero dentro de cada Doce existía una historia singular, la única historia que era la verdadera esencia, el núcleo de quiénes eran. Para Martínez, esa historia era Louise.

Según su plano, dos túneles conducían desde el ascensor hasta cuevas individuales, marcadas con nombres que insinuaban su majestuosidad. El Palacio del Rey. Sala de Gigantes. Cámara de la Reina. Y, sencillamente, la Gran Sala. Con el fin de mantener una línea de visión con Peter, y de esta forma seguir en comunicación con la superficie, Alicia no podía avanzar más allá de las bifurcaciones situadas al final de cada pasadizo. Si traspasaba esa frontera, lo haría sola.

El Palacio del Rey, pensó. Sonaba muy propio de él.

—Me desvío a la izquierda.

Mientras avanzaba por el pasadizo, el contador del RDF saltó, y el pitido aceleró en consonancia. Había supuesto bien. Las paredes se apretaban a su alrededor, fragmentos de alguna sustancia brillante incrustados en su superficie, destellantes bajo el haz de su rifle. Habría virales ahí, una gran horda, como un tesoro escondido, presidida por Martínez. Alicia lo veía con claridad. Las imágenes se iban intensificando a cada paso, se adueñaban de su mente. Louise, el cable tensado alrededor del cuello; la precisa demarcación de color encima y debajo, su cuello de un blanco lechoso, la piel de su cara rosada e hinchada de sangre; la mirada de terror estupefacto en sus ojos, y la fría irrevocabilidad de la cercanía de la muerte. Todo estaba tan definido como si Alicia lo hubiera vivido, pero entonces algo se alteró. Alicia estaba experimentando aquel acontecimiento en dos direcciones al mismo tiempo. Estaba mirando a Louise, al tiempo que miraba *desde* ella. ¿Cómo era posible? ¿Cuándo había adquirido aquella sintonía con el mundo invisible? A través de los ojos de Louise vio la cara de Martínez. Un hombre pulcro de facciones bien definidas, pelo plateado peinado hacia atrás, que formaba un delicado pico de viuda. Un rostro humano, aunque no exactamente: no había nada que pudiera calificarse de humano detrás de aquellos ojos, sólo un vacío carente de alma. El placer que estaba experimentando era el de un animal. Louise no era nada para él. Era una mera organización de superficies tibias creada sólo para su deleite y consumo. Su nombre estaba escrito bien claro en la blusa, pero, no obstante, la mente del hombre era incapaz de relacionar ese nombre con la persona humana a la que estaba estrangulando mientras la violaba, porque lo único real para él era él mismo. Sentía el terror de Louise, y su dolor, y después el momento aciago en que la mujer comprendió que la muerte era inminente, que su vida iba a terminar, que moriría sin el menor reconocimiento por parte del universo de que había existido, y lo último que sentiría al abandonar el mundo sería a Martínez, quien la estaba violando.

Alicia había llegado a la bifurcación, un lugar llamado el Cementerio de Huesos. Percibió un fuerte olor a orina, que permeó las membranas de su boca y garganta. En el aire húmedo, su aliento formaba nubecillas heladas delante de ella. El pitido del RDF, que aceleraba sin parar, se había convertido en un torrente de sonido continuo.

Supo entonces cuáles eran sus intenciones. Desde el primer momento. El plan era una tapadera, una elaborada treta para ocultar su verdadero propósito.

Quería matar a Martínez con sus propias manos. Quería sentir cómo moría.

En el ascensor, Peter tomó conciencia de que algo no iba como debería justo segundos antes de que Alicia desapareciera de su línea de visión. No había explicación racional para aquella certeza. Le llegó del silencio, una sensación que le caló hasta los huesos.

—Lish, contesta.

No hubo respuesta.

—Lish, ¿me oyes?

Un silbido de estática, y después:

—Quédate ahí.

Había algo inquietante en su voz. Una sensación de resignación, como si estuviera cortando una cuerda que la sujetara sobre un abismo. Antes de que pudiera contestar, la voz de ella regresó.

—Lo digo en serio, Peter.

Después, enmudeció.

Llamó por radio a la superficie.

—Algo va mal. La he perdido.

—Continúe en su puesto, Jaxon.

¿Había dicho ella el túnel izquierdo? Sí, el izquierdo.

—Voy a por ella —respondió a Henneman.

—Negativo. Quédese...

Pero Peter no oyó el resto del mensaje de Henneman. Ya se estaba alejando.

Al mismo tiempo, el teniente Dodd había iniciado una loca carrera por el sendero zigzagueante que llevaba a la cueva. Ignoraba que la cadena de transmisión por radio se había roto, y que ni Peter ni, por extensión, Alicia sabían que la bomba situada en la base de la entrada principal se había autodesarmado, el primer percance en una cascada de acontecimientos que jamás serían explicados a plena satisfacción del Mando. Por algún motivo (un cortocircuito en la línea, un defecto mecánico, un capricho del destino), el receptor situado en la base de la cueva había perdido contacto con la superficie. Una cagada de primera clase, y ahora Dodd estaba corriendo hacia la boca del infierno.

Su primer descenso había durado quince minutos. Esprintando por el traicionero y siniestro sendero, llegó al fondo en menos de cinco. En la periferia de su visión percibió que algo se hundía arriba, pero con las prisas no logró procesarlo. Si Henneman ordenaba la explosión antes de que hubiera podido salir, sus hombres provocarían la detonación de todos modos y le matarían en la explosión. La única idea que ocupaba su mente era llegar al fondo, reparar el detonador y volver a salir.

Allí estaba. El receptor. Dodd lo había colocado sobre un peñasco liso similar a una mesa situado en la boca del túnel. Ahora estaba en el suelo, volcado de lado. ¿Qué fuerza lo habría derribado? Dodd cayó de rodillas, con la respiración acelerada. Ríos de sudor resbalaban sobre su cara. Un hedor espantoso impregnaba el aire. Levantó con cautela el aparato. El receptor tenía dos interruptores, uno para armar el detonador, otro para cerrar el circuito y detonar la bomba. ¿Por qué no estaba funcionando? Pero entonces comprendió que la antena se había soltado, y había quedado torcida a causa de la caída. Sacó un destornillador de la mochila.

El techo empezó a moverse.

Alicia se fijó primero en los huesos. Los huesos y el olor, un hedor insoportable, rancio, biológico, como el gas encerrado en una tumba. Dio un paso adelante. Cuando su bota tocó el suelo sintió, y después oyó, un crujido de hueso. El esqueleto de algo pequeño. El cráneo diminuto, la sonrisa burlona de los dientes: ¿una especie de roedor? Su campo de visión se ensanchó. El suelo estaba sembrado de restos frágiles, en muchos sitios apilados hasta la altura de la rodilla, o incluso de la cintura, como ventisqueros de nieve.

¿Dónde estás?, pensó. *Muéstrate, hijo de puta. Tengo un mensaje de Louise.*

Martínez estaba cerca, muy cerca. Estaba prácticamente encima de él. Por primera vez en muchos años, Alicia conoció el sabor del miedo, pero más que eso: conoció el odio. Una fuerza en estado puro, asfixiante, que invadía hasta el último rincón de su ser. Toda su vida parecía destinada a ese preciso momento. Martínez era la gran desdicha del mundo. No buscaba gloria, ni siquiera justicia. Era venganza. No matar, sino el acto de matar. Decir: *De parte de Louise.* Sentir que la vida de Martínez lo abandonaba bajo su mano.

Ven a mí. Ven a mí.

Una forma apareció en la penumbra, un destello de piel blanca en el haz de su rifle. Alicia se quedó petrificada. ¿Qué demonios...? Avanzó un paso, y luego otro.

Era un hombre.

Decrépito y encorvado, indeciblemente viejo, de figura consumida, un boceto de huesos. Su piel estaba desprovista de todo color, casi translúcida. Estaba acurrucado en su desnudez en el suelo de la cueva. Cuando la luz del rifle paseó sobre su cara, no se encogió. Sus ojos eran como piedras, inertes en la ceguera. Un murciélago aleteaba en sus manos. Sus largas alas, similares a cometas, las finísimas membranas estiradas sobre los abanicos transparentes de huesos que formaban dedos, se agitaron impotentes. El hombre acercó el murciélago a su cara y, con sorprendente energía, introdujo la delicada cabeza en su boca. Un último chillido ahogado, un temblor de las alas del animal, y después un chasquido: el hombre arrojó el cuerpo a un lado y escupió la cabeza en el suelo. Apretó el cuerpo contra sus labios y empezó a succionarlo vigorosamente, mientras su cuerpo se mecía al ritmo de sus inhalaciones, y un tenue susurro, como un zureo, casi infantil, surgió de su garganta.

La voz de Alicia sonó torpemente estridente en el espacio cavernoso.

—¿Quién demonios eres?

El hombre apuntó su cabeza rígida y ciega hacia el origen del sonido. La sangre le resbalaba por los labios y la barbilla. Alicia observó por primera vez una imagen azulina que reptaba por un lado del cuello: la figura de una serpiente.

—Contéstame.

Un tenue soplido, más aire que palabras.

—Ig... Ig...

—¿Ig? ¿Te llamas así? ¿Ig?

—... nacio.

Su frente se arrugó.

—¿Ignacio?

Oyó pasos a su espalda. Cuando Alicia giró en redondo, el haz del rifle de Peter barrió su rostro.

—Te dije que esperaras.

La expresión de Peter delataba la fascinación que sentía por la imagen del hombre acurrucado en el suelo.

Alicia apuntó con el rifle a la frente del hombre.

—¿Dónde está? ¿Dónde está Martínez?

Brotaron lágrimas de los ojos ciegos.

—Nos ha abandonado. —Su voz era como un gemido de dolor—. ¿Por qué nos ha abandonado?

—¿Qué quiere decir que os ha abandonado?

Con un gesto inseguro, el hombre levantó la mano hasta el cañón del rifle, lo rodeó en su puño y apretó el cañón contra su frente.

—Por favor —dijo—. Mátame.

Había murciélagos. Murciélagos a centenares, a millares, a millones. Explotaron del techo del túnel, una sólida masa aérea. Invadieron los sentidos de Dodd con su calor, peso, sonido y olor. Se lanzaron hacia él como una ola, le encerraron en un vórtice de frenesí animal en estado puro. Agitó los brazos frenéticamente, intentó ahuyentarlos de su cara y ojos. Sintió, pero no experimentó por completo, la picadura de sus dientes, que se clavaban en su carne como una serie de alfilerazos lejanos. Van a hacerte trizas, le estaba diciendo su mente. Así terminará todo. Tu espantoso destino es morir en esta cueva, despedazado por murciélagos. Dodd chilló, y cuando chilló su percepción del dolor alcanzó toda su dimensión, y su mente y su cuerpo adquirieron al instante una unidad de agonía aniquiladora, y mientras saltaba hacia el detonador, con sus luces destellantes e interruptores, su persona física asumió en aquel prolongado instante las propiedades de un martillo mientras caía, y su único pensamiento *(oh, mierda)* fue también el último.

La onda explosiva de la primera carga, detonada de forma prematura, salió lanzada como un cohete desde el túnel hasta el complejo de salas y cavidades con la energía de una locomotora fuera de control, llegó al Palacio del Rey como una terrorífica detonación, a la que se impuso un estallido de presión y un profundo temblor subterráneo. A esto siguió una segunda sacudida subterránea, como la cubierta de un barco agitada por una ola gigante. Fue un acontecimiento atmosférico, auditivo, calórico y sísmico al mismo tiempo. Poseía la energía suficiente para afectar al mismísimo núcleo de la Tierra.

Los llamaban perchas: virales dormidos que, con sus procesos metabólicos suspendidos, existían en un estado de hibernación prolongada. En este estado podían sobrevivir durante años o décadas, y preferían, por razones desconocidas (tal vez una expresión de su parentesco biológico con los murciélagos, un recuerdo enterrado de su raza), colgar cabeza abajo, con los brazos cruzados sobre el pecho con una curiosa pulcritud, como monjas en sus sarcófagos. En las diversas cámaras de las cavernas de Carlsbad (aunque no en el Palacio del Rey: estaba reservado en exclusiva a Ignacio) esperaban un almacén dormido de estalactitas biológicas, un ejército somnolente de carámbanos relucientes despertados a la conciencia por la detonación de la bomba. Como cualquier especie, percibieron este ajuste en su entorno como una amenaza mortal. Como virales, despertaron al instante debido al olor a sangre humana que había aparecido entre ellos.

Peter y Alicia se pusieron a correr.

Alicia, de haber estado sola, habría plantado cara. Aunque la horda la hubiera engullido, estaba tan grabado en su naturaleza dar la vuelta y luchar que esa tarea imposible se le hubiera antojado extrañamente satisfactoria: algo relacionado con el destino, y una despedida honorable del mundo. Pero Peter estaba con ella. Era su sangre, no la de ella, lo que los virales deseaban. Los seres se estaban precipitando hacia ellos, llenaban los canales subterráneos de la caverna como las aguas desbordadas de una inundación. La distancia que los separaba del ascensor, apenas un centenar de metros, se le antojaba kilómetros. Los virales rugían detrás de ellos. Peter y Alicia esprintaron hasta el ascensor. No había tiempo para disponer la carga. Su estrategia inicial ya no servía de nada. Alicia recogió el explosivo del suelo del ascensor, agarró a Peter por la muñeca, le introdujo a través de la entrada y se precipitó detrás de él, al tiempo que aterrizaba con un ruido metálico.

—¡Agarra un cable! —gritó.

Un momento de incomprensión.

—¡Hazlo y cógete bien!

¿Comprendía él lo que se proponía? Daba igual. Peter obedeció. Alicia dejó caer el paquete sobre el techo del ascensor, apuntó el rifle hacia la placa de los cables y apretó el gatillo.

Liberados de la masa de la caja del ascensor, los contrapesos cayeron. Un fuerte tirón, y después una potentísima fuerza de aceleración los lanzó hacia arriba. Peter experimentó la ascensión de una forma borrosa, una sensación de movimiento puro que se concentraba en sus manos, su único vínculo con la vida. Se habría soltado de no ser por Alicia, quien, debajo de él, sin aflojar en ningún momento su presa, actuaba a modo de soporte e impedía que resbalara por el cable y se precipitara al abismo. En una confusión de brazos y piernas giraban locamente, abrumados por el bombardeo de datos físicos que Peter era incapaz de calcular. No veía a los virales subiendo a saltos el pozo detrás de ellos, rebotando de pared a pared, y a cada sacudida se propulsaban hacia arriba y acortaban distancias.

Pero Alicia sí. Al contrario que Peter, cuyos sentidos sólo eran humanos, poseía los mismos giroscopios internos que sus perseguidores. Su conciencia del tiempo, el espacio y el movimiento era capaz de efectuar cálculos de una manera constante, lo cual le permitía no sólo mantener su presa, sino también apuntar el rifle hacia abajo. Iba a utilizar el lanzagranadas. Su objetivo era el explosivo situado en el techo del ascensor.

Disparó.

26

PRISIÓN FEDERAL, KERRVILLE, TEXAS

El comandante Lucius Greer, antes del Segundo de Expedicionarios, ahora tan sólo el prisionero número 62 de la Prisión Federal de la República de Texas (Lucius el Leal, el Creyente), estaba esperando a que alguien fuera.

La celda donde vivía medía cuatro metros cuadrados, tan sólo un catre, un retrete, un lavabo y una pequeña mesa con una silla. La única iluminación de la habitación procedía de una pequeña ventana de cristal reforzado situada en lo alto de la pared. Ésta era la habitación donde Lucius Greer había pasado los últimos cuatro años, nueve meses y once días de su vida. La acusación era deserción, algo que no era del todo justo, en opinión de Lucius. Podría decirse que, tras desobedecer las órdenes para seguir a Amy a la montaña y enfrentarse a Babcock, se había limitado a seguir órdenes de un tipo diferente, más profundo. Pero Lucius era un soldado, con el sentido del deber de un soldado; había aceptado su sentencia sin rechistar.

Pasaba los días dedicado a la contemplación, una necesidad, aunque Lucius sabía que algunos hombres nunca lo conseguían, aquellos cuyos aullidos de soledad escuchaba por las noches. La prisión tenía un pequeño patio. Una vez a la semana, los presos recibían permiso para salir, pero de uno en uno, y sólo durante una hora. El propio Lucius había pasado los seis primeros meses de encarcelamiento convencido de que se volvería loco. Un hombre podía hacer un número limitado de flexiones, y sólo podía dormir unas horas determinadas, y al cabo de un mes de estar encerrado Lucius empezó a hablar solo: inconexos monólogos sobre todo y nada, el tiempo y las comidas, sus pensamientos y recuerdos, el mundo que había al otro lado de los muros de la cárcel y lo que estaba sucediendo allí. ¿Era verano? ¿Había llovido? ¿Habría biscotes para cenar esa noche? A medida que transcurrían los meses, estas conversaciones se habían concentrado cada vez más en sus carceleros. Estaba convencido de que le espiaban, y después, cuando su paranoia se intensificó, de que intentaban matarle. Dejó de dormir y de comer. Se negó a hacer ejercicio, incluso a salir de su celda. Se pasaba todas las noches acurrucado en el borde del catre, con la vista clavada en la puerta, el portal de sus asesinos.

Tras un período de tiempo en este estado torturado, Lucius decidió que ya no podía aguantar más. Sólo perduraba el más nimio vestigio de su yo racional. No tardaría en perderlo por completo. Morir sin mente, sin sus pautas de experiencia, memoria, personalidad... La perspectiva era insoportable. Suicidarse en la celda no era fácil, pero podía lograrse. De pie sobre la mesa, un suicida decidido podía inclinar la cabeza contra el pecho, inclinarse hacia delante y romperse el cuello en la caída.

Lucius lo había intentado tres veces seguidas. Las tres veces había fallado. Empezó a rezar, una sencilla oración de una sola frase que pedía la colaboración de Dios: *Ayúdame a morir.* Le zumbaba la cabeza debido a los múltiples impactos sobre el suelo de cemento; se había roto un diente. Se puso en pie sobre la mesa una vez más, calibró el ángulo de la caída y se arrojó a los brazos de la gravedad.

Recobró la conciencia al cabo de un intervalo desconocido. Estaba tendido de espaldas sobre el frío cemento. Una vez más, el

universo le había rechazado. La muerte era una puerta que no podía abrir. La desesperación se apoderó de él, y las lágrimas acudieron a sus ojos.

Lucius, ¿por qué me has abandonado?

No eran palabras que oyera. Nada tan sencillo, tan vulgar como
eso. Era la sensación de una voz, una dulce presencia que le guiaba
y que moraba bajo la superficie del mundo.

*¿No sabes que sólo yo te la puedo arrebatar? ¿Que la muerte sólo
está en mi mano?*

Era como si su mente se hubiera abierto como las cubiertas de
un libro y revelara una realidad oculta. Estaba tendido en el suelo,
su cuerpo ocupaba un punto fijo en el espacio y el tiempo, y sin
embargo sentía que su conciencia se expandía, se unía con una inmensidad que no era capaz de expresar. Estaba en todas partes y
en ninguna. Existía en un plano invisible que la mente podía ver,
pero no así los ojos, distraídos como estaban por cosas corrientes:
este catre, este retrete, estas paredes. Se sumergió en una paz que
fluía a través de su ser como ondas de luz.

La obra de tu vida no ha terminado, Lucius.

Y, de esta manera, su encarcelamiento terminó. Las paredes de
su celda eran del papel más delgado, un ardid de la materia. Día a
día, su contemplación era más profunda, su mente se fundía con la
fuerza de la paz, el perdón y la sabiduría que había descubierto.
Era Dios, por supuesto, o bien podía llamarse Dios. Pero hasta ese
término parecía demasiado pequeño, una palabra inventada por
los hombres para lo que carecía de nombre. El mundo no era el
mundo. Era una expresión de una realidad más profunda, al igual
que la pintura del lienzo era una expresión de los pensamientos del
artista. Y con esta conciencia llegó la certeza de que el viaje de su
vida no había terminado, de que aún debía descubrir su verdadero
propósito.

Otra cosa: daba la impresión de que Dios era mujer.

Había sido educado en el orfanato, entre las hermanas. No tenía recuerdos de sus padres, ni de cualquier otra vida. A los dieciséis años se había alistado en SN, como hacían casi todos los chicos del orfanato en aquellos tiempos. Cuando habían solicitado voluntarios para unirse al Segundo de Expedicionarios, Lucius había sido uno de los primeros. Eso fue después del acontecimiento conocido como la Masacre del Campo (once familias víctimas de una emboscada durante un picnic, veintiocho personas asesinadas o secuestradas), y muchos de los hombres que sobrevivieron aquel día se habían sumado también. Pero los motivos de Lucius eran menos decididos. Ni de pequeño le habían emocionado las historias del gran Niles Coffee, cuyas heroicidades se le antojaban imposibles. ¿Quién en su sano juicio se dedicaría a cazar dragones? Pero Lucius era joven, inquieto como todos los jóvenes, y se había cansado de sus tareas: vigilar en los muros de la ciudad, barrer los campos, perseguir a los críos que violaban el toque de queda. Por supuesto, siempre había lelos en los alrededores (abatirlos desde las plataformas de observación, aunque casi siempre se consideraba un derroche de munición, solía permitirse, siempre que no exageraras), y la diversión de la ocasional reyerta de bar en Ciudad-H para echarse unas risas. Pero estas cosas, aunque eran distraídas, no compensaban el peso del aburrimiento. Si unirse a una pandilla de lunáticos amantes de la muerte era la única opción que le quedaba a Lucius Greer, pues adelante.

Pero fue en los Expedicionarios donde Lucius encontró justo lo que necesitaba, lo que estaba ausente de su vida: una familia. En su primer destacamento le habían asignado a la Carretera de Roswell, para escoltar a convoyes de hombres y provisiones hasta la guarnición, en aquella época un puesto avanzado de pacotilla. En su unidad había dos nuevos reclutas: Nathan Crukshank y Curtis Vorhees. Al igual que Lucius, Cruk se había alistado cuando dimitió de SN, pero Vorhees era, o había sido, granjero. Por lo que Lucius sabía, el hombre nunca había disparado un arma de fuego. Pero había perdido a su esposa y a dos hijas pequeñas en el campo, y debido a las circunstancias, nadie iba a decirle que no. Los camiones siempre viajaban de noche, y durante el viaje de regreso a Kerrville su convoy fue víctima de una emboscada. El ataque empezó justo antes del amanecer. Lucius iba con Cruk y Vor en un Humvee detrás del primer camión cisterna. Cuando los virales se precipitaron sobre ellos, Lucius pensó: Estamos acabados. No voy a salir de ésta vivo. Pero Crukshank, que iba al volante, o no estaba de acuerdo o le daba igual. Aceleró el motor, mientras Vorhees empezaba a derribarlos con la ametralladora. No sabían que el conductor del camión cisterna, a quien habían arrancado del asiento a través del parabrisas, ya estaba muerto. Mientras corrían al lado, el camión cisterna giró a la izquierda y arrancó la parte delantera del Humvee. Lucius debió de perder el sentido, porque de lo siguiente que se enteró fue de que Cruk le estaba sacando a rastras de entre los restos. El camión cisterna estaba en llamas. El resto del convoy había desaparecido por la Carretera de Roswell.

Los habían dejado tirados.

La hora que siguió fue la más corta y la más larga de la vida de Lucius. Los virales atacaron una y otra vez. Una y otra vez, los tres hombres consiguieron repelerlos, reservando las balas hasta el último instante, a menudo cuando los seres se encontraban a escasos pasos de distancia. Habrían intentado huir, pero el Humvee era la mejor protección con la que contaban, y Lucius, quien se había roto el tobillo, no podía moverse.

Cuando la patrulla los encontró, sentados en la carretera, se pusieron a reír hasta que las lágrimas empezaron a resbalar sobre sus rostros. Lucius sabía que jamás se sentiría más cerca de nadie que de los dos hombres que habían recorrido con él el oscuro pasadizo de aquella noche.

Roswell, Laredo, Texarkana; Lubbock, Shreveport, Kearney, Colorado. Pasaron años enteros sin que Lucius viera Kerrville, su refugio de muros y luces. Ahora, su hogar estaba en otra parte. Su hogar eran los Expedicionarios.

Hasta que conoció a Amy, la Chica de Ninguna Parte, y todo cambió.

Iba a recibir tres visitantes.

El primero llegó una mañana de septiembre a primera hora. Greer ya había terminado su desayuno de gachas aguadas y completado sus ejercicios calisténicos matutinos: quinientas flexiones y abdominales, seguidos de un número equivalente de estiramientos y alargamientos. Suspendido de una tubería que corría a lo largo del techo de su celda, hacía cien flexiones de brazos en grupos de veinte, hacia delante y hacia atrás, como Dios mandaba. Cuando esto terminaba, se sentaba en el borde del jergón y preparaba su mente para el inicio de su viaje invisible.

Siempre empezaba con una oración aprendida de memoria, que le habían enseñado las hermanas. No eran las palabras lo que importaba, sino su ritmo: eran el equivalente de los estiramientos previos a la gimnasia, con el fin de preparar la mente para el salto inminente.

Acababa de empezar cuando sus pensamientos fueron interrumpidos por el ruido de unas llaves. La puerta de su celda se abrió.

—Alguien ha venido a verte, Sesenta y dos.

Lucius se levantó cuando la mujer entró. De complexión delgada, pelo negro veteado de gris y pequeños ojos oscuros que proyectaban una autoridad innegable. Una mujer a la que debías abrirte, para quien todos tus secretos eran un libro abierto. Llevaba un pequeño maletín bajo el brazo.

—Comandante Greer.

—Señora presidente.

La mujer se volvió hacia el guardia, un hombre cincuentón corpulento.

—Gracias, sargento. Puede marcharse.

El guardia se llamaba Coolidge. Uno llegaba a conocer a sus carceleros, y Lucius y él se conocían bien, aunque daba la impresión de que Coolidge no tenía ni idea de qué deducir de la devoción de Lucius. Hombre práctico y corriente, de mente seria pero lenta, con dos hijos adultos, ambos en SN, como él.

—¿Está segura?

—Sí, gracias. Eso será todo.

El hombre salió y cerró la puerta a su espalda. La presidente caminó unos pasos y paseó la mirada por la habitación cuadrada.

—Extraordinario. —Dirigió sus ojos a Lucius—. Dicen que nunca sale de aquí.

—No veo motivos para ello.

—Pero ¿qué hace durante todo el día?

Lucius le dedicó una sonrisa.

—Lo que estaba haciendo cuando llegó usted. Pensar.

—Pensar —repitió la presidente—. ¿En qué?

—Sólo pensar. Desarrollar mis pensamientos.

La presidente se sentó en la silla. Lucius la imitó y se sentó en el borde del camastro, de modo que los dos quedaron cara a cara.

—Lo primero que debo decir es que no estoy aquí. Eso es *oficial*. Extraoficialmente, le diré que he venido para pedir su ayuda sobre un asunto de vital importancia. Usted ha sido objeto de muchas discusiones, y confío en su discreción. Nadie debe saber lo que hemos hablado. ¿Está claro?

—De acuerdo.

Abrió el maletín, extrajo una hoja de papel amarillento y la tendió a Lucius.

—¿Reconoce esto?

Un plano, dibujado a carboncillo: la línea de un río, una carretera bosquejada a toda prisa, y líneas de puntos que marcaban los bordes de un recinto. No sólo de un recinto; de toda una ciudad.

—¿Dónde lo encontró? —preguntó Lucius.

—Eso no importa. ¿Lo conoce?

—Por fuerza.

—¿Por qué?

—Porque yo lo dibujé.

La mujer esperaba esa respuesta. Lucius lo adivinó en su expresión.

—Para contestar a su pregunta, estaba en los archivos personales del general Vorhees, en el Mando. Fue preciso cierto trabajo de investigación para averiguar quién más había estado con él. Usted, Crukshank y un joven recluta llamado Tifty Lamont.

Tifty. Cuántos años desde que Lucius no oía pronunciar aquel nombre. Aunque, por supuesto, todo el mundo en Kerrville conocía a Tifty Lamont. Y Crukshank: Lucius sintió una punzada de tristeza por el amigo perdido, muerto cuando habían asaltado la guarnición de Roswell, cinco años atrás.

—¿Cree que podría encontrar de nuevo este lugar del plano?

—No lo sé. Eso fue hace mucho tiempo.

—¿Ha hablado con alguien de esto?

—Cuando informamos al Mando, nos dijeron de manera categórica que no debíamos hablar de ello.

—¿Se acuerda de quién partió la orden?

Lucius negó con la cabeza.

—Nunca lo supe. Crukshank era el oficial al mando del destacamento, y Vorhees, su segundo. Tifty era el explorador.

—¿Por qué Tifty?

—Por mi experiencia, no había rastreador mejor que Tifty Lamont.

La presidente volvió a fruncir el ceño al oír aquel nombre: el gran gángster Tifty Lamont, jefe de los traficantes, el criminal más buscado de la ciudad.

—¿Cuánta gente cree que había allí?

—Es difícil calcularlo. Un montón. El lugar doblaba en tamaño a Kerrville, como mínimo. Por lo que pudimos ver, también estaban bien armados.

—¿Tenían electricidad?

—Sí, pero creo que no funcionaban con petróleo. Lo más probable es que tuvieran una central hidroeléctrica y biodiésel para los motores. Los complejos agrícolas e industriales eran inmensos.

Barracones. Tres edificios grandes, uno en el centro, una especie de cúpula, y un segundo al sur que parecía un viejo estadio de fútbol. El tercero estaba en la parte oeste del río. No estábamos seguros de qué era. Daba la impresión de encontrarse en construcción. Estaban trabajando en aquello día y noche.

—¿Y no establecieron contacto?

—No.

La presidente dirigió la atención de Lucius hacia el perímetro.

—Esto de aquí...

—Fortificaciones. Una línea de vallas. No carecía de solidez, pero resultaba insuficiente para contener a los dragones.

—¿Para qué cree que eran?

—No podría decirlo. Pero Crukshank tenía una teoría.

—¿Cuál?

—Para mantener a gente encerrada.

La presidente echó un vistazo al plano, y después miró a Lucius.

—¿Y nunca ha hablado de esto con nadie?

—No, señora. Hasta ahora no.

Se hizo el silencio. Lucius tuvo la impresión de que las preguntas se habían terminado. La presidente había obtenido lo que había ido a buscar. Devolvió el plano al maletín. Cuando se levantó de la silla, Lucius dijo:

—Si me permite, señora presidente, ¿por qué ha venido a interrogarme sobre eso ahora? Después de tantos años.

La presidente caminó hacia la puerta y llamó dos veces. Cuando las llaves giraron, se volvió hacia Lucius.

—Dicen que se ha convertido en un hombre piadoso.

Lucius asintió.

—Entonces, quizá debería rezar para que esté equivocada.

27

Peter estuvo en el hospital diez días. Tres costillas rotas, un hombro dislocado, quemaduras en las piernas y los pies, las manos en carne viva como pedazos de carne. Cardenales, heridas y cortes, demasiados para contarlos. Había perdido la conciencia, pero por lo visto no había logrado, pese a todos sus esfuerzos, partirse el cráneo. Cada movimiento le causaba dolor, incluso respirar.

—Por lo que me han dicho, tiene una gran suerte de estar vivo —dijo el médico, un hombre de unos sesenta años, de nariz bulbosa, surcada de venas debido a los años de darle al lingotazo, y una voz tan ronca que parecía aguardentosa. Su forma de tratar a los pacientes implicaba utilizar el mismo tono, más o menos, que una persona emplearía para dirigirse a un perro desobediente—. Échese de espaldas, teniente. Es mío hasta que yo diga lo contrario.

Henneman había interrogado a Peter el día que el equipo había regresado a la guarnición. Estaba todavía un poco ido, colocado de sedantes. Las preguntas del comandante resbalaban sobre su cerebro con los contornos disociados de una conversación que tuviera lugar en otra habitación, entre gente que apenas conociera. Un hombre, un hombre muy anciano, con una serpiente tatuada en el cuello. Sí, confirmó Peter, mientras asentía con la cabeza sobre la almohada, eso fue lo que vieron. ¿Les dijo quién era? Ignacio, contestó Peter. Les dijo que su nombre era Ignacio. Era evidente que el comandante no tenía ni idea de qué deducir de aquellas respuestas; ni tampoco Peter. Daba la impresión de que Henneman repetía las mismas preguntas una y otra vez, alterando apenas la forma. En un momento dado, Peter se durmió. Cuando volvió a abrir los ojos (como pronto descubriría, habían transcurrido un día y una noche), estaba solo.

No vio a nadie más, salvo al médico, hasta la tarde del cuarto día, cuando Alicia apareció junto a su cama. En ese momento, Peter estaba incorporado, el brazo izquierdo en cabestrillo para mantener en su sitio el hombro. Aquella tarde había dado su primer paseo hasta las letrinas, todo un hito, aunque el trayecto de pocos pasos le había dejado debilitado, y ahora se enfrentaba al problema de intentar alimentarse con las manos envueltas en vendas similares a mitones.

—Voladores, tienes un aspecto horrible, teniente.

La luz de la tienda era lo bastante tenue para que ella se quitara las gafas. El color naranja de sus ojos era algo a lo que Peter se había acostumbrado, aunque ella pocas veces dejaba que otras personas los vieran. Se sentó en una silla junto a la cama y señaló el cuenco de gachas de harina de maíz que Peter, sin mucho éxito, estaba intentando meterse en la boca con la ayuda de una cuchara.

—¿Quieres que te ayude?

—Ni lo sueñes.

Ella sonrió un momento.

—Bien, me alegra saber que aún te queda el orgullo. ¿Henneman te interrogó a fondo?

—Apenas me acuerdo. No creo que le gustaran mucho mis respuestas.

La cuchara resbaló de su presa y un grumo de pasta cayó sobre su camisa.

—Mierda.

—Déjame.

Estaba intentando sujetar la cuchara entre el pulgar y el borde del cuenco para encajarla en su palma.

—Ya te he dicho que lo tengo dominado.

—¿Quieres parar de una vez?

Peter suspiró y dejó que la cuchara cayera sobre la bandeja. Alicia la hundió en el cuenco y la acercó a su boca.

—Una por mamá.

—Nunca me has parecido del tipo maternal.

—En tu caso, me siento tentada de hacer una excepción. Come.

Poco a poco, el cuenco se fue vaciando. Alicia cogió un trapo y le secó la barbilla.

—Puedo hacerlo yo solo, gracias.

—Nooo. Va incluido en el lote. —Alicia se reclinó en la silla—. Como nuevo. —Dejó el trapo a un lado—. Esta mañana celebramos la ceremonia por Satch. Fue bonita. Henneman y Apgar hablaron.

Aunque suponían que Satch había muerto en la explosión, Henneman había conducido un escuadrón montaña arriba para buscarle. Fue un gesto simbólico. De todos modos, había que hacerlo. En cualquier caso, no encontraron nada. Jamás sabrían qué había ocurrido en la base de la cueva.

—De modo que eso es todo, supongo.

—Satch era un buen tipo. Caía bien a todo el mundo.

—Siempre decimos lo mismo.

Alicia se encogió de hombros.

—No por ello deja de ser menos cierto.

Peter sabía que estaban pensando lo mismo: el plan lo habían trazado ellos, y ahora Satch estaba muerto.

—Como veo que ya has terminado de comer, debería marcharme. Apgar me va a enviar al sur para inspeccionar algunos campos petrolíferos.

—Lish, ¿cómo supiste que había algo allí abajo?

La pregunta pareció pillarla desprevenida.

—La verdad es que no tengo respuesta para eso, Peter. Fue sólo un... presentimiento.

—Un presentimiento.

Ella desvió la mirada.

—No sé cómo expresarlo con palabras.

—Pensaba que sólo Amy podía hacer eso.

Alicia se encogió de hombros para dar por terminado el asunto: *No insistas.*

—Supongo que te debo una por arriesgarte y estar a mi lado. Al menos, es agradable tener compañía cuando has caído en desgracia.

—Toda esta misión lo ha sido, ¿no? —dijo él en tono lúgubre.

—Apgar hará lo que deba. No soy lectora de mentes.

—¿Crees que da crédito a nuestra historia?

Alicia guardó silencio. Sus ojos se habían desviado de nuevo.

—Peter, ¿te acuerdas de la película *Drácula*? —preguntó después con una expresión burlona.

El recuerdo le transportó a cinco años atrás. Peter la estaba viendo con los hombres de Vorhees en la guarnición de Colorado, la noche que Alicia había regresado de la misión que había descubierto el nido de virales en una vieja mina de cobre.

—No sabía que la viste.

—¿Verla? Joder, la *estudié*. Es como un manual sobre virales. Da igual la capa, el castillo y todas aquellas tonterías. Es el resto lo que importa. Un ser humano cuya vida se ha «prolongado de manera anormal». Utilizar la estaca en el corazón para matarlo. La forma en que duerme en su suelo nativo. Todo el rollo de los espejos...

—Como la sartén en Las Vegas —interrumpió Peter—. Yo pensé lo mismo.

—Es como si su reflejo, no sé, les diera por el culo. Toda la película va de eso.

—Lish, ¿adónde quieres ir a parar?

Ella vaciló.

—Había algo que siempre me reconcomía, algo que no podía identificar. Drácula tiene una especie de ayudante. Alguien que todavía parece humano.

Peter recordó.

—El chalado que come arañas.

—Ése es el tipo: Renfield. Drácula le infecta, pero no pierde la chaveta, al menos no del todo. Es como alguien atrapado en las primeras fases de la infección. Me hizo pensar, ¿y si todos tienen a alguien así? —Le miró fijamente—. ¿Recuerdas lo que dijo Olson acerca de Jude?

Olson era el líder de la comunidad que habían descubierto en Nevada, el Refugio, toda una ciudad de gente que sacrificaba los suyos a Babcock, Primero de los Doce. Olson estaba teóricamente al mando, pero habían descubierto que era Jude quien detentaba el mando en realidad. Tenía una especie de relación especial con Babcock, aunque su naturaleza había quedado sin explicar.

—«Era... familiar» —citó Peter—. Nunca entendí qué quería decir Olson. Era absurdo. Y tú le estabas apuntando a la cabeza con una pistola.

—Pues sí. Y créeme, hay días en que me arrepiento de no haber apretado el gatillo. Pero no creo que fuera un galimatías. Busqué la palabra en una biblioteca de Kerrville. El diccionario decía que la definición era arcaica, así que tuve que investigar eso también, que básicamente significa antiguo. Decía que un familiar es una especie de demonio colaborador, como el gato de una bruja. Una especie de ayudante. Tal vez era eso de lo que Olson hablaba.

Peter se tomó varios segundos para procesar la información.

—Estás diciendo que Ignacio era el... familiar de Martínez.

Alicia se encogió de hombros.

—Vale, es aventurado. Estoy hilvanando ideas a trompicones, pero hay que pensar también en la señal. Ignacio llevaba un chip encima, como Amy y los Doce. Eso significa que está relacionado con el Proyecto NOÉ.

—¿Has contado algo de esto a Apgar?

—¿Hablas en serio? Ya tengo bastantes problemas en este momento.

Peter no lo ponía en duda. Ni de que la culpa que sintiera por el fallido ataque a la cueva él también la compartía.

Alicia se levantó para marcharse.

—En cualquier caso, deberíamos saber más sobre la situación

en que nos encontramos cuando vuelva de Odessa. Es inútil que te preocupes ahora. Sé que te consideras indispensable, pero podremos prescindir de ti durante unos días.

—Con eso no conseguirás que me sienta mejor.

Ella sonrió.

—No esperes que vuelva para darte de comer de nuevo, teniente. Eso sólo toca una vez.

—Espera un segundo, Lish —dijo Peter cuando ella se encaminó hacia la puerta.

Ella se volvió para mirarle.

—Eso que dijo Ignacio: «Nos abandonó». ¿A qué crees que se refería?

—No tengo respuesta para eso. Sólo sé que tendría que haber estado allí.

—¿Adónde crees que fue?

Ella no contestó enseguida. Una sombra se movió sobre su rostro, un oscurecimiento procedente del interior. Peter no había visto nunca algo semejante. Incluso en las circunstancias más peligrosas, su compostura era total. Era una mujer muy concentrada, que siempre concedía su atención a la tarea que llevaba entre manos. Se trataba de algo similar, pero la energía no era la misma. Daba la impresión de proceder de un lugar más profundo.

—Ojalá lo supiera —dijo, y se puso las gafas—. Créeme.

Se fue, y los faldones de la tienda se movieron cuando salió. Peter sintió su ausencia al instante, como siempre. Era cierto: siempre se estaban abandonando mutuamente.

Peter no volvió a verla. Seis días después, le dieron el alta. Sus costillas necesitarían más tiempo para sanar, y tendría que tomarse las cosas con calma durante un par de semanas, pero al menos se había levantado de la cama por fin. Mientras atravesaba la guarnición para presentarse a su superior, sus pies se movían con celeridad. La sensación le recordó una época, muchos años antes, cuando de niño había estado enfermo con fiebre elevada, y después de que la fiebre desapareciera el solo hecho de estar de pie conseguía que hasta las cosas más comunes parecieran henchidas de una nueva vitalidad.

Pero algo no era lo mismo; Peter lo percibía. Todo parecía normal (los soldados en las pasarelas, el rugido de los generadores, los movimientos ordenados de la actividad militar que se desarrollaba a su alrededor), y no obstante intuía una alteración, un descenso discernible de la intensidad.

Entró en la tienda de mando y encontró a Apgar de pie detrás de su escritorio de metal baqueteado, contemplando con el ceño fruncido una pila de papeles.

—Jaxon. No esperaba verle hasta dentro de dos días. ¿Cómo se encuentra?

La cuestión se le antojó a Peter extrañamente personal.

—Bien, señor. Gracias por preguntar.

—Siéntese, por favor.

Durante un rato, Apgar continuó removiendo papeles. Aunque no era un hombre muy grande (Peter le sacaba dos manos, como mínimo), el coronel proyectaba una fuerte presencia física, sus movimientos eran precisos, ni un gesto de más. Tras un período que tal vez se prolongó dos minutos completos, pareció satisfecho con la forma en que había ordenado los documentos y se sentó en la silla, enfrente de Peter.

—Tengo nuevas órdenes para usted. Llegaron esta mañana en la valija de Kerrville. Antes de que diga nada, quiero que sepa que esto no tiene nada que ver con lo sucedido en Carlsbad. De hecho, hace tiempo que lo esperaba.

Las últimas esperanzas de Peter se hundieron bajo las olas. Se acabó.

—Vamos a abandonar la cacería, ¿verdad?

—«Abandonar» es una palabra demasiado fuerte. Reconsiderar. Existe la sensación en el Mando de que algunos de nuestros recursos han de cambiar. De momento, se le transfiere a la Carretera del Petróleo.

Era peor de lo que Peter había esperado.

—Eso es un trabajo de Seguridad Nacional.

—En general sí. Pero esto no carece de precedentes, y viene desde la oficina de la presidente. Por lo visto, es de la opinión de que la seguridad destinada a los cargamentos de petróleo ha sido demasiado laxa, y quiere que el ejército desempeñe un papel. Un transporte parte a finales de semana hacia Kerrville, y quiero que usted vaya con él. Se presentará ante el SN de Freeport.

Pese a lo que decía Apgar, Peter sabía que la decisión sí estaba relacionada con Carlsbad. Le estaban degradando, si no de rango, sí de responsabilidad.

—No puede hacer eso, señor.

Levantó las cejas, nada más.

—Tal vez no le he oído bien, teniente. Podría jurar que acaba de decirme lo que puedo y no puedo hacer.

Peter sintió que su rostro se encendía.

—Lo siento, coronel. No quería decir eso.

Apgar estudió a Peter un momento.

—Escuche, Jaxon, lo comprendo. Dígame una cosa. ¿Cuánto tiempo ha estado ahí fuera?

El coronel sabía la respuesta, por supuesto. Sólo lo preguntaba para dejar claras sus intenciones.

—Dieciséis meses.

—Mucho tiempo con los fosforescentes. Tendrían que haberle relevado hace tiempo. El único motivo de que no lo hayan hecho es que usted siempre presentaba una solicitud de continuar. Lo he permitido porque sé lo que la cacería significa para usted. En cierto sentido, usted es el motivo de que todos los demás estemos aquí.

—No quiero estar en ningún otro lugar, señor.

—Y eso lo ha dejado muy claro. Pero usted es sólo humano, teniente. Con franqueza, necesita el descanso. Volveré a Kerrville en cuanto hayamos concluido todos los trámites, y en cuanto me sea posible presentaré una solicitud en la División para trasladarle a los territorios. No tengo la costumbre de hacer tratos, así que sugiero que lo acepte.

No podía hacer otra cosa que acceder.

—Si me permite la pregunta, coronel, ¿qué será de la teniente Donadio?

—Ella también ha recibido nuevas órdenes. No se trata sólo de usted. En cuanto regrese de los campos petrolíferos, irá al norte, a Kearney.

Fort Kearney era el puesto avanzado de la Fuerza Expedicionaria situado más al norte. Con una línea de aprovisionamiento que se extendía desde Amarillo, se clausuraba siempre antes de la primera nevada.

—¿Por qué allí? Faltan tan sólo dos meses para el invierno.

—El Mando no me lo cuenta todo, pero por lo que he oído las cosas se están poniendo muy feas en la zona. Teniendo en cuenta las capacidades de la teniente, yo diría que quieren un nuevo S2 capaz de liquidar a los hostiles antes de la evacuación.

La explicación parecía poco convincente, pero Peter sabía que no debía insistir.

—Siento lo de Satch —continuó Apgar—. Era un buen oficial. Sé que eran amigos.

—Gracias, señor.

—Retírese, teniente.

Peter pasó el resto de la semana en un estado de suspensión. Con nada más en que ocupar el tiempo, pasaba la mayor parte de él en su habitación. El plano en la parte interior de la puerta de la taquilla, antes un distintivo de determinación, se le antojaba ahora una broma de mal gusto. Tal vez había algo de verdad en la teoría de Alicia, y tal vez no. Probablemente, nunca lo averiguarían. Pensó en la época anterior a que se uniera a los Expedicionarios, y se preguntó si había cometido una equivocación al alistarse. Entonces, la lucha había sido sólo de él. Ahora pertenecía a una empresa mayor, con reglas, protocolos y cadenas de mando en la que tenía poco, o nada, que decir. Había sacrificado su libertad para convertirse en otro oficial de menor rango sobre el cual algún día la gente comentaría: «Era un buen tipo».

Llegó el momento de la partida. Peter transportó en un carro su taquilla hasta la zona de estacionamiento donde esperaba su transporte, un tráiler cargado con los neumáticos que los hombres de Peter habían requisado en Lubbock. Subió su equipaje al compartimento de carga del vehículo de escolta y trepó al asiento del pasajero.

—¿Se alegra de volver a casa, señor?

Peter se limitó a asentir. Cualquier cosa que hubiera dicho habría sonado como un exabrupto, y el conductor, un cabo del escuadrón de Satch, no merecía convertirse en objetivo de su mal humor.

—Le diré lo primero que voy a hacer en cuanto reciba mi paga —dijo el cabo, con exuberancia apenas contenida—. Iré directamente a Ciudad-H para gastar la mitad en lingotazo y la otra mitad en un burdel. —Avergonzado de repente, dirigió a Peter una mirada nerviosa—. Um, lo siento, señor.

—Tranquilo, cabo.

—¿Le espera alguien en casa, teniente? Si no le importa que se lo pregunte.

Para empezar, la pregunta era demasiado complicada.

—En cierto modo.

El cabo le dedicó una sonrisa de complicidad.

—Bien, sea quien sea la afortunada, estoy seguro de que será muy feliz con usted.

Dieron la orden. Con un eructo de gases diésel, el convoy se puso en marcha. Peter ya se estaba sumiendo en el estado de trance que confiaba en poder mantener durante los siguientes tres días, cuando oyó que alguien chillaba por encima del estruendo de los motores.

—¡Deténganse en la puerta!

Alicia estaba corriendo hacia el Humvee. Peter bajó la ventanilla.

—He vuelto hace una hora —dijo ella—. ¿Quién te crees que eres, marchándote sin decir adiós?

Su rostro era una máscara de mugre grasienta. Olía un poco a petróleo. Pero lo que llamó la atención de Peter fue un destello metálico en el cuello: un par de galones de capitán.

—Vaya —dijo, al tiempo que forzaba una sonrisa irónica con la que esperaba disimular su envidia—. Creo que tendré que empezar a llamarte «señor».

—Me gusta cómo suena. Ya era hora, si quieres saber mi opinión.

—Apgar me envía a otro destino.

—Lo sé. La Carretera del Petróleo. —No había motivos para entrar en detalles—. Una tarea fácil, Peter. Te lo has ganado.

—Eso me dice todo el mundo.

—Saluda a Circuito de mi parte. Y a Greer, si le ves.

Peter asintió. No podían decir mucho más con el conductor delante.

—¿Cuándo partes hacia Kearney?

—Dentro de dos días.

—Ojo avizor. Apgar dice que la cosa está que arde.

—Tú también. —Miró al conductor, quien estaba estudiando la rueda con los ojos, y después a Peter de nuevo—. No te preocupes. Sobre lo que estábamos hablando antes. No ha terminado, ¿de acuerdo?

Peter notó, en el interior de las palabras, la presión de algo no verbalizado. Detrás de él se elevó el rugido impaciente de los motores. Todo el mundo estaba esperando.

—Señor, tendríamos que irnos —dijo el conductor.

—Tranquilo, ya hemos terminado. —Alicia miró a Peter por última vez—. Lo digo en serio, Peter. Todo irá bien. Ve a ver a tu hijo.

28

El primer dolor llegó como un tren que entrara rugiendo en la estación, una tarde de finales de septiembre, con el cálido sol de Texas y un cielo azul enorme. Amy estaba en el patio, observando a los niños mientras jugaban. Dentro de unos minutos sonaría la campana que indicaba el final de las clases, y Amy volvería a la cocina para ayudar a preparar la cena. Una isla de descanso en medio del ritmo cotidiano interminable de tareas realizadas y, con igual rapidez, pendientes. Siempre, cuando terminaba la comida, guardaban los platos y soltaban a los niños para que quemaran la ansiedad acumulada durante la mañana, Amy los seguía afuera y se acomodaba al borde del patio de recreo, lo bastante cerca para disfrutar de la intensa energía de su actividad, y lo bastante lejos para no permitir que los niños la atrayeran. Eran sus treinta minutos favoritos del día, y Amy acababa de cerrar los ojos e inclinar la cabeza para recibir los cálidos rayos del sol de principios de otoño cuando llegó el dolor: un potente calambre en el estómago que la obligó a doblarse en dos, tambalearse hacia delante y lanzar un tenue grito de sorpresa que, incluso con la frenética algarabía del patio de recreo, no pasó desapercibido.

—Amy, ¿te encuentras bien?

Amy vio la imagen de la hermana Catherine (pálida, de rostro alargado, los iris de un azul aciano). Estaba sudando profusamente. Sus manos y pies se habían transformado en gelatina fría. Todo lo que había debajo de su cintura parecía haber perdido cierta densidad esencial. En otro momento, Amy se habría fundido literalmente con la tierra. En parte deseaba vomitar, pero por otra se negaba, lo cual le creaba una especie de ahogamiento que le impedía hablar.

—Quizá será mejor que te sientes. Estás blanca como la cera.

La hermana Catherine la acompañó hasta un banco apoyado contra la pared del orfanato, los seis metros de distancia que mediaban habrían podido ser un kilómetro. Cuando llegaron, Amy no habría podido dar otro paso sin derrumbarse. La hermana Catherine la dejó y se alejó a toda prisa, preocupada, para volver poco después con un vaso de agua, que apretó contra la mano de Amy. Daba la impresión de que la actividad proseguía en el patio sin interrupciones, pero Amy notó que algunos niños la estaban mirando. El dolor se había disipado en unas náuseas generalizadas, pero sin la sensación de debilidad. Se sentía febril y fría a la vez. Más hermanas se habían congregado a su alrededor, y todas hablaban en voz baja y preocupada, mientras interrogaban a la hermana Catherine. Amy no quería agua, pero todo el mundo insistía. Tomó un pequeño sorbo.

—Lo siento —logró articular—. Me encontraba perfectamente bien, y de repente...

—Venga, hermana —dijo Catherine, y señaló las puertas del orfanato con un ademán—. Venga enseguida.

La pequeña multitud se abrió cuando la hermana Peg avanzó. La anciana estudió a Amy con una expresión dolorida que conseguía presagiar preocupación e irritación al mismo tiempo.

—¿Y bien? ¿Alguien va a contarme lo que ha pasado, o tengo que adivinarlo?

—No lo sé —contestó la hermana Catherine—. Se... cayó.

El silencio se había apoderado del patio de recreo. Todos los niños la estaban mirando. Amy buscó a Caleb, pero la hermana Peg se interponía entre ella y los demás. No recordaba ni un momento en que se hubiera sentido enferma. Comprendía el principio, pero nunca había experimentado la realidad. Casi peor que el dolor era la vergüenza. Tenía ganas de decir algo, lo que fuera, con tal de conseguir que la gente dejara de mirarla.

—¿Fue eso lo que pasó, Amy?

—Sólo me sentí mareada. Me dolía el estómago. No sé qué pasó.

La anciana apretó la palma de su mano contra la frente de Amy.

—Bien, no creo que tengas fiebre.

—Debí de comer algo que me sentó mal. Estoy segura de que, si me quedo aquí sentada, me recuperaré dentro de un momento.

—No tiene buen aspecto —intervino la hermana Catherine, y las demás asintieron—. La verdad, Amy, pensé que te ibas a desmayar.

Siguió un murmullo general. No, no tenía buen aspecto, en absoluto. ¿Podría ser la gripe? ¿Algo peor? Si era algo que la chica había comido, ¿ellas enfermarían también?

La hermana Peg permitió al grupo un momento de conjeturas, y después les ordenó que guardaran silencio con una mano alzada.

—No veo motivos para correr riesgos. Métete en la cama, Amy.

—Pero ya me siento mucho mejor. Estoy segura de que me pondré bien.

—Yo juzgaré eso, gracias. Hermana Catherine, ¿la acompañará al dormitorio?

Catherine la ayudó a ponerse en pie. Se sentía un poco insegura, y su estómago no estaba en su mejor forma. Pero lo peor ya había pasado. Catherine la guió hasta el interior del edificio y subieron por la escalera hasta la sala donde dormían todas las hermanas, salvo la hermana Peg, quien, por ser la superiora, disponía de una habitación para ella sola. Amy se desvistió y se metió en la cama.

—¿Puedo hacer algo más?

La hermana Catherine estaba corriendo las cortinas.

—Me encuentro bien. —Amy forzó una sonrisa—. Creo que sólo necesito descansar un poco.

Parada al pie del jergón, Catherine la miró un momento.

—Sabes lo que podría ser eso, ¿verdad? Una chica de tu edad...

Tu edad. Si la hermana Catherine supiera, pensó Amy. Aunque también comprendió lo que estaba insinuando. La idea la tomó por sorpresa.

La hermana Catherine sonrió compasiva.

—Bien, si es eso, pronto lo sabrás. Créeme, todas hemos pasado por ello.

Tras obligar a Amy a prometer que la llamaría si necesitaba algo, Catherine se fue. Amy se reclinó en el catre y cerró los ojos. Había sonado la campana de la tarde. Abajo, los niños estarían entrando para continuar las clases, oliendo a sol y a sudor y al aire fresco del atardecer, y algunos, quizá, se preguntarían qué había pasado en el patio de recreo. Caleb estaría preocupado por ella, sin duda. Amy tendría que haber dicho a la hermana Catherine que tranquilizara al muchacho. *Sólo está cansada. No se encontraba bien. Se pondrá bien en un periquete, ya lo verás.*

Y, no obstante: *Una chica de tu edad...* ¿Era posible? Todas las hermanas se quejaban del «calvario», así lo llamaban. Era una broma habitual en el orfanato que, debido a vivir tan apretujadas, todas menstruaban al mismo tiempo, de manera que una semana de cada cuatro se convertía en una pesadilla de compresas ensangrentadas y malos humores. Durante cien años, Amy había vivido en una completa inocencia de estos hechos básicos. Ni siquiera en ese momento podía afirmar que comprendiera el fenómeno por completo, pero captaba lo esencial. Sangras, pero no mucho, y se trata de algo incómodo, que se prolonga durante unos días. Durante una época, Amy había contemplado la perspectiva con horror, pero con el tiempo este sentimiento había dado paso a un anhelo feroz, casi biológico, y al temor de que nunca le sucediera, de que esta puerta de cariz humano siempre se mantendría cerrada y viviría en el cuerpo de una niña eternamente.

Echó un vistazo. No, no estaba sangrando. Si la hermana Catherine estaba en lo cierto, ¿cuánto faltaba para que empezara? Ojalá hubiera aprovechado la oportunidad para interrogar a Catherine a fondo. ¿Cuánta sangre sería, cuánto dolor, hasta qué punto se sentiría diferente? Aunque en su caso, razonó Amy, nada sería lo mismo. Tal vez sería peor todavía. Tal vez sería mejor. Tal vez no ocurriría nunca.

Le habría gustado ser una mujer. Verse reflejada en los ojos de otra persona. Para que su cuerpo supiera lo que su corazón ya conocía.

Un maullido áspero interrumpió su cadena de razonamiento. *Ratonero* se había acercado a investigar qué pasaba, por supuesto. El viejo gato gris se dirigía hacia la cama. Daba pena verlo: los ojos nublados a causa de las cataratas, el pelaje enmarañado y apelmazado, arrastrando la cola a causa de la edad.

—¿Has venido a verme, chaval? Bien, ven aquí.

Amy lo levantó del suelo, se reclinó en el catre y lo posó sobre su pecho. Acarició su pelaje con las manos. El animal contestó apretando la cabeza contra su cuello. *El sol ha salido, ¿por qué estás en la cama?* Dio tres vueltas antes de acomodarse sobre su pecho, y emitió un fuerte ronroneo. *No pasa nada. Tú, duerme. Yo me quedaré aquí.*

Amy cerró los ojos.

Después, era de noche, y Amy estaba fuera.

¿Cómo había salido?

Aún llevaba el camisón. Tenía los pies descalzos y húmedos a causa del rocío. Era imposible saber la hora, pero parecía tarde. ¿Estaba soñando? Pero si aún estaba dormida, ¿por qué parecía todo tan real? Examinó el terreno circundante. Estaba cerca del dique, río arriba. El aire era frío y húmedo. Experimentó una premura persistente, como si se hubiera despertado de un sueño en que la estuvieran persiguiendo. ¿Por qué se hallaba ahí? ¿Era sonámbula?

Algo rozó su pierna y la sobresaltó. Bajó la mirada y vio a *Ratonero*, que la observaba con sus ojos nublados. Empezó a maullar con estridencia, y después se dirigió a la presa, y se detuvo a unos metros de distancia para volver a mirarla.

El significado estaba claro. Amy lo siguió. El viejo gato la condujo hasta un pequeño edificio de hormigón situado en la base de la presa. ¿Algún problema mecánico? *Ratonero* se quedó parado ante la puerta y maulló.

Ella abrió la puerta y entró. La oscuridad era total. ¿Cómo se orientaría? Tanteó la pared en busca de un interruptor. Allí estaba. Una hilera de luces cobró vida. En el centro de la pequeña habitación había una verja metálica que custodiaba una escalera circular. *Ratonero* estaba parado en el último peldaño. Se volvió para mirarla, emitió otro maullido insistente y bajó.

Era una escalera de caracol. La negrura la recibió de nuevo al final. Tanteó otra vez en busca de un interruptor. Entonces, vio dónde se encontraba. Un ancho corredor que conducía en una sola dirección, hacia delante. El gato la precedía, y arrojaba sombras alargadas sobre las paredes. Su insistencia era contagiosa, la obligaba a internarse cada vez más en aquel mundo subterráneo. Llegaron a una segunda puerta, cerrada con una rueda de manivela. Un trozo de tubería estaba caído en el suelo, a su lado. Amy lo introdujo entre los radios y giró: la puerta se abrió y reveló una escalera. Se volvió para consultar con *Ratonero*, quien le dirigió una mirada escéptica.

Temo que eso no es para mí. A partir de ahora tendrás que seguir sola.

Amy bajó. Algo la esperaba al pie. Sintió su presencia en los huesos. Algo terrible y triste y henchido de anhelo. Sus pies tocaron el suelo. Otro pozo, más ancho que el primero. Un hilillo de agua corría a lo largo del suelo. Al final, vio un círculo de luz. Ahora sabía dónde estaba: uno de los aliviadores. Lo que veía era la luz de la luna. Avanzó hacia su brillo espectral justo cuando una sombra pasaba por delante. Una sombra no: una figura.

Lo supo.

Amy, Amy, hija de mi corazón.

Extendió las manos hacia ella a través de los barrotes, una garra larga y sarmentosa, los dedos distendidos, acabados en garras curvas. Cuando sus palmas se tocaron, sus dedos se abrieron paso entre los de ella y después envolvieron su mano. Ella no sentía miedo, sólo una levedad cada vez mayor. Las lágrimas nublaron sus ojos.

Amy, me acuerdo. Me acuerdo de todo.

Sus manos estaban unidas. Su tacto había invadido todo su ser, la bañaba con su calidez, un calor de amor, de hogar. Decía: *Siempre estaré aquí. Yo seré el que te mantendrá a salvo.*

Mi valiente niña. Mi valiente Amy. No llores.

Un gran sollozo la estremeció, un torrente de emoción pura. Era feliz, estaba triste, sentía el peso de su vida.

—¿Qué me está pasando? ¿Por qué me siento así? Dímelo, por favor.

El rostro del hombre era inexpresivo, porque no podía reflejar la menor expresión. Todo cuanto era residía en sus ojos.

Todas tus preguntas serán contestadas. Él te está esperando, en el barco. Yo te acompañaré allí cuando llegue el momento.

—¿Cuándo? ¿Cuándo llegará?

Pero Amy ya sabía la respuesta antes de oír las palabras.

Pronto, dijo Wolgast. *Pronto, muy pronto.*

V

La Carretera del Petróleo

> ¿Puedo ver la pena de otro
> sin sentirme parte de ella?
> ¿Puedo ver dolor ajeno
> sin buscar gentil alivio?

WILLIAM BLAKE,
«Sobre la pena de otro»

29

COMPLEJO DE LA REFINERÍA
Freeport, Texas

Michael Fisher, engrasador de primera clase (Michael el Listo, Comunicador de Mundos), despertó de un sueño profundo y sin sueños con la inconfundible sensación de que alguien se lo estaba follando.

Abrió los ojos. Lore le estaba cabalgando a horcajadas, la columna vertebral inclinada hacia delante, la frente cubierta de reluciente sudor atizado por el sexo. Voladores, pensó, ¿no acababan de hacerlo? ¿Casi toda la noche, de hecho? ¿Tremenda, jocosamente, en todas las posiciones permisibles para la fisiología humana, en una litera de las dimensiones aproximadas de un ataúd?

—Buenos días —anunció ella con una sonrisa—. Espero que no te importe que empezara sin ti.

Bien, estupendo, pensó Michael. Había maneras mucho peores de iniciar el día. A juzgar por el rubor de sus mejillas, dedujo que Lore estaba a punto de correrse, y pensándolo bien, a él no le faltaba mucho. Había empezado a balancear las caderas, el peso de su sexo rompía contra él como olas en una playa. Las olas entraban y salían.

—No tan deprisa, caballero.

—¡Por los clavos de Cristo, no hagáis tanto ruido! —bramó una voz desde arriba.

—Cierra el pico, Ceps —replicó Lore—. Estoy trabajando.

—¡Me la estás poniendo dura! ¡Es asqueroso!

Michael tuvo la sensación de que la conversación ocurría en alguna órbita lejana. Con todo el mundo apretujado en literas, sin más intimidad que la proporcionada por delgadas cortinas, aprendías a desconectar. Pero la sensación era más poderosa todavía. Incluso mientras sus sentidos se sumían en una fisicidad absoluta, algo relacionado con el sexo, con sus ritmos hipnóticos, le impulsó a una especie de disociación. Era como si su mente fuera rezagada tres pasos detrás de su cuerpo, orientándose a través de un paisaje de diversas preocupaciones, tristezas e imágenes neutras desde un punto de vista emocional que se elevaban ante él como burbujas de gas en expansión en el caldero. Una junta defectuosa que era preciso sustituir. El calendario de entrega de crudo nuevo procedente del depósito. Recuerdos de la Colonia, en la cual nunca pensaba. Encima de él, Lore continuaba su viaje, mientras Michael iba a la deriva en aquella corriente de deslealtad mental, intentando alinear su atención con la de ella. Creía que era lo mínimo que podía hacer.

Y al final, lo consiguió. La pasión acelerada de Lore ganó la partida. Cuando descorrieron la cortina, Ceps se había ido. El reloj que había encima de la puerta anunciaba las 06.30.

—Mierda.

Michael apoyó los pies en el suelo y se puso el mono. Lore, detrás de él, rodeó su pecho con las manos.

—Quédate. No te arrepentirás.

—Me toca el primer turno. Si vuelvo a llegar tarde, Karlovic se comerá mi culo para desayunar.

Embutió los pies en las botas y volvió la cara para besarla: un sabor a sal, sexo y algo característico de ella. Michael no habría dicho que era amor lo que compartían, exactamente. El sexo era una manera de matar el rato, pero a lo largo de los meses su relación había evolucionado, poco a poco, hacia algo más que mera costumbre.

—Estabas pensando otra vez, ¿verdad?

—¿Quién, yo?

—No mientas. —Su tono no era amargo, sólo intentaba corregirle—. ¿Sabes?, un día voy a quitarte todas las preocupaciones a polvos. —Suspiró y le soltó—. No pasa nada. Vete.

Michael se levantó del jergón, cogió el gorro y los guantes del poste.

—¿Nos veremos luego?

Ella ya se había tumbado en el catre.

—Si tú quieres.

Cuando Michael salió de los barracones, el sol se estaba levantando sobre el Golfo, de forma que su superficie rielaba como una hoja de metal batido. Puede que estuvieran en la primera semana de octubre, pero el termómetro ya estaba subiendo, el aire del mar áspero como siempre debido a la sal y el hedor sulfuroso del butano ardiente. Pese a los gruñidos de su estómago (el desayuno tendría que esperar), atravesó a paso ligero el recinto, dejó atrás el economato, las cajas de pesas y los barracones de SN en dirección a la cabaña de Quonset, donde los trabajadores del turno de la mañana se habían congregado. Karlovic, el ingeniero jefe, estaba distribuyendo las tareas. Dirigió a Michael una fría mirada.

—¿Estamos interrumpiendo su hermoso sueño, Fisher? Craso error.

—Exacto. —Michael se estaba subiendo la cremallera del mono—. Lo siento.

—Aún lo sentirá más. Se encargará de encender la Bomba. Ceps será su segundo. Procure no volar por los aires a su equipo.

La Torre de Destilación n° 1, conocida como la Bomba, era la más antigua de todas, su bulto oxidado se mantenía ensamblado gracias a una combinación de soldaduras, alambre para embalar y oraciones. Todo el mundo decía que sólo era cuestión de tiempo que la desguazaran o que lanzara a un equipo chamuscado a mitad de distancia de Marte.

—Gracias, jefe. Es muy amable por su parte.

—De nada. —Karlovic paseó su mirada sobre el grupo—. Muy bien, todo el mundo. Faltan siete días para que zarpemos. Quiero esos buques cisterna llenos, tíos. Fisher, espera un momento. Quiero hablar contigo.

Las cuadrillas se dispersaron en dirección a sus torres. Michael siguió a Karlovic al interior de la cabaña. Joder, ¿qué pasaba ahora? No había llegado ni dos minutos tarde, no era para merecer una regañina.

—Escucha, Dan, siento lo de esta mañana...

Karlovic no le dejó terminar.

—Olvídalo, no es de eso de lo que quería hablar. —Se subió los pantalones y depositó su humanidad en la silla que había detrás del escritorio. Karlovic era pesado en el auténtico sentido de la palabra, gordo no, pero grande en todos los aspectos, un hombre de peso e influencia. Clavadas en la pared encima de su cabeza había docenas de hojas de papel: listas de deberes, volúmenes de trabajo, calendarios de entregas—. Te habría enviado a la Bomba de todos modos. Tú y Ceps sois los mejores que tengo para el trabajo delicado. Toma como un cumplido que os destine a los dos a ese viejo trasto malhumorado. Si por mí fuera, ya habría ido a parar al desguace.

Michael no lo dudaba. Por otra parte, pillaba las alabanzas estratégicamente sincronizadas cuando las oía.

—¿Y bien?

—Esto.

Karlovic deslizó una hoja de papel sobre el escritorio. Los ojos de Michael se fijaron al instante en la firma que había al final: Victoria Sánchez, Presidente. República de Texas. Examinó a toda prisa los tres cortos párrafos. *Ésta sí que es buena*, pensó.

—¿Alguna idea de qué va?

—¿Por qué crees que debería saberlo?

—Fuiste el último jefe de cuadrilla en la descarga. Tal vez te enteraste de algo mientras estabas allí. Habladurías en el depósito, aumento de la presencia militar...

—No tengo ni idea. —Michael se encogió de hombros—. ¿Has hablado con Stark? Tal vez él lo sepa.

Stark era el jefe de seguridad de la refinería. Era un bocas y le gustaba demasiado el lingotazo, pero por lo general gozaba del respeto tanto de los engrasadores como de SN, aunque sólo fuera por sus proezas en la mesa de póquer. Su cautela con las cartas había costado un dineral a Michael, aunque la paga no significara una gran pérdida. Dentro de las vallas de la refinería no había nada en qué gastarla.

—Todavía no. De todos modos, no lo aceptará. —Karlovic estudió a Michael—. ¿No sois amigos? Todo ese rollo de California.

—Le conozco, sí.

—En ese caso, quizá puedas darle un poco de jabón. Actuar como una especie de, digamos, enlace extraoficial entre SN y los militares.

Michael se tomó unos segundos para analizar sus sentimientos. Le haría gracia ver a alguien de los viejos tiempos, pero al mismo tiempo era consciente de una molestia interior, una sensación de exponerse a los azares del mundo exterior. La vida independiente de un engrasador le había rescatado del dolor de la pérdida de su hermana, ocupado el espacio mental que ella había dejado. En parte sabía que se estaba escondiendo, pero por lo demás no le importaba.

—No debería suponer ningún problema.

—Lo consideraré un favor. Manéjalo a tu aire. —Karlovic ladeó la cabeza en dirección a la puerta—. Ahora lárgate de aquí, has de cocinar petróleo. Por cierto, lo dije en serio: vigila tu culo con ese trasto.

Michael llegó a la torre de destilación y se encontró con su cuadrilla, una docena de engrasadores que esperaban con expresión de perplejidad. El buque cisterna con su cargamento de petróleo estaba en su sitio. No vio a Ceps.

—Vale, de acuerdo. ¿Por qué no estáis llenando este trasto?

Ceps salió a gatas de debajo de la resistencia calentadora que había en la base de la torre. Sus manos y brazos desnudos estaban cubiertos de mugre negra.

—Primero tendremos que pasarle la manguera. Hay al menos dos metros de residuos en la base.

—Joder, eso nos ocupará toda la mañana. ¿Quién fue el último jefe de cuadrilla?

—Hace meses que este trasto no se ha encendido. Tendrías que preguntar a Karlovic.

—¿Cuánto crudo tendremos que drenar?

—Unos doscientos barriles.

Unos treinta mil litros de petróleo refinado en parte que llevaba allí tirado desde Dios sabía cuándo. Necesitarían un buque cisterna de residuos grande, un coche bomba y mangueras de vapor a alta presión para regar la torre. Serían como mínimo doce horas, dieciséis para volver a llenarla y encender la resistencia calentadora, veinticuatro antes de que la primera gota saliera de la tubería. A Karlovic le daría un ataque.

—Bien, será mejor que pongamos manos a la obra. Cuando dé la orden, tened las mangueras preparadas. —Michael movió la cabeza—. Si descubro al responsable de esto, le romperé el culo a patadas.

El drenaje ocupó toda la mañana. Michael declaró inutilizable el petróleo abandonado y envió el camión a los pozos de residuos para quemarlo. Vaciar la basura era la parte fácil; limpiar el depósito era el trabajo que todos temían. El agua inyectada en lo alto de la torre eliminaría casi todos los residuos (los residuos tóxicos y pegajosos del proceso de refinamiento), pero no todos. Tres hombres tendrían que ponerse trajes especiales y entrar para cepillar la base y lavar el sumidero de asfalto. La única vía de entrada era un puerto ciego, de un metro de anchura, a través del cual era preciso reptar a cuatro patas. La expresión empleada era «subir por el ano», una descripción bastante precisa, en opinión de Michael. Él sería uno de los tres. No existían reglas para esto. Era su costumbre, un gesto moral. Para los otros dos, la costumbre era jugárselo a pajitas.

El primero en sacar una pajita corta fue Ed Pope, el mayor de la cuadrilla. Ed había sido el monitor de Michael, el que le enseñó lo básico. Tres décadas en los hornos se habían cobrado su precio. El cuerpo del hombre era como un catálogo de catástrofes. Tres dedos cercenados por la hoja proyectada a gran velocidad de un cortabarras. Un lado de la cabeza y el cuello quemados hasta convertirse en una tajada de carne rosada y carente de vello debido a una explosión de propano que había matado a nueve hombres. Estaba sordo de aquel oído, y tenía las rodillas tan hechas polvo que Michael, cuando le veía doblarse, se encogía. Pensó en hacer la vista gorda, pero sabía que Ed era demasiado orgulloso para aceptar, y vio que el hombre se encaminaba a la cabaña para ponerse el traje.

La segunda paja corta fue para Ceps.

—Olvídalo, te necesito aquí, en los surtidores —dijo Michael.

Ceps movió la cabeza. El día les había puesto a todos impacientes.

—A la mierda. Acabemos de una vez.

Se pusieron sus biotrajes y botellas de oxígeno, y reunieron su equipo: pesados cepillos fijos a palos, cubos de disolvente, varillas de alta presión conectadas con un compresor. Michael se bajó la mascarilla sobre la cara, sujetó con velcro los cierres de sus guantes y comprobó su oxígeno. Si bien habían ventilado la torre, el aire del interior continuaba siendo tan mortífero como antes, una sopa aérea de vapores y sulfatos de petróleo que podían convertir los pulmones en cecina. Michael sintió un ligero estallido positivo de presión en la mascarilla, encendió el foco del casco y se arrodilló para desenroscar el escotillón del conducto de entrada.

—Vamos, *hombres*.

Pasó a través de la abertura y se dejó caer sobre unos ocho centímetros de mugre sólida. Ed y Ceps gatearon tras él.

—Qué asco.

Michael introdujo la mano en los sedimentos y abrió el desagüe de asfalto. Los tres empezaron a barrer los residuos en aquella dirección. La temperatura en el interior de la torre era de treinta y ocho grados, como mínimo. Estaban empapados de sudor, y la humedad atrapada de su aliento cubría la placa de la visera. Una vez despejado lo peor, tiraron el disolvente, engancharon sus varillas y comenzaron a rociar las paredes y el suelo.

Dentro de sus trajes, con el estruendo del compresor, la conversación era casi imposible. Lo único en que podían pensar era en terminar el trabajo y salir. Llevaban tan sólo un par de minutos cuando Michael sintió un golpecito en el hombro. Se volvió y vio que Ceps señalaba a Ed. El hombre estaba inmóvil, de cara a la pared como una estatua, con la varilla sujeta sin fuerza. Mientras Michael miraba, resbaló de su mano, aunque Ed no pareció darse cuenta.

—¡Algo le pasa! —gritó Ceps sobre el estruendo.

Michael avanzó y dio la vuelta a Ed por los hombros. Sólo obtuvo una mirada vaga.

—Ed, ¿te encuentras bien?

La cara del hombre revivió.

—Ah, hola, Michael —dijo, con excesiva alegría—. Hey-hey-hey-hey. Woo-woo.

—¿Qué está diciendo? —gritó Ceps.

Michael se pasó un dedo sobre la garganta para indicar a Ceps que cerrara el compresor. Miró fijamente a Ed.

—Háblame, colega.

Una risita femenina escapó de los labios del hombre. Estaba falto de aliento, y alzó una mano hacia la visera.

—Ashblass. Minfuth. ¡Minfuth!

Michael comprendió lo que iba a suceder. Cuando Ed extendió la mano hacia la mascarilla, Michael le agarró por los brazos. El hombre no era un chiquillo, pero tampoco un enclenque. Se revolvió furioso en las manos de Michael con la intención de liberarse, el rostro azul a causa del pánico. No era pánico, comprendió Michael, sino hipoxia. Su cuerpo se convulsionó debido a un enorme espasmo, sus rodillas cedieron bajo él y todo su peso se desplomó en los brazos de Michael.

—¡Ceps, ayúdame a sacarle de aquí!

Ceps agarró al hombre por los pies. Le habían abandonado las fuerzas del cuerpo. Juntos le cargaron hasta el conducto de entrada.

—¡Que alguien le coja! —chilló Michael.

Aparecieron unas manos que tiraron desde el otro lado. Michael y Ceps empujaron el cuerpo por la abertura. Michael salió al exterior y se arrancó la visera y los guantes. Ed estaba tendido boca arriba sobre el suelo. Alguien le había despojado de la mochila y la mascarilla. Michael se puso de rodillas al lado del cuerpo. Un silencio ominoso: el hombre no respiraba. Michael apoyó las manos sobre el pecho de Ed, enlazó los dedos y apretó. Nada. Apretó una y otra vez, mientras contaba hasta treinta, como le habían enseñado a hacer, y después deslizó una mano detrás del cuello de Ed para mantener abierta su vía respiratoria, le pellizcó la nariz y aplicó la boca a los labios azulados del hombre. Sopló una, dos, tres veces. La mente de Michael estaba tan clara como el hielo, sus pensamientos concentrados en un solo propósito. Cuando todo parecía perdido, sintió una aguda contracción en el diafragma. El pecho de Ed se hinchó y engulló una enorme bocanada de aire. Volvió la cabeza a un lado, jadeó y tosió.

Michael osciló sobre sus tacones y aterrizó de culo en el polvo, con el pulso acelerado a causa de la adrenalina. Alguien le acercó una cantimplora: Ceps.

—¿Te encuentras bien, colegui?

No pareció entender la pregunta. Tomó un largo sorbo, hizo gárgaras y la escupió.

—Sí.

Por fin, alguien ayudó a Ed a ponerse en pie. Michael y Ceps le acompañaron a la cabaña y le sentaron en uno de los bancos.

—¿Cómo te encuentras? —preguntó Michael.

Las mejillas de Ed habían adquirido un poco de color, aunque la piel estaba húmeda y pegajosa. Meneó la cabeza con aire de desdicha.

—No sé qué ha pasado. Juraría que comprobé mi oxígeno.

Michael ya había mirado: las botellas estaban vacías.

—Tal vez ha llegado el momento, Ed.

—¡Jesús!, Michael. ¿Me estás despidiendo?

—No. Tú decides. Sólo digo que no es ninguna desgracia jubilarse. —Como Ed no respondió, Michael se levantó—. Piénsalo. Te apoyaré, decidas lo que decidas. ¿Quieres que te acompañe a los barracones?

Ed miraba al frente, desconsolado. Michael leyó la verdad en su rostro: el hombre no tenía nada más.

—Creo que me quedaré sentado un rato. Para recuperar fuerzas.

Michael salió de la cabaña y encontró al resto de la cuadrilla esperando ante la puerta.

—¿A qué coño estáis esperando?

—El turno ha terminado, jefe.

Michael consultó su reloj: era cierto.

—Para nosotros no. El espectáculo ha terminado, chicos. Volved a encaminar vuestro culo perezoso al trabajo.

Pasaba de la medianoche cuando Lore le dijo:

—Qué suerte lo de Ed.

Los dos estaban aovillados en el catre de Michael. Pese a los denodados esfuerzos de Lore, la mente de Michael había sido incapaz de apartarse de los acontecimientos del día. Cuando cerraba los ojos veía siempre la expresión en el rostro de Ed en la cabaña, como alguien que caminara hacia el cadalso.

—¿Qué quieres decir?

—Que estabas con él. Lo que hiciste.

—No fue nada.

—Sí lo fue. El hombre habría podido morir. ¿Cómo es que sabías hacer eso?

El pasado acechaba en su interior, una oleada de dolor.

—Me enseñó mi hermana. Era enfermera.

30

LA CIUDAD
Kerrville, Texas

Llegaron tras la lluvia. Primero los campos, mojados de humedad, con un intenso olor a tierra en el aire, después, cuando ascendieron desde el valle, los muros de la ciudad, de ocho pisos de altura, recortados contra las colinas marrones de Texas. Al llegar a la entrada se encontraron con una cola de tráfico: transportes, equipos mecánicos, camionetas de SN llenas de hombres con sus gruesos trajes acolchados. Peter bajó, pidió al conductor que depositara su taquilla en los barracones y enseñó sus órdenes al guardia del túnel peatonal, quien le indicó que pasara con un ademán.

—Bienvenido a casa, señor.

Después de dieciséis meses en los territorios, el inmenso y abrumador hacinamiento humano del lugar asaltó sus sentidos al instante. Había pasado poco tiempo en la ciudad, no lo suficiente para adaptarse a su densidad claustrofóbica de sonidos, olores y rostros desbordantes. La Colonia nunca había albergado más de cien almas. Ahí superaban las cuarenta mil.

Peter se encaminó al cuartel general para recoger su paga. Tampoco había acabado de acostumbrarse a la noción de dinero. «A partes iguales», la unidad económica del gobierno de la Colonia, era lo que le parecía lógico. Cobrabas tu parte, y la utilizabas como te daba la gana, pero era la misma de todos los demás, ni más ni menos. ¿Cómo podían corresponder aquellas hojas de papel cubiertas de tinta (las llamaban Austins, por el hombre cuya imagen, con su frente despejada y abombada, nariz ganchuda y atavío desconcertante, adornaban cada billete) al valor del trabajo de una persona?

El empleado, un civil, sacó el vale de la caja fuerte, depositó los billetes sobre el mostrador con brusquedad y empujó una tablilla hacia él a través de la reja, sin mirarle ni una sola vez a los ojos.

—Firme aquí.

Peter experimentó una sensación rara cuando se guardó el grueso fajo de dinero en el bolsillo. Cuando salió de nuevo al luminoso atardecer, ya estaba pensando en cómo deshacerse de él. Quedaban seis horas hasta el toque de queda, tiempo apenas suficiente para visitar el orfanato y la cárcel antes de presentarse en los barracones. Sólo le quedaba la tarde: el transporte que le conduciría a la refinería partía a las 06.00.

Greer sería el primero. De esa manera, Peter no tendría que decepcionar a Caleb marchándose antes del toque de trompeta. La prisión se hallaba en la vieja cárcel emplazada en el borde oeste del centro. Firmó en el escritorio (en Kerrville siempre estabas firmando cosas, otra rareza) y se despojó del cuchillo y la pistola. Estaba a punto de entrar cuando el guardia le detuvo.

—He de cachearle, teniente.

Como miembro de los Expedicionarios, Peter estaba acostumbrado a cierta deferencia automática, y desde luego de un miembro de menor rango de seguridad, que no tendría ni un día más de veinte años.

—¿Es eso necesario?

—Yo no hago las normas, señor.

Irritante, pero Peter no tenía tiempo para discusiones.

—Dese prisa.

El guardia palpó los brazos y piernas de Peter, y después sacó un pesado llavero y le guió hasta la zona de las celdas, un largo pasillo de pesadas puertas de acero. La atmósfera era opresiva y olía a hombres. Llegaron a la celda marcada con el número 62.

—Es curioso —comentó el guardia—. Greer no ve a nadie durante casi tres años, y ahora acaba de recibir dos visitas en sólo un mes.

—¿Quién más vino?

—Yo no estaba de guardia. Tendría que preguntarle al otro.

El guardia localizó la llave correcta, la introdujo en la cerradura y abrió la puerta con un sonido de goznes chirriantes. Greer, descalzo, vestido tan sólo con unos burdos pantalones de lona ceñidos en la cintura, estaba sentado en el borde de su catre. Su ancho pecho brillaba de sudor. Tenía las manos enlazadas con serenidad sobre el regazo. Su pelo, lo que quedaba de él, de un blanco plateado, caía sobre sus enormes hombros, mientras una gran barba enmarañada (la barba de un profeta, un vagabundo de las llanuras) trepaba sobre sus mejillas. Irradiaba una profunda calma. Comunicaba una impresión de compostura, como si hubiera reducido a su esencia la mente y el cuerpo. Durante un momento inquietante no dio señales de haber reparado en la presencia de las dos figuras paradas en la entrada, lo cual provocó que Peter se preguntara si el aislamiento había afectado a su mente. Pero entonces levantó los ojos y su rostro se iluminó.

—Peter. Eres tú.

—Comandante Greer. Me alegro de verle.

Greer lanzó una carcajada irónica, con voz ronca por la falta de uso.

—Nadie me ha llamado así desde hace tiempo. Ahora sólo soy Lucius. O Sesenta y dos, como prefieras. La mayoría lo prefiere. —Greer habló al guardia—. ¿Nos concedes unos minutos, Sanders?

—Se supone que no debo dejar a nadie a solas con un prisionero.

Peter le dirigió una fría mirada.

—Creo que sé cuidar de mí mismo, hijo.

Un momento de vacilación. Después, el guardia cedió.

—Bien, si así lo prefiere, señor, creo que diez minutos bastarán. Después de eso termina mi turno, y no quiero meterme en líos.

Peter frunció el ceño.

—¿Nos conocemos?

—Vi su firma. Todo el mundo sabe quién es usted. Es el tipo de California. Una leyenda. —Toda pretensión de autoridad había desaparecido. De repente, era un muchacho fascinado, y la admiración se reflejaba en su rostro—. ¿Cómo fue? Recorrer todo aquel camino, quiero decir.

Peter no supo muy bien qué responder.

—Fue una larga marcha.

—No sé cómo lo hizo. Yo me habría muerto de miedo.

—Le doy mi palabra —le tranquilizó Peter—, de que fue así casi siempre.

Sanders los dejó a solas. Peter ocupó la única silla de la celda, y se sentó a horcajadas delante de Greer.

—Parece que has impresionado a nuestro chico. Ya te dije que costaría impedir que la historia trascendiera.

—Todavía me resulta extraño oírla. ¿Cómo te va?

Greer se encogió de hombros.

—Oh, voy tirando. ¿Y tú? Tienes buen aspecto, Peter. El uniforme te sienta bien.

—Recuerdos de Lish. La han ascendido a capitán.

Greer cabeceó.

—Una chica notable, nuestra Lish. Destinada a grandes empresas, diría yo. ¿Cómo va la guerra? ¿O no debo preguntarlo?

—No muy bien. Vamos cero a tres. Todo el asunto de Martínez fue una catástrofe. Ahora parece que el Mando se lo ha pensado mejor.

—Siempre han sido especialistas en eso. No hay de qué preocuparse, las tornas cambiarán. Una cosa que aprendes aquí es la paciencia.

—No es lo mismo sin ti. No puedo evitar pensar que todo sería diferente si estuvieras allí.

—Oh, lo dudo mucho. Éste siempre ha sido tu espectáculo. Lo supe en el momento que te conocí. Atrapado cabeza abajo en una red giratoria, ¿no?

Peter se rió del recuerdo.

—Michael vomitó sobre nosotros.

—Exacto, ahora me acuerdo. ¿Cómo está? Imagino que ya no

será el mismo crío de entonces. Siempre tenía una respuesta para todo.

—Dudo que haya cambiado mucho. En cualquier caso, lo averiguaré mañana. Me han destinado a la refinería.

Greer frunció el ceño.

—¿Por qué allí?

—Un nuevo plan para aumentar la seguridad de la Carretera del Petróleo.

—A SN le encantará. Yo diría que vas a estar muy ocupado. —Dio una palmada sobre las rodillas para cambiar de tema—. ¿Qué sabes de Hollis?

—Nada bueno. Se tomó muy mal la muerte de Sara. Dicen que anda metido en el tráfico.

Greer reflexionó un momento sobre la noticia.

—En conjunto, no puedo decir que le culpe. Parece extraño decir eso, conociendo a Hollis, pero más de un hombre ha seguido ese camino en las mismas circunstancias. Imagino que se arrepentirá tarde o temprano. Tiene la azotea muy bien amueblada.

—¿Y tú? Pronto saldrás. Si quieres, puedo hablar con el Mando. Tal vez permitirían que te reengancharas.

Pero Greer negó con la cabeza.

—Temo que esos días han terminado para mí, Peter. No olvides que soy un desertor. Una vez cruzas la línea, no hay vuelta atrás.

—¿Qué vas a hacer?

Green esbozó una sonrisa misteriosa.

—Imagino que algo sucederá. Siempre ocurre lo mismo.

Hablaron de los demás durante un rato, intercambiaron noticias, historias del pasado. Al estar con Greer, Peter sentía una cálida satisfacción, acompañada, no obstante, de una sensación de pérdida. El comandante había entrado en su vida justo cuando Peter le necesitaba. Fue la presencia firme de Greer la que le había concedido la voluntad de seguir adelante los días en que su resolución flaqueaba. Era una deuda que Peter jamás podría pagar del todo:

la deuda de la valentía prestada. Peter intuyó que el encarcelamiento de Greer le había cambiado. Continuaba siendo el mismo hombre, aunque en su interior corría algo profundo, un río de calma interior. Daba la impresión de haber extraído fuerzas de su aislamiento.

Cuando se acercaba el final de los diez minutos, Peter contó al comandante lo de la cueva, lo del hombre extraño, Ignacio, y la teoría de Alicia acerca de su identidad. Incluso mientras pronunciaba las palabras, se dio cuenta de lo descabellada que sonaba la historia, pero, no obstante, presentía su certeza. En cualquier caso, la sensación de que la información era importante había ido aumentando con el paso de los días.

—Puede que haya algo de cierto en eso —admitió Greer—. ¿Dijo: «Nos dejó»?

—Ésas fueron sus palabras.

Greer guardó silencio, mientras se acariciaba la larga barba.

—La pregunta es, por supuesto, adónde fue Martínez. ¿Alicia tenía alguna idea al respecto?

—No que yo sepa.

—¿Y tú qué opinas?

—Creo que encontrar a los Doce va a ser más complicado de lo que suponemos.

Esperó, mientras estudiaba el rostro de Greer. Como el comandante no respondió, continuó.

—Mi oferta sigue en pie. Nos podrías ser de mucha utilidad.

—Me sobrestimas, Peter. Yo sólo iba de paquete.

—Para mí no. Alicia diría lo mismo. Todos lo diríamos.

—Y acepto el cumplido, pero eso no cambia nada. Ya no hay nada que hacer.

—No me parece justo que estés aquí.

Greer se encogió de hombros.

—Puede que sí, puede que no. Créeme, he meditado mucho sobre el asunto. Los Expedicionarios eran toda mi vida, y la echo de menos. Pero hice lo que consideré correcto en aquel momento.

Al final, es lo único que necesita un hombre para calibrar su vida, y es suficiente. —Miró a Peter con los ojos entornados—. Cosa que no hace falta que te diga, ¿verdad?

El comandante había dado en el clavo.

—Supongo que no.

—Eres un buen soldado, Peter. Siempre lo has sido, y yo no estaba mintiendo acerca de ese uniforme. Te sienta bien. La pregunta es, ¿tú le sientas bien a él?

La pregunta no era acusadora; en todo caso, lo contrario.

—Hay días en que me lo pregunto —confesó Peter.

—Todo el mundo lo hace. Los militares son así. No puedes ir a la letrina sin rellenar un formulario por triplicado. Pero en tu caso, yo diría que la pregunta va más al fondo. El hombre al que conocí colgado cabeza abajo en aquella rueda no estaba siguiendo más órdenes que las suyas. Creo que ni siquiera habría sabido hacerlo. Y ahora estás aquí, cinco años después, y me informas de que el Mando quiere abandonar la cacería. Dime, ¿hacen bien?

—Por supuesto que no.

—¿Podrás hacérselo entender? ¿Conseguir que cambien de opinión?

—Soy un oficial de menor rango. No van a hacerme caso.

Greer asintió.

—Y yo estoy de acuerdo. Estamos en un callejón sin salida.

Se hizo el silencio.

—Tal vez esto te sirva de ayuda —dijo Greer a continuación—. ¿Recuerdas lo que te dije aquella noche en Arizona?

—Hubo montones de noches, Lucius. Y se dijeron montones de cosas.

—Exacto, pero ésta en particular... No estoy seguro de dónde estábamos exactamente. A un par de días de la Alquería, en cualquier caso. Nos habíamos refugiado bajo un puente. Rocas con aspecto demencial por todas partes. Recuerdo eso debido a la forma en que la luz las iluminaba al anochecer, como si estuvieran encendidas por dentro. Los dos nos pusimos a hablar. Fue la noche que te pregunté qué pensabas hacer con los frascos que Lacey te dio.

Todo volvía. Las rocas rojas, el profundo silencio del paisaje, el fácil fluir de la conversación sentados junto al fuego. Era como si el recuerdo hubiera estado flotando en la mente de Peter durante cinco años, sin tocar jamás la superficie hasta ese momento.

—Me acuerdo.

Greer asintió.

—Ya me lo imaginaba. Permíteme decirte que, cuando te presentaste voluntario para que te inyectaran el virus, eso fue, sin la menor duda, lo más osado que había visto en mi vida, y he visto bastantes cosas osadas. Yo jamás me habría atrevido. Sentía un gran respeto por ti antes de eso, pero después... —Hizo una pausa—. Aquella noche te dije algo. «Todo lo que ha pasado me parece algo más que casualidad.» En aquel momento estaba hablando para mis adentros, intentando verbalizar algo que no acababa de comprender, pero he pensado mucho sobre ese asunto. El que encontraras a Amy, el que yo te encontrara a ti, Lacey, Babcock, todo lo que sucedió en aquella montaña. Los acontecimientos pueden parecerte aleatorios cuando los estás viviendo, pero cuando miras atrás, ¿qué ves? ¿Una cadena de coincidencias? ¿La proverbial buena suerte? ¿O algo más? Te diré lo que yo veo, Peter. Un camino definido. Más que eso. Un camino *auténtico*. ¿Cuáles son las probabilidades de que estas cosas sucedieran sin más? ¿De que cada pieza encajara en su lugar justo cuando lo necesitábamos? Aquí hay un poder en acción, más allá de nuestra comprensión. Llámalo como quieras. No precisa un nombre, porque conoce el tuyo, amigo mío. Te preguntas qué hago aquí todo el día, y la respuesta es muy sencilla. Espero a ver qué sucede a continuación. Confío en el plan de Dios. —Dedicó a Peter una sonrisa enigmática. La película de sudor que humedecía su cara y su pecho desnudo y musculoso impregnaba el aire de la habitación—. ¿Te resulta extraño oírme decir esto? —Su actitud se hizo más ligera—. Debes de estar pensando: *Este pobre tipo, más solo que la una en esta ratonera, ha perdido el juicio.* No serías el primero.

Peter tardó un momento en contestar.

—La verdad es que no. Estaba pensando en lo mucho que me recuerdas a alguien.

—¿A quién?

—Se llamaba Tía.

Ahora le tocó a Greer recordar.

—Por supuesto. La mujer a la que enterramos cuando volvimos a la Colonia. Nunca me contaste nada sobre ella, y yo estaba intrigado. Pero no quise fisgonear.

—Podrías haberlo hecho. Podría decirse que éramos íntimos, pero con Tía nunca sabías. Creo que la mitad del tiempo pensaba que yo era otra persona. De vez en cuando pasaba a ver cómo estaba. También le gustaba hablar de Dios.

—¿Es cierto eso? —Greer parecía complacido—. ¿Y qué decía?

Qué extraño, pensó Peter, pensar en Tía ahora. Como la historia de Greer de su noche en Arizona, el recuerdo de la anciana, y de los ratos que habían pasado juntos, acudió a su mente como si fuera el día anterior. Su cocina donde hacía excesivo calor, las espantosas tazas de té; la precisa, incluso reverente disposición de los objetos en su casa abarrotada, muebles, libros y recuerdos; sus viejos pies nudosos, siempre descalzos, y su boca desdentada y arrugada, y la vaporosa maraña de pelo blanco que daba la impresión de flotar en el aire alrededor de su cabeza, sin estar unida a nada. Del mismo modo que Tía no estaba unida a nada. Sola en su cabaña al borde del calvero, la mujer parecía existir en un reino diferente por completo, una bolsa de memoria humana acumulada, fuera del tiempo. Ahora que Peter lo pensaba, era probable que fuera eso lo que le había atraído de ella. En presencia de Tía, siempre se le antojaban más ligeras las penurias cotidianas de su vida.

—Más o menos lo mismo. No era la mujer más fácil de comprender. —Un recuerdo concreto afloró a la superficie—. Hubo una cosa. Fue la misma noche en que Amy apareció ante la puerta.

—¿Sí?

—La mujer dijo: «El Dios al que yo conozco no nos concedería ni una oportunidad».

Greer le estaba observando con sumo interés.

—Te lo dijo a ti.

Aún estaba sorprendido por la claridad del recuerdo.

—En ese momento pensé que era muy propio de Tía.

Greer rompió el estado de ánimo con una repentina sonrisa.

—Bien —dijo—, me da la impresión de que esa mujer sabía un par de cosas. Lamento no haberla conocido. Apuesto a que nos hubiéramos llevado la mar de bien.

Peter se rió.

—Creo que sí, de veras.

—Tal vez haya llegado el momento de que tengas un poco más de fe, Peter. Es lo único que te digo. Deja que las cosas vayan a ti.

—Como Martínez, quieres decir.

—Puede que sí, puede que no. No hay forma de saberlo hasta que tú lo sepas. Nunca te he preguntado por tus creencias, Peter, y no voy a hacerlo ahora. Todo hombre ha de decidir eso por sí mismo. Y no me malinterpretes: yo también soy un soldado, o al menos lo era. El mundo necesita guerreros, y llegará el día en que poca cosa más va a importar. Tú estarás preparado para la batalla, amigo mío, no me cabe la menor duda. Las cosas son más complicadas de lo que parecen a primera vista. No tengo todas las respuestas, pero eso sí lo sé.

—Ojalá tuviera tu confianza.

El comandante desechó la frase con un encogimiento de hombros.

—Oh, sólo estás intentando comprender las cosas, como todos los demás. Cuando estaba en el orfanato, las hermanas siempre nos enseñaban que una persona de fe es alguien que cree algo que no puede demostrar. No es que esté en desacuerdo, pero eso es sólo la mitad de la historia. Es el fin, no los medios. Hace cien años, la humanidad estuvo a punto de destruirse. Sería fácil pensar que no le caemos muy bien a Dios. O que Dios no existe, todo es absurdo, y sería mejor que tiráramos la toalla y acabáramos de una vez. Gracias, planeta Tierra, fue un placer conocerte. Pero tú no eres así, Peter. Para ti, cazar a los Doce no es la respuesta. Es la pregunta. ¿Le importa a alguien? ¿Vale la pena salvarnos? ¿Qué quiere Dios de mí, si es que existe Dios? La fe más poderosa consiste en la predisposición a preguntar, con todas las pruebas en contra. Fe no sólo en Dios, sino en todos nosotros. Te encuentras en un lugar difícil, y yo diría que seguirás en él un tiempo. Pero es el correcto, y es tuyo.

Fue entonces cuando Peter comprendió lo que estaba viendo. Greer era libre, un hombre libre. Las paredes de su celda no significaban nada para él: toda su vida se hallaba en otro sitio, libre de limitaciones físicas. Era sorprendente envidiar a un hombre cuya vida tenía lugar dentro de la celda de una cárcel poco más grande que una letrina de buen tamaño.

El sonido de unas llaves al girar. Su tiempo había terminado. Cuando Sanders entró en la celda, los dos hombres se levantaron.

—Bien —dijo Greer, y dio una palmada a modo de conclusión—. Un poco de inactividad en Freeport, cortesía del Mando. No es la ciudad que mejor huele, pero la vista es bonita. Un buen lugar para meditar un poco. Te lo has ganado, desde luego.

—Eso dijo el coronel Apgar.

—Un tipo listo, Apgar. —Greer extendió la mano—. Me alegro de haberte visto, amigo mío.

Se estrecharon las manos.

—Cuídate, ¿de acuerdo?

Greer sonrió.

—Ya sabes lo que dicen: tres comidas calientes y una cama. No es una vida tan mala cuando lo piensas. En cuanto a lo demás, te conozco, Peter. Lo comprenderás todo cuando llegue el momento. Es una lección que tú me enseñaste, en realidad.

Sanders le acompañó al pasillo. Sólo entonces se le ocurrió a Peter que había olvidado preguntar a Greer por el otro visitante. Y algo más: el comandante no había preguntado en ningún momento por Amy.

—Escuche —dijo Sanders cuando atravesaron la segunda puerta—, espero que no le importe mi pregunta, pero ¿podría firmar esto?

Extendió una hoja de papel y un lápiz.

—Es para mi esposa —explicó—. Para demostrar que le he conocido.

Peter aceptó el papel, garabateó su nombre y se lo devolvió. Por un momento, Sanders se limitó a mirarlo.

—Caramba —dijo.

—¡Tío Peter!

Caleb se separó de los demás niños y atravesó a la carrera el patio de recreo. En el último instante dio tres brincos y se catapultó en los brazos de Peter, al que estuvo a punto de derribar.

—Vale, tranquilo.

El rostro del muchacho se iluminó de alegría.

—¡Amy dijo que ibas a venir! ¡Estás aquí! ¡Estás aquí!

Peter se preguntó cómo lo había sabido ella, pero se corrigió al instante. Daba la impresión de que Amy sabía cosas sin más, como si su mente estuviera conectada con los ritmos secretos del mundo. Mientras abrazaba a Caleb, su característica presencia física le asaltó: su peso y calor infantiles; el calor de su aliento; el olor lechoso del pelo y la piel, húmedos a causa del esfuerzo, mezclado con el aroma persistente del áspero jabón de sosa que utilizaban las hermanas. Al otro lado del patio, los demás niños estaban mirando. Peter vio que la hermana Peg le estaba observando con frialdad desde las espalderas, su presencia inesperada un trastorno en su amada rutina.

—Deja que te mire.

Bajó a Caleb al suelo. Como siempre, Peter se quedó estupefacto por el asombroso parecido de Caleb con Theo. Sintió una punzada de remordimiento por el tiempo que había dejado pasar.

—Estás muy crecido. Apenas puedo creerlo.

El pecho del niño se hinchó de orgullo.

—¿Dónde has estado, qué has visto?

—Montones de cosas. Estuve en Nuevo México.

—¡Nuevo México!

La mirada de asombro de su cara era total, como si Peter le hubiera dicho que había ido a la luna. Aunque la costumbre imperante en Kerrville era no proteger a los niños del conocimiento de los virales, como habían hecho en la Colonia, la mente del muchacho todavía tenía que asimilar las ramificaciones. Para Caleb, los Expedicionarios significaban una gran aventura, como piratas que surcaran los mares o los relatos de los caballeros de antaño de los libros de cuentos que las hermanas les leían.

—¿Cuánto tiempo podrás quedarte? —suplicó el niño.

—No mucho, me temo. Pero tenemos el resto de la tarde. Además, volveré pronto, probablemente dentro de una semana o así. ¿Qué te gustaría hacer?

La respuesta de Caleb fue instantánea:

—Ir a la presa.

—¿Por qué allí?

—¡Podemos verlo todo!

Peter sonrió. En tales momentos sentía que había legado algo a su sobrino: la misma curiosidad insaciable que había gobernado su vida.

—Pues vayamos a la presa.

La hermana Peg se materializó detrás del niño. Poseedora de la ligereza de un ave, era, no obstante, una figura intimidante, y sus ojos oscuros eran capaces de fundirte con una sola mirada de censura. Los compañeros de Peter que habían sido educados en el orfanato (hombres que habían soportado situaciones espantosas y vivido en un peligro constante) hablaban de ella con un temor reverente que bordeaba el terror. *Dios mío*, decían todos, *esa mujer nos tenía acojonados.*

—Hola, hermana.

Su rostro, una topografía erosionada de grietas profundas y llanuras áridas, poseía la inmovilidad de un juicio aplazado. Había adoptado una posición alejada un paso de la distancia normal en que se entabla una conversación, una alteración pequeña pero significativa que magnificaba su presencia autoritaria. Sus dientes estaban manchados de un marrón amarillento, debido a soplar barbas de maíz, una costumbre incomprensible, muy común en Kerrville, que a Peter le causaba asombro y asco al mismo tiempo.

—Teniente Jaxon, no le esperaba.

—Lo siento, ha sido improvisado. ¿Le importa que me lo lleve a pasar el resto del día conmigo?

—Habría sido mejor que nos avisara. Las cosas aquí funcionan de una manera determinada.

El cuerpo de Caleb era un manojo de energía.

—¡Por favor, hermana!

La mirada imperiosa de la mujer descendió hacia el niño mientras reflexionaba. Abanicos de arrugas similares a deltas se hicieron más profundos en las comisuras de su boca cuando hinchó los carrillos.

—Supongo que, teniendo en cuenta las circunstancias, no habrá impedimento. Una excepción, como puede comprender, y ojo al dato, teniente. Sé que los Expedicionarios se creen por encima de las normas, pero eso no va conmigo.

Peter hizo caso omiso de la pulla. Al fin y al cabo, contenía un elemento de verdad.

—Le traeré de vuelta a las seis. —Bajo su mirada implacable, descubrió que formulaba la siguiente pregunta fingiendo indiferencia—. ¿Está por aquí Amy? Me gustaría verla antes de irme.

—Ha ido al mercado. Se ha marchado hace poco. —Esta afirmación vino acompañada de un áspero suspiro—. Supongo que querrá quedarse a cenar.

—Gracias, hermana. Es usted muy amable.

Caleb, aburrido de tantas formalidades, estaba tirando de su mano.

—Por favor, tío Peter, quiero *irme*.

Durante apenas medio segundo, dio la impresión de que el semblante severo de la mujer estaba a punto de resquebrajarse. Una mirada de ternura casi maternal destelló en sus ojos. Pero se desvaneció con idéntica rapidez, y Peter pensó si acaso habían sido imaginaciones suyas.

—No se olvide de consultar el reloj, teniente. Estaré vigilando.

La presa, en cierto modo, era el corazón de la ciudad y sus mecanismos. Junto con el petróleo que alimentaba los generadores, el aprovechamiento que llevaba a cabo Kerrville del río Guadalupe, que proporcionaba agua para la irrigación y constituía una barrera hacia el norte y el oeste (nadie había visto que un viral intentara siquiera nadar; se creía que, o bien tenían fobia al agua, o no sabían mantenerse a flote), explicaba su longevidad. El río había sido un accidente geográfico de escasa dimensión en los primeros tiempos, de poco caudal y carente de toda importancia, apenas un riachuelo en verano. Pero una inundación devastadora en la primavera del 22, heraldo del cambio climático que elevaría el río de manera permanente hasta una altura de tres metros, había impelido la necesidad de domeñarlo. Había sido, en general, un proyecto enorme, que había precisado la desviación temporal de las corrientes del río y el movimiento de ingentes cantidades de tierra y piedra caliza para excavar la depresión en forma de cuenca que formaría el embalse, seguido de la construcción de la presa, un prodigio de ingeniería de una escala que Peter siempre había relacionado con el Tiempo de Antes, no con el mundo que él conocía. El día de la primera liberación de agua era considerado un acontecimiento fundacional en la historia de la República. Más que cualquier otra cosa en Kerrville, el control de las fuerzas naturales gracias a la presa le había ayudado a entender lo frágil que había sido la Colonia en comparación. Tenían suerte de haberlo conseguido.

Escaleras de acero de rejilla ascendían a lo alto. Caleb le guiaba a toda velocidad, pese a las protestas de Peter de que fuera más despacio. Cuando Peter llegó al último recodo, Caleb ya estaba contemplando la cordillera ondulada que formaba el horizonte. Nueve metros más abajo, la superficie del embalse poseía una asombrosa transparencia. Peter hasta divisó peces, formas blancas que surcaban perezosamente las aguas cristalinas.

—¿Qué hay allí? —preguntó el niño.

—Bien, más territorio de Texas, básicamente. La cordillera que estás mirando se encuentra a pocos kilómetros de distancia.

—¿Dónde queda Nuevo México?

Peter señaló al oeste.

—Pero en realidad está muy, muy lejos. Tres días en transporte, y eso sin parar.

El niño se mordisqueó el labio inferior.

—Quiero verlo.

—Tal vez algún día puedas.

Siguieron la parte superior curva de la presa hasta el aliviadero. Una serie de tuberías liberaban agua a intervalos regulares en un ancho estanque, desde el cual bombas de ariete la transportaban hasta el complejo agrícola. A lo lejos, altas torres espaciadas regularmente señalaban la Zona Naranja. Volvieron a detenerse para admirar el paisaje. Peter se quedó impresionado de nuevo por la complejidad de todo ello. Era como si en ese único lugar la historia de la humanidad fluyera todavía en un continuo ininterrumpido, ajena a la radical separación de eras que los virales habían impuesto al mundo.

—Te pareces a él.

Peter se volvió y vio que Caleb le estaba mirando con los ojos entornados.

—¿A quién te refieres?

—A Theo. Mi padre.

Las palabras le pillaron por sorpresa. ¿Cómo era posible que el niño conociera el aspecto de Theo? No podía, por supuesto, pero ésa no era la cuestión. La afirmación de Caleb era una especie de deseo, una forma de mantener con vida a su padre.

—Eso decía todo el mundo. Te pareces mucho a él.

—¿Le echas de menos?

—Cada día. —Siguió un sombrío silencio—. No obstante, voy a decirte algo. Mientras recordemos a una persona, no está muerta del todo. Sus pensamientos, sus emociones, sus recuerdos, viven en nosotros. Incluso si crees que no recuerdas a tus padres, lo haces. Están dentro de ti, del mismo modo que están dentro de mí.

—Pero yo sólo era un bebé.

—Sobre todo los bebés. —Se le ocurrió una idea—. ¿Sabes algo de la Alquería?

—¿Donde yo nací?

Peter asintió.

—Exacto. Tenía algo especial. Era como si allí pudiéramos estar a salvo, como si algo cuidara de nosotros. —Contempló al muchacho un momento—. Tu padre pensaba que era un fantasma.

El chico abrió los ojos de par en par.

—¿Y tú?

—No lo sé. He pensado mucho en ello durante todos estos años. Tal vez lo fuera. O al menos, una especie de fantasma. Es posible que los lugares también posean recuerdos. —Apoyó una mano sobre el hombro del muchacho—. Lo único que sé es que el mundo deseaba que nacieras, Caleb.

El chico guardó silencio. Después, su rostro floreció con la sonrisa traviesa de alguien a punto de revelar un plan.

—¿Sabes qué quiero hacer ahora?

—Dilo.

—Ir a nadar.

Pasaban unos minutos de las cuatro cuando llegaron a la base del aliviadero. Parados junto al borde del estanque, se quedaron en calzoncillos. Cuando Peter subió a las rocas, se volvió y vio a Caleb petrificado en el borde.

—¿Qué pasa?

—No sé nadar.

Peter no había previsto eso. Ofreció la mano al muchacho.

—Vamos, te enseñaré.

El agua estaba sorprendentemente fría, con un peculiar sabor mineral. Caleb tuvo miedo al principio, pero al cabo de media hora de chapotear, su confianza aumentó. Diez minutos más, y estaba nadando como un perrito.

—¡Mira! ¡Mira!

Peter nunca había visto al crío tan feliz.

—Súbete a mi espalda —dijo.

El chico obedeció y agarró a Peter por los hombros.

—¿Qué vamos a hacer?

—Respirar hondo y aguantar la respiración.

Se sumergieron juntos. Peter expulsó el aire de los pulmones, extendió los brazos y, con una patada, envió a ambos deslizándose sobre el fondo rocoso, con el niño aferrado con fuerza a su cuerpo, extendido como una capa. El agua era transparente como el cristal. Los recuerdos de cuando chapoteaba en la gruta de pequeño invadieron la mente de Peter. Había hecho lo mismo con su padre.

Tres patadas más y ascendieron hasta salir a la luz.

—¿Qué tal? —preguntó Peter.

—¡He visto peces!

—Ya te lo había dicho.

Volvieron a sumergirse una y otra vez, pues el placer del crío era inagotable. Pasaban de las cinco y media, y las sombras empezaban a alargarse, cuando Peter anunció que lo dejaban. Subieron a las rocas con precaución y se vistieron.

—Ardo en deseos de contarle a la hermana Peg que hemos salido —dijo Caleb, sonriente.

—Será mejor que no lo hagas. Que quede entre nosotros, ¿de acuerdo?

—¿Un secreto?

El muchacho pronunció la palabra con placer ilícito. Ahora eran cómplices en una conspiración.

—Exacto.

El chico deslizó su pequeña mano húmeda en la de Peter cuando bajaron hasta la puerta. El toque de trompeta sonaría dentro de unos minutos. La sensación le llegó con un torrente de amor: *Por eso estoy aquí.*

La encontró parada ante la enorme cocina cubierta de ollas hirvientes. Ruidos y calor invadían la habitación: el tintineo de los platos, las hermanas que corrían de un lado a otro, el estruendo acumulado de voces nerviosas cuando los niños se reunieron en el refectorio. Amy le daba la espalda. Su cabello, irisado y oscuro, descendía en una gruesa trenza hasta la cintura. Titubeó en la puerta y la observó. Daba la impresión de que estaba absorta por completo en su trabajo, revolviendo el contenido de la olla más cercana con una larga cuchara de madera, probando y corrigiendo de sal, para luego acercarse a uno de los diversos hornos de ladrillo rojo de la estancia para retirar, con una larga pala, media docena de hogazas de pan recién hecho.

—Amy.

Ella se volvió, sonriente. Se encontraron en medio de la atareada estancia. Un momento de incertidumbre, y después se abrazaron.

—La hermana Peg me dijo que estabas aquí.

Peter retrocedió. Lo había notado en su tacto: algo nuevo. Hacía mucho tiempo que había desaparecido la niña desamparada, traumatizada y muda, de pelo enmarañado y ropa recogida de la basura. Daba la impresión de madurar a trompicones, no se trataba tanto de un crecimiento físico como de una serenidad en aumento, como si empezara a ser propietaria de su vida. Y siempre la paradoja: la persona parada ante él, aunque por todas las apariencias una joven adolescente, era en realidad el ser humano más viejo de la Tierra. La larga ausencia de Peter, una era para Caleb, un simple parpadeo para Amy.

—¿Cuánto tiempo puedes quedarte?

Sus ojos no se apartaban del rostro de Peter.

—Sólo esta noche. Parto mañana.

—Amy —llamó una de las hermanas desde la cocina—, ¿está preparada la sopa? No paran de gritar.

Amy habló sin volverse.

—Un momento. —Miró a Peter con una sonrisa todavía más ancha—. Resulta que no soy tan mala cocinera. Guárdame sitio. —Apretó a toda prisa su mano—. Me alegro muchísimo de verte.

Peter se encaminó al refectorio, donde los niños se habían congregado alrededor de largas mesas, agrupados por edades. El ruido era intenso en la sala, una energía que fluía libremente de los cuerpos y las voces, como el estruendo de un inmenso motor. Se sentó al final de un banco al lado de Caleb, y en ese momento la hermana Peg apareció en la parte delantera de la sala y dio una palmada.

El efecto fue como un rayo: el silencio oprimió la sala. Los niños se cogieron de la mano e inclinaron la cabeza. Peter se encontró unido al círculo, Caleb a un lado, en el otro una niña de pelo castaño sentada frente a él.

—Padre Nuestro que estás en los cielos —entonó la mujer con los ojos cerrados—, te damos las gracias por estos alimentos, por estar juntos y por la bendición de tu amor y protección, que nos dedicas en tu misericordia. Te damos gracias por las riquezas de la tierra y del cielo, y por tu protección hasta que nos encontremos en la otra vida. Y por fin, te damos gracias por la compañía de nuestro invitado especial, uno de tus valientes soldados, que ha recorrido una peligrosa distancia para estar con nosotros esta noche. Rezamos para que le cuides, a él y a sus compañeros, durante sus viajes. Amén.

Un coro de voces: «Amén».

Peter se sintió conmovido. Tal vez, al fin y al cabo, a la hermana Peg no le molestaba tanto su presencia. Apareció la comida: cubas de sopa, pan cortado en gruesas rebanadas humeantes, jarras de agua y leche. A la cabecera de cada mesa, una hermana servía la sopa en cuencos y los iba pasando, mientras las jarras daban la vuelta a la mesa. Amy se sentó en el banco al lado de Peter.

—Quiero saber qué opinas de la sopa —dijo.

Estaba deliciosa; lo mejor que había probado en meses. El pan, tierno y tibio en la sopa, casi le dio ganas de llorar. Reprimió el ansia de preguntar durante unos segundos, con la idea de que sería grosero, pero en cuanto el cuenco se vació apareció una hermana con otro, que dejó delante de él.

—No tenemos compañía a menudo —le explicó, con el rostro ruborizado de vergüenza, y se fue a toda prisa.

Hablaron del orfanato y de las tareas de Amy (la cocina, pero también enseñar a leer a los niños más pequeños y, en sus palabras, «todo lo demás que haga falta»), y de las noticias de Peter sobre los demás, si bien verbalizaron esta información de una forma general. No sería hasta que los niños se acostaran cuando podrían hablar sin refrenarse. A su lado, Caleb estaba enzarzado con otro niño en una intensa conversación que Peter sólo seguía a medias, algo acerca de caballeros, caballos y peones. Cuando su compañero dejó la mesa, Peter preguntó a Caleb de qué habían estado hablando.

—De ajedrez.

—¿Ajequé?

Caleb puso los ojos en blanco.

—*Ajedrez*. Es un juego. Puedo enseñarte, si quieres.

Peter miró a Amy, quien se rió.

—Perderás —dijo.

Después de la cena y los platos, los tres fueron a la sala de estudiantes, donde Caleb preparó el tablero y explicó los nombres de las diversas piezas y movimientos que se podían hacer. Cuando llegó a los caballos, la cabeza de Peter daba vueltas.

—¿De veras puedes recordar todo eso? ¿Cuánto tiempo tardaste en aprender?

El chico se encogió de hombros con aire inocente.

—No mucho. Es muy sencillo.

—No parece sencillo.

Se volvió hacia Amy, quien exhibía una sonrisa cautelosa.

—A mí no me mires —protestó—. Es tu problema.

Caleb señaló el tablero.

—Juega tú primero.

Empezó la batalla. Peter había pensado no abusar del chico (al fin y al cabo, era un juego infantil, y sin duda le cogería el tranquillo enseguida), pero descubrió al instante hasta qué punto había subestimado a su joven contrincante. Daba la impresión de que Caleb anticipaba todas sus tácticas y reaccionaba sin vacilar, con movimientos tajantes y seguros. Peter, cada vez más desesperado, decidió atacar, y utilizó un caballo para comer un alfil de Caleb.

—¿Estás seguro de que quieres hacer eso? —preguntó el muchacho.

—Um, ¿no?

Caleb estaba estudiando el tablero con la barbilla apoyada sobre las manos. Peter intuyó los complejos movimientos de sus pensamientos: estaba armando una estrategia, imaginando una serie de movimientos y contramaniobras proyectadas de antemano. Cinco años de edad, pensó Peter. Asombroso.

Caleb avanzó una torre tres casillas y se comió el otro caballo de Peter, al que había dejado la vía expedita sin querer.

—Mira —dijo.

Un veloz intercambio de piezas, y el rey de Peter quedó acorralado.

—Jaque mate —anunció el niño.

Peter contempló el tablero, desesperado.

—¿Cómo lo has conseguido tan deprisa?

A su lado, Amy se rió. Su risa era cálida y contagiosa.

—Ya te lo dije.

La sonrisa de Caleb medía un kilómetro de distancia. Peter comprendió lo que había pasado: primero nadar, y ahora esto. Su sobrino había dado la vuelta a la tortilla con facilidad, y le había demostrado de lo que era capaz.

—Sólo has de pensar por adelantado —dijo Caleb—. Intenta verlo como un cuento.

—Dime la verdad. ¿Eres muy bueno en esto?

Caleb se encogió de hombros con modestia.

—Algunos chicos mayores me ganaban. Pero ya no.

—Ah, ¿sí? Bien, jovencito, vuelve a preparar las piezas. Quiero la venganza.

Caleb había sumado su tercera victoria consecutiva, cada una más despiadada y decisiva que la anterior, cuando sonó la campana que le llamaba al dormitorio común. El tiempo había transcurrido demasiado deprisa. Amy fue a las habitaciones de las niñas, y dejó que Peter acompañara al niño a la cama. En la gran sala de jergones, Caleb se puso un camisón, y después se arrodilló sobre el suelo de piedra a un lado de la cama, con las manos juntas, para rezar sus oraciones, una larga serie de «Dios bendiga» que empezaba con «mis padres que están en los cielos» y concluía con el propio Peter.

—Siempre te reservo para el final —dijo el niño—, para que no te pase nada.

—¿Quién es *Ratonero*?

Ratonero era su gato. Peter había visto al pobre animal dormitando sobre el antepecho de una ventana en la sala de estudiantes, una cosita andrajosa, la carne caída sobre sus viejos y frágiles huesos como colada en un tendedero. Las hermanas recorrían las hileras de catres de un extremo a otro, silenciando a los niños. Las luces de la sala ya estaban apagadas.

—¿Cuándo volverás, tío Peter?

—No estoy seguro. Pronto, espero.

—¿Podremos ir a nadar otra vez?

Una cálida sensación se esparció por todo su cuerpo.

—Sólo si me prometes que volveremos a jugar al ajedrez. Creo que aún no le he cogido el tranquillo. No me iría mal una chuleta.

El niño sonrió.

—Lo prometo.

Amy le estaba esperando en la sala de estudios vacía, mientras el gato acariciaba sus pies con el morro. Peter tenía que presentarse en los barracones a las nueve de la noche. Amy y él sólo gozarían de unos minutos juntos.

—Pobre animal —dijo Peter—. ¿Por qué no lo sacrifican? Me parece cruel.

Amy pasó la mano por la espina dorsal del gato. El felino emitió un tembloroso ronroneo mientras arqueaba el lomo para recibir la caricia.

—Supongo que ya ha vivido más de lo suficiente, pero los niños lo adoran, y las hermanas no creen en eso. Sólo Dios puede tomar una vida.

—Es evidente que nunca han estado en Nuevo México.

Una broma, pero no del todo. Amy le miró intranquila.

—Pareces preocupado, Peter.

—Las cosas no van muy bien. ¿Quieres que te informe?

Ella meditó sobre la pregunta. Parecía un poco pálida. Peter se preguntó si se encontraba bien.

—Tal vez en otra ocasión. —Los ojos de Amy escudriñaron su rostro—. Te quiere, ¿sabes? No para de hablar de ti.

—Conseguirás que me sienta culpable. Es probable que lo merezca.

Amy levantó a *Ratonero* y lo depositó sobre su regazo.

—Lo comprende. Sólo te lo digo para que sepas lo importante que eres para él.

—¿Y tú? ¿Te va bien aquí?

Ella asintió.

—En general, me conviene. Me gusta la compañía, los niños, las hermanas. Y está Caleb, por supuesto. Tal vez por primera vez en mi vida me siento... No sé. Útil. Es agradable ser tan sólo una persona corriente.

Peter se quedó sorprendido por el sincero y relajado fluir de la conversación. Alguna barrera entre ellos había caído.

—¿Lo saben las demás hermanas? Aparte de la hermana Peg, quiero decir.

—Algunas sí, o tal vez sólo lo sospechan. Llevo cinco años aquí, y tendrían que haberse dado cuenta de que no envejezco. Creo que soy una especie de enigma para la hermana Peg, algo que no acaba de encajar con su visión de las cosas. Pero no dice nada sobre mí. —Amy sonrió—. Al fin y al cabo, hago una sopa de cebada de rechupete.

El momento de la despedida había llegado, con excesiva rapidez. Amy le acompañó hasta la entrada, donde Peter extrajo el fajo de billetes del bolsillo y se lo dio.

—Dale esto a la hermana Peg, ¿de acuerdo?

Amy asintió sin comentarios y guardó el dinero en el bolsillo de la falda. Una vez más le abrazó, esta vez con más entusiasmo.

—Te he echado mucho de menos. —Su voz era queda contra su pecho—. Cuídate, ¿de acuerdo? Promételo.

Había algo tenso en su insistencia, una sensación, casi, de algo irreversible. ¿Qué era lo que callaba? Y algo más: su cuerpo desprendía un calor febril. Notó cómo palpitaba a través de la pesada tela del uniforme.

—No has de preocuparte por mí. No me pasará nada.

—Lo digo en serio, Peter. Si te pasara algo, yo no podría... —Su voz enmudeció, como arrastrada por las corrientes de un viento oculto—. No podría.

Ahora estaba seguro: algo pasaba. Amy no se lo estaba diciendo. Peter escudriñó su cara. Una tenue capa de sudor brillaba en su frente.

—¿Te encuentras bien?

Tomó su mano, la levantó preocupado y apretó la palma contra la de él para que las yemas de sus dedos se tocaran. Parecía un gesto compuesto en iguales medidas de intimidad y despedida, conexión y separación.

—¿Recuerdas cuando te besé?

Nunca habían hablado de aquello, el veloz beso de Amy en el centro comercial, cuando los virales se lanzaban sobre ellos. Muchas cosas habían sucedido, pero Peter no lo había olvidado. ¿Cómo podría olvidarlo?

—Siempre me he hecho preguntas al respecto —confesó.

Daba la impresión de que sus manos levantadas flotaban en el espacio oscurecido que los separaba. Amy las estudiaba con los ojos. Era como si intentara adivinar el significado de algo que ella misma había dicho.

—He estado sola mucho tiempo. Es algo que ni siquiera puedo describir. Pero de repente, apareciste tú. No podía creerlo. —Después, como despertada de un trance, retiró la mano, su rostro confuso de súbito—. Eso es todo. Será mejor que te vayas... Llegarás tarde.

Él no quería. Como el beso, el tacto de su mano parecía poseer un poder único de perdurar en sus sentidos, como si hubiera tomado residencia permanente en las yemas de los dedos. Quería decir algo más, pero era incapaz de encontrar las palabras, y el momento se le escapó.

—¿Estás segura de que te encuentras bien?

El rostro de Amy compuso una sonrisa.

—Nunca me he sentido mejor.

Parecía muy enferma, pensó él.

—Bien, regresaré dentro de diez días.

Amy no dijo nada.

—Nos veremos entonces, ¿de acuerdo?

Se preguntó por qué hacía esa pregunta.

—Por supuesto, Peter. ¿Adónde iba a ir?

Después de que Peter se fuera, Amy se encaminó a la residencia de las hermanas, una versión más pequeña de los dormitorios comunes donde dormían los niños. Las demás hermanas estaban dormidas, y algunas de las más viejas roncaban suavemente. Se quitó la túnica y se acostó en el jergón.

Algo más tarde despertó sobresaltada. Un sudor frío permeaba su cuerpo, empapaba su camisón. La turbulencia de sueños inquietantes todavía la agitaba.

Amy, ayúdale.

Se quedó petrificada.

Te está esperando, Amy. En el barco.

—¿Padre?

Ve a él ve a él ve a él ve a él...

Se levantó, poseída por una repentina resolución. El momento había llegado.

Pero quedaba una tarea, un deber final que debía llevar a cabo en aquellos últimos días de una vida que amaba, aunque breve. Se dirigió por los pasillos silenciosos hasta la sala de estudiantes. Encontró a *Ratonero* donde le había dejado, descansando en el sofá. Sus ojos proyectaban agotamiento. Tenía los miembros flácidos, apenas podía levantar la cabeza.

Por favor, decían sus ojos, *me duele todo. Esto se ha prolongado demasiado.*

Lo levantó hasta su pecho con delicadeza. Pasó una mano sobre su lomo y se volvió hacia la ventana, con su vista de la noche estrellada.

—¿Ves ese mundo hermoso, *Ratonero*? —murmuró ella cerca de su oído—. ¿Ves las bonitas estrellas?

Es... bonito.

Su cuello se rompió con un crujido, el cuerpo se desplomó en sus brazos. Amy se quedó así unos minutos, mientras su presencia se desvanecía, acariciando el pelaje, besando su cabeza y su cara. *Adiós*, Ratonero. *Te deseo buena suerte. Los niños te quieren. Volverás a estar con ellos.* Después, le llevó al cobertizo del jardín y se puso a buscar una pala.

31

—Mirad lo que nos ha traído el viento.

Un hombre manchado de grasa había indicado a Peter dónde estaba el economato, y allí había encontrado a Michel sentado con una docena de hombres y mujeres, aferrando con sus manos mugrientos tenedores que utilizaban para empujar las judías de los platos a sus bocas. Michael se levantó de un brinco del banco y le dio una palmada en el hombro.

—Peter Jaxon, en carne y hueso.

—Voladores, Michael. Estás enorme.

Daba la impresión de que el pecho de su amigo había duplicado su tamaño, de modo que tensaba la tela de su mono. Sus brazos estaban entrelazados de músculos. Una robusta sombra de barba rubia cubría sus mejillas.

—Si quieres que te diga la verdad, no hay gran cosa que hacer aquí, salvo destilar petróleo y levantar pesas. Y te advierto desde ya que no andamos sobrados de palabras. Aquí lo que más se dice es «joder esto» y «joder lo otro». —Señaló la mesa—. Ésta es mi cuadrilla. Saludad a Peter, *hombres*.

Siguieron las presentaciones. Peter se esforzó por recordar los nombres, pero sabía que los habría olvidado al cabo de unos minutos.

—¿Hambriento? —preguntó Michael—. El papeo no es malo si respiras por la boca.

—Debería presentarme antes al jefe de SN.

—Puede esperar. Como pasan de las doce, existen muchas probabilidades de que Stark ya esté cocido. A quien has de ver es a Karlovic, pero ha subido al depósito de gasolina de reserva. Te voy a conseguir un plato.

Compartieron las respectivas noticias mientras comían, devolvieron las bandejas a la cocina y salieron al exterior.

—¿Siempre huele tan mal? —preguntó Peter.

—Oh, hoy es un buen día. Cuando el viento cambie de dirección te pondrás a llorar. Levanta toda esa mierda del canal. Vamos, voy a enseñarte el lugar.

Su primera parada fue en los barracones, una construcción de ladrillos con un tejado de hojalata oxidado. Literas para dormir protegidas por cortinas flanqueaban las paredes. Un hombre enorme de cara alargada estaba sentado a la mesa que había en el centro de la sala, mientras barajaba y volvía a barajar un mazo de cartas.

—Te presento a Juan Sweeting, mi segundo —dijo Michael—. Le llaman Ceps.

Se estrecharon las manos, y el hombre le saludó con un gruñido.

—¿De dónde ha salido el nombre Ceps? —preguntó Peter—. Nunca lo había oído.

El hombre dobló los brazos y produjo un par de bíceps similares a dos pomelos grandes.

—Ah —dijo Peter—. Ya entiendo.

—No hay por qué preocuparse —dijo Michael—. Sus modales no son muy buenos y mueve los labios cuando lee, pero se porta bien siempre que no olvides darle de comer.

Una mujer había salido de una de las literas, vestida sólo con ropa interior. Disimuló un bostezo con la mano.

—¡Jesús!, Michael, estaba intentando sobar un poco. —Ante el asombro de Peter, rodeó el cuello de Michael con los brazos, y su rostro se iluminó con una sonrisa lujuriosa—. A menos que, por supuesto...

—No es el momento, *mi amiga.* —Michael se liberó con suavidad—. Por si no te habías fijado, tenemos compañía. Lore, Peter. Peter, Lore.

Su cuerpo era delgado y fuerte; el pelo, aclarado por el sol, muy corto. Atractiva, pero de una forma masculina, poco convencional, proyectaba una sincera, incluso carnívora sensualidad.

—¿Tú eres el tipo?

—Exacto.

Ella lanzó una carcajada de complicidad.

—Bien, buena suerte, amigo.

—Lore es engrasadora de cuarta generación —explicó Michael—. Se bebe prácticamente el líquido.

—Es una forma de vivir —dijo Lore. Se dirigió a Peter—. Os conocéis desde hace mucho, imagino. Cuéntale el secreto a la chica. ¿Cómo era?

—El tío más listo de la peña, más o menos. Todo el mundo le llamaba el Circuito. Una especie de mote.

—Y bastante estúpido. Mil gracias, Peter.

—El Circuito —repitió Lore, como si saboreara la palabra en la boca—. Creo que me gusta.

Ceps, que aún no había dicho nada, emitió un gemido femenino.

—*Oh, Circuito, oh, Circuito, haz que me sienta como una mujer...*

—Cerrad el pico, los dos. —Michael se había ruborizado hasta un punto incompatible con su nueva musculatura, aunque Peter adivinó que, en parte, disfrutaba de la atención que recibía—. ¿Qué sois, adolescentes? Vamos, Peter —dijo, y le condujo hacia la puerta—, dejemos a estos críos.

—Hasta luego, teniente —gritó Lore alegremente mientras se iban—. Me gustará escuchar *historias.*

En el calor cada vez más elevado de la tarde, Michael le detalló a Peter el funcionamiento de la refinería, y le llevó a una de las torres para explicarle el proceso de refinamiento.

—Parece muy peligroso —dijo Peter.

—A veces pasan cosas, es verdad.

—¿Dónde está la reserva?

Peter sabía que el petróleo procedía de un tanque de retención subterráneo.

—A unos ocho kilómetros de aquí. En realidad, es una cúpula de sal natural, parte de la antigua Reserva Petrolífera Estratégica. El petróleo flota, de manera que bombeamos agua marina y sale.

Su amigo había adquirido cierto acento de Texas, observó Peter.

—¿Cuánto queda ahí abajo?

—Bien, una barbaridad, básicamente. Según nuestros cálculos, suficiente para llenar las ollas cincuenta años más.

—¿Y cuando se haya terminado?

—Iremos a buscar más. Hay muchos tanques de almacenamiento dispersos por el canal de navegación de Houston. Aquello es un auténtico pantano tóxico, y el lugar está plagado de lelos, pero podría sacarnos de apuros durante un tiempo. La siguiente cúpula más cercana es Port Arthur. No sería fácil trasladar las instalaciones allí, pero con tiempo suficiente podríamos hacerlo. —Encogió los hombros con expresión fatalista—. En cualquier caso, dudo que esté presente para preocuparme por ello.

Michael anunció que quería enseñarle una sorpresa a Peter. Se encaminaron al arsenal, donde Michael cogió una escopeta, y después al parque de vehículos en busca de una camioneta. Michael sujetó la escopeta a una base del suelo de la cabina y dijo a Peter que subiera.

—¿Adónde vamos?

—Ya lo verás.

Salieron del recinto, y después se desviaron hacia el sur por una carretera asfaltada agrietada que corría paralela al agua. Un viento salado entraba por las ventanillas abiertas de la camioneta, y rebajaba un poco la sensación de calor. Peter había visto el Golfo sólo un par de veces. Su antigua extensión, demasiado enorme para albergarla en su mente, siempre le dejaba sin aliento. Lo más fascinante eran las olas, largos tubos que aumentaban de tamaño y discurrían raudos cuando se acercaban, y luego caían formando un bucle de espuma marrón en la orilla. No podía apartar los ojos de ellas. Peter sabía que podría quedarse sentado en la arena durante horas, con la vista clavada en las olas.

Habían despejado tramos de playa, mientras otros todavía exhibían las huellas de una catástrofe a gran escala: montañas de metal oxidado retorcido hasta adoptar formas incomprensibles; barcos naufragados de esloras diversas, con el casco descolorido, lleno de agujeros o despojado de sus puntales, inclinados sobre la arena como cajas torácicas reventadas. Cordilleras de escombros indiferenciados, empujados a la orilla por la marea.

—Te sorprendería la cantidad de cosas que el mar sigue arrojando a tierra —dijo Michael, mientras señalaba por la ventanilla—. Gran parte viene del Misisipí, y después describe una curva siguiendo la costa. Los materiales pesados han desaparecido casi por completo, pero todo lo que es de plástico parece perdurar.

Michael había salido de la carretera y el vehículo avanzaba cerca del borde del agua. Peter miraba por la ventanilla.

—¿Alguna vez aparece algo de tamaño notorio?

—De vez en cuando. El año pasado, una barcaza todavía cargada con grandes contenedores quedó varada en la orilla. El maldito trasto había ido a la deriva durante un siglo. Todos estábamos muy emocionados.

—¿Qué había dentro?

—Esqueletos humanos.

Llegaron a una ensenada y giraron al oeste, siguiendo el borde de una tranquila bahía. Delante había un pequeño edificio de hormigón erigido junto al agua. Cuando Michael detuvo el camión, Peter vio que el edificio no era más que un cascarón, aunque un letrero en la ventana todavía anunciaba, con letras descoloridas, «Art's Crab Shack».

—Vale, me rindo —dijo Peter—. ¿Cuál es la sorpresa?

Su amigo le dedicó una sonrisa traviesa.

—Deja el quitapenas aquí —contestó, al tiempo que señalaba la Browning ceñida al muslo de Peter—. No vas a necesitarlo.

Mientras se preguntaba qué estaba tramando su amigo, Peter guardó la pistola en la guantera, y después siguió a Michael hasta la parte trasera del edificio, donde había un pequeño muelle de unos nueve metros de largo apoyado sobre pilotes de hormigón.

—¿Qué estoy viendo?

—Un barco, evidentemente.

Un pequeño velero amarrado al final del muelle, que las olas mecían con suavidad.

—¿De dónde lo has sacado?

El rostro de Michael brilló de orgullo.

—De muchos sitios, en realidad. Encontramos el casco en un garaje, a unos quince kilómetros tierra adentro. El resto lo improvisamos o lo hicimos nosotros.

—¿Nosotros?

—Lore y yo. —Carraspeó, aturullado de repente—. Creo que es bastante evidente...

—No me debes ninguna explicación, Michael.

—Sólo estoy diciendo que no es del todo lo que parece. Bien, puede que sí. Pero yo no diría que estamos juntos, exactamente. Lore es... Bien, es así.

Peter estaba experimentando un perverso placer con el azoramiento de su amigo.

—Parece muy agradable. Y es evidente que le gustas.

—Sí, bien. —Michael se encogió de hombros—. «Agradable» no sería la primera palabra que yo escogería, si sabes a qué me refiero. Para ser sincero, apenas puedo seguir su marcha.

Cuando Michael subió a bordo, Peter tomó conciencia de repente de la precaria apariencia del barco.

—¿Cuál es el problema? —preguntó Michael.

—¿De veras vamos a navegar en esta cosa?

Michael había empezado a enrollar cabos y a dejarlos en la bañera del velero.

—¿Para qué crees que te he traído aquí? Deja de preocuparte y sube.

Peter bajó con cautela a la bañera. El casco se movió de una forma extraña bajo sus pies, y respondió a su peso con una indolente oscilación. Aferró la barandilla, mientras rezaba para que el barco se quedara quieto.

—¿Sabes navegar?

Su amigo rió para sí.

—No seas nenaza. Ayúdame a izar la vela.

Michael realizó a toda prisa las operaciones básicas: izó la vela, colocó el timón y luego la caña del mismo, tensó y destensó la escota de la mayor. Largó amarras, giró el timón para orientar el barco de forma que el viento hinchara la vela, y al cabo de nada estaban alejándose del muelle a una velocidad asombrosa.

—¿Qué te parece?

Peter miró nervioso la orilla cada vez más lejana.

—Ya me estoy acostumbrando.

—Te regalo una idea: por primera vez en tu vida, estás en un lugar donde un viral no puede matarte.

—No lo había pensado.

—Durante las siguientes dos horas, amigo mío, estás dispensado del trabajo.

Surcaron la bahía dando bordadas. A medida que se iban internando en aguas más profundas, el color iba cambiando de un verde mohoso a un negro azulado intenso, y la luz del sol rielaba las irregularidades de la superficie. Con la vela cazada a tope, el barco transmitía una sensación de solidez, y Peter empezó a relajarse, aunque no del todo. Daba la impresión de que Michael sabía lo que hacía, pero nunca se sabía qué te guardaba el mar.

—¿Hasta dónde has llegado con este trasto?

Michael miró el horizonte y entornó los ojos debido a la luz.

—No lo sé muy bien. Cinco millas como mínimo.

—¿Y la barrera?

La creencia común era que, en los primeros días de la epidemia, las naciones del mundo se habían coaligado para forzar una cuarentena del continente norteamericano, colocando minas a lo largo de la costa y bombardeando cualquier barco que intentara abandonar la zonas.

—Si existe, yo aún no la he encontrado. —Michael se encogió de hombros—. En parte, creo que son chorradas, si quieres que te diga la verdad.

Peter miró a su amigo con cautela.

—No la estarás buscando, ¿verdad?

Michael no contestó, pero su expresión reveló a Peter que había dado en el clavo.

—Eso es una locura.

—Igual que lo que haces tú. Y aunque la barrera existiera, ¿cuántas minas podrían seguir flotando por ahí? Cien años en el mar lo corroen todo. En cualquier caso, todo lo que el Misisipí ha arrojado ya las habría detonado a esas alturas.

—De todos modos, es una imprudencia. Podrías volar en pedazos.

—Quizá. Y quizá mañana una de esas torres de refinación de petróleo me propulsará al espacio exterior. Las pautas de seguridad personal son muy laxas por estos pagos. —Se encogió de hombros—. Pero ésa no es la cuestión. Para empezar, creo que jamás existió la dichosa barrera. ¿Toda la costa? Si incluyes México y Canadá, eso son casi doscientas cincuenta mil millas. Imposible.

—¿Y si estás equivocado?

—En ese caso, puede que algún día, como has dicho tú, vuele en pedazos.

Peter dejó correr el asunto. Muchas cosas habían cambiado, pero Michael no, continuaba siendo un hombre de insaciable curiosidad. Navegaban hacia mar abierto. El viento había aumentado, y las olas impactaban contra la proa. El estómago se le revolvió. No eran sólo las sacudidas del barco. Demasiada agua, por todas partes.

—Tal vez, sólo por esta vez, podrías acercarnos a tierra.

Michael cazó la vela y aferró con más fuerza la caña del timón.

—Te lo digo yo, ahí fuera hay todo un desafío nuevo, Peter. Ni siquiera puedo explicártelo. Es como si todo el mal rollo desapareciera. Deberías verlo por ti mismo.

—Debería volver. Dejémoslo para otra ocasión.

Michael le miró y se rió.

—Claro —dijo—. En otra ocasión.

32

Alicia se dirigió hacia el norte, en dirección a los grandes horizontes. El Panhandle de Texas: un paisaje de llanuras infinitas, como un gran mar en calma, el viento que soplaba sobre los tallos de la hierba de las praderas, el inmenso cielo sobre ella con su azul otoñal, el horizonte circular roto solo por los bosquecillos ocasionales junto a los riachuelos de álamos, pacanos y sauces de largas ramas, cuyas hojas melancólicas se inclinaban sumisas cuando ella pasaba. Los días eran calurosos, pero la temperatura se desplomaba de noche, y el rocío cubría la hierba. Utilizando combustible de escondrijos dispersos por la ruta, completó el viaje en cuatro días.

Llegó a la guarnición de Kearney la mañana del 6 de noviembre. Era lo que el Mando había temido cuando el convoy de reaprovisionamiento no regresó: no quedaba ni un alma para recibirla. La guarnición era una fosa al aire libre. Daba la impresión de que los gritos de agonía de los soldados flotaban en el aire, atrapados en el silencio barrido por el viento. Alicia dedicó dos días a cargar los restos resecos de sus camaradas en la parte posterior del camión y transportarlos hasta el lugar que había elegido, un claro a orillas del Platte. Los depositó allí en una larga fila para que pudieran estar juntos, los regó con combustible y les prendió fuego.

Fue a la mañana siguiente cuando vio el caballo.

Estaba parado al otro lado de las barricadas. Un corcel azul ruano, su largo cuello masculino inclinado para pastar en la espesa hierba que crecía al borde de la plaza de armas, su presencia incomprensible, como si un tornado hubiera dejado en pie una sola casa. Medía dieciocho palmos, como mínimo. Alicia se acercó con cautela, con las palmas alzadas. Dio la impresión de que el animal iba a asustarse, los ollares se dilataron, echó hacia atrás las orejas, y un gran ojo se volvió hacia ella. ¿Quién es este extraño ser, cuáles son sus intenciones?, se preguntaba. Alicia avanzó otro paso. El caballo siguió sin moverse. Ella intuyó la sangre salvaje que corría por sus venas, su explosivo poder animal.

—Buen chico —murmuró—. ¿Lo ves? No soy tan mala. Seamos amigos, ¿qué te parece?

Cuando los separaba un brazo de distancia, pasó su palma abierta bajo su hocico. El animal echó hacia atrás los labios y reveló la pared amarilla de sus dientes. Sus ojos eran como una gran cuenta negra que la estuviera analizando. Un momento de decisión, el cuerpo tenso y alerta. Después, bajó la cabeza y llenó la mano abierta de Alicia con la humedad tibia de su aliento.

—Bien, creo que he encontrado mi montura.

El animal le estaba acariciando la mano con el hocico, al tiempo que su cabeza oscilaba. Había motas de espuma en las comisuras de su boca. Le acarició el cuello, el pelaje reluciente y húmedo a causa del sudor. Su cuerpo era como algo cincelado, duro y puro, pero eran sus ojos lo que proyectaba toda la medida de su energía.

—Necesitas un nombre —dijo Alicia—. ¿Cómo te voy a llamar?

Le bautizó *Soldado*. Desde el momento en que lo montó, fueron el uno para el otro. Era como si fueran viejos amigos, separados desde hacía mucho tiempo, que habían vuelto a encontrarse. Compañeros de toda la vida que podían contarse mutuamente las historias más verdaderas de ellos, pero que también podían, si así lo decidían, no hablar en absoluto. Se quedó tres días más en la guarnición desierta, hizo balance y planeó la continuación del viaje. Afiló sus cuchillos al máximo. Llevaba las órdenes en el morral. Para: Alicia Donadio, Capitán de los Expedicionarios. Firmado: Victoria Sánchez, Presidente de la República de Texas.

La mañana del 12 de noviembre partió en dirección este.

Todavía se mantenía en pie un puente sobre el Misisipí, a setenta y cinco kilómetros al norte de Omaha, en la ciudad de Decatur. Llegaron al sexto día. Las mañanas estaban cubiertas de escarcha, el invierno se intuía en el aire. Los árboles habían abandonado su timidez y exhibían sus miembros desnudos. Cuando se acercaron, Alicia notó en el paso de *Soldado* cierta vacilación: *¿El río, tú crees?* Llegaron a la vía de agua. Bajo sus pies, el agua corría revuelta en su amplio cauce. Estaba surcada de remolinos, oscuros como la piedra. Medio kilómetro al norte, el puente atravesaba el brazo de agua sobre enormes pilotes de hormigón, como si cabalgara el río sobre patas gigantescas. *Sí*, dijo Alicia, *lo creo.*

Hubo momentos en que juzgó su decisión precipitada. En algunos puntos, la superficie de hormigón había cedido, y revelaba las aguas espumeantes de abajo. Desmontó y tomó a *Soldado* de las riendas. Fueron avanzando poco a poco, cada paso acechado por el peligro de que el puente se viniera abajo. *¿De quién había sido aquella estúpida idea?*, parecía preguntar *Soldado*. Oh, tuya.

Se detuvieron al otro lado. Empezaba a anochecer: el sol había iniciado su descenso tras los acantilados. Los ritmos de Alicia se habían invertido: a pie, se habría sentido libre para dormir de día y viajar de noche, su costumbre habitual. Pero a caballo no. Alicia encendió una hoguera en la orilla del río, llenó la sartén y la puso al fuego. Sacó de la silla de montar sus últimas provisiones: un puñado de judías secas, una lata de paté, galletas duras como piedras. Le apetecía cazar, pero no quería dejar solo a *Soldado*. Tomó su frugal cena, lavó la olla en el río y se acostó en el saco de dormir para mirar el cielo. Había descubierto que, si miraba el tiempo suficiente, vería una estrella fugaz. Como en respuesta a sus pensamientos, una franja brillante surcó la bóveda celeste, y después dos más en rapidísima sucesión. Michael le había contado una vez, muchos años antes, que eran creaciones abandonadas de la humanidad del Tiempo de Antes, llamadas satélites. Había intentado explicarle su función, algo relacionado con el clima, pero Alicia había olvidado sus palabras, o bien lo había clasificado como un ejemplo más del sabelotodo Michael, que alardeaba de su inteligencia con los menos favorecidos. Lo que había quedado grabado en su mente era una sensación abstracta de dichos artilugios, su matrimonio de luz y fuerza: incontables objetos de propósitos ignotos que giraban alrededor de la tierra, como piedras en una honda, atrapados en su trayectoria por influencias contrapuestas de voluntad y gravedad, hasta que terminaba su aflicción y se precipitaban a la tierra en una llamarada de gloria. Cayeron más estrellas. Alicia empezó a contar. Cuanto más miraba, más veía. Diez, quince, veinte. Aún estaba contando cuando se quedó dormida.

La mañana llegó fresca y transparente. Alicia se caló las gafas y estiró los miembros, mientras la agradable energía de una noche de descanso se extendía a sus extremidades. El sonido del río parecía más intenso con el aire de la mañana. Había reservado galletas para desayunar. Se pulió la mitad, dio el resto a *Soldado*, y continuaron su camino.

Se encontraban en Iowa. Habían recorrido la mitad del trayecto. El paisaje cambió, subía y bajaba en colinas margosas que daban la impresión de haberse desplomado y, entre ellas, valles de fondo llano de rica tierra negra. Habían llegado nubes bajas del oeste, que aminoraban la luz. Estaba atardeciendo cuando Alicia detectó movimientos en una loma. En el viento, olor a animales. *Soldado* también lo había percibido. Alicia permaneció inmóvil y esperó a que apareciera su fuente.

Allí. Un rebaño de ciervos apareció silueteado en lo alto de la loma, veinte cabezas en total, y entre ellos un solo macho. Su cornamenta era enorme, como un árbol desnudo a la espera del invierno. Tendría que acercarse con el viento de cara. Era increíble que no la hubieran detectado ya. Puso el rifle en su funda, cogió la ballesta y un carcaj de flechas, y desmontó. *Soldado* la miraba con cautela.

—No me mires así. Una chica ha de comer. —Palmeó su cuello para tranquilizarlo—. No te vayas de paseo, ¿eh?

Rodeó la loma en dirección sur. Daba la impresión de que los ciervos no habían advertido su presencia. Ascendió la pendiente a gatas. Era veloz, pero ellos más. Sólo podía contar con una flecha, tal vez dos. Después de largos minutos de paciente ascensión, llegó a la cumbre. Los ciervos se habían desplegado en forma de V a lo largo de la cresta. El macho se hallaba a unos doce metros de distancia. Alicia, todavía aplastada contra el suelo, encajó una flecha en la ballesta.

Una ráfaga de viento, tal vez. Un momento de percepción animal profunda. Los ciervos se pusieron en movimiento de repente. Cuando Alicia se puso en pie, se alejaban colina abajo.

—Mierda.

Dejó la ballesta en el suelo, sacó un cuchillo y corrió tras ellos. Su mente estaba concentrada en la tarea. Nada la distraería. Quince metros colina abajo el suelo caía con brusquedad, y Alicia vio su oportunidad: una convergencia de líneas que su mente divisó con absoluta precisión. Cuando el macho pasó a toda velocidad bajo la pendiente, Alicia levantó el cuchillo y se lanzó al aire.

Cayó sobre él como un halcón y describió un largo arco con el cuchillo, hasta clavarlo en la base de su garganta. Un chorro de sangre, y las patas delanteras se doblaron bajo su cuerpo. Alicia se dio cuenta demasiado tarde de lo que estaba a punto de suceder. Cuando salió disparada por encima de su cabeza, la gravedad se apoderó de su cuerpo, y al instante siguiente Alicia supo que estaba cayendo por la ladera dando vueltas.

Se detuvo en la base de la colina. Había perdido las gafas. Rodó enseguida sobre su estómago y sepultó la cara en los brazos. ¡Joder! ¿Se veía obligada a quedarse allí tendida, absolutamente indefensa, hasta que oscureciera? Extendió un brazo y empezó a palpar el terreno a su alrededor. Nada.

Lo único que podía hacer era abrir los ojos y mirar. Con la cara todavía refugiada en el hueco del brazo, Alicia se puso de rodillas. El corazón martilleaba contra sus costillas. Bien, pensó, de perdidos al río.

Al principio, sólo percibió una blancura, una blancura cegadora, como si estuviera mirando el núcleo del sol. El efecto fue como si le hubieran clavado una aguja en el cráneo. Pero después, con inesperada celeridad, algo empezó a cambiar. Su visión se estaba definiendo. Colores y formas emergían como figuras de la niebla. Tenía los ojos apenas abiertos. Dejó que se abrieran un poco más. Poco a poco, el brillo retrocedió hasta desvelar más detalles de su entorno.

Después de cinco años en las sombras, Alicia Donadio, capitán de los Expedicionarios, miraba el mundo a la luz del día.

Sólo entonces se dio cuenta de dónde estaba.

Ella lo llamaba el Campo de Huesos. No era ni un campo, en un sentido estricto, ni había huesos, exactamente. Más bien los restos desmenuzados y abrasados por el sol de una multitud de virales, que cubrían la meseta hasta el lejano horizonte. ¿A cuántos estaba viendo? ¿Cien mil? ¿Un millón? ¿Más? Alicia avanzó y ocupó un lugar entre ellos. A cada paso que daba se alzaba una nubecilla de ceniza. El sabor en su nariz y garganta pintaba las paredes de su boca como una pasta. Asomaron lágrimas a sus ojos. ¿De tristeza? ¿De alivio? ¿O de simple asombro ante aquel acontecimiento incomprensible? No tenían la culpa de ser lo que eran. Nunca había sido su culpa. Hincó una rodilla, desenvainó un cuchillo de la bandolera y tocó con la punta su cabeza y corazón. Con los ojos cerrados, agachó la cabeza y rezó una oración. *Os envío a casa, hermanos y hermanas, os libero de la cárcel de vuestra existencia. Habéis abandonado la Tierra para descubrir la verdad de lo que espera después de esta vida. Transmitidme vuestra fortaleza para que pueda afrontar los días venideros. Buena suerte.*

Soldado estaba donde lo había dejado. Sus ojos destellaron de irritación cuando ella se acercó. Pensaba que habíamos alcanzado un acuerdo, decían. ¿Dónde demonios te habías metido? Pero cuando se aproximó, la mirada del caballo se hizo más penetrante. Alicia acarició su grupa, besó su cara larga y sabia. Su lengua musculosa lamió las lágrimas de sus ojos desnudos. Eres un buen chico, dijo ella. Mi buen, buenísimo chico.

Le habría gustado continuar, pero su presa no esperaría. Dispuso el saco de dormir entre los árboles, se sentó en el suelo y sacó la mochila. Dentro, envuelto en hule, se hallaba el bulto tembloroso y sanguinolento del hígado del macho. Lo apretó contra la nariz y respiró hondo, absorbió su olor delicioso, a tierra y con matices de sangre. Aquella noche no encendería hoguera para cocinar. Estaría perfecto así.

Algo estaba cambiando: el mundo estaba cambiando. Alicia lo sentía en lo más hondo de su ser. Un cambio profundo, sísmico, estacional, como si la Tierra estuviera inclinándose sobre su eje. Pero ya habría tiempo de preocuparse por eso más adelante.

Ahora, esta noche, comería.

33

Peter vio poco a Michael durante los tres días siguientes. Se acercaba la fecha de la partida. Todas las cuadrillas de refinación de petróleo hacían turnos dobles. Sin dinero que gastar en la mesa de juego, Peter pasaba el tiempo durmiendo, dando impacientes paseos por el recinto, y deambulando alrededor del economato. Le caía bien Karlovic, pero Stark era otra cosa. La llegada de Peter había desatado todo el resentimiento que Greer había predicho. El hombre apenas le dirigía la palabra. Bien, pensó Peter, que le den. Yo tampoco quería esta misión, a fin de cuentas.

Los ratos más interesantes eran los que pasaba con Lore. Su apetito de información sobre la Colonia, y sobre Michael en particular, era tan insaciable como el que sentía por todo lo demás. Entre turno y turno le iba a buscar al economato y le llevaba a una mesa vacía donde pudieran hablar sin que nadie los oyera. Pese a lo que había dicho Michael, no cabía duda de que, tras su fachada libidinosa, sentía un gran apego por él. Sus preguntas poseían una cualidad inquisitiva, como si Michael fuera una cerradura que no pudiera abrir. ¿Cómo era en aquellos tiempos? Listo, sí, eso era evidente para cualquiera que le conociera, pero ¿qué más? ¿Qué podía contarle Peter de Sara? ¿Y cuál era la historia de sus padres? De su viaje desde California, la mujer sólo sabía la versión oficial: cuando falló la fuente de energía de la Colonia, tuvieron que ir hacia el este en busca de otras, y se toparon por pura casualidad con la guarnición de Colorado. De Amy, y de lo sucedido en la montaña de Telluride, no sabía nada en absoluto, y Peter prefirió dejarlo así.

El más sorprendente giro de la conversación fue el interés de Lore por Alicia. Era evidente que Michael había hablado de ella largo y tendido. En las preguntas de Lore, Peter detectó una corriente oculta de rivalidad, incluso de celos, y al rememorar la conversación sospechó que gran parte de ella había girado en torno a ese tema. Peter llegó incluso al extremo de asegurar a Lore que no tenía por qué preocuparse. Michael y Alicia eran como agua y aceite, dijo. No habría conocido en toda su vida a dos personas más dispares. Lore respondió con una carcajada confiada. ¿De dónde has sacado la idea de que estaba preocupada? ¿Por una chiflada de los Exped, desaparecida hace mucho tiempo? Créeme, dijo, mientras desechaba la idea con un ademán, eso es lo último que se me ocurriría.

Peter dedicó su último día a hablar con Karlovic y Stark, y a repasar los detalles del viaje. Diez camiones cisterna llenos de combustible, con una mezcla de diésel y súper a partes iguales, estaban aparcados junto a la puerta. Antes del amanecer habría dos más. El convoy viajaría con una escolta de seis vehículos de seguridad, Humvees, y todoterrenos con ametralladoras del calibre 50 montadas en la parte de atrás. La distancia era de cuatrocientos cincuenta kilómetros: hacia el norte desde Freeport por la Ruta 36, hacia el oeste por la Autopista 10 en Sealy, todo recto hacia las afueras de San Antonio, donde circunvalarían la ciudad mediante una combinación de autopistas rurales, y después de vuelta a la I-10 durante los últimos setenta y cinco kilómetros. Había habitáculos dispersos a intervalos regulares a lo largo de la ruta, pero lo habitual era conducir sin parar. Viajando a una velocidad media de treinta kilómetros por hora, llegarían a Kerrville poco después de medianoche.

La atención de Peter se dirigió a los cinco puntos de control principales de la ruta: un puente sobre el río San Bernardo, al oeste de Sealy; otro en Columbus, donde cruzarían el Colorado; el puente de San Marcos, en Luling; y un par que salvaban el Guadalupe, el primero al oeste de Seguin, el segundo en la ciudad de Comfort. Los primeros tres eran poco preocupantes (el convoy los cruzaría a plena luz del día), pero no llegarían a Seguin hasta después del ocaso. Se habían visto virales desplazarse arriba y abajo de los ríos cuando cazaban, y era bien sabido que se sentían muy atraídos por el sonido de motores diésel. Para empeorar las cosas, el puente de San Marcos se encontraba en un estado tan lamentable que los camiones cisterna sólo podrían pasar de uno en uno. Alumbrar la zona con los faros constituiría una medida de protección, pero el convoy permanecería retenido durante casi una hora.

Todo el mundo se reunió ante los camiones en la oscuridad previa al amanecer. El aire era húmedo y frío. Para casi todos, el viaje no significaba ninguna novedad. Ya estaban acostumbrados a esos desplazamientos, incluso un poco aburridos. Pasaron tazas de un simulacro de café. Como engrasador de primer grado, Michael iría en el Humvee de cabeza con Peter. Ceps conduciría el primer camión cisterna; Lore, el segundo. Peter había planeado que Stark fuera delante, un gesto de buena voluntad, pero para alivio de Peter el hombre había declinado la invitación, y prefirió quedarse en la refinería con el resto del destacamento de SN.

Las puertas se abrieron con los primeros rayos del sol. Una docena de motores diésel cobraron vida con un bramido, y nubecillas de espeso humo negro brotaron de sus tubos de escape. Michael recorrió la hilera desde atrás, con el fin de distribuir los *walkie-talkies* y conversar con cada uno de los conductores por última vez. Ocupó su puesto al volante del Humvee y llamó por radio a todos los conductores de uno en uno.

—Camión Uno.

—Preparado.

—Camión Dos.

—Preparado.

—Camión Tres...

Y así sucesivamente. Michael entregó a Peter la radio y puso en marcha el Humvee.

—Ya lo verás —dijo—. Es de lo más aburrido. En una ocasión, dormí durante casi todo el trayecto.

Salieron con las primeras luces del alba.

A finales de la mañana habían atravesado la carretera de circunvalación de Rosenberg y viajaban hacia el oeste en dirección a la I-10. Las autopistas estatales eran una sucesión de baches, lo cual obligaba a los camiones a avanzar a paso de tortuga, pero en cuanto llegaron a la interestatal la velocidad aumentó.

Se oyó la voz de Ceps en la radio.

—Michael, tenemos un problema.

Peter se volvió en el asiento. El convoy se había detenido detrás de ellos. Michael frenó el Humvee y dio marcha atrás. Ceps había bajado de la cabina del camión y estaba de pie sobre el parachoques delantero, abriendo el capó.

—¿Cuál es el problema? —preguntó Michael.

Ceps golpeó el motor con un trapo para disipar el humo.

—Creo que es la bomba del refrigerante. Tardaría un rato en repararla. Un par de horas, como mínimo.

Dos opciones: esperar a que terminara la reparación o dejar atrás el camión cisterna. Para complicar el asunto, el terreno que se extendía a cada lado era un bosque impenetrable. La desviación más cercana se encontraba a nueve kilómetros. Tendrían que retroceder hasta Wallis.

—¿Puede hacerlo? —preguntó Peter.

—Tenemos las piezas. No veo por qué no.

Peter dio la señal de continuar. Michael cogió de nuevo el *walkie-talkie*.

—Muy bien, todo el mundo, vamos a parar.

—¿Hablas en serio? —respondió Lore—. Dile a Ceps que aparte ese montón de chatarra.

—Sí, hablo en serio. Apagad el motor, tíos.

Peter apostó los equipos de seguridad a cada lado del convoy, con las armas apuntadas a las paredes de árboles y matorrales. Era muy improbable que sucediera algo a plena luz del día, pero una maraña como aquélla era un refugio perfecto para los virales. Ceps y Lore se pusieron a trabajar en el motor. Casi todos los conductores habían bajado de sus cabinas. Las cartas fueron saliendo a medida que transcurrían los minutos.

Cuando Ceps anunció que el sistema de refrigeración estaba arreglado, pasaban de las tres de la tarde. La reparación había durado casi cuatro horas. Kerrville se encontraba todavía a doce horas de distancia, más, puesto que harían casi todo el viaje en la oscuridad.

—No es demasiado tarde para retroceder —dijo Michael—. Podemos utilizar la salida de Columbus de la interestatal para dar media vuelta. Las rampas están en buen estado.

—¿Cuál es tu opinión?

Estaban parados al lado de los Humvees, lejos de los demás.

—Si quieres que te diga la verdad, creo que deberíamos continuar. Unas cuantas horas más en la oscuridad, ¿qué más da? No es que no haya sucedido antes. Esos montones de chatarra se averían cada dos por tres. Además, las carreteras son anchas hasta Seguin. —Michael se encogió de hombros—. Tú debes decidir.

Peter se tomó un momento para pensar. Era peligroso, pero ¿qué no lo era? Y la lógica de Michael parecía sólida.

Asintió.

—Nos vamos.

—Así me gusta. Ojo avizor, hermano.

Los indicadores de salida, agujereados y oxidados, estaban inclinados como borrachos; la antigua autopista con sus quitamiedos caídos de costado, que los invitaban a continuar adelante; los restaurantes, gasolineras y moteles de la cuneta surcada de cráteres, algunos con los letreros todavía erguidos a pesar del viento, y que anunciaban nombres incomprensibles. McDonald's. Exxon. Whataburger. Holiday Inn Express. Peter veía desfilar el paisaje. Estaban acortando distancias, pero eso no duraría mucho. La oscuridad se aproximaba.

No había luz en Flatonia. Se hallaban a cuarenta y cinco kilómetros al este del tercer puente, circulando a una velocidad constante de unos cuarenta kilómetros por hora. La radio, que había crepitado todo el día con bromas entre los vehículos, guardaba silencio. Cuando se acercaban a la ciudad de Luling apareció, iluminada por los conos de luz de los faros del Humvee, una señal de salida marcada con una X roja. Un habitáculo. Peter miró a Michael en busca de cualquier cambio en su expresión, pero no detectó ninguna. Iban a continuar adelante.

Se estaban aproximando al puente cuando Michael se inclinó de repente hacia delante en su asiento, mientras miraba por encima del volante.

—¿Qué demonios...?

Peter se agarró al salpicadero cuando Michael pisó los frenos. La cabina se llenó de luz cuando el segundo Humvee estuvo a punto de estrellarse contra ellos por detrás, aunque pudo frenar justo a tiempo. Patinaron hasta detenerse.

Michael estaba mirando a través del parabrisas.

—¿Estoy imaginando cosas?

La voz crepitante de Lore por la radio.

—¿Qué pasa? ¿Por qué nos hemos detenido?

Peter levantó la radio del salpicadero.

—SN tres y cuatro, adelantaos en doble fila. Una y dos, mantened las posiciones. Que todo el mundo se quede en su cabina.

Una figura estaba parada en la carretera. No era un viral, sino un ser humano. Daba la impresión de ser una mujer, con la cabeza gacha, vestida con una especie de capa.

—¿Qué hace? —preguntó Michael—. Está parada ahí.

—Espera aquí.

Peter bajó de la cabina. La mujer aún no se había movido, ni siquiera reconocido su existencia. Los dos vehículos de SN, todoterrenos, habían tomado posiciones a ambos lados de los Humvees. Peter desenfundó su pistola y avanzó con cautela.

—Identifíquese.

La mujer estaba parada en el borde delantero del puente. Sus puntales de hierro trazaban líneas de oscuridad contra el cielo. Peter alzó el arma, al tiempo que se acercaba un poco más. La mujer aferraba algo en la mano.

—Eh —dijo él—. Estoy hablando con usted.

La mujer levantó la cabeza. La luz de los faros bañó su rostro. Peter no sabía qué estaba viendo. ¿Una mujer? ¿Una niña? ¿Una bruja? Dio la impresión de que la imagen de su cara aleteaba en su mente, se formaba y volvía a formarse como algo visto a través de agua que se moviera con rapidez. Sintió una oleada de náuseas.

—Sabemos dónde estáis. —Su voz era etérea como un pañuelo de papel—. Es sólo cuestión de tiempo.

Peter amartilló el arma y apuntó a su cabeza.

—Contésteme.

Sus ojos eran de un azul intenso centelleante. Cuando se encontraron con los de él, Peter se dio cuenta de que lo que estaba viendo era una hermosa mujer, tal vez la más hermosa que había visto en su vida. Los labios gruesos y sensuales. La deliciosa nariz respingona. La proporcionada disposición de los huesos faciales y la piel reluciente de sus mejillas. Mirarla era como sumergirse en una corriente de sensualidad casi insoportable. Se le secó la boca de repente.

—Estás cansado —dijo ella.

La afirmación, desconcertante por completo, le sacó de su estupor. ¿Estaba qué?

—He dicho que estás cansado —repitió la mujer.

—No sé de qué está hablando.

El rostro de la mujer expresó un gran estupor. Era como si la hubiera decepcionado. Los ojos de Peter se posaron en el objeto que aferraba en la mano. Una caja metálica. Con la mano libre, extrajo una larga varilla metálica del costado.

Peter sabía lo que era.

Saltó hacia ella cuando el dedo se apoyó en el interruptor. Un destello de luz y un estruendo, como si una puerta enorme se hubiera cerrado de golpe: un muro de calor hirviente le echó hacia atrás. El puente, pensó Peter. Fuera quien fuera, la mujer había volado el puente. Peter estaba caído de espaldas y miró el cielo. Por un momento, el tiempo se había soltado de sus amarras. Algo grande, en llamas, estaba descendiendo hacia él desde los cielos describiendo un lánguido arco.

Una viga del puente en llamas cayó en el suelo a escasa distancia de su cabeza. Mientras Peter se alejaba rodando, sintió unas manos sobre él, y de repente volvió a estar en pie. Michael estaba tirando de él hacia el Humvee.

—¡Retroceded! —Michael estaba gritando en el *walkie-talkie*, mientras sujetaba por la cintura a Peter—. ¡Que todo el mundo retroceda!

Venían luces lanzadas hacia ellos desde todas las direcciones. Antes de que Peter pudiera procesar la información, una camioneta salió en tromba de los matorrales, y sus grandes neumáticos cubiertos de barro saltaron sobre la cuneta. Frenó ante ellos de costado. Cuatro figuras se alzaron como apariciones siniestras de la parte posterior del camión, y apoyaron sobre sus hombros al mismo tiempo largos objetos cilíndricos.

—¡Oh, mierda! —exclamó Michael.

Se arrojaron al suelo cuando los cohetes, con un estallido de luz blanca, surgieron de los tubos. Detrás de ellos, la detonación de los vehículos de SN ahogó el sonido de disparos. Escombros en llamas pasaron zumbando sobre sus cabezas.

—¡Ceps, lárgate de aquí! —bramó Michael en el *walkie-talkie*.

Las figuras del camión se habían detenido para recargar las armas. El camión de Ceps sería el siguiente. Peter se dispuso a desenfundar su pistola, pero había desaparecido: la había perdido en la primera explosión. Desde la parte posterior del convoy llegó un tremendo estampido. Los engrasadores estaban saltando de los camiones, corrían y chillaban. El ataque se estaba produciendo desde los dos extremos del convoy. Estaban atrapados entre el río y lo que se estuviera acercando por detrás, probablemente más camiones con lanzacohetes. El combustible estaba perdido, no quedaba más remedio que huir. Peter y Michael corrieron hacia el primer camión, justo cuando Ceps saltaba de la cabina y tiraba un rifle a Peter. Se apoderó de él en el aire, giró en redondo, apuntó al camión y disparó una ráfaga, lo cual provocó que las figuras se arrojaran al suelo en busca de refugio. Habían ganado un momento, pero eso era todo. Michael agarró a Lore por la cintura cuando salió de su cabina y la bajó al suelo. Gritó en dirección a la parte posterior del convoy.

—¡Bajad de los camiones!

Las figuras se levantaron de nuevo. Un disparo certero al primer camión cisterna, y todo habría terminado. Once mil quinientos litros por camión, ciento treinta y ocho mil litros en total. Todo el convoy saltaría por los aires, detonaría como cartuchos de dinamita en línea. Peter se dio cuenta de que una de las figuras era la mujer de la capa. Levantó el rifle de nuevo y apretó el gatillo, pero oyó el chasquido de una cámara vacía.

La mujer levantó los brazos y los abrió de par en par.

En la cola del convoy había aparecido otro tipo de vehículo muy diferente. Se abalanzó sobre ellos a gran velocidad, con el motor rugiendo, hileras de luces de vapor de sodio encendidas en el techo de la cabina. Un tráiler de seis ruedas. Arrastraba dos grandes contenedores de paredes de metal galvanizado pulido hasta lograr un alto poder reflectante. Durante las semanas posteriores, su aspecto curioso (parecían dos cajas gemelas que rodaran por la autopista) sería considerado un elemento importante, una pista en una secuencia de pistas, pero en aquel momento de su aparición nadie prestó mucha atención. Algunos de los engrasadores fugitivos, su cerebro presa del pánico falto de toda lógica, sin haber reparado en que los vehículos más pequeños aparecidos en la retaguardia habían desaparecido entre los matorrales, hasta se permitieron la esperanza de que iban a ser rescatados. Los estaban atacando. El ataque, despiadadamente confuso, había llegado de ninguna parte. Los contenedores, con su apariencia fortificada y su masa reluciente, parecían portátiles.

Cosa que eran. Aunque contenían un cargamento de un tipo muy diferente.

Uno de los que se dio cuenta, fue el engrasador Juan Sweeting. Pese a sus modales rudos y musculatura intimidante, Ceps era un hombre con el alma de un poeta. Solo en su jergón al final de cada día, plasmaba en negro sobre blanco sus pensamientos más profundos, en versos de una sensibilidad fuera de lo común y música verbal. Pese a los malos tragos de su vida, creía firmemente que el mundo era un lugar hermoso, bendecido por Dios, merecedor de la esperanza humana. Escribía mucho sobre el mar, cuya compañía había atesorado. Aunque jamás había enseñado a nadie sus poemas, formaban el corazón de su vida, como un amante secreto. A veces, cuando rascaba mugre de petróleo de un calentador, o alzaba una mole de hierro sobre su cabeza en las cajas de pesas, el deseo de escribir un poema se apoderaba hasta tal punto de Ceps que estaba a punto de abandonar su trabajo y volver corriendo a su catre para celebrar la magnificencia de la creación.

La llegada del tráiler coincidió con su creciente sospecha, como en el caso de Peter, de que las apariencias engañaban. De hecho, aquel ataque era absurdo. ¿Por qué los seres humanos se enzarzaban entre sí de aquella manera? ¿Es que acaso no existía un enemigo común? ¿Por qué destruir una fuente de energía que conservaba la existencia de su especie? La idea que estaba germinando en su mente era la correcta, que sus atacantes no estaban confabulados con los de su especie, y cuando el primero de los dos contenedores relucientes liberó su carga, sus sospechas se convirtieron en certidumbre. Para entonces, ya era demasiado tarde: siempre había sido demasiado tarde.

Los virales se abalanzaron sobre el convoy. Eran centenares. Pero en el momento que siguió, Ceps se dio cuenta de que los virales no estaban matando a todo el mundo. Algunos estaban siendo eliminados con despiadada celeridad y salvajismo, mientras que otros eran secuestrados, agitando los miembros y gritando mientras los virales los agarraban por la cintura y se los llevaban.

Un destino mucho peor, ser secuestrado.

Tomó una rápida decisión.

El tráiler se había detenido a menos de veinte metros del último camión cisterna de la fila. Ceps ya había visto volar un camión cisterna antes. La destrucción era instantánea y total, pero en la décima de segundo anterior ocurría algo interesante. El combustible en expansión, que buscaba el punto más débil de la estructura, arrancaba de cuajo las planchas de la cubierta del camión, y las lanzaba como tapones de botellas. En esencia, un camión cisterna que estallaba era un arma antes que una bomba. Ceps ya había llegado al último camión cisterna. El tráiler plateado estaba aparcado a veinte metros detrás de él, dentro de su alcance. Con sus enormes brazos, Ceps desenroscó el tapón del puerto de descarga y abrió la válvula. Brotó gasolina del tubo en un chorro reluciente. Se quedó de pie en la corriente, hasta que su ropa se empapó. Llenó sus manos y se mojó el pelo. Este mundo cautivador, pensó, mientras sus sentidos absorbían el olor del combustible, como fuego embotellado. Este mundo cautivador, dolorosamente agridulce. Tal vez alguien encontraría su fajo de poemas debajo del colchón y leería en sus páginas las verdades ocultas de su corazón.

Recordó las palabras de un poema amado. Emily Dickinson: cuando tenía ocho años, había encontrado un libro de sus poemas en la biblioteca de Kerrville, en una sala a la que nadie iba. Como daba la impresión de que no servía de nada a nadie, y en un estado de compasión antropomorfa por su soledad en la estantería, Ceps lo había escondido dentro del abrigo y fue a un callejón donde, sentado sobre un cubo de basura, había descubierto una voz desaparecida de la Tierra hacía mucho tiempo, que daba la impresión de penetrar en lo más hondo de su ser. Ahora, parado en el camino del puerto desbordante, cerró los ojos y dejó que sus palabras, grabadas en la memoria, le recorrieran por última vez:

> La belleza me abruma hasta mi muerte.
> Belleza, ten compasión de mí
> pero si expiro hoy,
> deja que sea delante de ti...

Sacó el encendedor del bolsillo, lo abrió y apoyó el pulgar sobre la ruedecilla.

A cien metros de distancia, en la cabina del tercer camión cisterna, Peter estaba intentando poner en marcha el vehículo. La palanca de velocidades, cuyo pomo tenía el diagrama de las marchas borrado hacía mucho tiempo, no obedecía. Cada intento obtenía como resultado un sonido rechinante.

—Aparta.

La puerta se abrió y Lore entró, seguida de Michael. Peter se apartó para dejar que se ocupara del volante.

—¿Cuál es el plan? —preguntó Michael.

—No tenemos ninguno.

Michael echó un vistazo por el retrovisor. Sus ojos se abrieron de par en par.

—Ahora sí.

Puso la primera, dio un volantazo a la izquierda y pisó el acelerador, chocando contra el segundo camión cisterna. En lugar de dar marcha atrás, Michael volvió a pisar el acelerador. Un chirrido metálico, y de repente estuvieron libres, un misil de quince toneladas lanzado hacia la maleza.

Detrás de ellos, el mundo estalló.

El camión salió disparado hacia delante como un cohete. Peter rebotó contra el asiento. La parte posterior del camión se levantó, giró, pero de alguna manera recuperó la tracción. La cabina oscilaba con tal violencia que daba la impresión de ir a partirse en mil pedazos. Michael pisó a fondo el pedal del acelerador. La maleza azotaba el parabrisas. Volaban ciegos como murciélagos. Giró el volante a la izquierda de nuevo, y describió un amplio arco a través del campo enmarañado, y con una segunda sacudida se encontraron de nuevo en la autopista, corriendo hacia el este.

Su fuga no había pasado desapercibida. Por el retrovisor, Michael vio una hilera de luces verde claro que los perseguían.

—No podemos dejarlos atrás con este trasto —dijo Michael—. La única oportunidad es el habitáculo.

Peter cargó el rifle.

—¿Qué llevas tú? —preguntó a Lore, y ella le enseñó una pistola.

—Ése no es el único problema —advirtió Michael—. Hemos perdido el acoplador del freno.

—¿Lo cual significa...?

—No puedo reducir la velocidad o coleará. Tendremos que saltar.

Los virales se estaban acercando. Peter calculó doscientos metros, tal vez menos.

—¿Puedes llevarnos hasta la rampa de salida?

—A esta velocidad no podré tomar la curva del paso elevado. Es de noventa grados.

—¿A qué distancia se encuentra el habitáculo de lo alto de la rampa?

—A unos cien metros en dirección sur.

No podrían conseguirlo si saltaban en la base de la rampa. Con cien metros les iría de un pelo, suponiendo que escaparan ilesos.

Los faros de Michael iluminaron el habitáculo. Lore se colocó junto a la puerta cuando Michael aminoró la velocidad, que redujo a cuarenta y cinco kilómetros por hora, y giró a la derecha, rampa arriba. Abrieron las puertas y el viento remolineante invadió la cabina.

—Allá vamos.

Cuando tocaron la parte superior de la rampa, Michael y Lore saltaron de la cabina, seguidos de Peter. Éste cayó sobre sus pies y flexionó las rodillas para absorber el impacto, y después rodó sobre el pavimento. El aire salió proyectado de su pecho. Se detuvo justo a tiempo de ver que la cola del camión cisterna derribaba el quitamiedos. Durante una fracción de segundo, el vehículo, con sus catorce toneladas de peso, dio la impresión de que iba a volar. Pero después desapareció de su vista, y a continuación resonó la explosión más horrísona de la noche, una nube remolineante con un núcleo al rojo vivo que ardía como una enorme llamarada.

Desde la izquierda, le llegó la voz de Lore.

—¡Ayúdame, Peter!

Michael estaba inconsciente. Tenía el pelo mojado de sangre, el brazo torcido de tal forma que parecía roto. Los primeros virales se hallaban al pie de la rampa. La luz del camión en llamas les había proporcionado un momento, pero eso era todo. Peter cargó a Michael sobre su hombro. Joder, pensó, cuando sus rodillas se doblaron a causa del peso, esto habría sido un juego de niños hace unos años. La bandera del habitáculo era una silueta oscura recortada contra las estrellas.

Se pusieron a correr.

34

Ella apareció en la entrada cuando Lucius estaba concluyendo sus devociones vespertinas. De su mano colgaba un llavero tintineante. Su sencilla túnica gris y porte sereno no comunicaban la impresión de alguien implicado en una evasión carcelaria, aunque Lucius reparó en una capa de sudor sobre su rostro, pese al frío de la noche.

—Comandante. Me alegro de verle.

En el fondo de su ser experimentó la sensación de que diversos acontecimientos se habían puesto en acción, algunos círculos se cerraban, y un destino se revelaba al fin. Durante toda su vida, pensó, había anticipado ese momento.

—Algo está pasando, ¿verdad?

Amy asintió con brusquedad.

—Creo que sí.

—He rezado por ello. He rezado por *ti*.

Amy asintió.

—Hemos de proceder con rapidez.

Salieron de la celda y continuaron por el pasillo a oscuras. Sanders estaba dormido sobre su escritorio de la habitación exterior, con el rostro vuelto de lado sobre sus brazos cruzados. El segundo guardia, Coolidge, roncaba en el suelo.

—Tardarán un rato en despertar —explicó Amy—, y cuando lo hagan no recordarán nada. Tú habrás desaparecido, así de sencillo.

Lucius extrajo la pistola de Sanders de su funda, y después vio que Amy le estaba dirigiendo una mirada de precaución.

—Recuerda que Carter es uno de los nuestros —advirtió.

Lucius cargó una bala en la recámara, puso el seguro y se ciñó la pistola al cinto.

—Comprendido.

Ya en el exterior caminaron a buen paso hacia el túnel peatonal, pegados a las sombras. En el portal, tres agentes de seguridad estaban parados alrededor de un fuego que ardía en un cubo de basura, calentándose las manos.

—Buenas noches, caballeros —saludó Amy.

Cayeron de rodillas, con una mirada de vaga sorpresa pintada en sus semblantes. Lucius y Amy pusieron sus cuerpos en el suelo.

—Menudo truco —comentó Lucius—. Me lo tendrás que enseñar en algún momento.

Al otro lado del túnel esperaban dos caballos ensillados. Lucius ayudó a Amy a subir, y después montó en el segundo caballo y tomó las riendas en la mano.

—He de preguntarte algo —dijo—. ¿Por qué yo?

Amy pensó un momento.

—Cada uno de nosotros tiene uno, Lucius.

—¿Y Carter? ¿Qué tiene él?

Una mirada inescrutable apareció en los ojos de Amy, como si sus pensamientos la hubieran llevado muy lejos.

—Es diferente de los demás. Lleva a su familiar dentro.

—La mujer del agua.

Amy sonrió.

—Has hecho los deberes, Lucius.

—Era ley de vida.

Amy asintió.

—Sí, en efecto. La amaba más que a su vida, pero no pudo salvarla. Ella es su corazón.

—¿Y los lelos?

—Son sus Muchos, su estirpe viral. Matan sólo porque deben hacerlo. Está en su naturaleza. Lo que piensa él, lo piensan ellos. Lo que sueña él, lo sueñan ellos. Sueñan con ella.

Los caballos estaban pateando el polvo. Pasaba de la medianoche, y un cielo sin luna era el único testigo de su partida.

—Como yo contigo —dijo Lucius Greer—. Como yo contigo.

Se alejaron en la oscuridad.

35

Hermanos, hermanos.

Y lejos, en la noche. Julio Martínez, Décimo de los Doce, sus legiones descartadas, arrojadas al viento. Julio Martínez, que respondía a la llamada de Cero.

Es la hora. El momento de la reconstrucción ha llegado. Volveréis a crear el mundo. Os convertiréis en los verdaderos dueños de la Tierra, con autoridad no sólo sobre la muerte, sino sobre la vida. Vosotros sois las estaciones. Vosotros sois la Tierra que gira. Vosotros sois el círculo dentro del círculo dentro del círculo. Vosotros sois el tiempo, mis hermanos de sangre.

En vida, Martínez había sido abogado, un hombre de leyes. Había plantado cara a jueces, defendido al acusado ante jurados. Los casos en que se solicitaba la pena de muerte eran su especialidad, su punto fuerte profesional. Había adquirido una fama particular. Le llegaban llamadas de todas partes: ¿querría el gran abogado Julio Martínez defender a tal y cual? ¿Sería posible convencerle de que entrara en acción? La estrella del rock que había desparramado los sesos de su novia con una lámpara. El senador del estado con sangre de la puta muerta en sus manos. La madre de una zona residencial que había ahogado a los trillizos recién nacidos en la bañera. Martínez los aceptaba todos. Estuvieran locos o no. Suplicaran o no. Inyección, celda diminuta, o la libertad. El resultado era irrelevante para Julio Martínez. Lo que le gustaba era el drama. Conocer a alguien que iba a morir, y, no obstante, luchar contra lo inevitable: eso le fascinaba. Una vez, cuando era niño, en un campo detrás de su casa, se había topado con un conejo inmovilizado en una trampa, de ésas con resortes y dientes. Sus mandíbulas de hierro habían atrapado las patas traseras del animal, dejando el hueso al descubierto. Los pequeños ojos oscuros del animal, como cuentas de aceite, presagiaban la muerte. La vida se le escapaba en una serie de sacudidas espasmódicas. El niño Martínez podría haber estado mirando durante horas, y eso fue lo que hizo. Y cuando el conejo no murió al caer la noche, lo llevó al granero, volvió a casa, cenó, fue a acostarse a su habitación llena de juguetes y trofeos, y esperó a la mañana, cuando podría ver al conejo morir un poco más.

Había tardado tres días. Tres gloriosos días.

De igual forma, su vida y sus oscuras investigaciones. Martínez tenía sus motivos. Tenía sus razones fundamentales. Tenía su método particular: el quebrantamiento de la voluntad, el cable leal, la cinta adhesiva infinitamente dúctil, los húmedos e invisibles recovecos del acto de matar. Elegía mujeres de clase baja, carentes de educación o cultura, no porque las despreciara o las deseara en secreto, sino porque eran fáciles de atrapar. No estaban a la altura de sus bonitos trajes, su pelo de estrella de cine y su lengua sedosa afilada en las salas de los tribunales. Eran cuerpos sin nombre, historia ni personalidad, y cuando llegaba el momento del transporte, no le distraían en ningún momento. La coordinación era fundamental, la liberación orquestada y simultánea. El viejo coro del sexo y la muerte.

Había sido necesaria cierta práctica. Se habían producido fallos. Debía admitir que situaciones de comedia involuntaria se habían insinuado en algunos momentos. La primera había muerto demasiado pronto, la segunda había montado tal alboroto que todo se había convertido en una farsa, la tercera había llorado de una forma tan lastimosa que apenas pudo prestar atención. Pero después: Louise. Louise, con su trillado uniforme de camarera, sus prácticos zapatos de camarera y sus calcetines de camarera tan poco sexy. ¡Con qué belleza había abandonado la vida! ¡Qué exquisito éxtasis durante la ejecución! Era como una puerta que se abriera a un gran más allá desconocido, un portal a la infinita negrura de la no existencia. Él había sido erradicado, pulverizado. Los vientos de la eternidad lo habían atravesado, le habían purificado. Era todo cuanto había imaginado y un poco más.

Después de eso, la verdad, ya nunca tuvo suficiente.

En cuanto al patrullero de la autopista, el universo no dejaba de ser irónico. Daba y tomaba. A saber: el Jag con un faro trasero roto, y Martínez con el cuerpo de la mujer dentro de una bolsa en el maletero; el lento caminar del policía hacia el coche, con la mano apoyada en la culata de la pistola, y la ventanilla del conductor cuando descendió; el rostro del patrullero muy cerca, sonriendo con aburrida cortesía, los labios pronunciando las palabras acostumbradas (*Señor, ¿podría ver...?*) sin terminarlas. Con las prisas, Martínez había logrado ocultar el cadáver en el maletero, para que así las prácticas nocturnas permanecieran desconocidas para siempre, ajenas a su destino. Pero un policía muerto a un lado de la autopista, todo grabado en su cámara de vídeo del salpicadero, bien. Al final, lo único que cupo hacer, como suele decirse, fue que el gran Julio Martínez, abogado, campeón de lo imposible, defensor de lo indefendible, se sirviera una copa de whisky de malta de treinta años y la saboreara mientras las luces de la justicia relumbraban sobre las ventanas de su casa, y después saliera con las manos en alto, como corresponde.

Lo cual, teniendo en cuenta el desarrollo de los acontecimientos, no había sido un giro de los acontecimientos tan horrendo, la verdad.

Martínez no podía decir que sus compañeros le importaran mucho. Con la excepción de Carter, al que consideraba digno de compasión (el hombre ni siquiera parecía saber qué era o qué había hecho; Martínez no había escuchado ni siquiera un carraspeo del hombre en años), no eran nada más que delincuentes comunes, sus actos aleatorios y banales. Atropello con resultado de homicidio. Robo a mano armada con fatales consecuencias. Reyerta en un bar con cadáver en el suelo. Un siglo marinados en sus desperdicios psicológicos no había conseguido mejorarlos. La existencia de Martínez no carecía de aspectos irritantes. Nunca podía estar solo por completo. El hambre eterna que debía saciar. La cháchara incesante en el interior de su cabeza, no sólo sus hermanos, sino también Cero. E Ignacio: menuda faena. El hombre era una letanía de excusas autocompasivas. *No quería hacer ni la mitad de esas cosas. Es que estaba hecho de otra pasta.* Después de cien años escuchando los gimoteos del hombre, Martínez no le echaría de menos ni un instante.

Sin embargo, Babcock poseía algo atractivamente desquiciado. El hombre era una pura metáfora, había que admitirlo. Cortarle la laringe a su madre con un cuchillo de cocina. En otra vida habría sido sin duda un poeta. A lo largo de las décadas, Martínez había estado sentado mentalmente en aquella apestosa cocina un millón de veces, y era cierto: la mujer *nunca* cerraba el pico. Existía un tipo de persona en este mundo que se necesitaban para pintar un cuadro, y la madre de Babcock era de ese tipo.

Y entonces, un día, Babcock se esfumó, su señal silenciada, como un canal de televisión que hubiera dejado de emitir. El rincón de la mente de Martínez ocupado por Babcock, que tallaba incesantemente la cartilaginosa protuberancia de la laringe de su madre, estaba vacío. Todos los demás sabían lo ocurrido; su existencia colectiva nacida de la sangre así lo disponía. Uno de los hermanos había caído.

Dios te bendiga y proteja, Giles Babcock. Que encuentres en la muerte la paz que te eludió en la vida, y en lo que vino después.

Y así, de Doce a Once. Una pérdida, una mella en la armadura, pero en definitiva un asunto de escasa importancia en el período vital que se avecinaba. Había sido un buen siglo, en conjunto, para Julio Martínez. Recordaba los primeros tiempos con dolorosa querencia. Los días de sangre y caos, y la gran invasión de la Tierra llevada a cabo por su especie. Matar era una cosa, algo glorioso; secuestrar era otra muy distinta. Un banquete de satisfacción más pletórica. De cada uno había tomado Martínez un exquisito pedazo de alma, atrayéndolos al redil, expandiendo sus dominios. Sus Muchos no eran una simple *parte* de él: *eran él.* Al igual que él,

Julio Martínez, era uno de los Doce y el Cero también, concomitante y coexistente, unidos entre sí y con la oscuridad en la que habitaban de manera permanente.

Hermanos, hermanos, ha llegado el momento. Hermanos, hermanos, la hora se aproxima.

Porque era inevitable: habían construido una raza de rapacidad en estado puro. Sus Muchos, creados para protegerlos, habían devorado la Tierra como langostas, arrasando todo a su paso. El festín había conducido a la hambruna; la munificencia del verano, a la escasez del invierno. Necesitarían un hogar, una zona de protección, de descanso. Para soñar sus sueños. Para soñar con Louise.

Hermanos míos, vuestro nuevo hogar os espera. Se inclinarán ante vosotros. Viviréis como reyes.

A Martínez le gustaba cómo sonaba eso.

Los desechó sin ceremonias. Sus Muchos, sus millones. Los convocó desde todos los lugares ocultos y les dijo: *Morid.* El alba estaba extendiendo su mano de dedos rojizos sobre el horizonte. Movieron sus rostros ciegos hacia ella. No mostraron la menor vacilación: todo cuanto ordenaba, lo hacían. El sol estaba avanzando hacia ellos como un cuchillo de luz sobre la tierra. *Tumbaos, hijos e hijas míos. Tumbaos al sol y morid.*

A continuación se oyeron chillidos.

Noche tras noche se desplazaba hacia el este, atravesando la tierra exhausta, guiado por sus instintos. El mundo estaba henchido de sensualidad, le acariciaba con sus sonidos y olores. La hierba. El viento. Los movimientos más sutiles de los árboles. Se demoraba, lo probaba todo. Había estado ausente demasiado tiempo. Llamó a sus compañeros, sus voces entrelazadas de oscuridad cuando llegaron de todos los rincones al lugar de la renovación.

—Somos Morrison-Chávez-Baffes-Turrell-Winston-Sosa-Echols-

Lambright-Martínez-Reinhardt-Carter. Once de los Doce, un hermano perdido.

Y Cero replicó a su vez:

Oh, hermanos míos, mi dolor es tan grande como el vuestro. Pero volveréis a ser Doce. Porque he creado otro, que vigilará y os protegerá en vuestro lugar de descanso.

—¿Quién? —preguntaron, cada uno como individuo y después juntos—. ¿Quién es el otro que has creado?

Y Cero habló desde la oscuridad:

Nuestra hermana.

VI

El insurgente

FORT POWELL, IOWA

POB. 69.172
97 d. V.

Estrella de la noche, tú que traes todas las cosas
que la luminosa aurora ha dispersado;
traes las ovejas, traes las cabras,
traes el niño de vuelta a su madre.

SAFO, *c.* 612 a. C.,
Fragmento 120

ATENCIÓN
UN MENSAJE DEL DIRECTOR

¡Ciudadanos de la Patria! ¡Hay traidores entre nosotros!

Los vergonzosos métodos de la autodenominada «insurgencia» han alcanzado nuevas cotas de bajeza. Docenas de vuestros conciudadanos, incluidos mujeres y niños inocentes, han sido asesinados a sangre fría por esos cobardes conspiradores, que actúan sin piedad.

¡Hemos de defendernos!
¡Apoyad a vuestro Director!
¡Pongamos fin a la plaga de violencia!

Hacemos un llamamiento a todos los ciudadanos para que nos ayuden a llevar ante la justicia a estos despreciables traidores. La seguridad de nuestra Patria está en juego.

¡Todo el mundo ha de participar!

- Vigilad. La persona que se encuentra a vuestro lado podría estar en este mismo momento conspirando para matar a centenares.
- Informad cuanto antes de cualquier actividad sospechosa al personal de Recursos Humanos.
- Mantened la disciplina en vuestro alojamiento y en vuestro lugar de trabajo.
- Estad preparados. Es posible que se os llame en cualquier momento para colaborar en la defensa.
- Cualquiera que preste ayuda a la insurgencia o interfiera en los deberes de la Autoridad de la Patria será considerado **enemigo** del Estado.

¡Vigilad! ¡Escuchad! ¡No bajéis la guardia!
¡Juntos podemos restablecer la paz y la seguridad
de nuestra amada Patria!

36

La gente susurraba en todas partes: habían puesto otra bomba en el mercado.

La mañana de noviembre empezó gris y fría, heraldo del invierno inminente. El bramido del cuerno despertó a Sara, seguido de un coro de toses, carraspeos y crujidos de huesos que despertaban a la vida. Tenía la boca y los ojos secos como papel. La habitación olía a piel sin lavar, aliento rancio y detergente antipiojos, un vapor biológico de decadencia humana, aunque Sara apenas se dio cuenta. Sabía que parte del olor procedía de ella.

Otro amanecer implacable, pensó. Otra mañana como ciudadana de la Patria.

Había aprendido a no holgazanear en el catre. Un minuto tarde en la cola de racionamiento, y corrías el riesgo de pasarte el día sin nada con que llenar el estómago. Cada vez, un cuenco de cereales debía imponerse a unos escasos minutos de sueño inquieto. Mientras su estómago gruñía, apartó la raída manta, se dio la vuelta, agachó la cabeza y plantó sus pies calzados con zapatillas sobre las tablas del suelo. Siempre dormía con las zapatillas (un par de andrajosas Reebok heredadas de un compañero de catre que había muerto), porque siempre robaban el calzado. *¿Quién ha robado mis zapatos?*, gritaba una voz, y la víctima atravesaba el alojamiento a paso de carga, suplicando, acusando, para acabar tendida en el suelo entre lágrimas de desesperación. *¡Moriré sin ellos! ¡Que alguien me ayude, por favor!* Era cierto: una persona moría sin zapatos. Aunque trabajaba en la planta de biodiésel, había corrido la voz en la planicie de que Sara era enfermera. Había visto las nueces ennegrecidas de los dedos de los pies congelados, las costras de gusanos enterradas en la piel. Había aplicado el oído a los pechos hundidos y escuchado los ester-

tores de pulmones de enfermos con neumonía que se iban ahogando poco a poco. Había palpado con las yemas de los dedos
los estómagos tensos como parches de tambor a causa de apendicitis sépticas, tumores malignos o simple hambre. Había posa-
do la palma de la mano sobre frentes que ardían de fiebre, y
vendado las heridas sanguinolentas que devorarían el cuerpo de
putrefacción. Y a cada persona Sara le decía, con el sabor de la
mentira en los dientes: Te pondrás bien. No te preocupes. Dentro de unos días estarás fresco como una rosa. Te lo prometo. No
prestaba cuidados médicos; era una especie de bendición. Morirás, y te dolerá, pero lo harás aquí, entre los de tu especie, y
lo último que sentirás será una caricia de bondad, porque será
mía.

Porque no querías que los cols supieran que estabas enfermo,
y mucho menos los ojosrojos. Nunca se decía nada en voz alta,
pero la gente de la planicie se hacía pocas ilusiones respecto a la
finalidad del hospital. Hombre o mujer, viejo o joven, daba igual.
Atravesabas aquellas puertas y nadie volvía a verte. Al cebadero
ibas a parar.

Los alojamientos variaban de tamaño. El de Sara no era de los
más grandes. Los catres formaban columnas de cuatro, veinte en
cada fila, diez filas: ochocientas almas hacinadas en una sala de las
dimensiones aproximadas de un pesebre. La gente se estaba levantando, embutiendo sombreros en la cabeza de sus hijos, mur-
murando para sí, mientras sus extremidades se movían con la pesada docilidad del ganado camino de la puerta. Sara inspeccionó a
toda prisa la zona para comprobar que nadie la observaba, se arrodilló junto a su jergón, levantó el colchón con una mano y deslizó
la otra debajo. Extrajo el pedazo de papel cuidadosamente doblado de su escondite y lo guardó en el bolsillo de su túnica. Después,
se enderezó.

—Jackie —dijo en voz baja—, despierta.

La anciana estaba aovillada en posición fetal, con la manta subida hasta la barbilla. Sus ojos legañosos contemplaron la luz grisá-

cea que descendía desde las altas ventanas del alojamiento. Sara había oído sus toses toda la noche.

—La luz —dijo Jackie—. Parece invierno.

Sara tocó su frente. Ni una décima de fiebre. En todo caso, la mujer tenía frío. Costaba calcular la edad de Jackie. Había nacido en las llanuras, pero sus padres eran de otro sitio. Jackie no era aficionada a hablar del pasado, pero Sara sabía que había sobrevivido a tres hijos y un marido, este último enviado al cebadero por el delito de acudir en ayuda de un amigo que estaba siendo azotado por un col.

La sala se estaba vaciando con rapidez.

—Jackie, por favor. —Sara la sacudió por el hombro—. Sé que estás cansada, pero hemos de irnos ya.

Los ojos de la mujer miraron a Sara. Una tos seca la hizo temblar.

—Lo siento, cariño —dijo, cuando pasó el acceso—. No quiero parecer poco cooperativa.

—Es que no quiero perderme el desayuno. Has de comer.

—Siempre cuidando de mí. Ayuda a la anciana a bajar, por favor.

Sara acercó el hombro a Jackie para que se apoyara y la bajó al suelo. No pesaba nada, una forma de palillos y aire. Otra tos desgarró su pecho, el sonido de guijarros agitados en un saco. Se irguió poco a poco.

—Ya está. —Jackie tragó saliva un momento. Tenía el rostro congestionado. Gotas de sudor habían brotado en su frente—. Mucho mejor.

Sara quitó la manta del catre y envolvió con ella a la mujer.

—El día va a ser frío. No te separes de mí, ¿de acuerdo?

Sus labios se ensancharon en una sonrisa desdentada.

—¿Adónde iría si no, cariño?

Sara conservaba tan sólo imágenes fugaces de su captura. Una sensación de muerte segura, todo terminado y concluido, y después una fuerza enorme, despiadada en su energía, se había apoderado de ella. Un vislumbre del suelo que se alejaba mientras el viral la alzaba en el aire (¿por qué no se había limitado a matarla?), y después otra monstruosa sacudida cuando la agarraron una vez más, atrapada en el aire por un segundo viral, y después el tercero, y así sucesivamente, y cada pirueta aérea la alejaba más y más de los muros y las luces de la guarnición, arrojándola hacia la negrura envolvente, su persona pasando de mano en mano como una pelota en un juego infantil, todo más allá de los límites de su comprensión, y después el impacto final estremecedor cuando la tiraron en un camión. El momento espantoso en que recuperó la conciencia, como subir una escalera de infierno en infierno. Días sin agua, sin comida. Las interminables horas y preguntas sin respuesta susurradas. ¿Adónde iban? ¿Qué les estaba pasando? Casi todos los cautivos eran mujeres, parte del cuerpo civil estacionado en Roswell, aunque había entre ellas un puñado de soldados. Los gritos de los heridos y aterrorizados. La oscuridad asfixiante.

La mente de Sara no había recuperado toda su conciencia hasta la llegada. Era como si el tiempo se hubiera estirado durante la duración de su viaje, sólo para volver a recobrar su forma cuando se abrió la puerta a un chorro de luz desorientador. El cual reveló... ¿qué? La mitad del cargamento humano del camión había perecido, algunos muertos al principio, cuyo hedor a podredumbre gris había invadido el compartimento, otros a causa de las heridas padecidas durante su captura, el resto de una combinación de hambre, sed, y asfixiante desesperanza. Sara estaba tendida en el suelo, como todos, tanto los vivos como los muertos, los miembros inertes y la lengua hinchada, la espalda apoyada contra la pared, los ojos cerrados con fuerza para protegerse del resplandor desacostumbrado. Daba la impresión de haberse producido una inversión de sus proporciones físicas, como si la mayor parte de su masa se hubiera alojado en la cabeza. A lo largo de su vida había visto morir a mucha gente. Pero era la primera vez que yacía entre muertos.

La frontera que la separaba de ellos parecía una membrana tan permeable como una gasa. A través de los ojos entornados e irritados vio que media docena de hombres inexpresivos vestidos con ropa caqui raída y pesadas botas que resonaban en el suelo subían al compartimento y empezaban a desembarazarse rutinariamente de los fallecidos. Ella dedujo que el peso desestructurado de un cadáver era algo a lo que esos hombres estaban acostumbrados, y su asociación de partes desprovista de todo propósito no merecía mayor consideración que cualquier otro objeto poco práctico que una persona se viera obligada a cargar. Cuerpo tras cuerpo, evacuados sin ceremonias. Cuando fueron a por ella, Sara levantó una mano en señal de protesta. Podría haber dicho algo como «Por favor», «Esperen» o «No pueden hacer esto», pero tales esfuerzos ínfimos fueron silenciados al instante con una bofetada en la mejilla seguida, por si acaso, por la patada de una bota que habría alcanzado a Sara en el estómago de no haberse aovillado en una postura protectora.

—Cierra-la-puta-boca.

Lo hizo. Cerró la puta boca. El hombre que la había abofeteado era un col al que Sara llegaría a conocer como Cabrón. Entre los ciudadanos de las planicies, todos los cols tenían mote. Cabrón era Cabrón porque le gustaba violar gente. Muchos lo hacían, era como un juego para ellos, pero Cabrón se distinguía por la amplitud de sus apetitos. Mujeres, hombres, niños, ganado. Cabrón habría violado al viento si hubiera tenido un agujero.

El turno de Sara en el cobertizo llegaría: breve, brutal, total. A corto plazo, el dolor de los golpes de Cabrón tuvo el efecto contrario al sentido común de devolverle los sentidos. Empezó a forjar estrategias: las prioridades aparecieron. En general, conservar la vida parecía deseable, y cerrar-la-puta-boca parecía la mejor forma de conseguirlo. Cállate, se dijo. Intégrate. Observa lo que puedas sin aparentarlo. Si quieren matarte, lo harán de todos modos.

No hables del bebé.

Salieron a relucir las porras, que empujaban y aguijoneaban mientras salían en fila al sol. Estaban en un lugar verde. Su exuberancia se burlaba de ella, la más cruel de las bromas. El camión había aparcado en una zona de estacionamiento, un recinto vallado con una alambrada de edificios de hormigón rechonchos y centelleantes tejados metálicos. A una distancia de varios cientos de metros había una estructura enorme con gradas, algo que Sara jamás había visto. Parecía una enorme bañera. Altas baterías de luces se alzaban de sus paredes curvas y ascendían decenas de metros en el aire. Mientras Sara miraba, un reluciente tráiler plateado, idéntico a aquel del que había desembarcado, se acercó a la base del edificio. Unos hombres armados con rifles corrían al lado. Llevaban trajes acolchados y se cubrían la cara con mascarillas provistas de rejas. Cuando el camión se acercó a la pared, dio la impresión de que se hundía en la tierra: una rampa, comprendió Sara, que conducía al subsuelo. Una puerta se abrió, y el vehículo desapareció.

—Vista al suelo. Sin hablar. Dos filas, las mujeres a la izquierda, los hombres a la derecha.

Dentro de una cabaña les dijeron que se desnudaran y depositaran su ropa en una pila. Estaban desnudas, veintitrés mujeres con idéntica postura de autoprotección, un brazo en horizontal para ocultar los pechos, el otro extendido hacia abajo sobre los genitales. Tres hombres uniformados las observaban, balanceándose sobre los tacones, alternando miradas lascivas con risueñas expresiones de desagrado. Había canalones en el suelo, desagües. Rayos sesgados de luz descendían desde una serie de largas ventanas provistas de barrotes a la altura del techo. Veintitrés mujeres desnudas contemplaban el suelo sin decir palabra, la mayoría llorosas. Hablar significaría violar algún contrato implícito de continuar viviendo. Lo que aguardaban daba la impresión de llegar con retraso.

Después, la manguera.

El agua las golpeó como un chorro de hielo. Agua como arma; agua en forma de puño demoledor. Todo el mundo chillaba, las mujeres caían, los cuerpos resbalaban sobre el suelo. El hombre que manejaba la manguera disfrutaba de lo lindo, aullaba como un jinete a lomos de un caballo lanzado al galope. Elegía una, y después otra. Las barría en hilera. Movía en zigzag su sonda brutal desde sus rostros a sus pechos, y luego más abajo. El agua te golpeaba, paraba, y te volvía a golpear. No había ningún lugar adonde huir, ningún lugar donde esconderse. Lo único que podías hacer era aguantar.

Paró.

—Todo el mundo en pie.

Las condujeron afuera, desnudas y temblorosas de frío. El agua resbalaba sobre sus caras, caía en riachuelos de su pelo. La piel se veía arrugada a causa de la evaporación. Habían colocado una sola silla de madera en el centro del recinto. Había un guardia al lado, afilando una navaja sobre un suavizador de cuero. Se acercaron cuatro más, y cada uno portaba un tubo de plástico ancho.

—Vestíos.

Les arrojaron prendas de ropa (pantalones holgados con cordones a modo de cinturón, túnicas de manga larga que colgaban hasta las caderas, todo hecho de lana basta con un áspero olor químico), seguidas de un surtido aleatorio de zapatos: zapatillas, sandalias de plástico, botas con las suelas abiertas. Los pies de Sara nadaban en un par de zapatos con cordones de cuero.

—Tú, acércate.

El hombre de la navaja señalaba a Sara. Las demás mujeres se apartaron de ella. Era una especie de deslealtad, aunque Sara no las culpaba. Ella habría hecho lo mismo. Con una sensación de fatalidad que estrujaba su pecho, se acercó a la silla y tomó asiento. Estaba de cara a las demás mujeres. Lo que fuera a suceder, Sara lo vería primero en sus ojos. El hombre agarró su pelo en el puño y le dio un tirón. Un solo tajo, y se quedó sin él. Empezó a cortar los restos de cualquier manera, hasta dejar el cráneo al descubierto. Sus esfuerzos no seguían ninguna pauta. Era como si se estuviera abriendo paso a través de un bosque. El pelo de Sara cayó al suelo en cintas doradas.

—Ve con las demás.

Volvió al grupo. Cuando tocó su cabeza y apartó los dedos, los vio manchados de sangre. Estudió su textura con las yemas de los dedos. Ésta es mi sangre, pensó Sara. *Como es mi sangre, significa que estoy viva.* La segunda mujer se sentó en la silla. Sara creía que se llamaba Caroline. La había conocido en el hospital de la guarnición de Roswell. Como Sara, era enfermera. Una chica alta, de impresionantes huesos grandes, que irradiaba salud, buen humor y competencia. Lloró sobre sus manos mientras el barbero le cortaba el cabello.

Las afeitaron una a una. Cuánto pelo, pensó Sara. En su semicalvicie desfigurada, les habían robado algo privado, las habían fusionado en un colectivo indistinguible, como animales en un rebaño. Estaba tan mareada de hambre que no entendía cómo podía seguir de pie. Ninguna de ellas había comido nada. Sin duda, eso las mantenía obedientes, de modo que cuando les ofrecieran comida sentirían cierta gratitud hacia sus captores.

Cuando terminó el afeitado, les dijeron que atravesaran la zona de estacionamiento en dirección a un segundo edificio de hormigón llamado «tramitación». Las situaron en fila delante de una larga mesa, donde uno de los guardias, que estaba al mando, se hallaba sentado con una expresión irritada en la cara. Cada vez que llamaban a una, recargaba una tablilla.

—¿Nombre?

—Sara Fisher.

—¿Edad?

—Veintiuno.

El hombre la miró de arriba abajo.

—¿Sabes leer?

—Sé leer, sí.

—¿Aptitudes especiales?

Titubeó.

—Sé montar.

—¿Montar?

—A caballo.

El hombre puso los ojos en blanco.

—¿Algo útil?

—No sé. —Intentó pensar en algo seguro—. ¿Coser?

El hombre bostezó. Tenía los dientes en muy mal estado, parecían moverse en su boca. Apuntó algo en la tablilla y rompió la mitad inferior de la página. De un cubo que había debajo de la mesa recogió una manta andrajosa, un plato de metal, un vaso y una cuchara abollados. Se los dio, con el papel encima. Sara le echó un rápido vistazo: su nombre, un número de cinco dígitos. «Alojamiento 216», y debajo: «Biodiésel 3». Todo escrito en mayúsculas, con letra de niño.

—¡Siguiente!

Uno de los guardias la tomó del brazo y la condujo por un pasillo de puertas cerradas. Una habitación diminuta, como una caja, y otra silla, aunque se trataba de un tipo de silla que Sara no había visto nunca: un amenazador artilugio de cuero rojo agrietado y metal, con el respaldo inclinado en un ángulo de cuarenta y cinco grados, con correas para el pecho, los pies y las muñecas. Acechando por encima, como las patas de una araña que descendiera por hilos plateados, había un armazón de instrumentos metálicos relucientes. El guardia la empujó hacia ella.

—Siéntate.

La sujetaron a la silla y se fueron. Fuera, el sonido apagado por los espesos muros, se oyó un ominoso sonido agudo. ¿Era un chillido? Sara pensó que iba a vomitar. Lo habría hecho si su estómago hubiera contenido algo. Sus últimas defensas se estaban derrumbando. No tenía fuerzas para resistirse.

La puerta se abrió a su espalda. Un hombre entró en su campo de visión, vestido con una bata gris. Tenía un pequeño vientre redondo y gafas empañadas apoyadas en el extremo de su nariz, con cejas pobladas que se rizaban como alas en las puntas. Había algo amable en su expresión, casi de abuelo. Como el guardia de la mesa, estaba mirando una tablilla. Alzó los ojos y sonrió.

—Sara, ¿verdad?

Ella asintió, y notó un sabor a bilis en la boca.

—Soy el doctor Verlyn. —Echó un vistazo a las correas y frunció el ceño, al tiempo que movía la cabeza—. Estos tíos son idiotas. Apuesto a que se está muriendo de hambre. Vamos a ver si la podemos sacar de aquí.

Sara pensó esperanzada que iba a soltarla, pero cuando acercó un taburete a la silla y se calzó un par de guantes de goma, comprendió que sus intenciones eran otras. Colocó una mano bajo su barbilla para que abriera la mandíbula. Escudriñó el interior de su boca, y después levantó dos dedos hacia su cara.

—Sígalos con los ojos, por favor.

Sara siguió sus dedos mientras componían una figura de ocho y desaparecían. Le tomó el pulso, sacó un estetoscopio del bolsillo de la bata y auscultó su corazón. Se irguió y devolvió su atención a la tablilla con los ojos entornados.

—¿Algún problema de salud que usted sepa? ¿Parásitos, infecciones, sudores nocturnos, dificultad al orinar?

Sara negó con la cabeza.

—¿Y la menstruación? —Estaba poniendo equis en cuadraditos—. ¿Algún problema? Sangrado excesivo, por ejemplo.

—No.

—Aquí dice que usted tiene... —Hizo una pausa mientras pasaba las páginas—. Veintiún años. ¿Es eso correcto?

—Sí.

—¿Ha estado alguna vez embarazada?

Algo se tensó en su interior.

—Es una simple pregunta.

Ella negó con la cabeza.

—No.

Si el hombre detectó su mentira, no lo delató. Dejó que la tablilla cayera sobre su regazo.

—Bien, parece que se encuentra en perfecto estado de salud. Unos dientes maravillosos, si no le importa que lo diga. Ningún problema en ese sentido.

¿Debía darle las gracias? Sobre su rostro la araña continuaba acechando, con su brillo ominoso.

—Bien, vamos a ver si podemos acabar cuanto antes para que pueda marcharse.

De pronto, algo cambió. Sara lo presintió en el súbito endurecimiento de sus facciones, pero no sólo en eso; daba la impresión de que el aire de la habitación había sufrido una sutil alteración. El médico empezó a mover vigorosamente un pedal que había debajo de la silla, el cual producía una especie de zumbido, y después bajó una de las patas de la araña. En la punta, girando al ritmo de los movimientos de su pie, había una broca.

—Será más fácil si no se mueve.

Unos minutos después, Sara se encontraba parada fuera, apretando sus escasas pertenencias contra el pecho. Cuando había empezado a chillar, el médico le había dado una correa de cuero para que la mordiera. Sobre la piel pálida de la parte interior del antebrazo, primero clavada y después cauterizada, había una reluciente placa metálica, en la que había grabada la misma ristra de números que había visto en el papel: 94801. Ésa es usted, le había explicado el médico mientras recuperaba la correa, que ahora llevaba grabada la marca de sus dientes. Se había quitado los guantes y acercado al lavabo para lavarse las manos. Si pensabas que eras alguien, ya no eres esa persona. Eres la Lugareña número 94801.

El tráiler había desaparecido, sustituido ahora por un camión de cinco toneladas abierto por detrás. Sara vio las palabras GUARDIA NACIONAL DE IOWA pintadas en la puerta del conductor, la primera prueba del lugar donde se encontraba. Un guardia indicó a Sara que subiera. Un segundo guardia estaba de pie delante de la zona de carga y descarga, con la espalda apoyada contra la cabina, mientras hacía girar la porra que pendía de su correa de cuero. Algunas mujeres ya habían llegado, y también unos cuantos hombres. Todo el mundo estaba derribado en los bancos, y su cara reflejaba el peso atónito de todo cuanto había ocurrido.

Se sentó al lado de un hombre, un joven oficial al que conocía como teniente Eustace. Era el explorador que los había conducido a Roswell. Cuando se sentó en el banco, volvió su cabeza afeitada hacia Sara.

—¿Qué demonios es este lugar? —susurró.

Antes de que Sara pudiera contestar, el guardia le llamó la atención.

—Tú —bramó, y señaló a Eustace con el extremo de la porra—. Calladito.

—¿Quiénes sois? ¿Por qué no nos decís nada?

—He dicho que te calles.

Sara comprendió lo que estaba a punto de suceder. Era el clímax implícito del propósito del día, la única demostración de su impotencia que faltaba por salir a relucir.

—¿Sí? —La cara de Eustace formó una expresión desafiante, cuando las últimas energías brotaron de sus labios. Sabía lo que estaba pidiendo. No le importaba—. Idos todos al infierno.

El guardia dio una gran zancada adelante y, con una expresión de aburrimiento total, descargó la porra sobre las rodillas de Eustace. Éste se balanceó hacia delante y apretó los dientes en un intento de contener el dolor. Nadie movió un músculo; todo el mundo estaba con la mirada clavada en el suelo.

—Hijo... puta —jadeó.

El guardia hizo girar la porra y lanzó el pesado extremo contra la nariz de Eustace. Un húmedo crujido del exoesqueleto, como el sonido de un insecto aplastado con el pie. Un chorro púrpura describió un arco en el aire y salpicó la cara de Sara. La cabeza de Eustace salió disparada hacia atrás, y los ojos se movieron en sus cuencas. Exploró con la lengua la parte interna del labio superior y escupió un fragmento de diente.

—He dicho *que... te... jodan...*

Golpe tras golpe, implacables: la cara, la cabeza, las articulaciones óseas de las manos. Cuando Eustace se derrumbó, con los ojos en blanco, las facciones convertidas en una masa pulposa, la sangre los había salpicado a todos.

—Idos acostumbrando. —El guardia hizo una pausa para secar la porra en la pernera del pantalón y paseó la mirada por el grupo—. Es nuestra forma de hacer las cosas.

Cuando el camión arrancó, Sara acercó a Eustace para acunar su rostro desfigurado en el regazo. El hombre estaba apenas consciente, y su aliento gorgoteaba en su garganta. Tal vez moriría; parecía probable. Y, no obstante, existía una sensación de victoria en lo que había hecho. Ella agachó la cabeza y susurró en su oído.

—Gracias.

Así, con sangre, empezó.

—¡Un Pueblo! ¡Un Director! ¡Una Patria!

¿Cuántas veces se había visto obligada Sara a gritar estas palabras? Una vez pasada la lista de la mañana y cantado el himno completo, todo el mundo se dispersó para dirigirse a los transportes que les habían designado. Sara ayudó a Jackie a subir, y después la siguió. Vio una nueva cara, a la cual reconoció: Constance Chou, la esposa de Old Chou. Se saludaron con tensos cabeceos, pero eso fue todo. Sara se había enterado de lo sucedido en la Colonia poco a poco, a lo largo de los años. La historia no era muy diferente de otras que había escuchado, y difería de los acontecimientos de Roswell sólo hasta cierto punto. En muchos sentidos, la sorpresa más grande de todas era que hubieran existido tantas islas de humanidad. Cuando Sara llegó, los supervivientes de la Colonia ya se habían dispersado por la planicie. El número que le habían dicho a Sara era cincuenta y seis. Qué fácil era para cincuenta y seis personas fundirse con las masas; con el pelo cortado al cero y las túnicas idénticas, todo el mundo se parecía. No obstante, de vez en cuando aparecía una cara conocida. Había vislumbrado una cara que debía de ser la de Penny Darrell, y otra que juró debía de ser Belle Ramírez, la esposa de Rey, pero cuando Sara la llamó por el nombre, la mujer no contestó. Una mañana, en la cola de racionamiento, le había llenado el plato un hombre al que había visto muchas veces sin reconocerle: Russell Curtis, su primo. Parecía mucho más viejo que el hombre al que Sara recordaba cuando sus ojos se encontraron, de modo que tardó un momento en situarlo. Durante gran parte del año había vivido en el mismo alojamiento que Karen Molyneau, la viuda de Jimmy, y sus dos hijas, Alice y Avery. Fue de Karen de quien Sara obtuvo la mayor parte de la información, incluidos los nombres de los muertos. Ian Patal, asesinado cuando defendía la central eléctrica. La cuñada de Hollis, Leigh, y su bebé, Dora, que habían perecido en el viaje hasta la Patria. Otra Sandy, que había muerto poco después de su llegada, Karen no sabía muy bien cómo. Gloria y Sanjal Patal. Por tristes que fueran estas noticias, Sara todavía consideraba su año con Karen y sus hijas como un breve respiro, un período en el que se había sentido conectada con el pasado. Pero siempre estaban moviendo a la gente entre los alojamientos, y un día las tres desaparecieron; aparecieron unos desconocidos durmiendo en los jergones donde ellas habían apoyado la cabeza durante un año. Sara no las había visto desde entonces.

El trayecto hasta la planta de biodiésel discurría junto al río, por entre un laberinto de alojamientos cochambrosos de la zona industrial situada en el borde norte de la planicie. El día no prometía ninguna mejora. Un viento muy frío escupía gotas de lluvia a sus caras. El aire estaba impregnado de los hedores típicos de la planicie, excrementos de animales, además de humanidad apretujada y mugrienta, y detrás, como una cortina de olor, el oscuro aroma a tierra del río. Cruzaron una serie inacabable de puntos de control, verjas que se abrían y cerraban, los cols con sus tablillas, lápices y apetito inagotable de papeleo. Las autoridades los dejaron pasar.

La otra orilla del río dio paso a una planicie aluvial despejada, despojada y carente de color, cuyas cosechas ya habían sido recolectadas en vistas al invierno. Hacia el este, ascendiendo en peldaños sobre el río, se alzaba la Cumbre, donde vivían todos los ojosrojos, y en su cúspide se hallaba la Cúpula del Capitolio, con su corona de oro. Se decía que este edificio, y los circundantes, habían sido en otro tiempo una universidad, que era una especie de colegio, pero como sólo podía compararlo con el Refugio, a Sara le costaba asimilar este dato. Nunca había subido a la colina, y mucho menos entrado en la Cúpula. Algunos trabajadores contaban con permiso para entrar, jardineros, fontaneros y pinches de cocina, y por supuesto las asistentas, mujeres elegidas para servir al Director y a su equipo de ojosrojos. Todo el mundo decía que las asistentas eran muy afortunadas, que vivían rodeadas de lujo, con buena comida, agua caliente y camas blandas donde dormir, pero la información no estaba contrastada. Ninguna asistenta había regresado jamás a la planicie. Una vez entraban, la Cúpula se convertía en su vida.

—Echa un vistazo a eso —murmuró Jackie.

Sara se había extraviado en sus pensamientos, porque el frío había embotado su conciencia. Se estaban alejando del río por la ruta de acceso. Al norte, al otro lado de las fronteras de la Patria, Sara distinguió la forma de las grúas que se elevaban a través de las copas de los árboles como un par de gigantescas aves esqueléticas. Lo llamaban el Proyecto: una obra de décadas dedicada a erigir un enorme edificio de acero y hormigón de propósito desconocido. Los lugareños que trabajaban ahí, casi todos hombres, eran cacheados cada día cuando entraban y salían de la obra. Incluso hablar de lo que hacían era considerado traición y podían acabar en el cebadero, aunque abundaban los rumores. Una teoría se imponía durante una temporada hasta que era desbancada por otra, y después por una tercera, hasta que la primera reaparecía para iniciar el ciclo de nuevo. Hasta los hombres que trabajaban en la obra, cuando conseguían convencerlos de que hablaran, no parecían saber qué estaban construyendo. Se hablaba de un laberinto de pasadizos, de cámaras enormes, de puertas de acero macizo de treinta centímetros de espesor. Algunos afirmaban que era un monumento al Director; otros, que se trataba de una fábrica. Algunos decían que no era nada en absoluto, simplemente una distracción inventada por los ojosrojos para mantener ocupados a los lugareños. Una cuarta hipótesis, bastante en boga en los últimos meses, era que el Proyecto era un búnker de emergencia. Si el misterioso poder del Director para mantener a los virales a raya fallaba algún día, el edificio serviría para refugiar a la población. Fuera lo que fuera, daba la impresión de que la obra estaba llegando a su fin. Cada vez menos hombres subían a los transportes cada mañana, y todos eran mayores, pues la mayoría había trabajado en la obra durante años.

Pero no eran las grúas el objeto de la atención de Jackie. Cuando el camión se desvió hacia la última caseta de guardia, Sara vio dos palabras impresas en el muro del perímetro pintadas con grandes brochazos de pintura blanca:

¡SERGIO VIVE!

Un par de lugareños estaban mojando cepillos de largos brazos en cubos de agua jabonosa, preparados para borrarlas. Un col se erguía a su lado con un rifle acunado sobre el pecho. Lanzó una mirada asesina al transporte cuando pasó, y durante un gélido instante sus ojos se encontraron con los de Sara. Ella desvió la mirada.

—Fisher, ¿has visto algo interesante?

La voz pertenecía a uno de los dos cols que iban en la parte posterior del camión, un hombre delgado de unos veinticinco años que respondía al nombre de Vale.

—No, señor.

Durante los últimos cinco minutos de trayecto mantuvo la vista clavada en el suelo. Sergio, pensó Sara. ¿Quién era Sergio? El nombre, que pocas veces se pronunciaba en voz alta, poseía un poder casi hechizante: Sergio, líder de la insurgencia, que ponía bombas en mercados, comisarías de policía y casetas de guardia, el cual, junto con sus invisibles seguidores, parecía deslizarse como un fantasma por la Patria, detonando armas de destrucción. Sara sabía que las palabras de la valla eran una especie de mofa. *Estábamos aquí*, decían, *estábamos donde estáis vosotros ahora, estamos en todas partes.* Los métodos de Sergio se caracterizaban por una crueldad casi incomprensible. Los objetivos de los insurgentes eran los lugares donde podían reunirse los cols, un programa de asesinatos y alteraciones, pero si estabas en el lugar equivocado en el momento menos apropiado, tu presencia daba igual. Un hombre o una mujer se abría la chaqueta y revelaba hileras de dinamita sujetas al pecho, y ése era el final. Y siempre, en el último instante, cuando su pulgar encontraba el disparador del detonador, que los enviaba a ellos y a cualquiera que se encontrara en su radio de acción a la nada, pronunciaban estas dos palabras: Sergio vive.

El transporte paró ante la planta y los trabajadores bajaron. Un olor a levadura impregnaba el aire. Cuatro camiones más de trabajadores se detuvieron detrás de ellos. Sara y Jackie fueron asignadas a los molinos, como casi todas las mujeres. Por qué era así, Sara nunca lo había comprendido. El trabajo no era ni más ni menos peligroso que cualquier otro, pero así se hacían las cosas. El maíz se trituraba, se combinaba a continuación con enzimas de hongos, y se fermentaba para fabricar combustible. El olor era tan intenso que parecía formar parte de la piel de Sara, si bien debía admitir que había trabajos mucho peores: cuidar los cerdos, o trabajar en las plantas de tratamiento de desechos o los corrales de estiércol. Se pusieron en fila para presentarse al capataz, se ataron el pañuelo alrededor de la cara, y después atravesaron el cavernoso espacio en dirección a sus puestos de trabajo. El maíz estaba almacenado en grandes cubos con espitas en el fondo. De estas aberturas recogían una fanega cada vez y la cargaban en los molinos, donde palas giratorias convertían los granos en pulpa. Cuando se liberaba la humedad del maíz se formaba una pasta pegajosa, que se adhería a las paredes interiores del molino. El trabajo del operario consistía en despegarla, una tarea que exigía gran destreza y celeridad, pues las palas no dejaban de girar. La dificultad se veía aumentada por el frío, que convertía los movimientos más sencillos en lentos e imprecisos.

Sara se puso a trabajar. El día que la aguardaba discurriría como en una especie de trance. Era una habilidad que había adquirido con el paso de los años, emplear los ritmos hipnóticos del trabajo para vaciar su mente de pensamientos. No pensar: ése era el objetivo. Habitar en un estado puramente biológico, de modo que sus sentidos sólo absorbieran los datos físicos más inmediatos: el zumbido de las palas del molino, el hedor del maíz en fermentación, el hueco de fría vaciedad en el estómago, que hacía mucho rato había absorbido el exiguo cuenco de gachas aguadas que pasaba por desayuno. Durante estas doce horas, era la lugareña número 94801, ni más ni menos. La Sara real, la que pensaba, sentía y recordaba (Sara Fisher, Enfermera de Primera, ciudadana de la Colonia, hija de Joe y Kate Fisher, y hermana de Michael, amada por Hollis, amiga de muchos, madre de uno), estaba escondida en una hoja doblada de papel, guardada como un talismán en el bolsillo.

Hacía lo posible por tener controlada a Jackie. La mujer la tenía preocupada, pues su tos no presagiaba nada bueno. En la planicie, una persona no tenía amigos, al menos tal como Sara concebía la amistad. Había caras conocidas y gente en la que confiabas más que en otra, pero la cosa no pasaba de ahí. No hablabas de ti, porque en realidad no eras nadie, ni de tus esperanzas, puesto que no albergabas ninguna. Pero con Jackie había dejado que sus defensas cayeran. Habían formalizado un pacto, un juramento no verbalizado de cuidarse mutuamente.

A mediodía les concedieron quince minutos de descanso, tiempo suficiente para correr a la letrina (una plataforma de madera suspendida sobre una acequia, con agujeros para acuclillarse) y trasegar otro cuenco de gachas. No había sitio donde sentarse, de modo que te quedabas de pie o en el suelo, utilizabas los dedos a modo de cuchara, luego formabas una segunda cola para el agua, dispensada con un cucharón que compartían todas las mujeres. Los cols las vigilaban todo el rato, parados al lado, mientras hacían girar las porras. Su título oficial era Agentes de Recursos Humanos, pero nadie los llamaba así en la planicie. La palabra era una abreviatura de «colaboracionistas». Casi todos eran hombres, pero había algunas mujeres, con frecuencia las más crueles del lote. Una col a la que llamaban Silbadora, por la profunda fisura de su labio superior, una deformación congénita que dotaba a su voz de un sonido distintivo, como de lengüeta, parecía extraer un placer especial en inventar nuevas y sutiles formas de infligir incomodidad. Su costumbre era elegir a una sola persona, casi siempre una mujer, como si estuviera llevando a cabo un experimento. Si Silbadora te ponía los ojos encima, al momento siguiente te apartaban de la cola de la letrina para un cacheo justo cuando te tocaba el turno, te asignaban un trabajo imposible y carente de todo sentido, o te cambiaban a una cuadrilla diferente justo cuando se acercaba tu descanso. Lo único que podías hacer era obedecer, apretar los dientes mientras padecías la desdicha de tu vejiga dolorida, el estómago vacío, o las extremidades agotadas, a sabiendas de que la atención de Silbadora no tardaría en desviarse a otra, aunque esto sólo servía para empeorar las cosas y parecía ser el objetivo de todo el ejercicio; te descubrías deseando que el sufrimiento recayera sobre otra persona, y así te convertías en cómplice, en parte del sistema, un piñón en una rueda de tormentos que nunca dejaba de girar.

Buscó a Jackie en el descanso, pero no la vio en ninguna parte. Sara se desplazó a toda prisa de un puesto de trabajo a otro, en busca de su amiga. El silbato del capataz sonaría de un momento a otro, y tendrían que volver al trabajo. Casi había renunciado cuando dobló una esquina y vio a Jackie sentada en el suelo, con el rostro empapado en sudor y el pañuelo apretado contra la boca.

—Lo siento —logró articular—. No podía parar de toser.

El pañuelo estaba manchado de sangre. Sara sabía lo que estaba sucediendo. Lo había visto antes, el efecto de años de polvo acumulado en los pulmones. En un momento dado una persona se encontraba bien, y al siguiente se estaba ahogando.

—Hemos de sacarte de aquí.

Puso a la mujer en pie justo cuando sonaba el silbato. Con una mano alrededor de la cintura de Jackie, Sara la guió hasta la salida. Su objetivo era salir antes de que alguien se diera cuenta. Qué ocurriría después, Sara no tenía ni idea. Vale era el col al mando. No era el mejor, pero tampoco el peor. Más de una vez, Sara le había sorprendido mirándola de una forma que parecía sugerir que tenía algo en mente para ella, algo personal, aunque nunca se había manifestado al respecto. Tal vez sería ahora el momento. Unas náuseas estremecedoras la recorrieron cuando pensó en ello, pero sabía que sería capaz. Haría lo debido.

Casi habían llegado a la salida cuando una figura se interpuso en su camino.

—¿Adónde creéis que vais?

No era Vale, sino Cabrón. Iluminado desde atrás por la puerta abierta, se cernía ante ellas. El estómago de Sara se revolvió.

—Necesita un poco de aire. El polvo...

—¿Es eso cierto, vieja? ¿El polvo te molesta? —Dio unos golpecitos en el pecho de la mujer con el mango de la vara, lo cual provocó una tos estrangulada—. Vuelve al trabajo.

—No pasa nada, Sara —dijo Jackie con un sonido sibilante, al tiempo que se soltaba del brazo de su amiga—. Estaré bien.

—Jackie...

—Lo digo en serio. —Miró a Sara, y sus ojos dijeron: *No*—. Es una entrometida, eso es todo. Cree que sabe lo que me conviene.

Los ojos de Cabrón recorrieron el cuerpo de Sara.

—Sí, eso me han dicho de ti. Crees que eres una especie de médico, ¿verdad?

—Yo nunca he dicho eso.

—Claro que no. —Cabrón se aferró con la mano libre la entrepierna, al tiempo que mecía las caderas hacia delante—. Eh, doctor, me duele aquí. ¿Qué le parece si le echa un vistazo?

El momento quedó congelado en el tiempo. Sara pensó en Eustace, en el camión. La sangre de su cara, las manos y dientes destrozados. Su sonrisa de triunfo rota. Parada ante Cabrón, se dio ánimos para pronunciar las palabras, para lanzar la maldición que lo lanzaría sobre ella. Todo era muy sencillo, muy escueto. Recreó la escena en su mente. Sólo dos palabras, y el destello de ira en los ojos de Cabrón, y después el crujido del palo. Ésas eran las condiciones de su vida, mil humillaciones cada día. Se lo habían arrebatado todo. Aceptar lo peor (no, abrazarlo) era la única resistencia.

—Sara, *por favor*.

Jackie la estaba mirando. *Así no. Por mí no.*

Sara tragó saliva. Todo el mundo la estaba mirando.

—De acuerdo —dijo.

Dio media vuelta y se fue. Un extraño silencio reinaba en el espacio que la rodeaba. Sólo podía oír su corazón.

—No te preocupes, Fisher —gritó él con una carcajada lasciva—. Sé dónde encontrarte. Será tan bueno como la última vez, te lo prometo.

Fue más tarde, cuando Sara estaba tendida en su catre, cuando se permitió reflexionar sobre el alcance de aquellos acontecimientos. Algo había cambiado en su interior. Estaba en el borde, una figura parada ante el precipicio, a la espera de saltar. Cinco largos años: podrían haber sido mil. El pasado estaba desapareciendo dentro de ella, arrastrado por la marea del tiempo, el frío amargo de su corazón, la similitud de los días. Se había zambullido en su interior durante demasiado tiempo. El invierno se aproximaba. Luz de invierno.

Había conseguido que Jackie aguantara todo el día. Ahora, la anciana dormía encima de ella, y las correas de su litera se hundían debido a sus vueltas inquietas. La muerte de Jackie, cuando se produjera, sería dolorosa, largas horas de agonía, un estrangulamiento desde dentro, antes de la inmovilización final. ¿Sería su destino el mismo? ¿Avanzar a trompicones ciegamente año tras año, un ser sin propósito ni conexión, un cascarón vacío?

Sara no había devuelto el sobre improvisado al escondite debajo del colchón. Presa de una repentina soledad, lo rescató de entre el montón de trapos que hacían las veces de almohada. Se lo había dado la ayudante de la comadrona en el pabellón de neonatos, la misma mujer que le había dicho que el niño, nacido antes de tiempo en un chorro de sangre, no había sobrevivido. Lo siento. Después, deslizó el sobre en la mano de Sara y desapareció. A través de la bruma de dolor y pena, a Sara le habría gustado abrazar a su hija, pero esto no había sucedido. Se habían llevado a la niña. Nunca había vuelto a ver a la mujer.

Abrió con cuidado el frágil papel con las yemas de los dedos. Dentro había un mechón de pelo, un mechón de bebé. La habitación estaba sumida en la oscuridad, pero veía con claridad su pálido color dorado. Lo acercó a la cara, respiró hondo, intentó captar su aroma. Sara nunca podría tener otro, el daño había sido demasiado grave. Kate era la única. Así la había llamado, Kate. Ojalá se lo hubiera dicho a Hollis. Había querido reservar la noticia, elegir el momento perfecto para darle el regalo conjunto de los dos. Qué idiota había sido. Pensó: Sé que estás mejor lejos de aquí, querida mía. Estés donde estés. Espero que sea un lugar de luz, cielo y amor. Ojalá pudiera abrazarte, sólo una vez, para decirte cuánto te quise.

37

Esa historia de Sergio: se había prolongado demasiado.

No era que no se hubieran producido levantamientos antes. El año 31, ¿verdad? ¿Y otra vez en el 68? Por no hablar de los cente-

nares de pequeños estallidos de desafío aplastados a lo largo de los
años. ¿Y no era cierto que el problema se reducía, inevitablemente,
a un solo individuo, un renegado solitario, que no conseguía comprender la *cuestión*? ¿Que cuando capturaran a ese hombre (siempre era un hombre) las llamas de la resistencia, desprovistas de su
oxígeno esencial, se extinguirían de mutuo acuerdo?

Y no obstante, el tal Sergio era distinto de los demás. Parado
ante la ventana en la base de la cúpula, su mirada dirigida hacia la
sucia mancha de la planicie y los campos invernales, desprovistos
de todo color, que había al otro lado, el Director Horace Guilder
hizo balance. Los métodos del hombre eran diferentes, para empezar, no sólo en cantidad sino en calidad. ¡La gente se autoinmola-
ba! ¡Sujetaban cartuchos de dinamita a su pecho, o bombas caseras atiborradas de fragmentos de cristal y tornillos, y hacían acopio
de valor para volarse por los aires y a todos cuantos los rodeaban
en una neblina de sangre! Era más que locura, una psicosis desatada, la cual sólo demostraba que el tal Sergio, fuera quien fuera,
detentaba un poder psicológico sobre sus seguidores más profundo que cualquiera de sus antecesores. Los lugareños tenían seguridad, tenían comida para calentar el buche, dormían en camas sin
miedo a los virales. Se les permitía vivir su vida, en otras palabras,
¿y así le daban las gracias? ¿No se daban cuenta de que todo cuanto había hecho, lo había hecho por ellos? ¿Que había construido
un hogar para la humanidad con el fin de que, pese a los vientos
imperantes en la historia, continuara?

La verdad, existía cierta... injusticia en todo ello. Una distribución de recursos desigual, podría decirse, una separación de la administración del trabajo, de los que tienen y los que no tienen, de
nosotros y de ellos. Una desagradable dependencia de la capacidad
humana de medrar a costa de los demás, y las herramientas puestas
a prueba por el tiempo (duchas heladas, colas interminables, excesivo uso de nombres propios, altavoces lanzando a todo trapo
torrentes constantes de estupideces, etc.) de amplia sumisión social. «¡Un Pueblo! ¡Una patria! ¡Un Director!». Las palabras con-

seguían que se encogiera, pero cierta cantidad de demagogia bien orquestada era parte del juego. Nada nuevo, en otras palabras, todo ello justificado por las condiciones de la era actual. Pero en ocasiones, como ahora, en aquella helada mañana de Iowa, mientras el primer frente ártico de la estación se precipitaba hacia ellos como un tren sin frenos de frío demoledor, a Guilder le costaba mantener el entusiasmo.

Su extenso conjunto de oficinas, que también le servía de vivienda, había sido, en diversos momentos de sus doscientos años de historia, el despacho del gobernador territorial de Iowa, la sede del museo de historia del estado, y almacén. Su último ocupante del antiguo mundo había sido el rector de la Universidad de Midwest State, un hombre llamado August Frye (eso ponía en el membrete de su papel de cartas); el cual, desde sus generosas ventanas, sin duda había pasado muchas horas felices admirando el reconfortante espectáculo de los risueños estudiantes alimentados de maíz, flirteando como maníacos mientras paseaban camino de clase por sus bien cuidados jardines. El día que Guilder se había instalado, se había quedado sorprendido al descubrir que el rector August Frye había decorado el lugar con temas náuticos: barcos dentro de botellas, mapas con serpientes, óleos exagerados de faros y paisajes marinos, un ancla. Una elección incongruente, teniendo en cuenta que Midwest State se hallaba enclavada en el lugar más rodeado de tierra del planeta. Después de casi cien años, lo que Guilder habría dado por un cambio de paisaje.

Ése era el mayor problema de la inmortalidad, aparte de la dieta peculiar: todo empezaba a aburrirte.

En tales momentos, lo único que le elevaba el ánimo era hacer balance de sus logros. Que no dejaban de ser considerables: habían construido una ciudad literalmente de la nada. Qué entusiasmo había experimentado en los primeros días. El incesante retumbar de los martillos. Los camiones que regresaban de sus viajes a través de un continente desprovisto de población, rebosantes de tesoros abandonados del viejo mundo. Los centenares de decisiones tácticas tomadas a diario, y la zumbante energía del personal, hombres cuidadosamente seleccionados entre los supervivientes por su experiencia. En suma, habían reunido un verdadero grupo de expertos de entre los restos humanos de la catástrofe. Químicos. Ingenieros. Planificadores urbanos. Científicos agrícolas. Incluso un astrónomo (que había resultado muy útil) y un historiador de arte, el cual había asesorado a Guilder (quien, para ser sincero, era incapaz de distinguir los nenúfares de Monet de unos perros jugando al póquer) sobre la adecuada conservación y exhibición de un impresionante botín de obras maestras del Instituto de Arte de Chicago, que ahora adornaban las paredes de la Cúpula, incluido el despacho de Guilder. ¡Cómo se habían divertido! Sí, se comportaban con cierta mentalidad de fraternidad, salvo en las correrías sexuales, por supuesto (el virus destruía esa parte del cerebro como una trucha. Casi todos los miembros del estado mayor eran incapaces de mirar a una mujer sin hacer una mueca). Pero en conjunto, el decoro y la profesionalidad habían estado a la orden del día.

Qué recuerdos tan felices. Y ahora: Sergio. Ahora: bombas caseras. Ahora: la niebla sanguinolenta.

Una llamada a la puerta interrumpió la cadena de pensamientos de Guilder. Exhaló un profundo suspiro. Otro día de rellenar formularios, de repartir tareas, de promulgar edictos desde las alturas. Tomó asiento detrás de su escritorio de caoba pulida del siglo XVIII de las dimensiones aproximadas de una mesa de pingpong, como correspondía a su cargo de Amado Director de la Patria, y se preparó para otra mañana de apetito incesante de sus opiniones, un pensamiento que dio paso casi al instante a las primeras insinuaciones de un apetito de naturaleza más física y apremiante, una burbuja de vaciedad con sabor ácido que ascendió desde sus tripas. ¿Tan temprano? ¿Ya era esa época del mes? Lo único peor que los eructos eran los pedos que llegaban después, chorros de gas con aroma a cebolla que ni siquiera él era capaz de disfrutar.

—Adelante.

Cuando la puerta se abrió, Guilder enderezó su corbata y se apresuró a parecer ocupado, a base de cambiar de sitio documentos de la mesa con vehemencia artificial. Seleccionó uno al azar (resultó ser un informe sobre reparaciones en la planta de tratamiento de aguas residuales, una página que versaba, literalmente, sobre mierda) y fingió estudiarlo durante medio minuto completo antes de alzar la vista con la fatiga propia de una autoridad hacia la figura de traje oscuro que esperaba en la entrada, sosteniendo una tablilla llena de papeles.

—¿Tiene un segundo?

El jefe del estado mayor de Guilder, cuyo nombre era Fred Wilkes, entró en la habitación. Como todos los residentes de la Cumbre, tenía los ojos inyectados en sangre de un fumador crónico de marihuana. También poseía la apariencia impecablemente elegante de un joven de veinticinco años, muy distinto del nervudo septuagenario al que Guilder había conocido la primera vez. Wilkes había sido el primero en subir a bordo. Guilder había descubierto al hombre escondido en uno de los dormitorios de la universidad durante los primeros días posteriores al ataque. Estaba sosteniendo (abrazando, en realidad) el cadáver de su difunta esposa, cuyas fornidas proporciones no habían mejorado después de tres días de descomposición gaseosa en el calor de Iowa. Tal como Wilkes refirió, la pareja había huido del centro de tramitación de refugiados a pie cuando los autobuses no habían llegado. Recorrieron cinco sofocantes kilómetros antes de que su esposa se llevara las manos al pecho, pusiera los ojos en blanco y se derrumbara, fulminada por un infarto. Incapaz de abandonarla, Wilkes había requisado una carretilla y trasladado su forma montañosa hasta la universidad, donde se había refugiado con la única compañía de su cadáver y los recuerdos de una vida compartida. Pese al horrendo hedor (que Wilkes no percibía, o no le importaba), los dos componían una visión conmovedora que habría deshecho en lágrimas a Guilder de haber sido cierto tipo de hombre, que tal vez había sido antes, pero ya no.

—Escuche —dijo Guilder, arrodillado ante el hombre destrozado por la pena—, me gustaría proponerle algo.

Y así había empezado. Fue aquel mismo día, aquella misma hora, incluso mientras veía a Wilkes tomar su primer sorbo con repugnancia, cuando Guilder oyó la Voz. Por lo que él sabía, todavía era el único. Ninguno de los demás residentes había experimentado ni de lejos la presencia mental de Cero. En cuanto a la mujer, ¿quién sabía lo que pasaba en el interior de su cabeza?

Ahora, una vida y media humanas después, una vez cumplido su grandioso plan, y tras congregar a la humanidad a sus pies (el asunto de Kerrville, al igual que el asunto de Sergio, era algo nimio pero significativamente irritante, un guisante bajo el colchón del Plan), ahí estaba Wilkes con su omnipresente tablilla y una expresión facial de noticias nada buenas.

—Pensé que debía saber que el grupo de recogida ha vuelto. Lo que, um, queda de él.

Con aquella desconcertante introducción, Wilkes extrajo la hoja de papel de encima de la tablilla y la dejó sobre el escritorio de Guilder, al tiempo que retrocedía, como si estuviera contento de desembarazarse de aquella cosa.

Guilder la examinó a toda prisa.

—Qué demonios, Fred.

—Creo que podría decirse que las cosas no salieron tal como se había planeado.

—¿*Nadie?* ¿Ni uno? ¿Qué le *pasa* a esa gente?

Wilkes señaló el papel.

—La circulación de petróleo se ha interrumpido de forma temporal, al menos. Eso es positivo. Abre montones de puertas.

Pero Guilder era incapaz de consolarse. Primero Kearney, y después esto. Hubo un tiempo en que recoger supervivientes era una tarea relativamente clara. La mujer aparecía. Las puertas se abrían, la rueda de la bóveda empezaba a girar, el puente levadizo descendía sobre el foso. La mujer cumplía su cometido, como un domador de leones en el circo. Y al instante siguiente los camiones regresaban a Iowa, cargados de mercancía humana. Las cuevas de Kentucky. Aquella isla en el lago Michigan. Los silos de misiles abandonados en Dakota del Norte. En fecha más reciente, la incursión a California había sido un éxito sin paliativos, cincuenta y siete supervivientes secuestrados, y la mayoría había desfilado como ovejas hacia el camión una vez se interrumpió la electricidad y se fijaron las condiciones (entrad o moriréis). La tasa usual de daños colaterales (algunos murieron durante el trayecto, otros no lograron adaptarse a las nuevas circunstancias), pero un botín sólido.

Desde entonces había sido un baño de sangre incontrolado tras otro, empezando con Roswell.

—Por lo visto, no hubo fase de negociación. El convoy iba armado hasta los dientes.

—Me da igual que tuvieran un misil nuclear. Lo sabíamos. Son *tejanos*.

—En cierto modo, es cierto.

—Estamos a punto de conectarnos, ¿y me vienes con ésas? Necesitamos cuerpos, Fred. Cuerpos vivos, que respiren. ¿Es que ella ya es incapaz de controlar esas cosas?

—Podríamos proceder al viejo estilo. Lo dije desde el primer momento. Tendríamos algunas bajas, pero si continuamos atacando su suministro de petróleo, tarde o temprano sus defensas se debilitarán.

—*Recogemos* gente, Fred. No la perdemos. ¿Es que no me he expresado con claridad? ¿Se te dan mal las matemáticas básicas? La gente es la *cuestión*.

Wilkes se encogió de hombros, a la defensiva.

—¿Quiere hablar con ella?

Guilder se frotó los ojos. Supuso que debería hacer el gesto, pero hablar con Lila era como jugar a balonmano con uno mismo: la pelota volvía enseguida, por más fuerte que la lanzaras. Uno de los agravios más significativos del trabajo era lidiar con las peculiares fantasías de la mujer, un muro de fantasías que Guilder sólo podía atravesar a base de la insistencia más empecinada. De todos los expertos que había ido reuniendo a lo largo de los años, ¿por qué no había pensado en hacerse con un psiquiatra? Dedicarla a los bebés conseguía calmarla. El talento especial de la mujer era un lujo indispensable que había que manejar con cuidado. Pero en las agonías de la maternidad era virtualmente inalcanzable, y a Guilder le preocupaba lesionar todavía más su frágil psique.

Porque ése era el don de Lila. De todos los que habían probado la sangre, sólo ella poseía la capacidad de controlar a los virales.

Más que controlar: en presencia de Lila se convertían en mascotas, dóciles e incluso afectuosos. El sentimiento era mutuo. Dejabas a la mujer a doscientos metros del cebadero, y se convertía en una gata ronroneante con una camada de crías. Guilder jamás había logrado imitar aquel efecto, aunque bien sabía Dios que lo había intentado. En los primeros tiempos se había convertido en una obsesión. Una y otra vez se había puesto el traje acolchado y entrado en el cebadero, convencido de que si era capaz de descubrir el truco mental apropiado, el lenguaje corporal halagador, o el tono de voz relajante, se postrarían de hinojos como hacían con ella, como perros a la espera de que les rascaran detrás de las orejas. Pero esto no sucedió nunca. Toleraban su presencia durante unos fugaces tres segundos, hasta que uno le arrojaba al aire (no lo tenían archivado como comida, sino como un juguete de tamaño natural), y al instante siguiente Guilder estaba volando de un lado a otro del lugar, hasta que alguien encendía las luces y le sacaba.

Hacía mucho tiempo que había dejado de intentarlo, por supuesto. Ver a Horace Guilder, Director de la Patria, arrojado de un lado a otro como una pelota de playa no era exactamente el tipo de imagen capaz de inspirar la confianza que deseaba transmitir. Tampoco nadie del equipo médico podía explicar a satisfacción lo que convertía a Lila en un ser diferente. El ciclo de su timo era más veloz, y necesitaba sangre cada siete días, y sus ojos parecían diferentes, sin mostrar la mancha retiniana característica de los empleados más antiguos. Pero su sensibilidad a la luz era igual de pronunciada, y por lo que Suresh sabía, el virus que llevaba en la sangre era el mismo de ellos. Al final, el hombre había alzado las manos al cielo y atribuido sus habilidades al hecho muy poco sutil de que Lila era una mujer, la única mujer en nómina, porque así lo había querido Guilder.

Tal vez sólo pasa eso, había dicho Suresh. *Tal vez piensen que es su madre.*

Guilder cobró conciencia de que Wilkes le estaba mirando. ¿De qué estaban hablando? ¿De Lila? No, de Texas. Pero Wilkes le había dicho que había algo más.

—Lo cual me lleva a, um, el segundo asunto.

Y fue entonces cuando Wilkes contó a Guilder lo de la bomba en el mercado.

¡Joder, joder, joder!

—Lo sé, lo sé —dijo Wilkes, mientras meneaba la cabeza al estilo wilkesiano—. No es el mejor giro de los acontecimientos.

—¡Un solo hombre! ¡Uno!

La cara de Guilder, todo su cuerpo, hervía de santa ira. Otro eructo. Quería venganza. Quería que la situación se tranquilizara. Quería al tal Sergio, fuera quien fuera, con la cabeza clavada en una puta *pica*.

—Tenemos gente trabajando en ello. Recursos Humanos va haciendo preguntas, y hemos ofrecido dobles raciones a cualquiera que nos ofrezca una pista sólida. No todo el mundo al pie de las colinas está tan entusiasmado.

—¿Y alguien querrá decirme cómo es posible que se mueva a través de la planicie como si ésta fuera una autopista? ¿Es que no tenemos patrullas? ¿Es que no tenemos controles? ¿Alguien puede hacer el favor de arrojar algo de luz sobre este pequeño detalle?

—Tenemos una teoría al respecto. Las pruebas apuntan a una organización con el clásico modelo celular. Grupos de pocos individuos que operan en el seno de una estructura operativa flexible.

—Sé muy bien lo que es una célula terrorista, Fred.

Su jefe del estado mayor hizo un gesto nervioso con las manos.

—Sólo estoy diciendo que buscar a un solo hombre quizá no sea la respuesta. Es la *idea* de Sergio, no Sergio en sí, a lo que nos enfrentamos. No sé si me sigue.

Guilder le seguía, y no era una idea agradable. Ya había recorrido antes esta ruta, primero en Irak y Afganistán, y después en Arabia Saudí, después del golpe. Cortabas la cabeza, pero el cuerpo no moría; le crecía otra cabeza. La única estrategia útil en estas situaciones era psicológica. Matar el cuerpo nunca era suficiente. Tenías que matar el espíritu.

—¿A cuántos hemos detenido?

Más papeles. Guilder leyó el informe completo. Según los testigos, el terrorista del mercado era una trabajadora agrícola de unos treinta años. Nunca había planteado problemas. En general, era dócil como un corderito, una cualidad que, hasta un punto desconcertante, coincidía con los perfiles de otros terroristas suicidas. No tenía familiares vivos, salvo una hermana. El marido y el hijo habían muerto seis años antes, debido a un brote de salmonella. Por lo visto, había salvado los controles disfrazada con el uniforme de un col (habían encontrado el cuerpo del propietario embutido en un cubo de la basura, degollado, y un brazo cortado misteriosamente a la altura del codo), aunque ignoraban de dónde había sacado los explosivos. Nadie había informado de que hubieran desaparecido explosivos del arsenal o del almacén de la obra, pero aún tenía que llevarse a cabo un inventario exhaustivo. Nueve de sus compañeras de alojamiento, además de la familia de la hermana, incluidos dos niños pequeños, habían sido detenidas para interrogarlos.

—Parece que nadie sabe nada —dijo Wilkes con un gesto de la mano. Se había sentado al otro lado del escritorio mientras Guilder leía—. Aparte de la hermana, es probable que apenas la conocieran. Podemos apretar un poco más las tuercas, pero no creo que eso vaya a reportarnos más información útil. Esa gente ya se habría derrumbado.

Guilder dejó a un lado el informe, entre los otros. Los eructos, que continuaban en toda su furia, habían pintado las paredes de su boca de un sabor repugnante a podredumbre animal, no muy diferente del hedor de la señora Wilkes cuando se descomponía. Un hecho que, si había que hacer caso de la expresión apenas disimulada de desagrado olfativo de su jefe del estado mayor, no había escapado a la atención del hombre.

—No es preciso —dijo Guilder.

Wilkes frunció el ceño con aire dubitativo.

—¿Quiere que los pongamos en libertad? No creo que sea prudente. Al menos dejemos que se cuezan en su propia salsa un par de días más. Ponerlos nerviosos, a ver qué pasa.

—Tú mismo has dicho que, si supieran algo, ya habrían hablado.

Guilder hizo una pausa, consciente de que estaba a punto de cruzar una línea. Los trece lugareños encerrados en el centro de detención eran, al fin y al cabo, gente, seres humanos, que no debían ser culpables de nada. Más aún, eran bienes físicos tangibles en una economía de carestía. Pero teniendo en cuenta lo frustrante e intratable que era la situación de Sergio, el desastre de Texas, y la naturaleza dependiente del tiempo de los grandes proyectos de Guilder, que por fin estaban empezando a dar fruto; y atrapado por su necesidad física cada vez más imperiosa, un imperativo biológico inconmensurable que, mientras miraba a Wilkes desde el otro lado de la planicie pulida de su gigantesco escritorio, estaba floreciendo en su interior como una flor en un vídeo acelerado, no se lo pensó demasiado. Llegó a la línea, le echó un rápido vistazo y pasó al otro lado.

—A mí me parece que ha llegado el momento de vender esta cosa —dijo el Director Horace Guilder.

Guilder esperó unos minutos después de que Wilkes se fuera para escenificar su partida. Como se recordaba muchas veces, gran parte de su autoridad se derivaba de cierto sentido de la dignidad en sus desplazamientos públicos, y era mejor que la gente no le viera en un estado tan agitado. Tomó el llavero de su escritorio y salió. Era extraña la rapidez con que se había apoderado de él el ansia. Por lo general, se iba acumulando durante un período de días, no de minutos. Desde la base de la cúpula, un tramo de escaleras sinuoso descendía a la planta baja, flanqueado el descenso por retratos al óleo de diversos duques, generales, barones y princesas del reino, un desfile de rostros desaprobadores de mandíbula pesada vestidos de época (al menos, no había accedido a que le pintaran un retrato, aunque, bien pensado, ¿por qué no?). Miró por encima de la barandilla. Quince metros más abajo vio las figuras diminutas del destacamento de seguridad uniformado; miembros de la dirección, con sus trajes y corbatas oscuros, que iban de un lado a otro a buen paso con sus maletines y tablillas propios del cargo; hasta un par de asistentas, que fluían de manera diáfana sobre el suelo de piedra pulido con sus atuendos monjiles, como un par de barquitos de papel. Estaba buscando a Wilkes, y allí estaba: junto a la enorme puerta delantera, con sus tallas taraceadas de diversos temas *kitsch* de la pradera (un puño que aferraba trigo, un arado que labraba alegremente la pródiga tierra de Iowa), su leal jefe del estado mayor se había detenido para conferenciar con dos miembros de la dirección, los ministros Hoppel y Chee. Guilder supuso que Wilkes ya estaba poniendo en marcha las órdenes del día a toda velocidad, pero esta suposición quedó desmentida cuando Hoppel echó hacia atrás la cabeza, dio una palmada y lanzó una carcajada que rebotó en el espacio de mármol como una bala en un submarino. Guilder se preguntó qué cojones era tan divertido.

Se apartó de la barandilla y se dirigió a la segunda escalera, más convencional y muy poco observable, que era para su uso exclusivo. A esas alturas, sus tripas rugían. Se esforzó por no bajar los escalones de tres en tres, cosa que en su actual estado quizás hubiera dado como resultado un batacazo que le habría roto algún hueso, el cual habría sanado en cuestión de horas, pero aun así dolería muchísimo. Con el porte de un cáliz de cristal cuyo contenido podía derramarse en cualquier momento, Guilder descendió un cauteloso peldaño tras otro. Había empezado la salivación, una verdadera cascada que debía sorber entre dientes. Baberos para vampiros, pensó con ironía. Eso sería una fábrica de dinero.

El sótano por fin, con su pesada puerta similar a la de una cámara acorazada. Guilder sacó las llaves del bolsillo de la chaqueta. Con las manos temblorosas de impaciencia, introdujo la llave en la puerta, giró la pesada rueda y la abrió con el hombro.

Cuando estaba a mitad del pasillo ya se había desnudado hasta la cintura y se estaba quitando los zapatos a patadas. Iba cabalgando sobre su ansia a toda velocidad, como un surfero que patinara sobre una ola. Atrás fueron quedando puertas. Guilder oyó los gritos ahogados de los condenados, un sonido que hacía mucho tiempo había dejado de inspirarle la menor compasión. Si es que alguna vez la había sentido. Pasó como un rayo ante las señales de advertencia (ÉTER EN EL AIRE, NO ENCENDER FUEGO), llegó al congelador a todo correr, dobló la última esquina y estuvo a punto de chocar con un técnico de laboratorio vestido con una bata.

—¡Director Guilder! —exclamó con voz ahogada—. No sabíamos...

Pero su frase quedó interrumpida cuando Guilder, con más violencia de la necesaria, aplicó todo el peso de su antebrazo izquierdo al costado de la cabeza del hombre, al que envió contra la pared.

Era sangre lo que deseaba, y no cualquier sangre. Había sangre y había *sangre*.

Llegó a la última puerta y se detuvo. Con manos temblorosas se quitó los pantalones y los tiró a un lado, introdujo la llave en la puerta y la abrió.

—Hola, Lawrence.

38

Por la mañana, Jackie había desaparecido.

Sara despertó y descubrió vacío el jergón de la mujer. Presa del pánico, atravesó a toda prisa el alojamiento, mientras se maldecía por dormir tan profundamente. ¿Alguien había visto a la anciana que dormía en la segunda fila? Pero nadie la había visto, o al menos eso dijeron. Al pasar la lista de la mañana, Sara detectó un silencio casi imperceptible en el espacio donde debería estar el número de Jackie. Todo el mundo tenía la vista clavada en el suelo. Así como así, las aguas se habían cerrado sobre su amiga. Era como si jamás hubiera existido.

Pasó el día como en medio de una niebla, mientras su mente se tambaleaba en el filo de la navaja entre la esperanza desesperada y la desesperación total. Era probable que no pudiera hacer nada. La gente desaparecía; así eran las cosas. Y no obstante, Sara no podía desprenderse de la idea de que, si la mujer continuaba en el hospital, si todavía no la habían llevado al cebadero, aún existía una posibilidad. Pero ¿cómo era posible que se hubieran llevado a Jackie delante de las narices de Sara? ¿No habría oído algo? ¿No habría protestado la mujer? Era absurdo.

Fue entonces cuando Sara lo dedujo. No había oído nada, porque no había nada que oír. *Así no. Por mí no.* Jackie había abandonado el alojamiento por voluntad propia.

Lo había hecho para proteger a Sara.

A media tarde comprendió que debía hacer algo. El sentimiento de culpa era abrumador. Nunca habría debido intentar sacar a Jackie de la planta, ni enfrentarse a Cabrón como lo había hecho. Era como si hubiera pintado una diana en la espalda de la mujer. Los minutos transcurrían. Los virales del cebadero comían justo después de ponerse el sol. Sara había visto los camiones. Transpor-

tes de ganado cargados de vacas, pero también las furgonetas sin
ventanas que utilizaban para trasladar prisioneros desde el centro
de detención. Había una aparcada siempre en la parte posterior
del hospital, su significado estaba claro para todo el mundo que se
parara a reflexionar.

Los cols que supervisaban los equipos de los molinos eran Vale
y Silbadora. Pensó que Vale tal vez se hubiera mostrado colaborador, pero con Silbadora vigilando, Sara no veía cómo. Sólo se le
ocurrió una solución. Llenó el cubo, lo levantó del suelo, dio tres
pasos hacia el molino y se detuvo.

—Ay —gritó Sara. Dejó caer el cubo y se aferró el estómago—.
Ay. Ay.

Cayó de rodillas entre gemidos. Por un momento dio la impresión de que, entre el estruendo de los molinos, su exhibición había
pasado desapercibida. Gritó con más fuerza, apoyó las piernas contra el pecho y se aferró el estómago.

—Sara, ¿qué pasa?

Una de las mujeres, Constance Chou, estaba acuclillada sobre ella.

—¡Me duele! ¡Me duele!

—¡Levántate o te verán!

Sonó otra voz: la de Vale.

—¿Qué pasa aquí?

Constance retrocedió.

—No lo sé, señor. Se ha caído al suelo.

—¿Qué te pasa, Fisher?

Sara no contestó, sino que continuó gimiendo, meciéndose
y dando pataditas espasmódicas para redondear la función. Un
círculo de curiosos se había formado a su alrededor.

—Apendicitis —dijo.

—¿Qué has dicho?

Hizo una mueca de falso dolor.

—Creo que es... mi... apéndice.

Silbadora se abrió paso entre la multitud y empujó hacia atrás
a los curiosos con la porra.

—¿Cuál es el problema?

Vale se estaba rascando la cabeza.

—Dice que es algo del apéndice.

—¿Qué estáis mirando? —bramó Silbadora—. Volved al trabajo. ¿Qué quieres hacer con ella? —preguntó a Vale.

—¿Puedes andar, Fisher?

—Por favor —jadeó ella—. Necesito un médico.

—Dice que necesita un médico —informó Vale.

—Sí, ya lo he oído, Vale. —La mujer exhaló un suspiro—. De acuerdo, vamos a sacarla de aquí.

La ayudaron a caminar hasta la camioneta aparcada detrás de la planta, y la pusieron en la parte de atrás. Sara continuó con los gemidos y las oscilaciones. Siguió una breve negociación: ¿debía acompañarla uno de ellos, o llamaban a un conductor?

—Joder, ya la llevo yo —dijo Silbadora—. Conociéndote, no te decidirás en todo el día.

El trayecto hasta el hospital duró diez minutos. Sara los utilizó para trazar un plan. Su único pensamiento había sido ir al hospital, con el fin de encontrar a Jackie antes de que la furgoneta se fuera. No había pensado en el siguiente paso. Llegó a la conclusión de que sólo le quedaban dos buenas cartas. Primera, no estaba enferma. Una vez experimentada una milagrosa recuperación, no parecía probable que enviaran a una mujer perfectamente sana al cebadero. Segunda, era enfermera. Sara no sabía muy bien cómo utilizar este hecho (tendría que improvisar), pero quizá pudiera emplear sus conocimientos médicos para convencer a la persona al mando de que Jackie no estaba tan enferma como aparentaba.

O quizá daría igual lo que hiciera. Quizás una vez atravesara las puertas del hospital, ya no volvería a salir. Esta perspectiva, mientras la sopesaba, no se le antojó tan mala, pues así le quedaría una tercera carta que jugar: la carta de que ya no le importaba vivir o morir.

Silbadora se detuvo ante la entrada del hospital, se encaminó a la parte de atrás y bajó la puerta.

—Baja. Deprisa.

—Creo que no puedo andar.

—Bien, tendrás que intentarlo, porque no pienso cargar contigo.

Sara se incorporó. El sol había asomado detrás de las nubes, e iluminaba la escena con su frío brillo. El hospital era un edificio de ladrillo de tres plantas, parte de un grupo de prosaicos edificios bajos situados en el borde sur de la planicie. A una distancia de unos veinte metros se erguía una de las tres principales subestaciones de Recursos Humanos. Una docena de guardias col custodiaban la entrada, que estaba flanqueada por barricadas de hormigón.

—¿Estoy hablando a la pared?

En efecto: Sara apenas la estaba escuchando. Se hallaba concentrada en el coche, un pequeño sedán del tipo que los cols utilizaban para desplazarse entre los alojamientos. Se dirigía hacia ellos a gran velocidad, levantando una espesa nube de polvo. Sara bajó del camión. Al mismo tiempo, intuyó que una figura corría hacia ella por detrás. El coche continuaba avanzando sin disminuir la velocidad. Había algo extraño en ello, y no sólo la velocidad con que se acercaba. Las ventanillas estaban tintadas y ocultaban al conductor. Había algo escrito en el capó, las letras garabateadas con brochazos de pintura blanca.

Sergio vive.

Cuando el vehículo se lanzó contra las barricadas, alguien la aplastó por detrás. Al instante siguiente estaba tendida en el suelo, sin apenas poder respirar, cuando el camión estalló con un estruendo y una onda de choque de calor extremo que jamás habría podido imaginar. Se quedó sin aire en los pulmones. Caían cosas. Había objetos que surcaban el aire e impactaban como meteoros a su alrededor, objetos pesados, en llamas. Se oyó un chirrido metálico, una lluvia de cristal tintineante. El mundo era ruido y calor y el peso de un cuerpo sobre ella, y luego un súbito silencio y un chorro de aliento cálido cerca de su oído, y alguien que decía:

—Ven conmigo. Haz exactamente lo que yo te diga.

Sara se puso en pie. Una mujer a la que no conocía la estaba tirando de la mano para sacarla de la inercia de su estupor. Algo le había pasado a sus oídos, y bañaba la escena que la rodeaba de una irrealidad lechosa. La subestación se había convertido en un cráter humeante. La camioneta había desaparecido. Estaba tumbada de lado donde antes se hallaba la entrada del hospital. Algo húmedo recubría las manos y la cara de Sara. Sangre. Estaba cubierta de ella. Cosas pegajosas, biológicas, y un fino polvillo centelleante compuesto, como descubrió enseguida, de diminutos fragmentos de cristal. Qué asombroso, pensó, qué asombroso era todo, en especial lo sucedido con Silbadora. Era impresionante el aspecto de un cuerpo cuando ya no era una cosa, sino que se había dispersado en pedazos humanos reconocibles por una amplia zona. Quién habría dicho que, cuando un cuerpo saltaba en pedazos, como no cabía duda de que había ocurrido, hacía justo eso: saltar en pedazos.

Recuperó primero la visión y después el resto de los sentidos. La mujer estaba corriendo y ella también, corría al tiempo que la arrastraban, y la energía de su salvadora, pues Sara comprendía que la mujer la había protegido de la explosión, se transmitía a su cuerpo a través de las manos enlazadas. Detrás de ellas, el silencio había dado paso a un coro de gritos y chillidos, un sonido extrañamente musical, y la mujer se detuvo detrás de un edificio que continuaba en pie (¿no habían volado por los aires todos los edificios del mundo?) y se tiró al suelo. Llevaba en la mano una especie de gancho, y con éste apartó a un lado la tapa de la alcantarilla.

—Entra.

Sara obedeció. Entró. Se metió en el agujero, donde esperaba una escalerilla. Qué hediondez. Olía a mierda, porque lo era. Cuando los pies de Sara tocaron el fondo, sus zapatillas se llenaron de la horrible agua, y la mujer volvió a poner la tapa de la alcantarilla en su sitio, sumiendo a Sara en una oscuridad absoluta. Sólo entonces comprendió en toda su magnitud que había estado en una explosión causante de muchos muertos y mucha destrucción, y que justo después, un intervalo que habría durado menos de un minuto, se había entregado por completo a una mujer a la que no conocía, y que esta mujer la había conducido a una especie de inexistencia: que Sara, a todos los efectos, había desaparecido.

—Espera.

El resplandor de una pequeña llama azulina al encenderse. La mujer sostenía un encendedor, que había acercado al extremo de una antorcha. Saltó una llama que iluminó su rostro. Veinteañera, de cuello largo y pequeños ojos oscuros, muy intensos. Había algo familiar en ella, pero Sara no pudo conseguir que su mente se concentrara en ello.

—Basta de hablar. ¿Puedes correr?

Sara asintió.

—Vamos.

La mujer empezó a moverse al trote por la alcantarilla, seguida de Sara. Continuaron así durante un rato. La mujer elegía una dirección cada vez que llegaban a uno de los múltiples cruces. Sara había empezado a hacer balance de sus heridas. La explosión no había dejado de afectarla. Padecía diversos dolores, algunos muy agudos, otros como un malestar sordo. Sin embargo, ninguno era tan grave como para no poder seguir el ritmo de la mujer. Después de que pasara más tiempo, Sara comprendió que la distancia recorrida las habría llevado más allá de las fronteras valladas con alambre de la Patria. ¡Estaban escapando! ¡Eran libres! Un círculo de luz apareció ante ellas: una salida. Al otro lado aguardaba el mundo, un mundo peligroso, un mundo mortífero, donde los virales vagaban sin control, pero aun así se cernía ante ella como una promesa dorada, y salió a la luz.

—Lo lamento.

La mujer estaba detrás de ella. Rodeó la cintura de Sara con una mano para inmovilizarla, y la otra, provista de un paño, se alzó hacia la cara de Sara. ¿Qué demonios estaba pasando? Pero antes de que pudiera emitir un solo sonido de protesta, el paño que cubría su boca y su nariz inundó sus sentidos con un espantoso olor químico, y un millón de diminutas estrellas se encendieron en su cabeza, y así acabó todo.

39

Lila Kyle. Se llamaba Lila Kyle.

Aunque, por supuesto, ella sabía que la cara que veía en el espejo tenía otros nombres. La Reina de la Locura. Su Chiflada Majestad. Su Trastornada Alteza Real. Oh, sí, Lila los había oído todos. Tenías que levantarte muy temprano por la mañana para pasarle la mano por la cara a Lila Kyle. A palabras necias, oídos sordos, decía siempre (decía su padre), pero lo que la molestaba de verdad eran los susurros. ¡La gente siempre estaba susurrando! Como si ellos fueran los adultos y ella la niña, como si fuera una bomba a punto de estallar en cualquier momento. ¡Qué raro! Raro y bastante irrespetuoso, porque en primer lugar ella no estaba loca, estaba segura al cien por cien; y en segundo, aunque lo estuviera, aunque, sólo para dar que hablar, le gustara pasear desnuda a la luz de la luna y aullar como un perro (pobre *Roscoe*), ¿por qué tenían que preocuparse? ¿Hasta qué punto estaba loca o no? (si bien tenía que confesar que había días, ciertos días difíciles, en que sus pensamientos no cooperaban, como un montón de hojas secas que intentara embutir en una bolsa). No era *agradable*. Era *inaceptable*. Hablar a espaldas de una persona, lanzar aquellas viles insinuaciones, sobrepasaba los límites de la decencia común. ¿Qué había hecho para merecer ese trato? Era reservada, nunca pedía nada, era silenciosa como una mosca. Le encantaba pasar el rato en su habitación con sus objetos queridos, sus frascos, peines, cepillos y su tocador, donde ahora estaba sentada (daba la impresión de que llevaba sentada allí bastante rato) cepillándose el pelo.

El pelo. Cuando prestó atención a la cara del espejo, una oleada de cálido reconocimiento la asaltó. La visión siempre parecía pillarla por sorpresa: la piel rosada libre de poros, el húmedo destello de sus ojos, las rubicundas mejillas regordetas, las delicadas proporciones de sus facciones. Tenía un aspecto... ¡asombroso! Y lo más asombroso de todo era su pelo. Lustroso, abundante al tacto, espeso como melaza. Melaza no: chocolate. Un excelente chocolate negro de algún lugar maravilloso y especial. Suiza, quizás, o uno de aquellos países, como los caramelos que su padre siempre guardaba en el escritorio. Y si ella era buena, *muy* buena, o a veces por el simple motivo de que la quería y deseaba que lo supiera, la llamaba al santuario de su estudio, con aquel olor masculino, donde escribía sus documentos importantes, leía sus libros inexcrutables y dirigía sus misteriosos asuntos paternos, con el fin de ofrecerle el símbolo de este amor. *Ahora sólo uno*, le decía, y ese único óbolo subrayaba lo especial de la situación, porque implicaba un futuro en que tendrían lugar más visitas al estudio. La caja dorada, la tapa que se levantaba, el momento de incertidumbre: su manita flotaba sobre el rico botín de su contenido como un nadador parado al borde de una piscina, calculando el ángulo perfecto para saltar. Había los de chocolate, y los que llevaban nueces, y los que llevaban guindas (los únicos que no le gustaban; los escupía en un Kleenex). Pero los mejores eran los que no llevaban nada, las pepitas de chocolate puro. Eran los que más anhelaba. El tesoro único de dulzura lechosa y tierna que intentaba localizar entre sus compañeros. ¿Éste? ¿Éste?

—¡Yolanda!

Silencio.

—*¡Yolanda!*

Con un revoloteo de faldas, velos y tela etérea, la mujer entró en el cuarto como una exhalación. Menudo atavío ridículo, pensó Lila. ¿Cuántas veces le había ordenado Lila que vistiera de una manera más práctica?

—Yolanda, ¿dónde te habías metido? Te he estado llamando sin parar.

La mujer estaba mirando a Lila como si hubiera perdido la razón. ¿También la habían convencido a ella?

—¿Yolanda, señora?

—¿A quién quieres que llame? —Lila lanzó un potente suspiro. La mujer podía ser muy dura de mollera en ocasiones. Aunque su inglés no era el mejor—. Me gustaría... algo. Por favor. *Por favor.*

—Sí, señora. Por supuesto. ¿Quiere que le lea?

—¿Leer? No.

Aunque la idea se le antojó de pronto atrayente. Un poco de Beatrix Potter tal vez serviría para calmar sus nervios. Peter Rabbit con su chaquetita azul. La ardilla *Nutkin* y su hermano *Twinkleberry.* ¡En menudos líos podían meterse los dos! Entonces, se acordó.

—Chocolate. ¿Tenemos chocolate?

La mujer parecía ida por completo. Tal vez se había dado a la bebida.

—¿Chocolate, señora?

—¿Caramelos de Halloween sobrantes, quizás? Estoy segura de que tenemos en alguna parte. Cualquier cosa servirá. Hershey's Kisses. Almond Joy. Un Kit Kat. Todo irá bien.

—Um...

—¿*Sí?* ¿Un poco de cho-co-LA-te? Mira en el armario encima del fregadero.

—Lo siento, no sé qué me está pidiendo.

Esto sí que era irritante. ¡La mujer fingía no saber qué era el chocolate!

—No veo cuál es el problema, Yolanda. Debo decir que tu actitud empieza a preocuparme. Mucho, de hecho.

—No se enfade, por favor. Si supiera lo que es, sería un placer facilitárselo. Tal vez Jenny lo sepa.

—Ahí voy yo. Eso es precisamente lo que estoy diciendo.

Lila exhaló un profundo suspiro. Una pena, pero no podía hacer nada más. Mejor cortar por lo sano que alargar las cosas.

—Temo, Yolanda, que voy a tener que despedirte.

—¿Despedirme?

—Despedirte, sí. *No más.* Ya no necesitamos tus servicios, me temo.

Daba la impresión de que los ojos de la mujer iban a salir disparados de su cabeza.

—¡No puede!

—Lo siento muchísimo. Ojalá hubiera funcionado. Pero teniendo en cuenta las circunstancias, no me dejas otra alternativa.

La mujer se arrojó a las rodillas de Lila.

—¡Por favor! ¡Haré lo que sea!

—Contente, Yolanda.

—Se lo suplico —lloriqueó la mujer en su falda—. Ya sabe lo que me harán. ¡Trabajaré con más ahínco, lo juro!

Lila suponía que se lo tomaría mal, pero aquella exhibición indigna era de lo más inesperado. Era vergonzosa. El impulso de ofrecerle cierto consuelo era muy fuerte, pero Lila lo resistió, con el fin de que la situación no se prolongara más, y dejó que sus manos colgaran desmañadas en el aire. Tal vez tendría que haber esperado a que David volviera a casa. Siempre era mejor que ella para estas cosas.

—Te daremos referencias, por supuesto. Y dos semanas de paga. No deberías tomártelo tan a pecho.

—¡Es una sentencia de muerte! —Abrazó las rodillas de Lila como si se estuviera aferrando a un salvavidas—. ¡Me enviarán al sótano!

—No creo que esto pueda calificarse de sentencia de muerte. Estás exagerando.

Pero no se podía apelar a la razón en su estado. Incapaz de formar palabras debido a la tormenta de sus sollozos incontrolables, había renunciado a sus súplicas, tras empapar la falda de Lila de lágrimas mezcladas con mocos. Lo único que interesaba a Lila en aquel momento era zafarse de la situación lo antes posible. Detestaba estos espectáculos, los *detestaba*.

—¿Qué está pasando aquí?

Lila alzó la vista hacia la figura parada en la puerta, y al instante exhaló un suspiro de alivio.

—David. Gracias a Dios. Parece que tenemos una escena. Yolanda, bien, está un poco disgustada. He decidido despedirla.

—Joder, ¿otra? ¿Qué te pasa?

Eso sí que no era típico de David.

—Es muy fácil para ti decir eso, todo el día fuera, y yo encerrada en casa. Pensaba que me apoyarías.

—¡No me despida, por favor! —aulló Yolanda.

Lila indicó con un ademán que la librara de aquella mujer.

—¿Me echas una mano?

Lo cual demostró no ser tan fácil como debería. Cuando David (que no era David) se agachó para arrancar a la llorosa Yolanda (que no era Yolanda) de las rodillas de Lila, la mujer redobló sus esfuerzos y, por increíble que pareciera, se puso a chillar. ¡Menuda escena! Por el amor de Dios, como si despedirte del servicio doméstico *fuera* una sentencia de muerte, a juzgar por su reacción. David la agarró de la cintura y la soltó de un fuerte estirón, para luego alzar su cuerpo en el aire. La mujer chilló y pataleó en sus brazos, agitando las manos como una loca. Sólo gracias a su fuerza superior logró el hombre aplacarla. Una cosa que cabía reconocer de David: se mantenía en forma.

—¡Lo siento, Yolanda! —dijo Lila mientras él se la llevaba en volandas—. ¡Te enviaré un cheque por correo!

La puerta se cerró con estrépito a sus espaldas. Lila exhaló un suspiro que se había quedado retenido en su pecho. Bien, vaya número. La situación más incómoda que había tenido que afrontar. Se sentía muy agitada, y encima no poco culpable. Yolanda llevaba años con ellos, y la cosa había terminado fatal. Le había dejado un gusto amargo en la boca a Lila. Claro que Yolanda nunca había sido la mejor criada, y en los últimos tiempos se había dejado bastante. Dificultades personales, seguramente. Lila nunca había estado en casa de la mujer. No sabía nada de su vida. ¿No era curioso? Tantos años, Yolanda entrando y saliendo, y era como si Lila no la conociera de nada.

—Bien, ya se ha ido. Felicidades.

Lila, que había continuado cepillándose el pelo, examinó a David con frialdad en el espejo cuando se detuvo en la entrada para enderezarse la corbata.

—¿Y todo es culpa mía? Ya la has visto. Había perdido el control por completo.

—Es la tercera en un año. Las buenas asistentas no crecen en los árboles.

Se dio otra larga cepillada.

—Pues llama al servicio. No hay para tanto.

David no dijo nada más, satisfecho de dejar correr el asunto. Se acercó al diván y levantó las rodilleras del pantalón para sentarse.

—Hemos de hablar.

—¿No ves que estoy ocupada? ¿No te necesitan en el hospital?

—No trabajo en un hospital. Ya te lo he dicho un millón de veces.

¿De veras? A veces sus pensamientos eran como hojas de otoño; a veces, abejas en un tarro, pequeñas cosas zumbantes que daban vueltas y vueltas.

—¿Qué pasó en Texas, Lila?

—¿Texas?

El hombre suspiró malhumorado.

—El convoy. La Carretera del Petróleo. Pensaba que mis instrucciones eran claras.

—No tengo ni la más remota idea de qué estás hablando. No he estado en Texas en toda mi vida. —Dejó de cepillarse el pelo y miró a los ojos de David a través del espejo—. Brad siempre odió Texas. Aunque es probable que tú no desees saber nada de ello.

Vio que sus palabras habían dado en el blanco. Sacar a colación a Brad era su arma secreta. Aunque sabía que no debía hacerlo, experimentaba un placer perverso al ver la expresión de David siempre que pronunciaba el nombre: la vacuidad desinflada de un hombre consciente de que nunca daría la talla.

—No te pido gran cosa. Lo que empiezo a preguntarme es si ya no eres capaz de controlar estas cosas.

—Sí, vale.

Bla bla bla.

—¿Me estás escuchando? No pueden ocurrir más desastres como éste. Sobre todo ahora que estamos tan cerca.

—No sé por qué estás tan disgustado. Y para ser sincera, me importa un pito debido a la forma en que me estás hablando.

—¡Maldita sea, *deja* en paz el puto cepillo!

Pero antes de que ella pudiera hacerlo, el hombre se lo arrebató de la mano y lo arrojó al otro lado de la habitación. La agarró por el pelo, tiró hacia atrás su cabeza y acercó la cara tanto a la de ella que ni siquiera era una cara, sino una *cosa*, una cosa monstruosa y deforme como una babosa, que la bañaba con su aliento pútrido bacterial.

—Estoy hasta los huevos de tus chorradas. —Escupió saliva sobre sus mejillas, sus ojos. Un chorro repugnante salido de su boca. Los bordes de sus dientes estaban manchados de una sustancia oscura, lo cual los dotaba de una horrible intensidad. Sangre. Sus dientes estaban forrados de sangre—. De tu *numerito*. De este estúpido juego.

—¡Por favor, me estás haciendo daño! —jadeó ella.

—Ah, ¿sí?

Le retorció el pelo con fuerza. Mil puntos de dolor chillaron desde su cuero cabelludo.

—David —suplicó, mientras las lágrimas emborronaban su visión—, te lo suplico. Piensa en lo que estás haciendo.

La cara de babosa rugió enfurecida.

—¡No soy David! ¡Soy Horace! ¡Me llamo Horace Guilder!
—Otro tirón brutal—. ¡Dilo!

—¡No lo sé, no lo sé! ¡Me estás confundiendo!

—¡Dilo! ¡Di mi nombre!

Fue el dolor lo que lo consiguió. Su conciencia se derrumbó como arrastrada por un torrente.

—¡Eres Horace! ¡Para, por favor!

—¡Otra vez! ¡Di mi nombre completo!

—¡Horace Guilder! ¡Eres Horace Guilder, Director de la Patria!

Guilder la soltó y se alejó. Lila estaba tumbada sobre su tocador, estremecida a causa de los sollozos. Ojalá pudiera volver. *Volver*, pensó, al tiempo que cerraba los ojos con fuerza para hurtar el horror de aquel hombre, aquel Horace Guilder, a su vista. *Lila, vuelve. Envíate lejos de nuevo.* Se estremeció de náuseas que nacían en un lugar tan profundo que carecía de nombre, un asco no del cuerpo sino del alma, el núcleo metafísico de su yo fracturado, y después cayó de rodillas, vomitó, jadeó, se ahogó y escupió la sangre asquerosa que había bebido aquella misma mañana.

—Muy bien —dijo Guilder, mientras se secaba las manos en la chaqueta del traje—. Ya ha quedado claro.

Lila no dijo nada. Tan potente era su anhelo de esfumarse que no habría podido formar palabras ni que lo hubiera intentado.

—Nos esperan grandes tiempos, Lila. Necesito saber que estás conmigo. Basta de tonterías. Y por favor, procura no despedir a más asistentas. Estas chicas no crecen en los árboles.

Ella se secó la saliva rancia de la barbilla con el dorso de la muñeca.

—Eso ya lo has dicho antes.

—¿Perdón?

—He dicho que ya lo habías dicho antes. —La voz ni siquiera sonaba como la de ella—. Eso de que las asistentas no crecen en los árboles.

—Ah, ¿sí? —Lanzó una breve carcajada—. Sí, lo hice. Es curioso si te paras a pensarlo. Algo de esa guisa nos convendría, teniendo en cuenta las exigencias de la cadena alimentaria. Estoy seguro de que tu amiguito Lawrence se mostraría de acuerdo. Hay que ver lo que es capaz de *comer* ese hombre. —Hizo una pausa, complacido con la idea, antes de que sus ojos se endurecieran de nuevo cuando la miró—. Lávate. No es que quiera ofenderte, Lila, pero tienes vómito en el pelo.

40

—¿Me oyes, Sara?

Una voz estaba flotando hacia ella. Una voz y también una cara, una cara que conocía pero no podía identificar. Una cara en un sueño, que sin duda era lo que estaba experimentando, un sueño inquietante en que estaba corriendo, rodeada de cadáveres y fragmentos de cadáveres, y todo en llamas.

—Todavía está inconsciente —dijo la voz. Daba la impresión de llegar hasta ella desde una distancia imposible. Un continente. Un mar. Daba la impresión de llegar desde las estrellas—. ¿Cuánto utilizaste?

—Tres gotas. Bien, puede que cuatro.

—¿*Cuatro*? ¿*Intentabas* matarla?

—Todo fue muy precipitado, ¿vale? Me dijiste que la querías libre. Pues aquí la tienes.

Un profundo suspiro.

—Tráeme un cubo.

Un cubo, pensó Sara, ¿qué querían hacer las voces con un cubo? ¿Qué tenía que ver el cubo con lo que estaba pasando? Pero apenas acababa de pensarlo cuando una fuerza húmeda y fría se estrelló contra su cara y le devolvió la conciencia de golpe. Estaba atragantándose, ahogándose, agitando los brazos presa del pánico, la nariz y la garganta inundadas de agua helada.

—Tranquila, Sara.

Se incorporó demasiado deprisa. El cerebro chapoteó en su envoltorio, y su visión se nubló.

—Ohhh —gimió—. Ohhh.

—El dolor de cabeza es molesto, pero no durará mucho. Respira.

Parpadeó para expulsar el agua de sus ojos. ¿Eustace?

Era Eustace. Sus dientes delanteros superiores habían desaparecido, arrancados de raíz. Su ojo derecho estaba empañado por la ceguera. Con una mano nudosa sostenía un vaso metálico.

—Me alegro de volver a verte, Sara. Ya conoces a Nina. Di hola, Nina.

Detrás de él estaba la mujer de la alcantarilla. Llevaba un rifle en bandolera, y tenía los brazos cruzados encima.

—Hola, Sara.

—No te preocupes —dijo Eustace—. Ya sé que tienes montones de preguntas, y luego nos ocuparemos de ellas. Ahora, bebe.

Sara tomó el vaso y bebió el agua. Estaba asombrosamente fría y tenía un sabor algo metálico, como si estuviera lamiendo una barra de hierro.

—Pensaba que estabas...

—¿Muerto? —Eustace sonrió, exhibiendo su boca destrozada—. De hecho, aquí todos estamos muertos. Nina, recuérdame, ¿cómo moriste tú?

—Creo que fue de neumonía, señor. Eso, o algo muy pesado me cayó encima. Nunca recuerdo cómo confeccionamos el documento.

La explosión, la huida por la alcantarilla. Lo estaba recordando todo. Sara vació el vaso y se tomó un momento para inspeccionar su entorno. Daba la impresión de estar en una especie de búnker, aunque no había ventanas. Supuso que se encontraban en algún lugar subterráneo. La única iluminación de la habitación procedía de una hilera de antorchas parpadeantes.

—¿Dónde estamos?

—En un lugar donde los ojosrojos no pueden encontrarnos.
—Su forma de mirarla, ladeando la cara para apuntarla con el ojo bueno, aumentaba la penetrante seriedad de su mirada—. No puedo decirte más. Lo importante es que aquí estás a salvo.

—¿Tú eres... Sergio?

Otra sonrisa de dientes rotos.

—Me halaga que lo pienses, pero no. Sergio no existe. Al menos, tal como tú lo concibes.

—Pero pensaba...

—Como es debido. El nombre es la abreviatura de «insurgencia». Si no me equivoco, Nina, eso fue idea tuya, ¿no?

—Creo que sí.

—La gente necesita un nombre. Algo concreto, una cara que relacionar con una idea. Ésa es nuestra cara, Sergio.

Sara miró a la mujer, que la estaba examinando con frialdad, y después desvió la mirada hacia Eustace.

—La explosión. Fuiste tú, ¿verdad?

Eustace asintió.

—Nuestros primeros informes indican diecisiete cols muertos, incluida tu amiga Silbadora, y dos miembros del estado mayor que estaban de visita para una inspección. No está nada mal. Pero ése no es el verdadero premio.

—¿No?

—No. El verdadero premio eres tú, Sara.

Eustace la estaba mirando fijamente. La mujer también. Sara se estremeció de frío. Se había producido un cambio, una inversión de las energías de la conversación. Él estaba tratando de tirarle de la lengua. ¿Podían confiar en ella? Más en concreto, ¿podía ella confiar en ellos?

—Ahora viene cuando me preguntas por qué.

Sin querer hacer demasiadas concesiones, Sara asintió.

—Desde esta mañana, Sara Fisher ya no existe. Sara Fisher, lugareña número 94801, resultó muerta en un atentado suicida con bomba que se cobró la vida de diecinueve leales agentes de seguridad de la Amada Patria. La única parte reconocible de Sara Fisher que permanece intacta es, de manera muy conveniente, un brazo con tu placa. Nos lo proporcionó una col que, no hace ni veinticuatro horas, lo utilizaba para pegar a mujeres y niños en los establos. Pensamos que, teniendo en cuenta las circunstancias, tenía mejores usos, si bien ella no parecía estar de acuerdo. Opuso una fuerte resistencia, ¿verdad, Nina?

—La mujer era valiente, debo reconocerlo.

Eustace miró a Sara de nuevo.

—Veo por tu expresión que nuestros métodos te impresionan. No deberían.

Todo se estaba desarrollando demasiado deprisa.

—Matáis gente. No sólo a cols. Transeúntes inocentes.

Eustace asintió con brusquedad. Su expresión era indescifrable, casi carente de sentimientos.

—Eso es verdad. Menos de los que nuestro glorioso director quiere hacerte creer, pero estas cosas tienen un coste.

Ella se quedó atónita por su tono indiferente.

—Eso no lo justifica.

—Oh, sí, ya lo creo. Deja que te pregunte algo. ¿Qué crees que harán los ojosrojos después del ataque de hoy?

Sara guardó silencio.

—Muy bien. Yo te lo diré. Represalias. Reaccionarán con dureza. No será bonito.

Sara miró a Eustace; después, a Nina, y luego, a Eustace de nuevo.

—Pero ¿por qué deseáis que sea así?

Eustace respiró hondo.

—Te lo explicaré con la mayor sencillez posible. Estamos en guerra, Sara. Ni más ni menos. Y en esta guerra nos superan en número. Hemos conseguido infiltrarnos en casi todos los niveles de su organización, pero los números continúan estando a su favor. Nunca podríamos derrotarlos si lanzáramos un ataque directo. Nuestro teatro de operaciones es psicológico. Poner nerviosa a la dirección. Sacarla de sus casillas. Cada persona detenida es el padre de alguien, la esposa de alguien, el hijo o la hija de alguien. Por cada uno que los ojosrojos envíen al cebadero, dos más se nos unirán. Puede que parezca brutal. Pero es lo que hay. —Hizo una pausa, y dejó que asimilara sus palabras—. Tal vez esto te parezca absurdo. Pronto cambiarás de opinión, si mi corazonada sobre ti es correcta. En cualquier caso, el resultado del ataque de esta tarde es que tú ya no existes. Y eso te convierte en un elemento muy valioso para nosotros.

—¿Me estás diciendo que lo planeaste así?

El hombre se encogió de hombros de una forma que sugería que la pregunta era más compleja de lo que ella creía.

—Hay planes y planes. Gran parte de lo que hacemos es cuestión de coordinación y suerte. Pero en tu caso, meditamos mucho la forma de secuestrarte. Hace tiempo que te vigilamos, a la espera del momento oportuno. Fue Jackie quien encajó las piezas y dio el visto bueno. El episodio de la planta de biodiésel fue un montaje, así como su repentina desaparición del alojamiento anoche. Sabía que irías a buscarla al hospital. La verdad, todo me parecía un poco complicado, y tenía mis dudas, pero su confianza en ti decantó la balanza. Y me alegra decir que estaba en lo cierto.

La mente de Sara se había zambullido en la incredulidad. No, se estaba ahogando.

—¿Jackie es... una de los vuestros?

Eustace asintió.

—La mujer estuvo con nosotros desde el principio, una agente de rango superior. Soy incapaz de decirte cuántos ataques ha organizado. Su misión final era liberarte.

Sara buscó palabras, pero no encontró ninguna. Era incapaz de relacionar a la mujer que estaba describiendo Eustace con la que ella conocía. ¿Jackie? ¿Miembro de la insurgencia? Durante más de un año, la mujer apenas se había apartado de la vista de Sara. Habían dormido a un metro la una de la otra, trabajado codo con codo, compartido cada comida. Se lo habían contado todo. Era absurdo. Era imposible. Después preguntó:

—¿Qué has querido decir con «final»?

—Lo siento —replicó Eustace—. Jackie ha muerto.

Sus palabras fueron como una bofetada.

—¡No puede ser!

—Temo que es verdad. Sé que significaba mucho para ti.

—¡No sacan a gente del hospital hasta que oscurece! ¡He visto la furgoneta! ¡Hemos de ir a buscarla!

—Escúchame...

—¡Todavía queda tiempo! ¡Hemos de hacer algo! —Desvió la mirada hacia Nina, inmóvil e impasible con los brazos cruzados sobre el rifle, y después hacia Eustace—. ¿Por qué no hacéis algo?

—Porque es demasiado tarde, Sara. —Su expresión se ablandó—. Jackie nunca fue al hospital. Eso es lo que te estoy diciendo. Jackie era la conductora del coche.

Tuvo la sensación de que algo se rompía. Algo se rompió en su interior. Un corte final, el último hilo que la ataba a la vida que conocía cercenado. Se alejaba flotando.

—Sabía que estaba muy enferma. A lo sumo, habría sobrevivido unos cuantos meses antes de que la enviaran al cebadero. —Eustace se inclinó hacia ella—. Jackie lo quiso así. La coronación de una gloriosa carrera. No lo habría querido de otro modo.

—Está muerta —dijo Sara, a nadie.

—Hizo lo que debía. Jackie era una heroína de la insurgencia. Y aquí estás tú, preparada para recoger el testigo.

No podía obligarse a llorar. Se preguntó por qué, y entonces lo supo: ya había derramado las últimas lágrimas de su vida; no quedaban más en su interior. Resultaba extraño ser incapaz de llorar. Amar a alguien como ella había querido a Jackie, y no encontrar dolor en su corazón.

—¿Por qué yo?

—Porque los odias, Sara. Los odias y no les tienes miedo. Lo vi aquel día en el camión. ¿Te acuerdas?

La mujer asintió.

—Hay dos clases de odio. Uno te da fuerzas, el otro te las arrebata. El tuyo es del primer tipo. Siempre lo he sabido. Jackie también lo sabía.

Era verdad: los odiaba. Los odiaba por sus ojos lascivos, su desenvuelta y risueña crueldad. Los odiaba por las gachas aguadas y las duchas heladas; odiaba las mentiras que la obligaban a gritar; odiaba sus porras incansables y las sonrisas de sus rostros engreídos. Los odiaba con toda su alma, con cada célula de su cuerpo. Sus nervios ardían de odio, sus pulmones inhalaban y exhalaban odio, su corazón bombeaba un elixir de odio en estado puro a sus venas. Estaba viva porque los odiaba, y los odiaba, sobre todo, por haberle robado a su hija.

Tomó conciencia de que Eustace y Nina estaban esperando a que hablara. Comprendió que todo cuanto habían hecho y dicho estaba encaminado a este único propósito. Paso a paso, con cautela, la habían guiado hasta el borde de un abismo. En cuanto diera el siguiente paso, ya no volvería a ser la misma.

—¿Qué queréis que haga?

VII

El forajido

Los hombres somos para los dioses como las moscas para los niños juguetones; nos matan para su recreo.

SHAKESPEARE,
El rey Lear

41

Los tres fueron rescatados a la tarde siguiente por una patrulla de SN enviada a buscarlos cuando los camiones cisterna no llegaron a Kerrville. En aquel momento, Peter, Michael y Lore habían abandonado el habitáculo y regresado al escenario del ataque. La explosión había abierto un ancho cráter, de unos cincuenta metros como mínimo. Pilas de escombros retorcidos estaban esparcidas por los campos contiguos. Un humo aceitoso brotaba de los charcos de petróleo que todavía ardían, y manchaban un cielo ya habitado por una nube de aves carroñeras. Había cuerpos, carbonizados hasta convertirse en cortezas ennegrecidas, mezcladas con los escombros. Si alguno de los espeluznantes restos pertenecía a los atacantes, era imposible deducirlo. Lo único que quedaba del misterioso camión reluciente eran algunas planchas de metal galvanizado, que no demostraban nada.

Michael estaba desolado. Sus lesiones físicas (un hombro dislocado que había encajado en su lugar contra la pared del habitáculo, un esguince en el tobillo, un corte sobre la oreja derecha que necesitaría puntos) eran lo de menos. Once engrasadores y diez agentes de SN: hombres y mujeres con los que había vivido y trabajado. Michael era quien iba al mando, alguien en quien ellos confiaban. Ahora, estaban muertos.

—¿Por qué crees que lo hizo? —preguntó Peter. Estaba hablando de Ceps. Durante la larga noche en el habitáculo, Michael había contado a Peter lo que había visto en el retrovisor. Los dos estaban sentados en el suelo, al borde del río. Lore había avanzado río arriba. Peter la veía acuclillada en el agua, con los hombros temblorosos a causa de las lágrimas de las que no deseaba testigos.

—Debió de pensar que no existía otro método. —Michael miró hacia arriba, vio las aves que daban vueltas en el cielo, aunque no parecía mirar nada—. Tú no le conocías como yo. Era un tipo muy especial. No habría permitido que nadie le secuestrara. Ojalá hubiera tenido redaños para hacerlo yo.

Peter leyó el dolor y la duda en el rostro de su amigo: la desgracia del superviviente. Él también había conocido aquel sentimiento. Era algo que jamás te abandonaba.

—No fue culpa tuya, Michael. Si alguien es culpable, ése soy yo.

Si sus palabras le consolaron, Peter no vio pruebas de ello.

—¿Quiénes crees que eran esos tipos? —preguntó Michael.

—Ojalá lo supiera.

—¿Qué demonios, Peter? ¿Un camión cargado de virales? ¿Como si fueran mascotas o algo por el estilo? ¿Y aquella mujer?

—Yo tampoco lo entiendo.

—Si era el petróleo lo que querían, podrían haberlo robado y punto.

—Creo que no era eso lo que buscaban.

—Sí, bien. Yo tampoco. —Una oleada de ira tensó su cuerpo—. Algo que sí sé es que, si alguna vez me topo de nuevo con esa gente, me las pagarán.

Pasaron la noche con la partida de rescate en un habitáculo al este de San Antonio, y llegaron a Kerrville a la mañana siguiente. En cuanto entraron en la ciudad fueron enviados por separado a diferentes cadenas de mando: Peter al Cuartel General de la División, Michael y Lore a la Oficina de Seguridad Nacional, que supervisaba todos los recursos extramuros, incluido el complejo petrolífero de Freeport. Concedieron tiempo a Peter para que se lavara antes de presentar su informe. Era mediodía, los barracones estaban casi vacíos. Se quedó bajo la ducha durante largo rato, mientras contemplaba el aceitoso hollín que giraba a sus pies. Se conocía lo bastante bien para comprender que todavía no había asimilado todo el impacto emocional de los acontecimientos. Fue incapaz de decidir si era debilidad o fortaleza. También sabía que se había metido en un montón de problemas, pero esta preocupación se le antojó mezquina. Sobre todo, sentía pena por Michael y Lore.

Se vistió con el traje de faena más limpio y se encaminó al Mando, un antiguo complejo de oficinas contiguo al ayuntamiento. Cuando entró en la sala de conferencias se quedó sorprendido al ver una cara conocida: Gunnar Apgar. Pero si había esperado palabras de consuelo del hombre, pronto resultó evidente que no las iba a recibir. Cuando Peter se puso firmes, el coronel le dirigió una fría mirada, y después devolvió su atención a los papeles que descansaban sobre la larga mesa a la que estaba sentado, sin duda el informe de la patrulla de SN.

Pero fue el segundo hombre de los tres quien dio más que pensar a Peter. A la derecha de Apgar se sentaba la imponente figura de Abram Fleet, general del ejército. Peter sólo había visto al hombre una vez en su vida. Era una tradición que el general tomara el juramento de reclutamiento a todos los Expedicionarios. La apariencia física del general no tenía ningún aspecto notable (todo en él comunicaba una medianía física casi perfecta), pero era quien era, un hombre cuya presencia alteraba la sala, y daba la impresión de conseguir que las moléculas del aire vibraran a una frecuencia diferente. Peter no reconoció a la tercera persona sentada a la mesa, un civil con una cuidada barba gris y pelo como trigo cepillado.

—Siéntese, teniente —dijo el general—. Vamos a empezar la reunión. Ya conoce al coronel Apgar. El señor Chase está aquí en representación del estado mayor de la presidente. Será sus ojos y oídos en este... —buscó las palabras adecuadas— infortunado suceso.

Durante más de dos horas acosaron a Peter con preguntas. El general fue quien habló más, seguido de Chase. Apgar guardó silencio casi todo el rato, y de vez en cuando garabateaba una nota o solicitaba una clarificación. El tono del interrogatorio era inquietantemente perentorio, como si intentaran pillar a Peter en alguna contradicción. La insinuación subyacente parecía ser que su historia era una tapadera de una catástrofe obra del hombre, de la cual Peter, uno de los tres únicos supervivientes, incluido el jefe de engrasadores del convoy, era el culpable. No obstante, a medida que proseguía el interrogatorio, empezó a presentir que esta sospecha carecía de fundamento, y ocultaba una preocupación más profunda. Una y otra vez regresaron al asunto de la mujer. ¿Qué vestía, qué dijo, qué aspecto tenía? ¿Había algo raro en su apariencia? A cada uno de estos sondeos repetidos, Peter recitaba el orden de los acontecimientos con la mayor precisión posible. Vestía una capa. Era de una belleza notable. Dijo: *Estás cansado.* Dijo: *Sabemos dónde estáis. Es sólo cuestión de tiempo.* «Sabemos», repitió el general. ¿Quiénes? *No lo sé.* ¿No lo sabe porque no se acuerda? *No, estoy seguro. Ella no dijo nada más.* Una y otra vez, hasta que incluso Peter empezó a dudar de su propia narración. Cuando todo terminó (su interrogatorio concluyó con una brusquedad a tono con su talante amedrentador), no sólo se sentía agotado desde un punto de vista físico, sino también emocional.

—Una advertencia, teniente —concluyó el general—. No debe hablar de lo ocurrido en la Carretera del Petróleo, ni del contenido de este procedimiento, con nadie. Eso incluye a los miembros supervivientes del convoy y a la partida de rescate que los trajo. El dictamen de esta comisión es que, por motivos desconocidos, uno de los camiones cisterna estalló, destruyendo tanto al convoy como el puente de San Marcos. ¿Queda claro?

Ajá, la verdad. Lo que había sucedido en la Carretera del Petróleo no era toda la historia. Era una pieza de un rompecabezas más grande que los tres hombres estaban intentando montar. Peter lanzó una mirada furtiva a Apgar, cuya expresión comunicaba tan sólo la neutralidad artificial de alguien que obedece las órdenes de su superior.

—Sí, general.

Fleet hizo una pausa, y después continuó con una nota de cautela.

—Un último asunto, Jaxon, que también ha de ser tratado con el mayor secretismo. Parece que su amigo Lucius Greer ha escapado de la cárcel.

Por un instante, Peter dudó de haber entendido bien al general.

—¿Señor? —Desvió la mirada hacia los demás—. ¿Cómo...?

—No lo sabemos en este momento. Pero parece muy probable que recibiera ayuda. La misma noche que Greer desapareció, una de las hermanas abandonó el orfanato y no regresó. Un agente de SN de los piquetes del oeste informó haber visto a dos personas a caballo justo después de las tres de la madrugada. Un hombre, Greer, evidentemente, y una adolescente, que portaba la túnica de la Orden.

—¿Está usted hablando de... Amy?

—Eso parece. —Fleet se inclinó sobre la mesa—. Greer no es mi principal preocupación. Es un prisionero fugado, y ya nos ocuparemos de eso. Pero Amy es un asunto muy diferente. Si bien siempre he considerado con gran escepticismo sus afirmaciones sobre ella, se trata no obstante de un activo militar importante. —Fleet estaba mirando a Peter con renovada intensidad—. Sabemos que usted fue a ver a los dos antes de partir hacia la refinería. Si tiene algo que decir, le sugiero que lo haga ahora.

Peter tardó un momento en captar el significado de la pregunta.

—¿Cree que yo lo sabía?

—¿Lo sabía, teniente?

Tres ideas se disputaban al mismo tiempo la atención de la mente de Peter. Amy había sacado a Lucius de la cárcel; los dos habían huido de la ciudad, en dirección desconocida; el general sospechaba que él era cómplice de ellos. Cualquiera de estas posibilidades habría sido suficiente para dejarle fuera de combate. Juntas, obraron el efecto de que concentrara sus pensamientos en el problema inmediato de defenderse. Y una nueva pregunta se formó en el fondo de su mente: ¿qué relación existía entre la desaparición de Amy y la mujer de la Carretera del Petróleo? No cabía duda de que los tres hombres que tenía delante se estaban formulando la misma pregunta.

—En absoluto, general. No me dijeron nada.

—¿Está seguro? Le recuerdo que esto constará en acta como su declaración oficial.

—Sí, estoy seguro. Me siento tan asombrado como usted.

—¿Y no tiene ni idea de adónde han podido ir esos dos?

—Ojalá.

Fleet miró a Peter otro momento, inexpresivo. Miró a Chase, quien asintió.

—Muy bien, Jaxon. Aceptaré su palabra. El coronel Apgar me ha transmitido sus deseos de regresar a Fort Vorhees lo antes posible. Me siento inclinado a aprobar su petición. Preséntese al oficial de guardia del parque de vehículos, y él le concederá espacio en el siguiente transporte.

De repente, eso era lo último que Peter deseaba. Las intenciones del general eran claras: desterraban a Peter para garantizar su silencio.

—Si no le importa, señor, me gustaría volver a la refinería.

—Esa opción está descartada, teniente. Ha recibido sus órdenes.

Se le ocurrió una idea.

—Permiso para hablar sin ambages, señor.

Fleet exhaló un profundo suspiro.

—Yo diría que eso es precisamente lo que hace, teniente. Acabe de una vez.

—¿Qué hay de Martínez?

—¿Qué pasa con él?

Apgar lanzó una veloz mirada a Peter. *Cuidado con lo que dices.*

—El hombre de la cueva. «Nos abandonó». Ésas fueron sus palabras.

—Lo sé muy bien, Jaxon. He leído el informe. ¿Adónde quiere ir a parar?

—Tampoco estaba donde se suponía. Tal vez Greer y Amy han ido en su busca. —Miró de uno en uno a los tres hombres, y después a todos a la vez—. Tal vez sepan dónde está.

Siguió un momento de silencio.

—Una idea interesante, teniente —dijo Fleet—. ¿Algo más?

Habían desechado la idea sin más trámites. O quizá no. En cualquier caso, Peter presentía que sus palabras habían dado en el clavo.

—No, señor.

La mirada del general se ensombreció en señal de advertencia.

—Como ya le he advertido, no debe hablar de estos asuntos con nadie. No creo que deba decirle que cualquier indiscreción no sería tratada con ligereza. Puede irse, teniente.

—Lo siento. La hermana Peg estará ausente todo el día.

La hermana Peg nunca se ausentaba todo el día. La postura defensiva de la mujer parada en la entrada lo dejaba bien claro: Peter no iba a pasar.

—¿Le dirá al menos a Caleb que he estado aquí?

—Por supuesto, teniente. —Desvió la mirada como lo haría alguien consciente de estar siendo observado—. Ahora, si me disculpa...

Peter volvió a los barracones y pasó una tarde intranquila en su catre, con la vista clavada en el techo. Su transporte partiría a la mañana siguiente a las 06.00. No le cabía duda de que tanta celeridad era deliberada. Los hombres iban y venían, sus pesadas botas resonaban en el suelo, pero su presencia apenas quedaba registrada en su conciencia. Amy y Greer... ¿Adónde podrían haber ido? ¿Y por qué los dos juntos? ¿Cómo le habría sacado de la cárcel, y cómo habían conseguido burlar a los centinelas del portal? Repasó su memoria en busca de algo que cualquiera de los dos hubiera dicho o hecho, indicativo de que estaban planeando la fuga. Lo único que se le ocurrió fue la extraña serenidad que proyectaba el comandante, como si los muros que le enjaulaban fueran insignificantes, carecieran de toda sustancia. ¿Cómo era posible?

Era un misterio, como todo lo sucedido en los últimos treinta días. El conjunto le había dejado la impresión de figuras moviéndose al otro lado de la barrera de una espesa niebla, que estaban y no estaban.

A medida que transcurrían las horas vacías, los pensamientos de Peter volvieron a la noche que pasó entre las hermanas; sus momentos con Caleb, la energía e inteligencia juveniles del crío; la alegría en el rostro de Amy cuando se volvió en la cocina y le vio parado en la puerta; el momento de serenidad que habían compartido cuando él se marchó, sus manos tocándose en el espacio. El gesto se le había antojado de lo más natural, un acto reflejo involuntario sin vacilación ni resistencia. Daba la impresión de haber surgido de las profundidades de un pozo interior y de un lugar muy lejano, como las fuerzas que impulsaban las olas que le encantaba mirar cuando ondulaban sobre la playa. De todos los acontecimientos de los últimos días, su momento en la puerta era el más vívido de los recuerdos, y cerró los ojos para reproducirlo en su mente. El calor de su mejilla contra el pecho de él, y la fuerza mágica de su abrazo; la forma en que Amy le había mirado cuando enlazaron las manos. *¿Te acuerdas de cuando te besé?* Aún escuchaba aquellas palabras en su mente cuando cayó dormido.

Despertó a oscuras. La boca le sabía a sequedad y polvo. Le sorprendió haber dormido tanto tiempo. De hecho, le sorprendió haber dormido. Iba a levantar la cantimplora del suelo cuando reparó en una figura sentada en el catre contiguo.

—¿Coronel?

Apgar le estaba mirando, con los pies apoyados en el suelo, las manos posadas sobre las rodillas. Respiró hondo antes de hablar. Peter comprendió que era la presencia del hombre lo que le había despertado.

—Escuche, Jaxon. Me ha sentado mal lo sucedido hoy. Por lo tanto, lo que voy a decirle quedará entre nosotros. ¿Comprendido?

Peter asintió.

—La mujer a la que usted describió fue vista hace años. Yo no la vi, pero otros sí. ¿Está enterado de la Masacre del Campo?

Peter frunció el ceño.

—¿Usted estuvo allí?

—No era más que un crío, dieciséis años. No suelo hablar de eso. Ninguno de nosotros lo hace. Perdí a mis padres y a mi hermana pequeña. Mi padre y mi madre murieron al instante, pero nunca supe qué fue de ella. Supongo que la secuestraron. A día de hoy, aún sufro pesadillas por su causa. Tenía cuatro años.

Apgar nunca había confesado a Peter algo tan personal. Nunca le había contado nada personal.

—Lo siento, coronel.

El dolor del recuerdo, y el esfuerzo de contarlo: todo eso estaba escrito con claridad en la cara del hombre.

—Bien, eso fue hace mucho tiempo. Agradezco sus condolencias, pero no he venido aquí por eso, y me estoy jugando el cuello por contárselo. Si Fleet se enterara, me degradaría a soldado raso. O me enviaría a la cárcel.

—Tiene mi palabra, señor.

Apgar hizo una pausa, y después prosiguió.

—Veintiocho almas se perdieron aquel día. De éstas, dieciséis, como mi hermana, se dieron por desaparecidas. Todo el mundo sabe lo del eclipse. Lo que no sabe es que los virales estaban escondidos en los habitáculos, como si lo hubieran sabido por anticipado. Justo antes de que el ataque empezara, un joven oficial de SN de la torre informó de haber visto un camión grande como el que usted describió esperando al otro lado de los árboles. ¿Se da cuenta de adónde quiero ir a parar?

—Está diciendo que era la misma gente.

Apgar asintió.

—Dos hombres vieron a la mujer. El primero fue el oficial de SN que he mencionado. El otro fue un peón, el capataz del complejo de Ag Norte. Su mujer y sus hijas se contaron entre las víctimas de aquel día. Se llamaba Curtis Vorhees.

Otra sorpresa.

—¿El *general* Vorhees?

—Esperaba que lo consideraría interesante, sobre todo teniendo en cuenta su amistad con Greer. Vorhees se alistó justo después de la masacre. La mitad del alto mando del Segundo de Expedicionarios salió de aquel día. Nate Crukshank era el otro oficial de SN de la torre. Estoy seguro de que ha reconocido el nombre. ¿Sabía que era el cuñado de Vorhees?

Crukshank era el oficial al mando en Roswell. El repentino alineamiento de jugadores daba la sensación de que las piezas se estaban ordenando. Peter recordó sus días con Greer y Vorhees en la guarnición de Colorado, la cálida y serena amistad de los dos hombres, y la pila de dibujos al carboncillo que Greer le había enseñado después de la muerte del general. Vorhees había dibujado la misma imagen una y otra vez, una mujer y dos niñas pequeñas.

—¿Quién era el otro oficial de SN?

—Bien, es un nombre que todo el mundo conoce: Tifty Lamont.

Eso era absurdo.

—¿Tifty Lamont era de SN?

—Oh, Tifty era más que eso. Le debo la vida a ese hombre muchas veces, y no soy el único. Después de la masacre se alistó también en los Expedicionarios, tirador explorador, tal vez el mejor que haya existido. Fue nombrado capitán antes de que se fugara. Vorhees, Crukshank y Tifty se conocían de mucho antes. No conozco la historia, pero la hubo.

Tifty Lamont, Expedicionario, incluso oficial. De todo lo que Peter había oído sobre aquel hombre, este hecho se le antojaba de lo más incongruente.

—¿Qué fue de él?

—¿De Tifty?

—Ese hombre es un forajido.

Una nueva expresión apareció en el rostro de Apgar.

—No sé, teniente. Tendría que preguntárselo. Si le encuentra, quiero decir. Si, digamos, conociera a alguien que conociera a alguien.

Se hizo un profundo silencio. Apgar le estaba mirando expectante. Después le preguntó:

—¿Cuántas personas calcula que había en su colonia de California?

—Noventa y dos.

—Noventa y dos almas, desaparecidas sin dejar rastro. Desconcertante, si quiere saber mi opinión. No coincide exactamente con el habitual *modus operandi* de un ataque viral. Añada las sesenta y siete de Roswell a la mezcla, y obtiene cerca de doscientas personas evaporadas. Y ahora Amy se marcha, justo cuando esa mujer reaparece e interrumpe nuestro suministro de petróleo. No me extraña que los jefazos estén preocupados. Todavía más si tiene en cuenta el hecho de que la otra única alma viviente que ha visto a esa mujer es... ¿Qué palabra ha utilizado?

—Un forajido.

—Exacto. Persona no grata. Una situación delicada desde un punto de vista político, por decir algo. Por una parte, están los militares, que no quieren tener nada que ver con ese hombre. Por otra, tiene a la Autoridad Civil, que no puede, *oficialmente* no, al menos. ¿Me sigue, teniente?

—No entiendo mucho de política, señor.

—Ya somos dos. Un montón de gente se está protegiendo el culo. Por eso nos encontramos donde estamos. Justo el tipo de circunstancias que se beneficiarían de un tercer elemento. Alguien con un historial de, digamos, iniciativa personal, capaz de pensar con inteligencia. No soy el único que suscribe esta opinión. Se han producido ciertas conversaciones confidenciales en círculos elevados.

Civiles, no militares. Por lo visto, ser su oficial al mando me convierte en un experto en su carácter. En el de usted y en el de Donadio.

Peter frunció el ceño.

—¿Qué tiene que ver Alicia con esto?

—No lo sé, pero puedo decirle dos cosas, y usted se encarga de la suma. La primera es que nadie ha recibido noticias de Fort Kearney desde hace tres meses. La segunda es que Donadio recibió dos órdenes diferentes. Yo solamente estuve enterado de la primera, que procedía de la División y fue tal como le conté. La segunda orden llegó en una bolsa cerrada desde la oficina de Sánchez, confidencial.

—No lo entiendo. ¿Por qué no quisieron que usted supiera cuáles eran esas órdenes?

—Una pregunta excelente. Alguien ha de estar enterado del meollo del asunto. Por lo visto, existe cierto interés en la cuestión de la confidencialidad, y eso no sólo se aplica a usted. Por eso Fleet quiere apartarlo de la escena, y no le estoy diciendo nada que usted no sepa ya. Pero entre nosotros, Fleet y Sánchez no siempre opinan lo mismo, y la cadena de mando no está tan clara como parece. La Declaración deja mucho espacio abierto a las interpretaciones, y las cosas pueden complicarse mucho. Este asunto de la mujer de la Carretera del Petróleo no es un asunto de, digamos, consenso generalizado entre autoridades civiles y militares. Ni tampoco Martínez, quien, como usted apuntó, no estaba donde se suponía que debía estar, justo cuando Amy saca a Greer de la cárcel y se larga. Todo ello es muy interesante.

—Por lo tanto, usted cree que Martínez está implicado en esto.

Apgar se encogió de hombros.

—Yo sólo soy el mensajero, pero Fleet nunca ha sido lo que podríamos llamar un creyente verdadero. En lo tocante a él, Amy es una distracción y los Doce un mito. Con Donadio no puede discutir, no cabe duda de que ella es diferente, pero a su modo de ver eso no demuestra nada. Toleraba la cacería sólo porque Sánchez montó tal escándalo que no valía la pena oponerse, y lo que sucedió en Carlsbad ha significado su oportunidad de terminarla por fin. Hay quienes opinan de manera diferente.

Peter dedicó un momento a asimilar la información.

—De modo que Sánchez está actuando de espaldas a Fleet.

Apgar frunció el ceño con expresión irónica.

—No sabía que había dicho algo por el estilo. Conversaciones de ese calibre estarían por encima de mi rango. Sea como sea, consideraría un favor personal que me ayudara a localizar al individuo con los recursos apropiados para atar algunos cabos sueltos. ¿Conoce a alguien que encaje con el perfil, teniente?

El mensaje estaba claro.

—Creo que yo, coronel.

—Excelente. —Apgar hizo una pausa antes de continuar—. Es curioso lo del transporte. Una increíble coincidencia, en realidad. Por lo visto, la documentación se ha extraviado. Ya sabe cómo son esas cosas. Tardaremos unas cuarenta y ocho horas en encontrarla, setenta y dos a lo sumo.

—Me alegra saberlo, señor.

—Pensaba que compartiría esa opinión. —El coronel se dio una palmada en las rodillas—. Bien, parece que me necesitan en otro sitio. He sido asignado a un destacamento especial presidencial que se ocupe de este... infortunado suceso. No sé en qué medida voy a poder contribuir, pero yo soy un mandado. —Se levantó del catre—. Me alegro de que haya podido descansar, teniente. Le esperan unos días ajetreados.

—Gracias, coronel.

—De nada. Y lo digo literalmente. —Miró a Peter de nuevo—. Tenga cuidado con él, Jaxon. Lamont es un hombre peligroso.

Viajaron aquella noche y la siguiente. Se encontraban al este de Luling. No tenían plano, pero tampoco lo necesitaban. La Interestatal 10 los condujo directamente a Houston, a su selvático corazón. Greer ya había estado una vez, sólo en las afueras, pero ya tuvo bastante. La ciudad era un pantano impenetrable, un miasma de estiércol y árboles entrelazados, y de ruinas saturadas de humedad y plagadas de lelos. Si ellos no acababan contigo, lo hacían los caimanes. Surcaban las aguas pestilentes como barcos medio sumergidos, muchos de dimensiones colosales, y sus poderosas mandíbulas no cesaban de buscar. Enormes nubes de mosquitos tapaban el aire. La nariz, la boca, los ojos: siempre buscaban la puerta del cuerpo, a la caza de los lugares más blandos. Houston, lo que quedaba, no era un lugar para seres humanos. Greer se preguntó por qué alguien pensó en su momento que podía llegar a ser habitable, para empezar.

Pronto se enfrentarían a eso. Ahora se encontraban en una pradera de hierba alta y matorrales, que se inclinaba kilómetro a kilómetro hacia el mar. En esta parte del este no habían despejado la autopista. Parecía más sugerencia que estructura, con la superficie agrietada y subsumida bajo oleadas de pesado suelo de arcilla. Cementerios de coches antiguos solían obstruir su camino. Habían intercambiado escasas palabras desde la huida: la conversación no era necesaria. Con el correr de los días, Greer había percibido un cambio en Amy, un aura de aturdimiento físico. Sudaba muchísimo. En ocasiones la veía encogerse, como presa de algún dolor, pero cuando expresaba su preocupación, la chica la desechaba de manera perentoria. *Estoy bien*, insistía. *No es nada.* Su tono era casi airado. Le estaba diciendo que no se pusiera pesado.

Cuando oscureció, instalaron su campamento en un claro desde el que se veía un motel en ruinas. El cielo estaba despejado, la temperatura descendía y formaba rocío en el aire. Greer sabía que aquella noche no correrían peligro. En presencia de Amy, se encontraba en una zona protegida. Desenrollaron los sacos de dormir y se tumbaron.

Despertó más tarde sobresaltado. Algo andaba mal. Rodó a un lado y vio que el saco de dormir de Amy estaba vacío.

No permitió que el pánico se apoderara de él. Una luna gibosa había salido mientras dormían, y dividía la oscuridad en espacios de luz y sombras, un paisaje de formas alargadas amenazadoras y bolsas de negrura. Los caballos estaban paciendo en una hilera de matorrales. Greer sacó la Browning de la mochila y se internó con cautela en las tinieblas. Obligó a sus ojos a diferenciar una forma de otra. ¿Adónde habría ido? ¿Debía llamarla? Pero el silencio del escenario y sus peligros ocultos se lo prohibieron.

Entonces la vio. Estaba parada a pocos metros del campamento, con la cara vuelta en la otra dirección. El ritmo de una conversación llegó a sus oídos. ¿Estaba hablando con alguien? Así lo parecía, y sin embargo no había nadie.

Se acercó a ella por detrás.

—¿Amy?

No hubo respuesta. Amy había dejado de murmurar. Su cuerpo estaba absolutamente inmóvil.

—¿Qué pasa, Amy?

Ella se volvió y le miró algo sorprendida.

—Ah. Ya entiendo.

—¿Con quién estabas hablando?

Ella no contestó. Daba la impresión de que sólo estaba presente en parte. ¿Sería sonámbula?

—Supongo que deberíamos volver.

—No me asustes así.

—Lo siento. No era mi intención. —Bajó la mirada hacia la pistola—. ¿Qué estás haciendo con eso?

—No sabía adónde te habías ido. Estaba preocupado.

—Pensé que me había expresado con claridad, comandante. Guárdala.

Pasó de largo y volvió al campamento.

42

Tiempo interminable: tiempo eterno. Su existencia era una pesadilla de la que no podía despertar. Los pensamientos pasaban flotando como motas de polvo relucientes, brotaban de cualquier punto al que mirara. Venían cada día. Los hombres de los brillantes ojos inyectados en sangre. Descolgaban las bolsas manchadas, se las llevaban en su carrito traqueteante y colgaban nuevas. Siempre las bolsas, incesantemente necesarias, que se llenaban de manera constante con las gotas de Grey.

Eran hombres que disfrutaban con su trabajo. Contaban chistecitos, siempre estaban de buen humor. Se divertían a sus expensas, como niños que atormentaran a un animal en el zoo. Toma, le arrullaban, al tiempo que extendían hacia su boca el aromático cuentagotas, ¿necesita el bebé su biberón? ¿Tiene hambre el bebé?

Intentó oponerles resistencia. Tensó los músculos contra las cadenas, volvió la cara. Hacía acopio de todas sus fuerzas para rechazarlos, pero siempre sucumbía. El ansia se alzaba en su interior como un gran pájaro negro.

—Díselo a Mamá. Di, soy un bebé que necesita su biberón. Prometo ser bueno. Sé un buen bebé, Grey.

El extremo del cuentagotas proyectaba un aroma seductor bajo su nariz, el olor de la sangre como una bomba que estallara en su cerebro, un millón de neuronas disparando una tormenta eléctrica de puro deseo.

—Éste te gustará. Una cosecha excelente. Te gustan los jóvenes, ¿verdad?

Brotaron lágrimas de sus ojos. Lágrimas de anhelo y repulsión. Las lágrimas de su vida demasiado larga, un siglo de yacer desnudo y encadenado. Las lágrimas de ser Grey.

—Por favor.

—Dilo. Me gustan los jóvenes.

—Te lo suplico. No me obligues.

—Las palabras, Grey. —Una oleada de sabor amargo cerca de su oído—. Déjame... escuchar... las... palabras.

—¡Sí! ¡Sí, me gustan los jóvenes! ¡Por favor! ¡Sólo probarla! ¡Lo que sea!

Y entonces, al fin, el cuentagotas, el delicioso chorrito con olor a tierra en su lengua. Se relamió. Paseó el grueso músculo de su lengua alrededor de las paredes de su boca. Chupó como el niño que decían que era, con el deseo de que la sensación perdurara, aunque nunca era posible: una involuntaria inclinación de la garganta, y desaparecía.

—Más, más.

—Bien, Grey. Ya sabes que no puedes tomar más. Un cuentagotas al día mantiene al médico alejado. Lo suficiente para conseguir que continúes alabando la bondad de los virales.

—Sólo probarlo, eso es todo. Prometo que no lo diré a nadie.

Una risita sombría: ¿Y suponiendo que lo hiciera? ¿Suponiendo que te diera una sola gota más? ¿Qué harías entonces?

—No lo haré, lo juro. Sólo quiero...

—Yo te diré lo que quieres. Lo que quieres, amigo mío, es arrancar esas cadenas del suelo. Lo cual, debo decir, es justo lo que yo desearía en tu situación. En eso pensaría todo el rato. Me gustaría matar a los hombres que me metieron aquí. —Una pausa, y después la voz se acercó más—. ¿Es eso lo que quieres, Grey? ¿Matarnos a todos?

Sí. Quería despedazarlos miembro a miembro. Quería que su sangre corriera como agua. Anhelaba escuchar sus chillidos finales. Deseaba esto más que la propia muerte, aunque sólo un poco más. Lila, pensó, Lila, te siento, sé que estás cerca. Lila, te salvaría si pudiera.

—Hasta mañana, Grey.

Y así sucesivamente. Las bolsas llegaban vacías y se iban llenas, el cuentagotas efectuaba su trabajo. Era su sangre lo que los mantenía, a los hombres de los ojos relucientes. Se alimentaban de la sangre de Grey y vivían eternamente, del mismo modo que él vivía eternamente. Grey eterno, encadenado.

A veces se preguntaba de dónde salía la sangre con la que le alimentaban. Pero no muy a menudo. No era el tipo de cosas en que le gustaba pensar.

A veces oía todavía a Cero, aunque Cero ya no le hablaba. Daba la impresión de que esa parte del trato había expirado hacía mucho tiempo. La voz era apagada y muy lejana, como si Grey estuviera escuchando una conversación que tuviera lugar al otro lado de una pared, y teniendo en cuenta todo, consideraba un pequeño consuelo que le dejaran solo con la única compañía de sus pensamientos, sin que Cero y su bla-bla-bla le llenaran la cabeza.

Guilder era el único que tomaba su sangre directamente de la fuente. Así llamaban a Grey, la Fuente, como si no fuera una persona sino una cosa, lo cual suponía que era. No siempre, pero sí a veces, cuando se sentía especialmente hambriento, o por otras razones que Grey no conseguía dilucidar. Guilder aparecía en la puerta en ropa interior, para no mancharse el traje de sangre. Descolgaba la bolsa de su tubo, el líquido viscoso se derramaba sobre él y se metía una intravenosa en la boca, chupando la sangre de Grey como un crío que bebiera una gaseosa con pajita. *Lawrence*, le gustaba decir, *no pareces muy en forma. ¿Te dan de comer bastante? Me preocupa que estés solo aquí abajo.* Una vez, hacía mucho tiempo, años o incluso décadas, Guilder había llevado un espejo. Iba en lo que antes se llamaba una polvera de señora. Guilder levantó la tapa y la inclinó hacia la cara de Grey, al tiempo que decía: *¿Por qué no echas un vistazo?* Una cara de anciano le miró, arrugada como una pasa: el rostro de alguien sentado a las puertas de la muerte.

Estaba muriendo permanentemente.

Entonces, un día despertó y vio a Guilder sentado a horcajadas en una silla, mirándole. Tenía la corbata suelta, el pelo despeinado. El traje se veía arrugado y manchado. Grey supuso que estaba en la última fase del ciclo. Percibió el olor a descomposición que proyectaba el hombre (un hedor a vertedero, como de cadáver, algo afrutado), pero Guilder no hizo movimiento alguno para comer. Grey tuvo la sensación de que Guilder llevaba sentado allí bastante rato.

—Déjame preguntarte algo, Lawrence.

Iba a formular la pregunta quisiera o no.

—De acuerdo.

—¿Has estado alguna vez...? A ver, ¿cómo lo diría? —Guilder se encogió de hombros—. ¿Has estado alguna vez enamorado?

En la boca del hombre la palabra parecía ajena por completo. El amor era propiedad de una era diferente. Pertenecía a la prehistoria.

—No entiendo qué me estás preguntando.

Guilder frunció el ceño.

—A mí me parece una pregunta de lo más sencilla, la verdad. Coros de ángeles cantando en los cielos, los pies levitando a un metro del suelo, ya sabes. Enamorado.

—Creo que no.

—Es sí o no, Lawrence. No hay vuelta de hoja.

Pensó en Lila. Amor era lo que sentía por ella, pero no de la forma a la que se refería Guilder.

—No. Nunca he estado enamorado.

Guilder estaba mirando a otra parte.

—Bien, yo sí, una vez. Se llamaba Shawna. Aunque ése no era su verdadero nombre, por supuesto. Tenía la piel como mantequilla, Lawrence. Te lo digo muy en serio. Sabía así. Sus ojos eran un poco asiáticos, ¿sabes esa mirada? Y su cuerpo, en fin... —Se masajeó la cara y exhaló un suspiro melancólico—. Ya no siento esa parte. Me refiero al sexo. El virus se ocupa de eso. Nelson pensaba que los esteroides que tomabas podían ser la razón de que el virus fuera diferente en ti. Tal vez sea cierto en parte. Pero si te haces la cama, has de acostarte en ella. —Lanzó una risita irónica—. Hacerte la cama. Eso sí que es divertido. Menuda broma.

Grey no dijo nada. Parecía que el estado de ánimo de Guilder, fuera cual fuera, no estuviera relacionado con él.

—Supongo que, en conjunto, no es malo. No puedo decir con franqueza que el sexo me hiciera algún favor. Pero incluso después de tantos años, todavía pienso en ella. Pequeñas cosas. Cosas que ella decía. La manera en que el sol caía sobre su cama. Echo de menos el sol. —Hizo una pausa—. Sé que ella no me amaba. Todo era puro teatro. Lo supe desde el principio, aunque no lo pudiera admitir. Pero así son las cosas.

—¿Por qué me estás contando esto?

—¿Por qué? —Miró con los ojos entornados la cara de Grey—. Debería ser evidente. A veces puedes ser muy lerdo, si me perdonas que te lo diga. Porque somos *amigos*, Lawrence. Lo sé, es probable que pienses que soy lo peor que te ha sucedido en la vida. Podría parecerlo. Estoy seguro de que es un poco injusto. Pero no me dejaste otra alternativa. De verdad, Lawrence. Por raro que parezca, eres el amigo más antiguo que tengo.

Grey se mordió la lengua. El hombre se engañaba a sí mismo. Grey descubrió que estaba forcejeando sin querer con sus cadenas. La mayor felicidad de su vida, aparte de morir, sería volarle la cabeza a Guilder.

—¿Qué me dices de Lila? No es que quiera fisgonear, pero siempre me pareció que había algo entre vosotros dos. Lo cual era muy sorprendente, teniendo en cuenta tu historial.

Algo se retorció en su interior. No quería hablar de aquello, ni ahora ni nunca.

—Déjame en paz.

—No seas así. Sólo es una pregunta.

—Vete a tomar por el culo.

Guilder acercó la cabeza un poco más, su voz adoptó un tono confidencial.

—Dime algo. ¿Todavía le oyes, Lawrence? Dime la verdad.

—No sé de qué me estás hablando.

Guilder frunció el ceño como para reprenderle.

—Por favor, ¿no podemos continuar la conversación? Te estoy preguntando si es real. No son chorradas mías. —Estaba mirando fijamente a Grey—. Sabes lo que me ha pedido que haga, ¿verdad?

Parecía inútil negarlo. Grey asintió.

—Y en conjunto, tomando todo en consideración, ¿crees que es una buena idea? Creo que necesito tu opinión.

—¿Por qué te interesa mi opinión?

—No te menosprecies. Todavía eres su favorito, Lawrence, no lo dudes. Oh, claro, puede que sea yo quien esté al mando. Soy el capitán de este barco. Pero puedo decirlo.

—No.

—¿No qué?

—No, no es una buena idea. Es una idea terrible. Es la peor idea del mundo.

Guilder enarcó las cejas, como un par de paracaídas tomando aire.

—Mírate. —Por primera vez en eones, Grey se rió—. ¿Crees que él es tu *amigo*? ¿De verdad crees que alguno de ellos es tu amigo? Eres su zorra, Guilder. *Sé* lo que son. Sé lo que es Cero. Yo estuve *allí*.

Había dado en el clavo. Guilder empezó a abrir y cerrar los puños. Grey se preguntó, sin demasiado interés, si el hombre estaba a punto de golpearle. La perspectiva no le preocupaba en absoluto. Rompería la monotonía. Sería algo diferente, un nuevo tipo de dolor.

—Debo decir que tu respuesta es más que decepcionante, Lawrence. Confiaba en recabar un poco de apoyo. Pero no voy a rebajarme a tu nivel. Sé que te gustaría, pero yo seré mejor. Y para tu información: el Proyecto se completó hoy. Un auténtico acontecimiento. Quería darte una sorpresa, porque pensaba que te gusta-

ría saberlo. Podrías haber participado en esto de haber querido.
Pero por lo visto te he juzgado mal.

Se levantó y caminó hacia la puerta.

—¿Qué quieres, Guilder?

El hombre se volvió y bajó sus ojos inyectados en sangre.

—¿Qué ganas tú con esto? Nunca lo he conseguido averiguar.

Un largo silencio.

—¿Sabes lo que son, Grey?

—Pues claro que lo sé.

Pero Guilder negó con la cabeza.

—No, no lo sabes. Si lo supieras, no tendrías que preguntarlo.
De modo que voy a decírtelo. Son las cosas más libres de la Tierra.
Sin remordimientos. Sin compasión. Nada puede tocarlos, ni he-
rirlos. Imagina cómo ha de ser, Lawrence. La absoluta libertad de
su condición. Imagina lo maravilloso que sería.

Grey no contestó. No había nada que contestar.

—Me has preguntado qué quiero, amigo mío, y te voy a contestar. Quiero lo que tienen. Quiero quitarme a esa putita de mi cabeza. No quiero sentir... *nada*.

El jarrón se estrelló contra la pared en una satisfactoria explosión
de cristales. El atentado con el coche bomba era el colmo. Aquello
tenía que terminar *ya*.

Guilder convocó a Wilkes en su despacho. Cuando el jefe del
estado mayor entró en la habitación, Guilder había conseguido tranquilizarse un poco.

—Coge a diez más cada día.

Wilkes pareció sorprenderse.

—Um, ¿alguien en particular?

—¡Da igual! —¡Jesús!, qué duro de mollera era aquel hombre
en ocasiones—. ¿No lo pillas? *Nunca* importó. Sácalos de la lista
de la mañana.

Wilkes vaciló.

—Por lo tanto, estás diciendo que debería ser, um, al azar. Gente que no sea sospechosa necesariamente de tener vínculos con la insurgencia.

—Bravo, Fred. Eso es exactamente lo que estoy diciendo.

Por un segundo, Wilkes permaneció inmóvil, mirando a Guilder con expresión perpleja. Perpleja no: preocupada.

—¿Sí? ¿Estoy hablando con la pared?

—Como digas. Haré una lista y la enviaré a Recursos Humanos.

—Me da igual cómo lo hagas. Sólo hazlo. —Guilder señaló la puerta con la mano—. Lárgate de aquí. Y envía a una asistenta para arreglar este desastre.

43

Localizar a Hollis fue más complicado de lo que Peter había previsto. La pista los había conducido primero hasta un amigo de Lore, quien conocía a alguien que conocía a otro. Daba la impresión de que siempre iban un paso por detrás, sólo para descubrir que su objetivo ya se había movido.

Su última pista los dirigió a una cabaña de Quonset donde operaba una timba ilegal. Fue poco después de medianoche cuando se encontraron caminando por una callejuela oscura y sembrada de basura de Ciudad-H. Hacía mucho rato que se había impuesto el toque de queda, pero de todas partes les llegaban ruidos: voces atronadoras, cristales rotos, el tintineo de un piano.

—Menudo lugar —comentó Peter.

—No has venido mucho por aquí, ¿verdad? —replicó Michael.

—La verdad es que no. Bien, nunca, en realidad.

Una figura sombría salió de una entrada y se interpuso en su camino. Una mujer.

—*Oye, mi soldadito. ¿Tienes planes esta noche?*

Salió de las sombras. Ni joven ni vieja, con un cuerpo tan delgado que parecía de chico, pero la seguridad sexual de su voz y su porte (cambiando el peso de su cuerpo de un pie al otro, la pelvis empujando su delgada falda), combinada con el descenso de sus ojos de espesas pestañas, mientras recorrían de arriba abajo el cuerpo de Peter, la dotaban de una innegable energía sexual.

—¿*Cómo te puedo ayudar, teniente?*

Peter tragó saliva. Sintió calor en las mejillas.

—Estamos buscando el bar de Primo.

La mujer sonrió y exhibió una hilera de dientes manchados de maría.

—Todo el mundo es primo de alguien. Yo puedo ser tu prima, si quieres. —Sus ojos se desviaron hacia Lore, y después hacia Michael—. ¿Y tú qué dices, guapo? Puedo conseguir una amiga. Tu novia también puede venir, si le apetece. Tal vez le gustaría mirar.

Lore agarró a Michael del brazo.

—No le interesa.

—Estamos buscando a alguien, en serio —insistió Peter—. Sentimos haberte molestado.

Ella lanzó una ronca carcajada.

—Oh, no, ningún problema. Si cambias de opinión, ya sabes dónde encontrarme, *teniente*.

Continuaron su camino.

—Un tipo muy amable —comentó Michael.

Peter miró hacia atrás. La mujer, o lo que creía que era una mujer, había desaparecido de nuevo en la entrada.

—No fastidies. ¿Estás seguro?

Michael lanzó una risita de pesar, y meneó la cabeza.

—Has de salir con más frecuencia, tío.

Vieron enfrente la cabaña de Quonset. Rayos de luz se filtraban por los bordes de las puertas, donde un par de hombres corpulentos montaban guardia. Los tres se detuvieron al abrigo de un cubo de basura rebosante.

—Será mejor que hable yo —dijo Lore.

Peter negó con la cabeza.

—La idea fue mía. Yo debería ir.

—¿Con ese uniforme? No seas ridículo. Quédate con Michael. Y procurad que no os embauquen más trans.

La vieron caminar hacia la puerta.

—¿Es una buena idea? —preguntó Peter en voz baja.

Michael levantó una mano.

—Tú espera.

Cuando Lore se acercó los dos hombres se pusieron en tensión, y acortaron distancias para bloquear la entrada. Siguió una breve conversación, que Peter no pudo oír. Después, la joven regresó.

—Vale, vamos a entrar.

—¿Qué les has dicho?

—Que os acaban de pagar el sueldo. Y que estáis borrachos. De modo que intentad disimular.

La cabaña estaba abarrotada y reinaba un ruido ensordecedor, partido el espacio por largas mesas hexagonales donde se jugaba a cartas. Nubes de humo de maría enrarecían el aire, combinadas con el aroma agridulce de la malta remojada. Cerca había un alambique. Mujeres medio desnudas (al menos Peter pensó que eran mujeres) estaban sentadas en taburetes en la periferia de la sala. La más joven no podía tener ni un día más de dieciséis años, la mayor ya frisaba la cincuentena, con aspecto de bruja por culpa de su ridículo maquillaje. Más mujeres entraban y salían de una cortina situada al fondo, por lo general abrazadas a algún hombre visiblemente ebrio. Tal como Peter lo tenía entendido, la idea de Ciudad-H consistía en hacer la vista gorda sobre cierta explotación de vicio ilegal, pero restringiéndolo a una zona concreta. Veía la lógica (la gente era así), pero que se lo pasearan por las narices era algo muy diferente. Se preguntó si Michael estaría en lo cierto respecto a él. ¿Cómo había llegado a ser tan mojigato?

—No están jugando al go-to, ¿verdad?

—Texas hold'em, con apuestas de veinte dólares, por lo que
parece. Un poco demasiado para mi bolsillo. —Sus ojos, como los
de Peter, estaban escudriñando la sala en busca de Hollis—. Deberíamos intentar mezclarnos con ellos. ¿Cuánta pasta llevas?

—Nada.

—*¿Nada?*

—Se lo di todo a la hermana Peg.

Michael suspiró.

—Pues claro. Eres coherente, te lo concedo.

—Vosotros dos —dijo Lore—, vaya par de mariquitas. Mirad y
aprended, amigos míos.

Se acercó a la mesa más cercana y se sentó. Extrajo del bolsillo
de los tejanos un fajo de billetes, retiró dos y los tiró en el bote. Un
tercer billete dio como resultado un vaso, cuyo contenido engulló
al tiempo que sacudía su pelo desteñido por el sol. El que repartía
dio dos cartas a cada jugador. Después, empezaron las apuestas.
Durante las cuatro primeras manos, Lore no dio muestras de dedicar demasiado interés a sus cartas, y se dedicó a charlar con los
demás jugadores, renunciando a jugar al tiempo que ponía los ojos
en blanco. Después, en la quinta, sin ningún cambio discernible en
su comportamiento, empezó a subir las apuestas. La pila de la mesa
creció. Peter calculó que habría al menos trescientos austins a disposición del ganador. Uno a uno, los demás se retiraron, hasta que
sólo quedó un único jugador, un hombre esquelético de mejillas
picadas de viruela vestido con un mono. Se jugó la última carta.
Lore puso cinco billetes más sobre la mesa con expresión inescrutable. El hombre meneó la cabeza y tiró sus cartas.

—Vale, estoy impresionado —dijo Peter, cuando Lore se llevó
el bote. Se habían apartado a un lado, lo bastante cerca para vigilar
sin aparentarlo—. ¿Cómo lo ha hecho?

—Hace trampas.

—¿Cómo? Yo no me he dado cuenta.

—Es muy sencillo, en realidad. Todas las cartas están marcadas. Es sutil, pero puedes descubrirlo. Un jugador de la mesa está

jugando en beneficio de la casa, de modo que siempre sale primero. Ella utilizó las primeras manos para descubrir quién era y cómo
interpretar las cartas. El hecho de que sea mujer le confiere ventaja. Aquí, nadie se la toma en serio. Dan por sentado que apostará
cuando tenga buenas cartas, pero se retirará en caso contrario. Las
tres cuartas partes del tiempo se las pasa echando faroles.

—¿Qué pasará cuando se den cuenta de lo que está haciendo?

—No lo harán, al menos de momento. Perderá una o dos manos.

—¿Y después?

—Habrá llegado el momento de largarse.

Un súbito alboroto desvió su atención hacia la parte posterior
de la sala. Una mujer de cabello oscuro, con el vestido arrancado
de los hombros, los brazos cruzados sobre los pechos desnudos,
salió como una exhalación de la cortina, lanzando gritos incoherentes. Un segundo después apareció un hombre, con los pantalones caídos alrededor de los tobillos de una manera cómica. Daba la
impresión de flotar a treinta centímetros del suelo, alzado, observó
Peter, por un hombre que le agarraba por detrás. Cuando el primer
hombre surcó el aire, Peter le reconoció. Era el joven cabo del escuadrón de Satch que había conducido el transporte desde Campamento Vorhees. El segundo hombre, gigantesco, cuya parte inferior de la cara estaba enterrada en una barba veteada de gris, era
Hollis.

—Ajá —dijo Michael.

Hollis, con impresionante indiferencia, levantó al hombre del
suelo por el cuello de la camisa. La mujer blasfemaba a voz en grito, y apuntaba con un dedo a los dos (*¡Mata a este cabrón! ¡No
tengo por qué aguantar esta mierda! ¿Me has oído? ¡Estás muerto,
gilipollas!*), mientras Hollis medio empujaba medio levitaba al joven hacia la salida.

—Ahora entramos nosotros —dijo Peter.

Se encaminaron hacia la puerta a buen paso, seguidos de Lore.
Cuando salieron de la cabaña, el cabo, que profería disculpas

desesperadas entre sollozos, estaba intentando subirse los pantalones y escapar al mismo tiempo. Si las súplicas del hombre conmovieron a Hollis, éste no dio la menor señal. Mientras los dos guardias observaban y lanzaban carcajadas estruendosas, Hollis levantó al cabo por el cinturón y lo arrojó al otro lado del callejón. Cuando puso en pie al hombre de nuevo, Peter le llamó por el nombre.

—¡Hollis!

Durante un instante de perplejidad, el hombre no dio muestras de reconocerlos. Después, emitió una exclamación de sorpresa.

—Peter. *Hola.*

El cabo seguía retorciéndose en sus manos.

—¡Teniente, por el amor de Dios, haga algo! ¡Este monstruo está intentando matarme!

Peter miró a su amigo.

—¿Eso estás haciendo?

El hombretón se encogió de hombros de una manera graciosa.

—Supongo, puesto que es uno de los vuestros, que por esta vez, podría dejarlo correr.

—¡Exacto! ¡Si me sueltas, no volveré nunca más, lo juro!

Peter dirigió su atención al aterrorizado soldado, cuyo nombre recordó: era Udall.

—Cabo. ¿Dónde se supone que debe estar? No me venga con chorradas.

—Barracones Oeste, señor.

—Pues vaya allí, soldado.

—¡Gracias, señor! ¡No lo lamentará!

—Ya lo estoy lamentando. Desaparezca de mi vista.

El hombre salió corriendo, cogiéndose los pantalones.

—No iba a hacerle daño —dijo Hollis—. Sólo quería asustarle un poco.

—¿Qué hizo?

—Intentó besarla. Eso está prohibido.

El delito parecía de escasa importancia. Teniendo en cuenta lo que había visto Peter, en realidad no parecía ningún delito.

—¿De veras?

—Ésas son las reglas. En general, todo está permitido, excepto eso. Depende de las mujeres. —Desvió la mirada de Peter—. Michael, me alegro de verte. Ha pasado mucho tiempo. Tienes buen aspecto.

—Lo mismo digo. Te presento a Lore.

Hollis sonrió en su dirección.

—Ah, ya sé quién eres. Me alegro de que nos presenten por fin como es debido. ¿Qué tal las cartas esta noche?

—Bastante bien —contestó Lore—. El infiltrado de la mesa tres es un imbécil. Yo acababa de empezar.

La expresión del hombre se endureció apenas.

—No me juzgues por esto, Peter. Es lo único que pido. Aquí las cosas funcionan de una cierta manera, eso es todo.

—Te doy mi palabra. Todos sabemos... —Buscó las palabras—. Bien. Lo que sufriste.

Transcurrió un momento. Hollis carraspeó.

—Bien, estoy pensando que esto no es una visita social.

Peter miró a los dos porteros, que no hacían el menor esfuerzo por disimular que los estaban escuchando.

—¿Podríamos hablar en otro sitio?

Hollis se reunió con ellos dos horas después en su casa, una cabaña de cartón alquitranado en la zona oeste de Ciudad-H. Si bien el exterior era anónimo y se hallaba en mal estado, el interior era sorprendentemente cómodo, con cortinas sobre las ventanas y espigas de hierbas secas que colgaban de las vigas del techo. Hollis encendió la estufa y puso a hervir agua para preparar el té, mientras los demás esperaban sentados a una mesa pequeña.

—Lo preparo con citronela —comentó Hollis mientras dejaba cuatro tazones humeantes sobre la mesa—. La cultivo yo mismo en una pequeña parcela de atrás.

Peter explicó lo sucedido en la Carretera del Petróleo y lo que Apgar le había contado. Hollis escuchaba con aire pensativo, mientras se mesaba la barba entre sorbo y sorbo.

—¿Puedes llevarnos hasta él? —preguntó Peter.

—Ésa no es la cuestión. Tifty no es alguien con quien querrías verte mezclado, en eso tenía razón tu comandante. Puedo responder por vosotros, pero esos tipos no se dejan tomar el pelo por nadie. Mi visto bueno no servirá de gran cosa. Los militares no son bien recibidos.

—No se me ocurren muchas opciones más. Si mi corazonada es correcta, tal vez pueda decirnos adónde fueron Amy y Greer. Todo está relacionado entre sí. Al menos, eso es lo que me dijo Apgar.

—Suena un poco cogido por los pelos.

—Es posible, pero si Apgar está en lo cierto, la misma gente podría ser responsable de lo sucedido en Roswell. —A Peter no le gustaba insistir, pero tenía que formular la siguiente pregunta—. ¿Qué recuerdas?

Una expresión de repentino dolor se pintó en el rostro de Hollis.

—Peter, esto no sirve de nada, ¿de acuerdo? No vi nada. Agarré a Caleb y me puse a correr. Tal vez tendría que haber actuado de una manera diferente. Créeme, he pensado en ello. Pero con el bebé...

—Nadie dice lo contrario.

—Pues déjalo correr. Por favor. Sólo sé que, en cuanto las puertas se abrieron, irrumpieron como una avalancha.

Peter miró a Michael. Eso era algo que ignoraban, una nueva pieza del rompecabezas.

—¿Por qué abrieron las puertas?

—Creo que nadie lo ha averiguado jamás —contestó Hollis—. Quienquiera que dio la orden, debió de morir en el ataque. Y nunca he oído nada acerca de una mujer. Si estuvo allí, yo no la vi. O sobre ese camión. —Respiró hondo—. La cuestión es que Sara desapareció. Si me permito pensar algo diferente por un segundo, me volveré loco. Lamento decirlo, créeme. No voy a fingir que he hecho las paces con ello. Pero lo mejor es aceptar la realidad. Tú también, Michael.

—Era mi hermana.

—E iba a convertirse en mi esposa. —Hollis vio la expresión estupefacta de Michael—. No lo sabías, ¿verdad?

—Voladores, Hollis. No, no lo sabía.

—Íbamos a decírtelo cuando llegáramos a Kerrville. Quería esperar por ti. Lo siento, Circuito.

Dio la impresión de que nadie sabía qué decir a continuación. Cuando el silencio se prolongó, Peter paseó la mirada por la habitación. Por primera vez comprendió lo que estaba viendo. Esa pequeña cabaña, con su estufa, sus hierbas y la sensación hogareña... Hollis había construido la casa en la que Sara y él habrían vivido juntos.

—Eso es lo único que sé —dijo Hollis—. Tendrás que contentarte con lo que hay.

—No puedo aceptarlo. Mira esta casa. Es como si estuvieras esperando a que volviera.

Hollis apretó con más fuerza el tazón.

—Déjalo, hermano.

—Puede que tengas razón. Puede que Sara haya muerto. Pero ¿y si sigue ahí fuera?

—En ese caso, la secuestraron. Te lo pido con amabilidad. Si nuestra amistad significa algo para ti, no me hagas pensar en esto.

—Debo hacerlo. Nosotros también la queríamos, Hollis. Éramos una familia, *su* familia.

Hollis se levantó y devolvió el tazón al fregadero.

—Llévanos hasta Tifty. Es lo único que te pido.

Hollis habló sin volverse.

—Él no es lo que piensas. Estoy en deuda con ese hombre.

—¿Por qué? ¿Por un trabajo en un burdel?

El hombre inclinó la cabeza y aferró el borde de la pila con las manos, como si hubiera recibido un mazazo.

—¡Jesús!, Peter. Nunca cambiarás.

—No hiciste nada malo. Hiciste lo que debías. Y salvaste a Caleb.

—Caleb. —Hollis exhaló un profundo suspiro—. ¿Cómo está? Siempre pienso en que iré a verle.

—Deberías verlo con tus propios ojos. Te debe la vida, y le va muy bien.

Hollis se volvió hacia ellos. La marea había cambiado. Peter lo leyó en los ojos del hombre. Una pequeña hoguera de esperanza se había encendido.

—¿Y tú, Michael? Ya sé lo que Peter opina.

—Mataron a mis amigos. Si hay manera de vengarse, quiero hacerlo. Y si existe alguna posibilidad de que mi hermana siga con vida, no voy a quedarme de brazos cruzados.

—El continente es inmenso.

—Siempre lo fue. Nunca me molestó.

Hollis miró a Lore.

—¿Cuál es tu opinión?

La mujer se sorprendió un poco.

—¿Qué me estás preguntando? Yo sólo he venido de paquete.

El hombretón se encogió de hombros.

—No sé, eres muy buena con las cartas. Dime cuáles son las probabilidades.

Lore paseó la mirada entre Michael y Hollis.

—No es una cuestión de probabilidades. De todos los hombres del mundo, esa mujer te eligió a ti. Si todavía sigue con vida, te estará esperando. Manteniéndose con vida como pueda hasta que tú la encuentres. Eso es lo único que importa.

Todo el mundo esperó a que Hollis hablara.

—Eres una auténtica tocapelotas, ¿lo sabías?

Lore sonrió.

—Soy famosa por eso.

Se hizo otro silencio.

—Dejadme recoger algunas cosas.

44

La primera nevada se produjo la tercera noche en que Alicia estaba explorando la periferia de la ciudad, gordos copos que caían en espiral desde un cielo oscuro. Un frío limpio e invernal se había aposentado sobre la Tierra. El aire era seco y puro. Atravesaba su cuerpo como una serie de pequeñas exclamaciones, estallidos de claridad gélida en sus pulmones. Le habría gustado encender un fuego, pero podrían verlo. Se calentó las manos con el aliento, pateó la tierra helada cuando notó que sus sentidos se insensibilizaban. Aquella descarga de frío no dejaba de ser adecuada; poseía el sabor de una batalla.

Soldado ya no estaba a su lado. Al lugar adonde iba Alicia, el animal no podía ir. Siempre había poseído algo celestial, pensó, como si se lo hubieran enviado desde un mundo de espíritus. Gracias a su profunda conciencia había visto lo que le estaba pasando a su dueña, la oscura evolución. El feroz sabor que se desató en su interior desde el día en que hundió el cuchillo en el ciervo y le arrancó el corazón todavía palpitante. Contenía un poder jubiloso, una energía floreciente, pero había que pagar un precio. Se preguntó cuánto tiempo quedaba antes de que la dominara. Antes de despojarse de su superficie humana y convertirse en una cosa. Alicia Donadio, tiradora exploradora de los Expedicionarios, se acabó.

Vete, le había dicho. *No estás a salvo conmigo.* Las lágrimas flotaban en sus ojos. Ansiaba apartar la vista de él, pero no podía. *Estupendo muchacho encantador, nunca te olvidaré.*

Había recorrido los últimos kilómetros a pie, siguiendo el río. Sus aguas corrían todavía sin encontrar obstáculos, pero eso no duraría. Había empezado a formarse una corteza de hielo en los bordes. El paisaje estaba desnudo de árboles y yermo. La imagen de la ciudad apareció en el horizonte cuando llegó el ocaso. Hacía horas que la olía. Su inmensidad la había sorprendido. Sacó de la mochila el plano amarillento dibujado a mano y examinó la configuración del terreno. La cúpula que se alzaba en lo alto de la colina, el estadio en forma de cuenco, el río que se bifurcaba con su represa hidroeléctrica, el enorme edificio de hormigón con sus grúas, las filas de barracones encerrados entre alambradas... Tal como Greer había documentado quince años antes. Sacó la antena direccional y ajustó los controles con dedos entumecidos de frío. La desplazó de un lado a otro. Una oleada de estática. Después, la aguja se movió un milímetro. El receptor estaba apuntado a la cúpula.

Había alguien en casa.

Ya no necesitaba las gafas, salvo en las horas más luminosas del día. ¿Cómo había sucedido esto? ¿Qué le había pasado a sus ojos? Examinó su rostro en la superficie del río. La luz anaranjada continuaba desvaneciéndose. ¿Qué significaba eso? Parecía casi... normal. Una mujer humana corriente. Ojalá fuera verdad, pensó.

Dedicó los dos primeros días a dar vueltas al perímetro para examinar sus defensas. Hizo inventario: vehículos, soldados, armamento. Las patrullas habituales que salían por la puerta principal eran fáciles de esquivar. Sus esfuerzos parecían superficiales, como si no percibieran ninguna amenaza real. Al principio, camiones ligeros salían de los barracones y recorrían la ciudad transportando obreros a las fábricas, graneros y campos, y regresaban cuando oscurecía. A medida que transcurrían los días de observación, Alicia llegó a la conclusión de que estaba viendo una especie de prisión, una ciudadanía compuesta por esclavos y esclavistas, aunque los edificios de contención parecían escasos. Había poca vigilancia en las verjas. Muchos guardias no parecían ir armados. Fuera cual fuera la fuerza que mantenía controlada a la gente, procedía del interior.

Se concentró en dos edificios. El primero era el edificio grande de las grúas. Poseía la apariencia hercúlea de una fortaleza. Alicia distinguió con los prismáticos una sola entrada, un amplio portal cerrado con pesadas puertas metálicas. Las grúas no funcionaban. La construcción del edificio parecía finalizada, pero daba la impresión de que no se utilizaba. ¿Cuál sería su propósito? ¿Era un refugio de los virales, un refugio de último recurso? Parecía posible, aunque ningún lugar de la ciudad comunicaba una sensación amenazante similar.

El otro era el estadio, justo al otro lado del perímetro sur de la ciudad, en un recinto vallado contiguo. Al contrario que el búnker, en el estadio se desarrollaban actividades a diario. Entraban y salían vehículos, furgonetas y camiones más grandes, siempre al anochecer o poco después, que desaparecían por una profunda rampa que debía de conducir al sótano. Su contenido constituyó un misterio hasta el cuarto día, cuando un transporte de ganado, lleno de cabezas, descendió por la rampa.

Allí abajo debían de alimentar algo.

Y después, poco después de mediodía del quinto día, Alicia estaba descansando en el calvero donde había montado el campamento cuando oyó el lejano estampido de una explosión. Apuntó los prismáticos al corazón de la ciudad. Una nube de humo negro estaba ascendiendo desde la base de la colina. Un edificio, como mínimo, estaba ardiendo. Vio que hombres y vehículos corrían al lugar de los hechos. Se acercó un coche bomba para apagar las llamas. A esas alturas ya había aprendido a distinguir a los prisioneros de sus captores, pero en esa ocasión apareció un tercer tipo de individuos. Había tres. Bajaron al lugar de la catástrofe en un elegante vehículo negro, muy diferente de los destartalados montones de chatarra que Alicia había visto, enderezaron sus corbatas y alisaron las arrugas de sus trajes cuando salieron al sol invernal.

¿Qué extraña vestimenta era aquella? Gruesas gafas de sol ocultaban sus ojos. ¿Era por el brillo de la luz, o por otra cosa? Su presencia obró un efecto instantáneo, al igual que una piedra arrojada sobre la superficie de un estanque crea ondas. Los demás presentes en la escena proyectaron oleadas de energía angustiada. Daba la impresión de que uno de los hombres trajeados tomaba notas en una tablilla, mientras los otros dos bramaban órdenes y hacían ademanes ampulosos. ¿Qué estaba viendo? Una casta directiva, eso era evidente. Todo en la ciudad implicaba su existencia. Pero ¿qué era la explosión? ¿Un accidente, o algo deliberado? ¿Un punto débil en el entramado?

Sus órdenes eran claras. Explorar la ciudad, analizar la amenaza, presentarse en Kerrville al cabo de sesenta días. Bajo ninguna circunstancia debía establecer contacto con los habitantes. Pero no le habían dicho nada de mantenerse alejada de las alambradas.

Había llegado el momento de echar un vistazo más detenido.

Eligió el estadio.

Durante dos días más observó las idas y venidas de los camiones. Las verjas no representaban ningún problema. Entrar en el sótano sería bastante más difícil. La puerta, como el portal de un búnker, parecía inexpugnable. Sólo cuando un camión llegaba a lo alto de la rampa ascendía la puerta, y se cerraba en cuanto el vehículo pasaba, todo sincronizado a la perfección.

Anochecer del tercer día: detrás de unos matorrales, Alicia abandonó las armas, salvo la Browning, guardada en su funda, y un solo cuchillo pegado contra la columna vertebral. Había descubierto un punto de las alambradas donde uno de los diversos edificios que no parecían utilizarse ocultaría su ascensión. Cien metros de terreno despejado separaban estos edificios de la rampa. Una vez el conductor de la furgoneta doblara el recodo, Alicia contaría con seis segundos para salvar esa distancia. Fácil, se dijo. Pan comido.

Llegó a la verja de un salto, se aplastó contra la pared posterior del edificio y asomó la cabeza por la esquina. Allí estaba, puntual, corriendo hacia el estadio: la furgoneta. El conductor aminoró la velocidad cuando se acercó a la curva.

Corre.

Cuando el vehículo llegó a la parte superior de la rampa, Alicia se hallaba a seis metros detrás. La puerta, elevada por cadenas ruidosas, se acercó al punto máximo. Alicia saltó sobre el techo de la furgoneta y se dejó caer cabeza abajo medio segundo antes de que pasara bajo la puerta.

Voladores, qué *buena* era.

Ya lo estaba sintiendo, los estaba sintiendo a *ellos*. El cosquilleo en la piel demasiado familiar y, en el interior de la cabeza, un murmullo acuático, como la caricia de las olas en una orilla lejana. La furgoneta, a velocidad reducida, estaba atravesando un túnel. Delante vio una segunda puerta. El conductor tocó la bocina. La puerta subió para permitirles el paso. Otros tres segundos: la furgoneta se detuvo.

—¿Cuántos traes?

—Lo de costumbre.

—¿Hay que enviarlos en grupo?

—Y yo qué sé. ¿Qué dice la orden?

El sonido de papeles revueltos.

—Bien, no lo pone —contestó el segundo hombre—. En grupo, supongo.

—¿Aún está abierta la porra?

—Si quieres.

—Dame siete segundos.

—Cabrón tiene el siete. Has de elegir otro número.

—Seis, pues. —La puerta del conductor se abrió unos centímetros. Alicia oyó sus pies sobre el suelo de hormigón—. Prefiero las vacas. Tardan más.

—Eres un maldito hijo de puta, ¿lo sabías? —Una pausa—. De todos modos, tienes razón. Es cojonudo. —Habló en dirección opuesta a la furgoneta—. ¡Muy bien, todo el mundo, va a empezar el espectáculo! ¡Apaguemos las luces!

Las luces se apagaron con un ruido sordo, sustituidas por el resplandor crepuscular que proyectaban las bombillas del techo. Todos los hombres se alejaron de la puerta situada al final de la sala. No cabía duda de lo que aguardaba al otro lado. Alicia lo sintió en los huesos. Una puerta metálica empezó a bajar del techo, y después se detuvo con una sacudida. Los hombres de las mochilas habían ocupado posiciones a cada lado de la puerta, mechas encendidas bailaban en los extremos de sus varas. El conductor corrió a la parte posterior de la furgoneta y la abrió.

—Venga, todos fuera.

—¡Por favor —suplicó la voz de un hombre—, no tenéis que hacer esto! ¡No sois como ellos!

—Tranquilo, no es lo que piensas. Sé buen chico.

Esta vez, una mujer:

—¡Nosotros no hemos hecho nada! ¡Sólo tengo treinta y ocho años!

—¿De veras? Habría jurado que eras mayor. —El chasquido de un revólver al amartillarse—. Moveos, todos.

Los bajaron de la furgoneta de uno en uno, seis hombres y cuatro mujeres, con grilletes en las muñecas y los tobillos. Sollozaban, suplicaban por su vida. Algunos apenas podían tenerse en pie. Mientras dos hombres los apuntaban con sus rifles, el conductor se movió entre ellos con un llavero para abrir las cadenas.

—¿Para qué se las quitas? —preguntó un guardia.

—¡No hagáis esto, por favor! —gritó la mujer—. ¡Os lo suplico! ¡Tengo hijos!

El conductor propinó un golpe a la mujer, que cayó al suelo.

—¿No te he dicho que cerraras el pico? —Acercó un par de grilletes al guardia—. ¿Querrás lavarlos después? Te aseguro que yo no.

No establezcas contacto con los habitantes, se dijo Alicia. *No es-*

tablezcas contacto con los habitantes. No establezcas contacto con los habitantes.

—¿Estáis preparados, Cabrón? —gritó el conductor.

Un hombre de aspecto porcino se hallaba parado a un lado de una especie de panel de control. Movió una palanca, y la puerta se movió un poco.

—Espera un segundo, se ha atascado.

No establezcas, no establezcas, no establezcas...

—Ya está.

A la mierda.

Alicia saltó del techo y se plantó ante el conductor.

—Hola.

—¡Hija de... puta!

Sacó el cuchillo y lo hundió entre sus costillas. El hombre retrocedió y exhaló aire con fuerza.

—¡Todos al suelo! —chilló Alicia.

Alicia desenfundó la Browning y se internó en la sala, el arma acunada en sus manos, al tiempo que disparaba metódicamente. Los guardias parecían demasiado estupefactos para reaccionar. Los fue abatiendo de uno en uno en chorros rojizos de sangre. La cabeza. El corazón. La cabeza otra vez. Detrás de ella, los prisioneros habían estallado en un torrente de gritos desesperados. Su mente estaba concentrada, clara como el cristal. El aire se impregnó de una dulce intoxicación de sangre. Los hacía saltar en el aire. Los encendía como rayos. Nueve balas en el cargador. Había terminado con ellos y aún le quedaba una.

Fue uno de los hombres provistos de lanzallamas quien la cazó. Aunque no era su intención. En el momento en que Alicia apretó el gatillo, sólo estaba intentando protegerse, un gesto instintivo, agachar la cabeza y darle la espalda.

45

—Papeles.

Sara suplicó a sus dedos que dejaran de temblar y entregó a la guardia su pase falsificado. El corazón le martilleaba contra el pecho, y era sorprendente que la mujer no lo oyera. Arrebató el papel de los dedos de Sara y lo examinó a toda prisa, no sin antes escudriñarle la cara, para luego examinarlo por última vez y devolvérselo sin la menor expresión.

—¡Siguiente!

Sara pasó por la puerta giratoria. Un acto definitivo: en cuanto la cruzara, no podría contar con ninguna ayuda. Al otro lado había un vertedero vallado, como en un matadero. Una columna de jornaleros estaba trabajando en él: encargados de mantenimiento, pinches de cocina, mecánicos. Más cols vigilaban a cada lado del vertedero, sujetaban a perros amenazadores encadenados, reían entre ellos cada vez que un lugareño se encogía. Registraban las bolsas, cacheaban a todo el mundo. Sara se envolvió la cabeza con el chal y mantuvo la vista gacha. El auténtico peligro residía en ser vista por alguien que la conociera, lugareño, col, daba igual. No gozaría de un anonimato seguro hasta que se pusiera el velo de las asistentas.

Sara ignoraba cómo había conseguido Eustace introducirla en la Cúpula. *Estamos en todas partes*, se limitó a decir. Una vez dentro, su contacto la localizaría. Un intercambio de palabras en clave, comentarios anodinos de significado oculto, bastarían para establecer la identidad de ambos. Subió la colina, mientras intentaba hacerse invisible a base de mantener la vista clavada en el suelo, aunque pensándolo mejor, ¿debía hacerlo? ¿No parecería más natural mirar a su alrededor? Hasta el aire parecía diferente ahí: más limpio, pero de una manera que se le antojaba cargado de peligros. Por el rabillo del ojo detectó la numerosa presencia de elementos de Recursos Humanos, que se desplazaban en grupos de dos y tres. Debían de haber aumentado la seguridad debido al coche bomba, pero ¿quién sabía? Tal vez era siempre así.

La Cúpula estaba rodeada de barricadas de hormigón. Mostró el pase en la caseta de guardia y subió la amplia escalinata que conducía a la entrada, un par de puertas enormes encajadas en un marco de bronce. Respiró hondo en el umbral. Allá vamos, pensó.

Las puertas se abrieron, lo cual la obligó a hacerse a un lado. Dos ojosrojos pasaron a toda prisa, con el cuello de la chaqueta subido para protegerse del frío y maletines de piel colgando de sus manos. Pensó que había conseguido pasar desapercibida, cuando uno se detuvo en el último escalón y se volvió para mirarla.

—Fíjate por dónde vas, lugareña.

Sara estaba contemplando el suelo, hacía lo imposible por esquivar sus ojos. Incluso con gafas de sol, poseían el poder de conseguir que sus tripas se removieran.

—Lo siento, señor. Ha sido culpa mía.

—Mírame cuando te hablo.

Se sintió atrapada.

—No quería ofenderle —murmuró—. Tengo un pase.

Lo extendió.

—He dicho que *me mires.*

Sara levantó poco a poco la cabeza, mientras sus instintos le gritaban lo contrario. Durante un fugaz momento, el ojorojo la examinó desde detrás del escudo impenetrable de sus gafas, sin hacer el menor movimiento por aceptar el pase. El segundo parecía estar en otra parte. Sólo estaba consintiendo a su compañero aquella interrupción de la rutina diaria. Tenían algo indiscutiblemente infantil, pensó Sara. Con sus rostros barbilampiños e inmaculados, los cuerpos ágiles y juveniles, eran como niños creciditos jugando a disfrazarse. Todo era un juego para ellos.

—Cuando uno de nosotros te diga algo, obedece.

El otro hinchó las mejillas, impaciente.

—¿Qué demonios te pasa hoy? No es nadie. ¿Podemos irnos, por favor?

—No hasta que haya terminado. ¿Me he expresado con claridad? —le preguntó a Sara.

Se le heló la sangre en las venas. Realizó un esfuerzo sobrehumano por no apartar la mirada. Aquellos ojos demoníacos. Aquella sonrisa despreciativa.

—Sí, señor —tartamudeó—. Por completo.

—Dime, ¿qué haces?

—¿Qué hago?

El destello de una sonrisa, como un gato con un ratón entre las garras.

—Sí, qué haces. Cuál es tu trabajo.

Ella se encogió de hombros con aire obsequioso.

—Sólo limpio, señor. —Como el hombre no contestó, añadió—: Voy a ser asistenta.

El ojorojo la estudió un momento más, mientras decidía si la respuesta le satisfacía o no.

—Bien, voy a darte un consejo, lugareña. Cuando atravieses esas puertas, compórtate. No cuesta mucho.

—Lo haré. Gracias, señor.

—Ahora ve a trabajar.

Sara esperó a que la pareja bajara la escalera hasta el final para permitir que la tensión abandonara su cuerpo. *Voladores*, pensó. *Por el amor de Dios, contrólate. Estás a punto de entrar en un edificio lleno de esos seres.*

Se armó de valor y abrió la puerta.

Al instante se sintió abrumada por la sensación de amplitud, su sentido de las dimensiones distorsionado por la inmensidad vertical del espacio. Nunca había visto un lugar semejante: el reluciente suelo de mármol, los niveles de galerías, las enormes escaleras curvas. El techo se hallaba muy arriba. La luz del sol atenuada descendía desde las altas ventanas protegidas con cortinas de la cúpula, y bañaban el interior de una luz propia del crepúsculo. Todo parecía sonoro y silencioso a la vez, y los sonidos más ínfimos retumbaban antes de que el vacío los absorbiera. Había cols apostados en toda la periferia de la sala y a intervalos regulares en las escaleras. Una hilera de trabajadores, de diez en el fondo, esperaba en el mostrador de tramitación, situado en medio de la sala. Se colocó detrás de un hombre que llevaba una bolsa de herramientas al hombro. El deseo de mirar hacia delante para ver lo que la esperaba era intenso, pero no cedió. La cola fue avanzando a paso de tortuga, a medida que sellaban cada pase. Era la quinta de la cola, después la tercera, luego la segunda. El hombre de la bolsa de herramientas se apartó y reveló la figura sentada al escritorio.

Era Vale.

El corazón de Sara sufrió una descarga de adrenalina. No podía moverse. No podía respirar. Todo habría terminado antes de empezar. Sus órdenes eran tajantes: no podía permitir que la capturaran con vida. Nina no había callado nada cuando describió con exactitud lo que le harían los ojosrojos: *Será algo como jamás has experimentado. Suplicarás que te maten. No puedes vacilar.* ¿Qué podía hacer? ¿Debía correr y rezar para que dispararan a matar?

—¿Se encuentra bien, señorita?

Vale la estaba mirando expectante, y extendió una mano para recibir su pase.

—¿Qué ha dicho?

—¿Se... encuentra... bien?

Experimentó la sensación de que la habían apartado de un tirón del borde de un precipicio. Buscó la respuesta correcta.

—Sólo estoy un poco nerviosa.

Si Vale se quedó sorprendido al verla, su rostro no lo traicionó. Vale era mejor actor que ella. Tantos años que le conocía, y nunca había detectado nada.

—La Cúpula puede resultar un poco agobiante la primera vez que la ves. Usted debe de ser la chica nueva, Dani. ¿No es así?

Ella asintió. Dani, así se llamaba ahora. No Sara.

—Enséñeme su placa, por favor.

Se subió la manga y extendió el brazo. Eustace, por mediación de un infiltrado en el departamento de documentación, había conseguido que asignaran el número de Sara a su nueva identidad ficticia. Vale fingió que lo comparaba con el que constaba en sus papeles.

—Por lo visto, ha de presentarse al subdirector Wilkes. —Indicó con un ademán a otro col que le sustituyera en el escritorio—. Acompáñeme.

Sara no conocía el nombre. Pero un subdirector tenía que ser miembro del estado mayor. Vale la acompañó por un corto pasillo hasta un ascensor de puertas metálicas reflectantes. Se quedaron en silencio, con la mirada clavada en el frente, mientras esperaban el ascensor.

—Entre, por favor.

Vale la siguió y apretó el botón del sexto piso. La caja empezó su ascensión. Aún no la miraba. Ella se preguntó si iba a decirle algo. Después, cuando pasaron la cuarta planta, el hombre tocó un interruptor del panel. La caja se detuvo con brusquedad.

—Sólo tenemos un momento —dijo Vale—. Te han asignado a la mujer, Lila. Esto es mejor de lo que habíamos esperado.

—¿Quién es Lila?

—La que controla a los virales. Un objetivo de suma importancia. Siempre está custodiada por una guardia numerosa y casi nunca abandona sus aposentos.

La mente de Sara se apresuró a codificar cada palabra que escuchaba.

—¿Qué debo hacer?

—De momento, sólo vigilarla. Intenta ganarte su confianza. Tú y yo no volveremos a tener contacto directo. Cualquier mensaje se enviará por mediación de la criada que te lleve las comidas. Si la cuchara de la bandeja está al revés, hay una nota debajo del plato.

Devuelve cualquier mensaje de la misma forma, pero sólo en caso de emergencia. ¿Comprendido?

Sara asintió.

—Siempre me gustaste, Sara. Me gustaría pensar que hice lo posible por protegerte, pero nada de eso importa ya. Si los ojos-rojos averiguan quién eres, no podré ayudarte. —Deslizó los de-dos bajo el cinto, extrajo un pequeño cuadrado de papel de plata y lo apretó contra su mano—. Lleva esto siempre encima escondido. Hay un pedazo de papel secante dentro. Está empapado en el mismo componente que Nina utilizó para dejarte inconsciente, pero mucho más concentrado. Póntelo debajo de la lengua. Sur-tirá efecto en menos de dos segundos. Créeme, es mejor que ir al sótano.

Sara guardó el sobre en el bolsillo de los pantalones. Ahora, la muerte era su compañera. Confió en tener valor si llegaba el mo-mento.

La mano de Vale se apoyó sobre el interruptor.

—¿Preparada?

El ascensor reinició su ascensión con una sacudida, y después fue reduciendo la velocidad a medida que se acercaban a su desti-no. Vale asumió su identidad falsa, apoyó una mano sobre el brazo de Sara y la aferró justo por debajo del codo. Las puertas se abrie-ron y revelaron a un col, corpulento y de dientes ennegrecidos, que los miraba con los brazos en jarras.

—¿Qué demonios le pasa al ascensor? —Después miró a Sara—. ¿Qué hace ella aquí?

—Nueva asistenta. La llevo a Wilkes.

El col la examinó de arriba abajo. Enarcó las cejas de una for-ma insinuante.

—Qué pena. Es agradable.

Vale la condujo por un pasillo flanqueado por pesadas puertas. En cada una había una placa de latón a la altura de los ojos con un nombre y un cargo, algunos de los cuales recordaba Sara de los periódicos distribuidos en la planicie: «Aidan Hoppel, Ministro de

Propaganda», «Clay Anderson, Ministro de Obras Públicas», «Daryl Chee, Ministra de Recuperación de Recursos Materiales», «Vikram Suresh, Ministro de Salud Pública». Llegaron a la última puerta: «Frederick Wilkes, Jefe del Estado Mayor y Subdirector de la Patria».

—Entre.

El ocupante del despacho estaba encorvado sobre una pila de papeles amontonados encima de su escritorio, y escribía con una pluma estilográfica. Una pálida luz invernal se filtraba a través de las ventanas cubiertas con cortinas que tenía detrás. Transcurrió un momento. Después, alzó la mirada.

—Dani, ¿verdad?

Sara asintió.

El ojosrojos desvió la vista hacia Vale.

—Espere fuera, por favor.

La puerta se cerró. Wilkes osciló hacia atrás en la silla. Proyectaba un aire de cansancio. Sacó una hoja de papel de la pila y la miró.

—Las vaquerías. ¿Trabajaba en ellas?

—Sí, subdirector.

—Y no tiene familiares directos.

—No, subdirector.

Wilkes devolvió la atención a la hoja del escritorio.

—Bien, parece que hoy es su día de suerte. Será la acompañante de Lila. ¿El nombre le dice algo?

Sara negó con la cabeza.

—¿Ha oído rumores, tal vez? No nos hacemos ilusiones de que la seguridad sea siempre como debería. Puede decírmelo si es así.

Con un esfuerzo monumental, se obligó a mirarle a los ojos.

—No, no he oído nada.

Wilkes dejó que pasara un momento antes de continuar.

—Bien. Baste decir que Lila es muy especial. El trabajo es sencillísimo. Básicamente, hacer lo que ella diga. Descubrirá que puede ser... ¿Cómo decirle? Impredecible. Le pedirá cosas que considerará extrañas. ¿Cree que está capacitada?

Ella asintió con brusquedad.

—Sí, señor.

—Lo que ha de hacer es conseguir que coma. Esto exige engatusarla un poco. Puede llegar a ser extremadamente testaruda.

—Puede contar conmigo, subdirector.

El hombre se reclinó en la silla de nuevo y enlazó las manos sobre el regazo.

—Descubrirá que la vida en la Cúpula es mucho más cómoda que en la planicie. Tres comidas al día. Agua caliente para bañarse. Se le pedirá muy poca cosa más aparte de las tareas que le he descrito. Si hace un buen trabajo, no existen motivos para que no pueda disfrutar de nuestra generosidad en los años venideros. Una última cuestión. ¿Cómo se lleva con los niños?

—¿Los niños, señor?

—Sí. ¿Le gustan? ¿Se lleva bien con ellos? Personalmente, se me antojan muy pesados.

Sara sintió una punzada familiar.

—Sí, subdirector. Me gustan.

Esperó más explicaciones de Wilkes, pero era evidente que la conversación había terminado. La miró fijamente unos segundos más, y después descolgó el teléfono.

—Dígales que va de camino.

Apenas una hora más tarde, Sara se encontró vestida con la túnica de asistenta, parada en el umbral de una casa decorada con tanta suntuosidad que el volumen de detalles era difícil de asimilar. Pesadas cortinas estaban corridas sobre las ventanas; las únicas fuentes de luz eran varios candelabros de plata grandes dispuestos alrededor de la sala. Poco a poco, la escena se fue definiendo. La cantidad de muebles y chucherías conseguía que pareciera menos un lugar en el que vivía gente que un almacén de objetos diversos. Un voluminoso sofá cubierto con gruesas almohadas provistas de borlas, así como un par de sillas igualmente rellenas en exceso, estaban colocados frente a frente, ante una mesa cuadrada baja de madera pulida, sobre la cual descansaba una pila de libros. Más almohadas de diferentes colores estaban diseminadas por el suelo, adornado con una alfombra de complicados dibujos. Las paredes estaban cubiertas de óleos con pesados marcos dorados: paisajes, pinturas de caballos y perros, así como numerosos retratos de mujeres con sus hijos vestidos de manera pintoresca. Las imágenes poseían inquietantes visos de realidad. Una en particular llamó la atención de Sara: una mujer con un vestido azul y sombrero naranja, sentada en un jardín al lado de una niña pequeña. Se acercó para examinarla con más detenimiento. Una pequeña placa en la parte inferior del marco rezaba: «Pierre-Auguste Renoir, *En la terraza*, 1881».

—Bien, ya has llegado. Ya era hora de que enviaran a alguien.

Sara giró en redondo. Una mujer, con los brazos cruzados sobre el pecho, estaba parada en el umbral del dormitorio. Era más o menos la imagen que Sara se había formado a partir de lo que Vale y Wilkes habían dicho. La persona a la que había imaginado era, como mínimo, una presencia sustancial, pero la figura que tenía ante ella parecía muy frágil. Contaría unos sesenta años. Profundas arrugas surcaban su rostro y abrían fronteras entre sus diversas regiones. Medias lunas de carne fofa colgaban como hamacas bajo sus ojos llorosos. Los labios eran tan pálidos que prácticamente no existían, como labios fantasmales. Vestía una bata reluciente de una tela delgada y brillante, y una gruesa toalla rodeaba su cabeza a modo de turbante.

—*¿Hablas inglés?*

Sara la miró sin comprender, incapaz de encontrar una respuesta para aquella pregunta incomprensible.

—¿Hablas... inglés?

—Sí —contestó Sara—. Hablo inglés.

La mujer pareció sobresaltarse.

—Ah. De modo que sí. Debo decir que me sorprende. ¿Cuántas veces he pedido al servicio que me enviara a alguien que habla-

ra aunque fuera un poco de inglés? Ni te lo puedes imaginar.
—Hizo un gesto distraído con las manos—. Lo siento, ¿cómo has
dicho que te llamas?

Para empezar, ni siquiera lo había dicho.

—Soy Dani.

—Dani —repitió la mujer—. ¿De dónde eres, exactamente?

La respuesta más general parecía también la más prudente.

—Soy de aquí.

—Pues claro que eres de *aquí*. Me refería a tu *procedencia*. Tu
tribu. Tu pueblo. Tu clan. —Movió de nuevo las manos—. Ya sabes. Tu *familia*.

A cada frase nueva, Sara se sentía cada vez más hundida en las
arenas movedizas de las extravagancias de la mujer. No obstante,
tenía algo casi entrañable. Parecía indefensa, un pájaro nervioso en
una jaula.

—California, en realidad.

—Ah. Ahora ya vamos mejorando. —Una pausa. Después, una
mirada como de haber descubierto algo—. Ah, ya entiendo. Estás
estudiando en el colegio. ¿Por qué no me lo has dicho antes?

—¿Señora?

—Por favor —gorjeó la mujer—, llámame Lila. Y no seas tan
modesta. Es admirable lo que estás haciendo. Una gran demostración de carácter. Por supuesto, eso no significa que vaya a pagarte
más que a las demás chicas. Ya se lo dejé claro al servicio. Catorce
por hora, lo tomas o lo dejas.

¿Catorce qué?, se preguntó Sara.

—Catorce está bien.

—Y Seguridad Social, por supuesto. Te pagaremos eso, y relle-
naremos el formulario 1.099 de Hacienda. David es muy particular
sobre esas cosas. Es lo que podría llamarse un observador de las
normas. Un tipo de lo más aburrido. No tendrás seguro de enfermedad, me temo, pero estoy segura de que ya lo tienes por mediación del colegio. —Le dedicó una sonrisa alentadora—. Bien, ¿nos
hemos entendido?

Sara asintió, estupefacta por completo.

—Excelente. Debo decir, Dani —continuó la mujer, Lila, mientras se deslizaba por la habitación—, que has llegado justo a tiempo. Ni un momento demasiado pronto, en realidad. —Había sacado una caja de cerillas de la bata y estaba encendiendo un enorme candelabro cerca de su tocador—. ¿Por qué no pones eso ahí?

Se refería a la bandeja que Wilkes le había dado. Sobre ella descansaban una petaca metálica y una copa. Sara dejó la bandeja donde la mujer le había indicado, junto a un armario ropero profusamente tallado cubierto de pañuelos. Lila se había colocado delante de un espejo de cuerpo entero y estaba girando los hombros de un lado a otro, mientras examinaba su reflejo.

—¿Qué opinas?

—¿Perdón?

Apoyó una mano sobre el estómago y apretó hacia dentro, al tiempo que llenaba el pecho de aire.

—Esta espantosa dieta... Creo que jamás he sentido tanta hambre en mi vida. Pero da la impresión de que está alcanzando su objetivo. ¿Qué dices, Dani? ¿Otros dos kilos? Puedes ser sincera.

De perfil, la mujer era sólo piel y huesos.

—A mí me parece que está bien —dijo con gentileza—. Yo no perdería más.

—¿De veras? Porque cuando me miro en este espejo lo que pienso es: ¿quién es este dirigible? ¿Este zepelín? *Oh, Dios, la humanidad.* Eso es lo que pienso.

Sara recordó las órdenes de Wilkes.

—Creo que debería comer, en realidad.

—Eso me dicen. Créeme, no es la primera vez que lo oigo. —Posó las manos sobre las caderas, arrugó la cara y bajó la voz una octava—. «Lila, estás demasiado flaca. Lila, has de poner algo de carne encima de esos huesos. Lila esto, Lila lo otro». Bla bla bla. —Después, sus ojos se abrieron de par en par, como presa del pánico—. Oh, Dios mío, ¿qué hora es?

—Supongo que es... ¿mediodía?

—¡Oh, Dios mío! —La mujer empezó a correr de un lado a otro de la habitación, al tiempo que levantaba diversas pertenencias y las volvía a guardar de una manera que parecía arbitraria—. No te quedes ahí parada —imploró, mientras cogía una pila de libros y los embutía en una librería.

—¿Qué quiere que haga?

—Pues... no lo sé. *Cualquier cosa.* Toma —Llenó las manos de Sara de almohadas—. Pon eso ahí. En el cómo-se-llame.

—Um, ¿se refiere al sofá?

—¡Pues claro que me refiero al sofá!

Y de repente, una luz pareció encenderse en el rostro de la mujer. Una luz maravillosa, alegre, brillante. Estaba mirando a la puerta por encima del hombro de Sara.

—¡Cariño!

Se acuclilló cuando una niña, vestida con una sencilla bata, de revueltos tirabuzones rubios, pasó corriendo al lado de Sara y se lanzó en los brazos extendidos de la mujer.

—¡Ángel mío! ¡Mi cariñín!

La niña, que sostenía una hoja de papel coloreado, señaló la cabeza de la mujer, envuelta en el turbante.

—¿Te has bañado, Mami?

—¡Pues sí! Ya sabes que a Mami le gusta bañarse. ¡Qué niña tan inteligente eres! Bien, dime —continuó—, ¿qué tal han ido las clases? ¿Te leyó Jenny?

—Leímos *Peter Rabbit.*

—¡Maravilloso! —sonrió la mujer—. ¿Fue divertido? ¿Te gustó? Seguro que ya te he dicho cuánto lo adoraba cuando tenía tu edad. —Desvió su atención hacia el papel—. ¿Y qué tenemos aquí?

La niña levantó el papel.

—Es un dibujo.

—¿Ésa soy yo? ¿Es un dibujo de las dos?

—Son pájaros. Éste se llama *Martha*, y el otro, *Bill*. Están construyendo un nido.

Un atisbo de decepción. Después, la mujer sonrió de nuevo.

—Pues claro que sí. Cualquiera se daría cuenta. Está tan claro como la nariz de tu bonita carita.

Y así sucesivamente. Sara apenas asimilaba lo que estaba viendo. Una intensa sensación nueva se había apoderado de ella, la sensación de una alarma biológica. Algo profundo y atávico, como un maremoto por su peso y movimientos, acompañado de una concentración de sus sentidos en la nuca de la cabecita rubia de la niña. Aquellos rizos. Las dimensiones singulares y precisas que el cuerpo de la niña ocupaba en el espacio. Sara ya lo sabía sin saberlo, un hecho que también conocía, la paradoja que construía una especie de pasadizo en su interior, como imágenes reflejadas infinitamente en dos espejos enfrentados.

—Pero qué descuido el mío —estaba diciendo la mujer, Lila, su voz a una distancia imposible de la realidad, una transmisión llegada desde un planeta lejano—. He olvidado por completo la buena educación, Eva. He de presentarte a alguien. Ésta es nuestra nueva amiga...

Hizo una pausa, completamente en blanco.

—Dani —logró articular Sara.

—Nuestra maravillosa nueva amiga Dani. Eva, saluda.

La niña se volvió. El tiempo se desmoronó cuando Sara contempló su rostro. Una amalgama única de forma y facciones en todo el universo. No cupo la menor duda en la mente de Sara.

La niña le dedicó una sonrisa radiante.

—Encantada de conocerte, Dani.

Sara estaba mirando a su hija.

Pero al siguiente segundo algo cambió. Cayó una sombra, descendió una presencia oscura. Devolvió a Sara al mundo.

—Lila.

Sara se volvió. Estaba parado detrás de ella. Su rostro era el de un hombre corriente, olvidable, como tantos miles, pero de él irradiaba una fuerza amenazadora invisible tan incontrovertible como la gravedad. Mirarle era como sentirse lanzado al abismo.

Miró a Sara con desprecio a los ojos, y la traspasó de parte a parte.

—¿Sabes quién soy?

Sara tragó saliva. Tenía la garganta tan tensa como un junco. Por primera vez, su mente saltó al paquete de papel de plata oculto en los pliegues de su hábito. No sería la última.

—Sí, señor. Usted es el Director Guilder.

Su boca se curvó hacia abajo en señal de desagrado.

—Bájate el velo, por el amor de Dios. Sólo verte me da ganas de vomitar.

Ella obedeció con dedos temblorosos. Ahora la sombra se convirtió en una sombra literalmente, sus facciones se desdibujaron por fortuna detrás de la tela, como si fuera niebla. Guilder se acercó a donde Lila estaba acuclillada con la hija de Sara. Si su presencia significaba algo para la niña, Sara no lo advirtió, pero Lila era una historia muy diferente. Hasta su última célula se puso en tensión. Aferró a la niña delante de ella como si fuera un escudo y se puso en pie.

—David...

—Déjalo. —Sus ojos la recorrieron con desagrado—. Tienes un aspecto horrible, ¿lo sabías? —Después se volvió hacia Sara una vez más—. ¿Dónde está?

Comprendió que estaba hablando de la bandeja. Sara señaló.

—Traela aquí.

Sus manos lo consiguieron, sin saber muy bien cómo.

—Deshazte de ellas —dijo Guilder a Lila.

—Eva, cariño, ¿por qué no te vas afuera con Dani? —Lanzó una rápida mirada a Dani, con ojos suplicantes—. Hace un día muy bonito. Un poco de aire fresco, ¿qué te parece?

—Quiero que me lleves *tú* —protestó la niña—. *Nunca* sales.

La voz de Lila era como una canción que le estaban obligando a cantar.

—Lo sé, corazón, pero ya sabes lo sensible que es Mami al sol. Además, Mami ha de tomar su medicina ahora. Ya sabes cómo se pone Mami cuando toma su medicina.

La niña obedeció a regañadientes. Se soltó de Lila y caminó hacia Sara, parada al lado de la puerta.

Tomó a Sara de la mano, un milagro insoportable.

Carne en contacto con carne. La insufrible pequeñez corpórea del gesto, su discreto poder, su inyección de memoria. Todos los sentidos de Sara se moldearon alrededor de la exquisita sensación de la diminuta mano de su hija en la de ella. Era la primera vez que sus cuerpos se tocaban desde que una estaba dentro de la otra, aunque ahora era al revés: Sara era la que estaba dentro.

—Idos, las dos —graznó Lila. Indicó la puerta con un ademán misterioso—. Divertíos.

Sin decir palabra, Kate (Eva) sacó a Sara de la habitación. Sara estaba flotando. Pesaba millones de kilos. Eva, pensó. He de acordarme de llamarla Eva. Un corto pasillo, y después un tramo de escaleras. Un par de puertas al final daban a un pequeño patio vallado con un balancín y un columpio oxidado. El cielo las miraba con una luz solemne henchida de nieve.

—Vamos —dijo la niña. Y se soltó.

Subió al columpio. Sara se puso detrás de ella.

—Empújame.

Sara tiró hacia atrás las cadenas, nerviosa de repente. ¿Sería seguro? Aquel ser precioso y amado. Aquella persona humana, sagrada y milagrosa. Un metro sería más que suficiente. Liberó las cadenas y la niña describió un arco en el aire, mientras agitaba vigorosamente las piernas.

—Más alto —ordenó.

—¿Estás segura?

—¡Más alto, más alto!

Cada sensación, un dolor desgarrador. Cada una, un grabado indoloro en el corazón. Sara cogió a su hija por la región lumbar y la empujó hacia delante. Al aire de diciembre subió. Con cada arco, su pelo volaba hacia atrás, impregnaba el aire con el dulce aroma de su persona. La niña se columpiaba en silencio. Su felicidad era fruto de la plena dedicación al acto en sí. Una niña pequeña, que se columpiaba en invierno.

Mi querida Kate, pensó Sara. *Mi niña, mi hija.* Empujaba, y volvía a empujar. La niña salía volando, pero siempre regresaba a sus manos. *Lo sabía, lo sabía, siempre lo supe. Eres la brasa de vida sobre la que yo soplé, durante mil noches solitarias. Jamás te habría permitido morir.*

46

Houston.

La ciudad licuada, ahogada por el mar. El gran cenagal urbano, del que sólo quedaba en pie su corazón de rascacielos. Huracanes, lluvias tropicales torrenciales, el deslizamiento incontrolado de las aguas del continente que buscaban una huida final al Golfo. Durante cien años, las mareas habían ido y venido, inundando las tierras bajas, llevándose sombríos pantanos y deltas contaminados hasta borrarlo todo.

Había quince kilómetros desde el núcleo central de la ciudad. Los últimos días de viaje habían sido una partida de rayuela, en busca de lugares secos y segmentos de una carretera decente, abriéndose camino entre bosquecillos de vegetación erizada de espinos e infestada de insectos. En esas zonas, la naturaleza revelaba su verdadero propósito malévolo: en esos lugares todo quería picarte, atacarte, morderte. El aire crujía con su peso saturado y el miasma de la podredumbre. Los árboles, retorcidos como garras, parecían algo salido de otra era. Parecían objetos artificiales. ¿Quién inventaría tales árboles?

Cayó la oscuridad y la luz disminuyó hasta adoptar un tono

amarillento químico. El viaje había quedado reducido a un avanzar a paso de tortuga. Hasta Amy había empezado a mostrar su irritación. Los síntomas de su enfermedad no se habían aplacado. Más bien lo contrario. Cuando creía que Greer no la estaba mirando, se apretaba el estómago con las palmas de las manos y exhalaba aire con lento dolor. Acamparon aquella noche en el último piso de una casa que parecía indignada en su arruinada opulencia: candelabros goteantes, habitaciones del tamaño de auditorios, todo ello sembrado de moho negro que emitía gases malolientes. Una raya marrón a un metro por encima del suelo de mármol señalaba la altura que habían alcanzado las inundaciones. En la inmensa estancia donde se refugiaron, Greer abrió las ventanas para purificar la atmósfera del hedor a amoníaco. Abajo, en el patio invadido de enredaderas, había una piscina hecha un mazacote.

Durante toda la noche, Greer oyó a los lelos que se movían en los árboles de fuera. Saltaban de rama en rama, como grandes monos. Los oyó atravesar el follaje entre crujidos, seguidos por los gritos agudos de ratas, ardillas y otros pequeños animales que se enfrentaban a su final. A pesar de la orden de Amy, echó alguna que otra cabezada, pistola en mano. *Sólo recuerda que Carter es uno de los nuestros.* Rezó para que fuera cierto.

Amy no se encontraba mejor por la mañana.

—Deberíamos esperar —comentó él.

Dio la impresión de que, hasta para ponerse en pie, tenía que hacer acopio de todas sus fuerzas. No hizo el menor esfuerzo por disimular su malestar, las manos apretadas contra el estómago, la cabeza inclinada a causa del dolor. Greer observó los espasmos que recorrían su abdomen cada vez que sufría retortijones.

—Nos vamos —dijo ella, hablando con los dientes apretados.

Continuaron hacia el este. Los rascacielos del centro de la ciudad emergían en su particularidad. Algunos se habían derrumbado, después de que el suelo de arcilla se expandiera y contrajera a lo largo de los años y pulverizara sus cimientos. Otros se hallaban reclinados mutuamente, como borrachos que fueran a casa dando tumbos tras salir de un bar. Amy y Greer siguieron un estrecho sendero de arena entre pantanos estrangulados por las malas hierbas. El sol estaba alto y brillante. Habían empezado a aparecer restos llegados del mar: barcos, fragmentos de los mismos, tumbados de costado en las aguas poco profundas como presa del agotamiento. Cuando llegaron al lugar donde la tierra terminaba, Greer desmontó, sacó los prismáticos de una alforja y los apuntó al otro lado de las aguas manchadas. Justo delante, encajado contra un rascacielos, había un inmenso barco varado. Su popa se alzaba a una altura imposible en el aire. Las gigantescas hélices destacaban por encima de la línea de flotación. En la popa estaba escrito el nombre del buque, chorreante de óxido: CHEVRON MARINER.

—Es ahí donde le encontraremos —dijo Amy.

Tendrían que encontrar una barca. La suerte les sonrió. Después de retroceder medio kilómetro, descubrieron una barca de remos de aluminio volcada en las malas hierbas. El fondo parecía en buen estado, con los remaches bien fijos. Greer la arrastró hasta el borde de la laguna y la puso a flote. Viendo que no se hundía, ayudó a Amy a bajar de su montura.

—¿Qué hacemos con los caballos? —le preguntó Greer.

El rostro de Amy era una máscara de dolor apenas contenido.

—Creo que deberíamos regresar antes de que oscurezca.

Estabilizó la barca cuando Amy subió, y después se acomodó en el banco de en medio. Una tabla lisa le sirvió de remo. Amy, sentada en la popa, había quedado reducida a simple cargamento. Tenía los ojos cerrados, las manos apretadas sobre la cintura, y brotaba sudor de su frente. No emitía el menor sonido, aunque Greer sospechaba que guardaba silencio para no molestarle. A medida que la distancia se reducía, el barco adoptaba dimensiones desconcertantes. Sus costados herrumbrados se alzaban decenas de metros sobre la laguna. Se escoraba a un lado. El agua circundante era negra como el petróleo. Greer remó hasta el vestíbulo del edificio contiguo y detuvo la embarcación junto a una hilera de escaleras automáticas inmóviles.

—Lucius, creo que voy a necesitar tu ayuda.

La ayudó a bajar y a desplazarse hasta la escalera automática más cercana, sosteniéndola por la cintura. Se encontraban en un atrio con varias escaleras automáticas y paredes de cristal tintado. Un letrero anunciaba ONE ALLEN CENTER, con un directorio de oficinas debajo. La ascensión que los esperaba sería imponente: tendrían que subir diez pisos como mínimo.

—¿Podrás conseguirlo? —preguntó Greer.

Amy se mordió el labio y asintió.

Siguieron el letrero de la escalera. El hombre encendió una antorcha, la volvió a asir de la cintura y empezó a subir. El aire estancado del pozo estaba impregnado de moho. Cada pocos pisos se veían obligados a parar para desatascar sus pulmones. Se detuvieron en el piso doce.

—Creo que ya hemos subido bastante —anunció Greer.

Desde las ventanas cerradas de un despacho forrado de libros vieron la cubierta del buque cisterna, encajado contra el edificio tres metros más abajo. Un salto fácil. Greer cogió la silla del escritorio, la levantó sobre su cabeza y la arrojó contra la ventana.

Se volvió hacia Amy.

La mujer estaba estudiando su mano, que sostenía delante de ella como una copa. Un líquido rojo brillante llenaba su palma. Fue entonces cuando Greer reparó en la mancha de su túnica. Más sangre estaba resbalando por sus piernas.

—Amy...

Ella le miró a los ojos.

—Estás cansado.

Era como estar envuelto en una suavidad infinita. Un sueño envolvente que se apoderaba de todo el cuerpo.

—Maldita sea —dijo, ya inconsciente, y cayó al suelo.

47

Peter y los demás entraron en San Antonio por la Autopista 90. Fue al clarear el día. Habían pasado la primera noche en un habitáculo del anillo exterior de barrios residenciales de la ciudad, una zona de casas derruidas y saqueadas. El refugio estaba debajo de una comisaría de policía, con una rampa fortificada en la parte de atrás. No era un habitáculo de SN, explicó Hollis. Era de Tifty. Era más grande que los habitáculos que Peter había visto, aunque no menos tosco: una habitación mal ventilada con literas y un garaje donde esperaba una camioneta de gruesos neumáticos, con latas de combustible en el suelo. Cajas y taquillas militares metálicas estaban alineadas contra las paredes. ¿Qué hay dentro?, preguntó Michael, a lo cual contestó Hollis, con una ceja enarcada: No lo sé, Michael. ¿Tú qué crees?

Salieron con las primeras luces del alba bajo un cielo plomizo. Hollis al volante al lado de Peter; Michael y Lore en la parte trasera de la camioneta. Casi toda la ciudad había ardido en los días de la epidemia. Quedaba poco del núcleo central, salvo un puñado de los edificios más altos, que se erguían con desolada austeridad contra un fondo de colinas blanquecinas, y tras cuyas fachadas chamuscadas, en los ennegrecidos y derrumbados interiores, un ejército de lelos dormitaba ahora hasta la noche. «Solamente lelos», decía siempre la gente, aunque la verdad era la verdad: un viral era un viral.

Peter suponía que Hollis se desviaría hacia el norte o hacia el sur, pero en cambio los condujo al corazón de la ciudad, y cambió la autopista por calles estrechas de la superficie. Las habían despejado, y los coches y camiones abandonados estaban a ambos lados de la carretera. Cuando las sombras de los edificios envolvieron la camioneta, Hollis abrió la ventanilla posterior de la cabina.

—Será mejor que preparéis las armas —advirtió a Michael y a Lore—. Tendréis que estar muy atentos.

—Ojo avizor, *hombre* —contestó Michael.

Peter contemplaba la destrucción. Eran las ciudades lo que siempre le hacía pensar en lo que había sido el mundo. Los edificios y las casas, los coches y las vías circulatorias. Antes abarrotados de gente, que vivía su existencia sin saber nada del futuro, que algún día la historia se detendría.

Avanzaron sin incidentes. La vegetación empezó a invadir la calle, a medida que los huecos entre los edificios se ensanchaban.

—¿Falta mucho? —preguntó a Hollis.

—No te preocupes. No está lejos.

Diez minutos después llegaban a una alambrada. Hollis acercó el vehículo a la puerta, sacó una llave de la guantera de la camioneta y bajó. Una sensación del pasado invadió a Peter: Hollis habría podido ser el hermano de Peter, Theo, abriendo la puerta de la central eléctrica, tantos años antes.

—¿Dónde estamos? —preguntó cuando Hollis volvió a la camioneta.

—En el fuerte Sam Houston.

—¿Una base militar?

—Más parecido a un hospital militar —explicó Hollis—. Al menos, lo era. Ya no hay muchos médicos ahí dentro.

Continuaron adelante. Peter tenía la sensación de estar atravesando un pequeño pueblo. Una alta torre de reloj se alzaba a un lado del cuadrilátero que tal vez había sido el centro de la ciudad. Aparte de algunos cañones ceremoniales, no vio nada de apariencia militar, ni camiones ni tanques, ni emplazamientos de armas, ni fortificaciones de ningún tipo. Hollis paró la camioneta delante de un edificio largo y bajo de tejado plano. Un letrero sobre la puerta anunciaba CENTRO ACUÁTICO.

—Acuático —dijo Lore, después de que todos bajaran. Miró titubeante el letrero con ojos entornados, el rifle apoyado sobre el pecho como dispuesta a disparar—. ¿Como... nadar?

Hollis señaló el rifle.

—Deberías dejarlo aquí. No querrás causar una mala impresión. —Desvió su atención hacia Peter—. Última oportunidad. No hay vuelta atrás.

—Sí, estoy seguro.

Entraron en el vestíbulo. Teniendo en cuenta todo, el interior del edificio se hallaba en buen estado: techos firmes, ventanas sólidas, ni rastro de la basura habitual.

—¿Notas eso? —preguntó Michael.

Una vibración basal, como si estuvieran pulsando una cuerda gigantesca, surgía del suelo. Un generador estaba funcionando en alguna parte del edificio.

—Esperaba que hubiera guardias —dijo Peter a Hollis.

—A veces hay, cuando Tifty quiere montar un espectáculo, pero no los necesitamos.

Hollis los guió hasta un par de puertas, que al empujarlas revelaron un gran espacio embaldosado, de techo alto y, en el centro de la sala, una inmensa piscina vacía. Los condujo hasta un segundo par de puertas batientes y un tramo de escaleras que descendían, iluminadas por fluorescentes zumbantes. Peter pensó en preguntar a Hollis de dónde sacaba Tifty la gasolina del generador, pero él mismo respondió a su pregunta. Tifty la sacaba de donde sacaba todo: la robaba. La escalera conducían a una sala llena de tuberías y depósitos metálicos. Ahora estaban debajo de la piscina. Cruzaron el angosto espacio hasta otra puerta, aunque diferente de las demás, hecha de pesado acero. No presentaba marcas de ningún tipo, ni existía una forma evidente de abrirla. Su lisa superficie no poseía mecanismos visibles. Al lado, en la pared, había un teclado. Hollis tecleó a toda prisa una serie de números, y con un profundo chasquido la puerta se abrió, revelando un pasillo a oscuras.

—Tranquilos —dijo Hollis, al tiempo que movía la cabeza hacia la abertura—. Las luces se encienden automáticamente.

Cuando el hombretón entró, una hilera de fluorescentes cobró vida, su vibración intensificada por las paredes de un blanco hospitalario del pasillo. La idea que se había hecho Peter de Tifty estaba evolucionando a marchas forzadas. ¿Qué había imaginado? ¿Un campamento mugriento, poblado por hombres enormes similares a monos, armados hasta los dientes? Nada de lo que había visto confirmaba ni remotamente estas expectativas. Al contrario: hasta el momento, la exhibición indicaba una sofisticación tecnológica muy superior a la de Kerrville. Tampoco estaba solo en este cambio de opinión. Michael también se dedicaba a mirar frenéticamente a su alrededor. *Menudo lugar*, parecía decir su expresión.

El pasillo terminaba en un ascensor. Había una cámara encima. Quienquiera que estuviera al otro lado sabía que estaban llegando: los habían observado desde que entraron en el vestíbulo.

Hollis alzó la cabeza hacia la cámara, y después oprimió un botón en la pared contigua a un diminuto altavoz.

—Todo va bien —dijo—. Vienen conmigo

Un crujido de estática, y después:

—Hollis, qué coño...

—Todos van desarmados. Son amigos míos. Yo respondo de ellos.

—¿Qué quieren?

—Hemos de ver a Tifty.

Una pausa, como si la voz al otro lado del intercomunicador estuviera conferenciando con otra persona. Después:

—No puedes traerlos aquí así como así. ¿Se te ha ido la olla?

—No lo pediría si no fuera importante. Abre la puerta, Dunk.

Siguió un momento vacío. Después, las puertas se abrieron.

—Es tu culo —dijo la voz.

Entraron. El ascensor inició su lento descenso.

—De acuerdo, me rindo —dijo Michael—. ¿Qué es este lugar?

—Estás en una antigua estación del IIMEIEEU. Es un anexo a la instalación principal de Maryland, activado durante la epidemia.

—¿Qué es el IIMEIEEU? —preguntó Lore. Fue Michael quien contestó.

—Significa «Instituto de Investigaciones Médicas de Enfermedades Infecciosas del Ejército de Estados Unidos». —Miró a Hollis con el ceño fruncido—. No lo entiendo. ¿Qué está haciendo Tifty aquí?

Y entonces las puertas del ascensor se abrieron con sonido de armas al ser amartilladas, y cada uno vio que el cañón de una pistola le estaba apuntando.

—De rodillas, todos.

Eran seis. El más joven no aparentaba más de veinte años, el mayor era cuarentón. Barbas pobladas, cabello grasiento y dientes cubiertos de mugre. Eso ya era más apropiado. Uno de ellos, un hombre gigantesco con una gran cabeza calva y pliegues de grasa fofa en la base del cuello, tenía tatuajes azulinos repartidos por toda la cara y la carne expuesta de los brazos. Éste, al parecer, era Dunk.

—Ya te he dicho que son amigos míos —dijo Hollis, arrodillado en el suelo como los demás, con las manos alzadas por encima de la cabeza.

—Silencio.

Su vestimenta era una mescolanza de diferentes uniformes, tanto militares como de SN. Enfundó su revólver y se acuclilló delante de Peter, mientras lo examinaba con sus intensos ojos grises. Vistas de cerca, las imágenes de su cara y brazos adquirían más definición. Virales. Manos virales, rostros virales, dientes virales. A Peter no le cupo la menor duda de que, debajo de la ropa, el cuerpo del hombre estaba cubierto de ellos.

—Expedicionario —dijo Dunk con acento sureño, y asintió con seriedad—. A Tifty le va a gustar. ¿Cómo te llamas, teniente?

—Jaxon.

—¿Peter Jaxon?

—Exacto.

Dunk giró sobre los tacones de sus botas hacia los demás, sin abandonar su postura acuclillada.

—¿Qué os parece, caballeros? No recibimos cada día a visitantes tan distinguidos. —Se concentró en Peter de nuevo—. De hecho, no recibimos ningún visitante. Lo cual constituye un problema. Esto no es lo que nadie llamaría un destino turístico.

—He de ver a Tifty.

—Ya lo he oído. Me temo que Tifty está indispuesto en este momento. Es un tipo muy reservado, nuestro Tifty.

—Corta el rollo —dijo Hollis—. Ya te he dicho que yo respondo de ellos. Tifty ha de oír lo que han venido a decir.

—Os habéis metido en un lío, amigo mío. No creo que estéis en situación de venir con exigencias. Vosotros dos —dijo, dirigiéndose a Michael y a Lore—. ¿Qué tenéis que decir?

—Somos engrasadores —contestó Michael.

—Interesante. ¿Nos habéis traído petróleo? —Miró a Lore con los ojos entornados. Una sonrisa, preñada de amenazas, floreció en su rostro—. Vaya, creo que a ti te conozco. Póquer, ¿verdad? O dados. Es probable que no te acuerdes.

—Con un careto como el tuyo, ¿cómo podría olvidarme?

Dunk, sonriente, se levantó y se masajeó sus carnosas manos.

—Bien, ha sido un placer conoceros. Un auténtico placer. Antes de que os mate, ¿alguien más quiere decir algo? ¿Adiós, quizá?

—Dile a Tifty que es sobre el campo —dijo Hollis.

Algo cambió. Peter lo notó enseguida. Las palabras resbalaron sobre la cara de Dunk como una sombra.

—Díselo —insistió Hollis.

El hombre parecía tan estupefacto que era incapaz de reaccionar. Después, desenfundó la pistola.

—Vamos.

Dunk y sus hombres los escoltaron por un largo pasillo. Peter examinó su entorno. Aunque no había mucho que ver, sólo más pasillos y puertas cerradas. Muchas puertas tenían teclados al lado, como el de debajo de la piscina. Dunk se detuvo ante una puerta y llamó tres veces con los nudillos.

—Entra.

El gran gángster Tifty Lamont. Una vez más, las expectativas de Peter no se cumplieron. Era un hombre bajo y corpulento, con las gafas apoyadas en el extremo de su larga y ganchuda nariz. Su pelo claro caía sobre el cuello, ralo en la coronilla rosada. Sentado detrás de un gran escritorio metálico, estaba llevando a cabo el acto improbable de construir una torre con palitos de madera.

—¿Sí, Dunk? —preguntó sin levantar la vista—. ¿Qué pasa?

—Hemos capturado a tres intrusos, señor. Hollis los trajo.

—Entiendo. —Continuó con su paciente trabajo—. ¿Y no los has matado porque...?

Dunk carraspeó.

—Es sobre el campo, señor. Dicen que saben algo.

Las manos de Tifty se inmovilizaron sobre la maqueta. Al cabo de varios segundos levantó la cara y los miró por encima de las gafas.

—¿Quién lo dice?

Peter avanzó un paso.

—Yo.

Tifty le estudió un momento.

—¿Y los demás? ¿Qué saben?

—Estaban conmigo cuando la vi.

—¿A quién, exactamente?

—A la mujer.

Tifty no dijo nada. Su rostro estaba tan rígido como el de un ciego.

—Todo el mundo fuera —dijo después—. Excepto tú... —Señaló con un dedo a Peter—. ¿Cómo te llamas?

—Peter Jaxon.

—Excepto el señor Jaxon.

—¿Qué quiere que haga con los demás? —preguntó Dunk.

—Utiliza la imaginación. Parecen hambrientos... ¿Por qué no les das algo de comer?

—¿Qué hago con Hollis?

—Lo siento, no te he entendido bien. ¿No dijiste que los había traído él?

—Ésa es la cuestión. Les ha revelado dónde estamos.

Tifty exhaló un profundo suspiro.

—Bien, ésa es la idea. Hollis, ¿qué voy a hacer contigo? Existen normas. Existe un código. Honor entre ladrones. ¿Cuántas veces lo he de decir?

—Lo siento, Tifty. Pensé que debías saber lo que quieren decirte.

—Bien, lamentarlo no es suficiente. Me has puesto en una situación muy difícil. —Paseó la mirada por la habitación, como si pudiera encontrar la siguiente frase entre sus estanterías y archivos—. Muy bien. ¿En qué puesto de la lista estás?

—Número cuatro.

—Ya no. Estarás colgado de la jaula hasta nueva orden. Sé lo mucho que te gusta. Me estoy mostrando generoso.

El rostro de Hollis no reveló nada. ¿Qué era la jaula?, pensó Peter.

—Gracias, Tifty —dijo Hollis.

—Ahora, salid todos de una vez.

La puerta se cerró detrás de ellos. Peter esperó a que Tifty hablara antes. El hombre se levantó de detrás del escritorio y se acercó a una mesita auxiliar sobre la que descansaba un jarro de agua. Se sirvió un vaso y bebió. Sólo cuando el silencio había empezado a prolongarse, se dirigió a Peter sin volverse.

—¿Qué llevaba puesto?

—Una capa oscura y gafas de sol.

—¿Qué más vio? ¿Había un camión?

Peter narró los acontecimientos de la Carretera del Petróleo. Tifty le dejó hablar. Cuando Peter concluyó, el hombre volvió a su escritorio.

—Voy a enseñarle algo.

Abrió el cajón de arriba, sacó una hoja de papel y la deslizó por encima del escritorio. Un dibujo al carboncillo, el papel rígido y algo descolorido, de una mujer y dos niñas pequeñas.

—Ya ha visto uno de éstos antes, ¿verdad? Estoy seguro.

Peter asintió. No le resultaba fácil apartar los ojos del dibujo. Poseía un hechizo abrumador, como si la mujer y las niñas le estuvieran mirando desde algún lugar más allá de los parámetros ordinarios del tiempo y el espacio. Como mirar a un fantasma, tres fantasmas.

—Sí, en Colorado. Greer me lo enseñó, después de que mataran a Vorhees. Una gran pila. —Alzó los ojos y vio que Tifty le estaba mirando fijamente, como un profesor que estuviera haciendo un examen—. ¿Por qué tiene una copia?

—Porque las quería. Vor y yo teníamos nuestras dificultades, pero siempre supo cuáles eran mis sentimientos. También eran mi familia. Por eso me la dio.

—Murieron en el campo.

—Dee sí, y la pequeña, Siri. Las mataron enseguida. Fue rápido, pero ya conoce el dicho: hazlo deprisa, pero hoy no. A la hija mayor, Nitia, nunca la encontraron. —Frunció el ceño—. ¿Le sorprende todo esto? ¿No era lo que esperaba?

Peter ni siquiera podía empezar a contestar.

—Le cuento estas cosas para que comprenda quiénes y qué somos. Todos estos hombres han perdido a alguien. Yo les di un hogar, un lugar donde depositar su ira. Piense en Dunk, por ejemplo. Puede que ahora le parezca impresionante, pero cuando le miro, ¿sabe lo que veo? Un chaval de once años. Él también estaba en el campo. Padre, madre, hermana, todos muertos.

—No sé qué tiene que ver esto con sus actividades.

—Eso sólo es una parte de lo que hacemos. Una forma de pagar las facturas, si lo prefiere. La Autoridad Civil nos tolera porque se ve obligada. En cierto sentido, nos necesita tanto como nosotros a ella. No somos tan diferentes de sus Expedicionarios, tan sólo la otra cara de la misma moneda.

La lógica de Tifty parecía muy conveniente, una forma de justificar sus delitos. Por otra parte, Peter no podía negar el significado de la imagen.

—El coronel Apgar dijo que era usted oficial. Tirador explorador.

La cara de Tifty se iluminó con una fugaz sonrisa. Allí había una historia.

—Tendría que haber imaginado que Gunnar estaba metido en esto. ¿Qué le dijo?

—Que fue nombrado capitán antes de ser expulsado. Dijo que era el mejor S2 que jamás existió.

—¿De veras? Bien, es muy amable, pero sólo un poco.

—¿Por qué dimitió?

Tifty se encogió de hombros con indiferencia.

—Por muchos motivos. Podría decir que la vida castrense no me satisfacía en conjunto. Su presencia aquí me hace pensar que usted tampoco encaja demasiado bien. Yo diría que ha huido de la reserva, teniente. ¿Cuántos días lleva ausente sin permiso?

Peter se sintió atrapado.

—Sólo un par.

—Ausente sin permiso es ausente sin permiso. Créame, lo sé todo al respecto. Pero en respuesta a su pregunta, abandoné los Expedicionarios debido a la mujer del campo. En concreto, porque le dije al Mando de dónde venía, y ellos se negaron a hacer nada al respecto.

Peter estaba estupefacto.

—¿*Sabe* de dónde viene?

—Pues claro que sí. Y también el Mando. ¿Por qué cree que Gunnar le envió aquí? Hace quince años, yo formaba parte de un pelotón de tres enviado al norte para localizar la fuente de una señal de radio procedente de algún lugar de Iowa. Muy tenue, unos fragmentos de ruido, pero lo suficiente para que el RDF los captara. No supimos por qué, pero los Exped no estaban por la labor de seguir la pista de todos los chirridos aleatorios, pero todo era muy secreto, y sólo estaban enterados los peces gordos. Nuestras órdenes eran explorar y volver a informar, nada más. Lo que descubrimos fue una ciudad al menos dos veces, quizá tres, más grande que Kerrville. Pero no tenía ni muros ni focos. A todas luces, no tendría que haber existido. ¿Y sabe lo que vimos? Camiones como los que vi en el campo justo antes del ataque. Como el que usted vio hace tres días.

—¿Qué dijo el Mando?

—Nos ordenaron no contarlo a nadie.

—¿Por qué lo harían?

Aunque, por supuesto, a Peter le habían ordenado lo mismo.

—¿Quién sabe? Pero yo diría que la orden emanaba de la Autoridad Civil, no de la militar. Estaban asustados. Fuera quien fuera aquella gente, contaban con un arma que no podíamos igualar.

—Los virales.

El hombre asintió con brusquedad.

—Métete los dedos en los oídos y confía en que no vuelvan nunca. Tal vez su decisión fuera acertada, pero yo no podía aceptarlo. Fue el día en que dimití.

—¿Volvió alguna vez?

—¿A Iowa? ¿Para qué?

Peter experimentó una urgencia creciente.

—La hija de Vorhees podría estar allí. Sara también. Ya vio aquellos camiones.

—Lo siento. Sara. ¿Conozco a esa persona?

—Es la esposa de Hollis. O lo habría sido. La dieron por desaparecida en Roswell.

Una expresión de pesar se pintó en la cara del hombre.

—Por supuesto. Es culpa mía. Creo que la conocía, aunque me parece que él nunca pronunció su nombre. Sin embargo, esto no cambia nada, teniente.

—Pero todavía podrían estar vivas.

—No lo considero probable. Ha pasado mucho tiempo. En cualquier caso, no pude hacer nada al respecto. Ni entonces ni ahora. Sería necesario un ejército. Cosa que el CA garantizó más o menos que no tendríamos. Y en defensa de la autoridad, esa gente, sea quien sea, jamás regresó. Al menos hasta ahora, si lo que dice usted es cierto.

Faltaba algo, pensó Peter, un detalle que acechaba al borde de su conciencia.

—¿Quién más iba con usted?

—¿En la partida de reconocimiento? El oficial al mando era Nate Crukshank. El tercer hombre era un joven teniente llamado Lucius Greer.

La información pasó a través de Peter como una corriente.

—Lléveme allí. Enséñeme dónde está.

—¿Y qué haríamos al llegar?

—Encontrar a nuestra gente. Sacarlos como fuera.

—¿Me está escuchando, teniente? No se trata tan sólo de supervivientes. Están coaligados con los virales. Más que eso: la mujer es capaz de controlarlos. Ambos hemos sido testigos de ello.

—Me da igual.

—No debería ser así. Lo único que conseguiría sería morir. O acabar secuestrado. Yo diría que eso sería mucho peor.

—En ese caso, dígame cómo puedo encontrarlos. Iré solo.

Tifty se levantó de detrás del escritorio, volvió a la mesa de la esquina y se sirvió otro vaso de agua. Bebió poco a poco, sorbo a sorbo. Cuando el silencio se prolongó, Peter tuvo la clara impresión de que la mente del hombre estaba en otra parte. Se preguntó si la reunión habría terminado.

—Dígame una cosa, señor Jaxon. ¿Tiene hijos?

—¿Qué tiene que ver eso con lo que estábamos hablando?

—Conteste, por favor.

Peter negó con la cabeza.

—No.

—¿Ni familia?

—Tengo un sobrino.

—¿Y dónde está ahora?

Las preguntas le resultaban incómodas. No obstante, el tono de Tifty era tan desarmante que las respuestas parecían surgir por voluntad propia.

—Está con las hermanas. Sus padres murieron en Roswell.

—¿Se quieren? ¿Es usted importante para él?

—¿Adónde quiere ir a parar con esto?

Tifty hizo caso omiso de la pregunta. Dejó su vaso vacío sobre la mesa y volvió al escritorio.

—Sospecho que su sobrino le admira mucho. El gran Peter Jaxon. No sea tan modesto. Sé quién es usted, más de lo que pone el informe oficial. Esa chica de usted, Amy, y el asunto de los Doce. Tampoco eche la culpa a Hollis. Él no es mi fuente.

—Entonces, ¿quién?

Tifty sonrió.

—Tal vez en otro momento. Ahora estamos hablando de su sobrino. ¿Cómo ha dicho que se llamaba?

—No lo he dicho. Caleb.

—Usted es como un padre para Caleb, eso es lo que estoy diciendo. Pese a que se dedique a vagar por los territorios, intentando liberar al mundo de la gran amenaza viral, ¿no diría que es cierto?

De pronto, Peter experimentó la sensación de que le habían manipulado. Recordó sus partidas de ajedrez con el niño: en un momento dado se estaba dejando llevar por el discurrir de la partida; al siguiente estaba atrapado, el jaque mate había llegado.

—Es una pregunta sencilla, teniente.

—No lo sé.

Se miraron mutuamente un momento más.

—Gracias por su sinceridad —dijo Tifty a continuación, con una nota de irreversibilidad—. Mi consejo sería que olvidara todo esto, volviera a casa y criara a su sobrino. Por su bien, tanto como por el de usted. Estoy dispuesto a darle un pase y a dejarlos a usted y a sus amigos en libertad, con la advertencia de que hablar de nuestro paradero no conseguirá, no sé cómo expresarlo, poner un final feliz a su propósito.

Jaque mate.

—¿Eso es todo? ¿No va a hacer nada?

—Considérelo el mayor favor que alguien le haya hecho en su vida. Vuelva a casa, señor Jaxon. Siga con su vida. Ya me dará las gracias más adelante.

La mente de Peter buscó algo que decir capaz de cambiar la decisión del hombre. Señaló el dibujo del escritorio.

—Esas niñas. Ha dicho que usted las quería.

—Sí. Y las quiero todavía. Por eso no voy a ayudarle. Llámeme sentimental, pero no quiero llevar su muerte sobre mi conciencia.

—¿Su *conciencia*?

—Tengo una, sí.

—Me sorprende, lo sabe, ¿verdad?

—¿De veras? ¿En qué le he sorprendido?

—Jamás pensé que Tifty Lamont sería un cobarde.

Si Peter esperaba una reacción, no hubo ninguna. Tifty se reclinó en su silla, juntó las yemas de los dedos y le miró con frialdad por encima de las gafas.

—Y quizás estaba pensando que, si me cabreaba, le diría lo que quiere saber, ¿verdad?

—Algo por el estilo, sí.

—En ese caso, me ha confundido con alguien preocupado por la opinión de los demás. Buen intento, teniente.

—Dijo que a una de ellas nunca la encontraron. No entiendo cómo puede seguir sentado ahí si todavía puede estar con vida.

Tifty exhaló un suspiro.

—Puede que no se haya enterado de la noticia, pero éste no es un mundo de probabilidades, señor Jaxon. Demasiado darle al tarro es una manera de mantenerse despierto de noche, sin poder descabezar un buen sueño. No me malinterprete. Admiro su optimismo. Bien, es posible que no lo admire. Tal vez sea una palabra demasiado fuerte. Pero lo comprendo. Hubo un tiempo en que yo no era tan diferente. Pero esos días son cosa del pasado. Lo único que tengo es este dibujo. Lo miro cada día. De momento, debo conformarme con eso.

Peter volvió a levantar el dibujo. La sonrisa resplandeciente de la mujer, el pelo removido por una brisa invisible, las niñas, con los ojos abiertos de par en par, esperanzadas como todos los niños en el futuro de sus vidas. No le cabía la menor duda de que ese dibujo ocupaba un espacio central en la vida de Tifty. Mientras lo miraba, Peter intuyó la presencia de una deuda complicada, lealtades, promesas hechas. Ese dibujo no era sólo un recuerdo: era la forma del hombre de castigarse a sí mismo. Tifty deseaba haber muerto con ellas, en el campo. Qué extraño sentir pena por Tifty Lamont.

Peter devolvió el dibujo al escritorio de Tifty.

—Ha dicho que el tráfico sólo era una parte de lo que hace. No me ha dicho a qué más se dedica.

—No lo he hecho, ¿verdad? —Tifty se quitó las gafas y se puso en pie—. Me parece muy justo. Acompáñeme.

Tifty manipuló otro teclado y la pesada puerta se abrió, revelando una espaciosa estancia con grandes jaulas metálicas apiladas contra las paredes. En el aire flotaba un olor animal, a sangre y carne cruda, y los efluvios típicos del alcohol. La luz emitía un resplandor frío, de un azul violeta, «azul viral», explicó Tifty, con una longitud de onda de cuatrocientos nanómetros, en el mismo límite del espectro visible. Suficiente, dijo a Peter, para mantenerlos calmados. Los constructores de la instalación habían comprendido bien a sus sujetos.

Michael y Lore se reunieron con ellos. Cruzaron la sala de las jaulas y subieron un corto tramo de escaleras. Lo que les esperaba era evidente. El único enigma era cómo les sería revelado.

—Y esto —dijo Tifty, al tiempo que abría un panel y revelaba dos botones, uno verde y otro rojo— es una cubierta de observación.

Se encontraban en una larga galería con una serie de pasarelas que sobresalían sobre una plataforma metálica. Tifty apretó el botón verde. Con un estruendo de engranajes y cadenas, la plataforma empezó a hundirse en la otra pared, y dejó al descubierto una superficie de cristal templado.

—Adelante —invitó Tifty—. Véanlo con sus propios ojos.

Peter y los demás salieron a la pasarela. Al instante, uno de los virales se lanzó contra el cristal con un golpe sordo, hasta que rebotó y volvió rodando a su esquina de la celda.

—Que *me*... jodan —resolló Lore.

Tifty se reunió con ellos en la pasarela.

—Esta instalación fue construida con un único propósito en mente: estudiar a los virales. Con más exactitud, cómo matarlos.

Los tres estaban mirando los contenedores de abajo. Peter contó diecinueve seres en total. El vigésimo contenedor estaba vacío. La mayoría parecían ser lelos, que apenas reaccionaban a su presencia, pero el que había saltado contra ellos era diferente: un drago hembra desarrollado por completo. Los miraba con ansia mientras se desplazaban por las pasarelas, el cuerpo tenso y las manos como garras flexionadas.

—¿Cómo los cazan? —preguntó Michael.

—Los atrapamos.

—¿Con qué, cebos?

—Los cebos son para aficionados. Los giradores los inmovilizan, pero esos aparatos no son buenos, a menos que quieras freírlos *in situ*. Para atraparlos vivos utilizamos las mismas trampas con anzuelo que empleaban los constructores de esta instalación. Una aleación de tungsteno, increíblemente fuerte.

Peter desvió la mirada de la drago.

—¿Qué han descubierto?

—No tanto como me gustaría. El pecho, el paladar. Hay un tercer punto débil en la base del cráneo, pero es muy pequeño. Se desangran hasta morir si los descuartizas, pero no es fácil cortar la piel. El frío y el calor no parecen obrar mucho efecto. Hemos probado diversos venenos, pero son demasiado listos para eso. Su sentido del olfato es increíblemente agudo, y no comen nada que hayamos envenenado, por más hambrientos que se sientan. Una cosa que sí sabemos es que se ahogan. Sus cuerpos son demasiado pesados para mantenerse a flote, y no pueden contener el aliento mucho rato. Lo máximo que duran son setenta y seis segundos.

—¿Y si los matamos de hambre? —preguntó Michael.

—Lo hemos intentado. Ralentizan sus ritmos vitales y se sumen en una especie de sueño.

—¿Y?

—Por lo que nosotros sabemos, pueden continuar así por tiempo indefinido. Al final, dejamos de intentarlo.

De pronto, Peter comprendió lo que estaba viendo. El tráfico, en realidad, era una tapadera. El verdadero propósito del hombre estaba allí, en aquella sala.

—Tifty, es usted un saco de mierda.

Todo el mundo se volvió. Tifty cruzó los brazos sobre el pecho y dirigió a Peter una dura mirada.

—¿En qué está pensando, teniente?

—Siempre tuvo la intención de volver a Iowa. Pero no sabía cómo.

La expresión de Tifty no se alteró. De pronto, su rostro pareció más viejo, estragado por la vida.

—Una teoría interesante.

—¿De veras?

Durante cinco segundos, los dos hombres sostuvieron la mirada. Nadie dijo nada. Cuando el silencio se había prolongado en exceso, Michael rompió la tensión.

—Creo que a ésa le caes bien, Peter.

Cinco metros más abajo, el gran drago los estaba mirando, y su cabeza giraba perezosamente sobre su cuello. Distendió las mandíbulas como alguien que bostezara y abrió los labios para exhibir sus dientes relucientes. *Son para vosotros.*

Tifty avanzó un paso.

—Nuestro último ejemplar —dijo—. Estamos muy orgullosos de éste. Le seguimos el rastro durante semanas. Ya no es frecuente conseguir un drago desarrollado por completo. La llamamos Sheila.

—¿Qué van a hacer con ella? —preguntó Michael.

—Aún no lo hemos decidido. Más o menos lo habitual, supongo. Un poco de esto, un poco de lo otro. De todos modos, es demasiado mala para la jaula.

Peter recordó el castigo de Hollis.

—¿Qué es la jaula?

Una sonrisa iluminó la cara de Tifty.

—Ah —dijo.

Medianoche. Durante las horas previas, los tres habían sido confinados en una pequeña habitación, con uno de los hombres de Tifty fuera. Peter había conseguido dormirse al fin, cuando sonó un timbre y la puerta se abrió.

—Vengan conmigo —dijo Tifty.

—¿Adónde vamos? —preguntó Lore.

—Afuera, por supuesto.

¿Por qué «por supuesto»?, pensó Peter. Pero era la forma de ser de Tifty. Le gustaba el teatro.

—¿Dónde está Hollis? —preguntó Peter.

—No se preocupe, se reunirá con nosotros.

Una noche nublada, sin estrellas. Un camión los estaba esperando, aparcado ante la escalera. Subieron a la parte de atrás mientras Tifty entraba en la cabina con el conductor. No iban custodiados, pero desarmados, en la oscuridad, ¿adónde iban a ir?

Transcurrieron unos minutos antes de que el camión entrara en un inmenso edificio rectangular, como un hangar de aviones. Había varios vehículos más en el interior, incluido un gran camión de plataforma. Varios hombres deambulaban de un lado a otro a la luz de las linternas, armados sin disimulos con pistolas y rifles, y algunos fumaban maría. Desde el interior del edificio llegaba el rumor de voces.

—Ahora veréis a qué nos dedicamos en realidad —dijo Tifty.

El interior del edificio era un único espacio cavernoso, iluminado por antorchas. Una gigantesca bandera estadounidense, raída a causa de los años, colgaba de las vigas. En el centro estaba la jaula, una estructura abovedada de unos quince metros de diámetro, con una cadena enganchada que descendía hasta el suelo desde su vértice. Estaba rodeada de gradas llenas de hombres que hablaban a voz en grito y agitaban austins en dirección a una figura que subía y bajaba por las filas. Cuando Tifty entró, la multitud prorrumpió en vítores, acompañados de un ruidoso pataleo. No hizo el menor esfuerzo por corresponderlos, sino que acompañó a los tres hasta una zona vacía de la grada inferior, a pocos metros de los barrotes entrecruzados de la jaula.

—¡Dentro de cinco minutos se cierran las apuestas! —resonó una voz—. ¡Cinco minutos!

Hollis se sentó a su lado.

—¿Es lo que yo creo? —preguntó Peter.

Hollis asintió.

—Ya lo creo.

—¿Van a apostar por el resultado?

—Algunos. Con los lelos, casi siempre es por los minutos que durará.

—Y tú ya lo has hecho otras veces.

Hollis le miró de una manera extraña.

—¿Y por qué no?

La conversación quedó interrumpida bruscamente cuando un segundo clamor de vítores estalló, más intenso que el anterior. Peter alzó la mirada y vio que introducían en la sala una caja metálica en una carretilla elevadora. Una figura entró por el otro lado, caminando con chulería machista: Dunk. Se protegía con un grueso traje acolchado e iba armado con una pica. Llevaba una máscara de barrendero sobre la cabeza, que dejaba al descubierto su cara tatuada. Levantó el puño derecho y lo agitó en el aire, lo cual provocó frenéticos pataleos en las gradas. El operario de la carretilla elevadora dejó caer la caja en medio de la jaula, y dio marcha atrás mientras un segundo hombre sujetaba con un gancho el pestillo a la cadena. Dunk entró y se bajó la máscara sobre la cara. Cerraron la puerta con llave a su espalda.

Se hizo el silencio. Tifty, sentado al lado de Peter, se puso en pie y alzó un megáfono. Carraspeó y dirigió su voz a la mutitud.

—Que todo el mundo se ponga en pie para escuchar el himno nacional.

Todos los asistentes se levantaron, apoyaron la mano derecha sobre el corazón y empezaron a cantar:

> *Oh, say can you see, by the dawn's early light,*
> *What so proudly we hailed, at the twilight's last gleaming?*
> *Whose broad stripes and bright stars, through the perilous fight,*
> *O'er the ramparts we watched, were so gallantly streaming?**

> [Amanece: ¿no veis a la luz de la aurora
> lo que tanto aclamamos la noche al caer?
> Sus estrellas, sus franjas, flotaban ayer,
> en el fiero combate en señal de victoria.]*

Peter, también de pie, se esforzaba por recordar las palabras. Era una canción muy antigua, del Tiempo de Antes. Profesora se la había enseñado en el Asilo. Pero la melodía no era fácil y la letra carecía de sentido para un niño de su edad, y nunca le había cogido el tranquillo. Miró a Michael, que había enarcado las cejas en señal de que compartía su sorpresa.

La última nota estridente se extinguió en otra explosión de vítores. Del caos auditivo emergió un estribillo repetido, al ritmo de

---

* *Barras y estrellas*, himno de Estados Unidos. *(N. del T.)*

los pies que pateaban: *Dunk, Dunk, Dunk, Dunk...* Tifty dejó que siguiera su curso, y después levantó una mano para pedir silencio. Miró de nuevo la jaula.

—Dunk Withers, ¿estás preparado?

—¡Preparado!

—Entonces... ¡Poned en marcha el reloj!

El desmadre. Dunk se bajó la máscara, sonó una trompeta, tiraron de la cadena. Por un momento no pasó nada. Entonces, el lelo saltó de la caja y trepó a la jaula con veloces movimientos de insecto, como una cucaracha que subiera una pared. Podía estar buscando una escapatoria o una posición estratégica para atacar. Peter no logró discernirlo. La muchedumbre ya se había formado una opinión. Al instante, los vítores se transformaron en abucheos y silbidos. En lo alto de la jaula, el lelo agarró un barrote con los pies y desplegó su cuerpo para que su cabeza apuntara al suelo, con los brazos extendidos a los costados. Dunk estaba debajo, mientras bramaba insultos inaudibles y agitaba la pica, retándole a saltar. *¡Carne!*, cantaba la multitud, al tiempo que daba palmadas. *¡Carne! ¡Carne! ¡Carne!*

El lelo parecía desorientado, casi aturdido. Su mirada vaga paseaba por la sala al azar, como si el jaleo y el alboroto hubieran cortocircuitado sus instintos. Sus facciones poseían una apariencia borrosa, como si un fuerte ácido hubiera disuelto sus características humanas. Durante cinco segundos continuó colgado, y después diez.

¡Carne! ¡Carne! ¡Carne! ¡Carne!

—Se acabó. —Tifty se puso en pie y cogió el megáfono—. ¡Tirad la carne!

Arrojaron a través de los barrotes enormes pedazos sanguinolentos de carne, que aterrizaron con un sonido húmedo. Con eso fue suficiente. El ser soltó el barrote de acero y se precipitó hacia el pedazo más cercano. La parte superior de una pata de vaca. El lelo la recogió del suelo y hundió las fauces en los pliegues grasientos, no tanto bebiendo los líquidos que contenía como inhalándolos. Dos segundos, y ya estaba pelada. El ser tiró a un lado los restos resecos.

Giró hacia Dunk. Ahora, el hombre significaba algo. El lelo se acuclilló, se balanceó sobre los dedos prensiles de los pies y las enormes manos abiertas. La reveladora inclinación de cabeza, el momento de la contemplación.

Cargó.

Cuando el viral saltó hacia él, con los brazos extendidos, las garras apuntadas a su garganta, Dunk se tiró al suelo y se levantó al tiempo que giraba la pica. La multitud enloqueció. Peter también sintió que la emoción del enfrentamiento corría por sus venas. El lelo esquivó la pica y trepó por la pared de la jaula. Esta vez no se trataba de una retirada confusa: sus intenciones eran claras. Cuando atacaban, lo hacían desde arriba. A seis metros de altura, el lelo saltó hacia atrás apoyándose en los barrotes, girando en el aire con la cabeza por delante, retorciéndose como un tirabuzón mientras descendía a toda velocidad, y aterrizó sobre sus pies a tres metros de Dunk. La misma maniobra, pero al revés: Dunk saltó, el lelo se tiró al suelo. La pica atravesó el espacio vacío sobre su cabeza. Cuando Dunk cayó hacia delante, impulsado por su aceleración, el lelo saltó y se estrelló de cabeza contra su vientre acolchado, arrojándole al otro lado de la jaula. Dunk se incorporó contra los barrotes, obviamente conmocionado. La pica había caído al suelo a sus pies, y había perdido la máscara. Peter vio que extendía el brazo hacia el arma, pero el gesto fue débil y su mano tanteó con aturdida torpeza. Tenía el pecho hinchado como un fuelle, y un reguero de sangre resbalaba desde la nariz hasta el labio superior. ¿Por qué no le había matado ya el lelo?

Porque era una trampa. El lelo también parecía sospecharlo. Mientras contemplaba al luchador caído, Peter intuyó el conflicto interior del ser. El ansia de matar enfrentada a una incipiente sospecha táctica de que las apariencias engañaban, un vestigio, quizá, de la capacidad humana de razonar. ¿Cuál ganaría? La multitud estaba coreando el nombre de Dunk, intentaba despertarle de su estupor. Eso, o bien animaba al lelo a entrar en acción. Cualquier muerte serviría. Al entrar en la jaula, Dunk ya había asegurado la victoria más importante: ser humano. Negar el dominio de los virales sobre su persona, sobre sus camaradas, sobre el mundo. El resto ya se vería.

Ganó la sangre.

El lelo saltó en el aire. Al mismo tiempo, la mano vacilante había encontrado y asido la pica. Cuando el ser cayó, Dunk levantó la pica en un ángulo de cuarenta y cinco grados, la apuntó al pecho del lelo que descendía, y apoyó el extremo inferior contra el suelo entre sus rodillas.

¿Supo el lelo lo que iba a suceder? ¿Experimentó, en aquella fracción de segundo en que el resultado quedó resuelto, una conciencia de su carrera hacia la muerte? ¿Era feliz? ¿Estaba triste? Y entonces, la punta de la pica encontró su objetivo y atravesó de parte a parte al ser, de forma que expiró con un solo, majestuoso e instantáneo estertor de muerte.

Dunk empujó el cuerpo a un lado. Peter se había puesto en pie como el resto de la muchedumbre. Su energía se había sumado a la de los demás, fluía en la corriente colectiva. Su voz resonó con la multitud:

¡Dunk, Dunk, Dunk, Dunk!

¡Dunk, Dunk, Dunk, Dunk!

¿Por qué era esto diferente?, se preguntó Peter, mientras otra parte de su cerebro se negaba a concederle importancia, a la deriva en su euforia inesperada. Se había enfrentado a los virales en la muralla, en ciudades y desiertos, en bosques y campos. Había descendido doscientos metros hasta penetrar en una cueva. Se había entregado a una muerte probable cientos de veces, y, no obstante, la valentía de Dunk era algo más, algo más puro, algo redentor. Peter miró a sus amigos. Michael, Hollis, Lore: era inconfundible. Sentían lo mismo que él.

Sólo Tifty parecía diferente. Se había puesto en pie como el resto, pero su rostro no reflejaba la menor emoción. ¿Qué estaba viendo en el ojo de su mente? ¿Adónde habría ido? Había ido al campo. Ni siquiera la jaula podía aligerar aquel peso. Aquélla era la oportunidad de Peter. Esperó a que los vítores enmudecieran. En las tribunas, estaban contando y pagando las apuestas.

—Déjeme ir allí.

Tifty le estudió con una ceja enarcada.

—¿Qué me está pidiendo, teniente?

—Una apuesta. Mi vida contra su promesa de llevarme a Iowa. No sólo ha de decirme dónde está esa ciudad. Ha de acompañarme.

—Peter, no es una buena idea —advirtió Hollis—. Sé lo que sientes. Lo llamamos fiebre de jaula.

—No se trata de eso.

Tifty cruzó los brazos sobre el pecho.

—Señor Jaxon, ¿tengo aspecto de tonto? Su reputación le precede. No dudo de que un lelo entre dentro de sus posibilidades.

—Un lelo no. Sheila.

Tifty le sopesó con los ojos. Detrás de él, Michael y Lore no decían nada. Tal vez comprendían lo que estaba haciendo, y tal vez no. Tal vez estaban demasiado estupefactos por la aparente pérdida de sus facultades para reaccionar. En cualquier caso, daba igual.

—De acuerdo, teniente, es su funeral. Tampoco quedará nada para enterrar.

Tifty y dos de sus hombres acompañaron a Peter a una pequeña habitación situada en la parte posterior del estadio. Michael y Hollis iban con él. Lore esperaba en las tribunas. La habitación estaba vacía, salvo por una mesa larga sobre la que descansaban trajes acolchados blindados y diversos tipos de armas. Peter se vistió. Al principio, le había preocupado que los trajes acolchados le restaran rapidez en exceso, pero eran de una ligereza y flexibilidad sorprendentes. La máscara era otra cuestión. Peter no comprendía de qué ayuda podía servir, y le impedía la visión periférica. La dejó a un lado.

Ahora, las armas. Le permitieron dos. Armas de fuego no, sólo armas perforantes. Cuchillos, ballestas, picas y espadas y hachas de diversas longitudes y peso. La ballesta era tentadora, pero en espacios angostos costaría demasiado volver a cargarla. Peter eligió una pica de metro y medio con extremo de acero provisto de púas.

En cuanto a la segunda: miró a su alrededor en busca de algo que sirviera a sus propósitos. En la esquina de la habitación había un cubo de basura galvanizado. Quitó la tapa y lo examinó.

—Que alguien me dé un trapo.

Se lo dieron. Peter lo mojó con saliva y frotó el interior de la tapa. Su reflejo empezó a surgir, con escasa precisión, apenas algo más que una forma borrosa. Pero tendría que bastar.

—Esto es lo que quiero.

Los hombres de Tifty estallaron en carcajadas. *¡La tapa de un cubo de basura! ¡Un escudo patético contra un drago adulto! ¿Es que quería suicidarse?*

—Que esté loco es una cosa, teniente —dijo Tifty—. Pero esto no lo puedo permitir.

Michael le miraba con el ceño fruncido y expresión burlona.

—¿Como... en Las Vegas?

Peter asintió y se volvió hacia Tifty.

—Dijo algo en la sala.

—Creo que sí.

—Pues estoy preparado.

Le condujeron al estadio. La multitud prorrumpió en rugidos y pataleos, pero el sonido era diferente del ofrecido a Dunk. Sus lealtades habían cambiado. Peter no era uno de ellos. Estaban entusiasmados por verle morir, aquel arrogante soldado de los Expedicionarios que osaba pensar que era capaz de matar a un drago. La caja ya estaba situada en el centro del cuadrilátero. Cuando Peter se acercó, creyó verla sacudirse. Oyó desde las gradas: «¡Se cierran las apuestas!».

—No es demasiado tarde para dar marcha atrás —dijo Hollis—. Podríamos huir.

—¿Qué probabilidades me conceden?

—Diez a uno a que sobrevives treinta segundos. Cien a uno a que duras un minuto.

—¿Has apostado?

—Te he dado por vencedor en cuarenta y cinco. Me quedaré endeudado de por vida.

—El acuerdo habitual, ¿vale?

Peter no tuvo que dar más explicaciones: *Si me muerde pero sobrevivo, no lo permitas. Que sea rápido.*

—No has de preocuparte.

—Avisa también a Michael.

El hombre se quedó desolado.

—¡Jesús!, Peter. Ya lo hiciste *una vez.* Tal vez existió otro motivo de que disminuyeran la velocidad. ¿Lo has pensado?

Peter miró la caja en medio del cuadrilátero. Estaba temblando como un motor.

—Gracias. Estoy pensando en ello ahora.

Se estrecharon la mano. Un momento serio, pero ya habían vivido otros similares. Peter entró en la jaula. Uno de los hombres de Tifty cerró la puerta a su espalda. Hollis y Michael ocuparon sus asientos en las gradas con Lore. Tifty se levantó con el megáfono.

—Teniente Jaxon de los Expedicionarios, ¿preparado?

Un coro de abucheos. Peter hizo lo posible por desoírlos. Le había impulsado la pura convicción, pero ahora que había llegado el momento, su cuerpo había empezado a poner en duda a su mente. Tenía el corazón acelerado, las palmas de las manos húmedas. La pica se le antojaba absurdamente pesada en la mano. Llenó el pecho de aire.

—¡Preparado!

—Entonces... ¡Que empiece la cuenta!

Después, Peter averiguó que el enfrentamiento había durado el increíble total de veintiocho segundos. Se le antojó corto y largo al mismo tiempo. Había sucedido despacio y muy deprisa, una confusión de acontecimientos que no se correspondía con el transcurso del tiempo normal.

Lo que recordaba era esto:

La explosión del drago al salir de la caja, como agua expulsada de una manguera; su majestuoso salto en el aire, una fuerza concentrada de la naturaleza, hasta lo alto de la jaula, y después tres veloces rebotes mientras saltaba de lado a lado, demasiado rápida para que los ojos de Peter la siguieran: la imagen en el ojo de su mente de su brinco anticipado y del arco que su cuerpo emplearía para caer sobre él, y del momento en que ocurriría, exactamente como él había previsto; la explosión de fuerza cuando sus cuerpos habían colisionado, uno inmóvil, el otro volando con la cabeza por delante; el drago le arrojó contra la jaula, y su cuerpo (falto de aliento, destrozado, inconsciente durante uno o dos segundos, pero no más) rodando, rodando y rodando.

Estaba tendido sobre el estómago. La tapa del cubo de basura y la pica habían desaparecido. Rodó sobre su espalda y retrocedió a cuatro patas, y entonces encontró lo que quedaba de la pica. El palo se había partido a unos sesenta centímetros de su extremo puntiagudo de acero. Lo rodeó con su puño y se levantó. Moriría luchando. Al menos, moriría de pie. En un planeta lejano, las multitudes prorrumpían en vítores. El viral estaba avanzando hacia él de una forma que habría descrito como pausada, casi despreocupada. Ladeó la cabeza y abrió las mandíbulas para que pudiera dar un buen vistazo a sus dientes.

Sus ojos se encontraron.

Se encontraron de verdad. Una auténtica mirada escrutadora. El momento se prolongó, y en aquel instante sintió Peter que su mente se zambullía en la de ella: sus sensaciones y recuerdos, pensamientos y deseos, la persona que había sido y el dolor de aquello

terrible en que se había convertido. Su expresión se había suaviza-
do, su postura se había relajado de una forma discernible. La fero-
cidad de su expresión albergaba ahora algo diferente: una profunda melancolía. Un ser humano habitaba todavía en su interior,
como una llama diminuta en la oscuridad. *No apartes la vista*, se
dijo Peter. *Hagas lo que hagas, no dejes de sostener su mirada.* Sujetaba la pica en la mano.

Avanzó un paso, y después otro. Ella continuó sin moverse.
Peter sintió una especie de estremecimiento sereno en su interior,
no de miedo sino de anhelo: eso era lo que ella deseaba. La multitud había enmudecido. Era como si los dos estuvieran solos en un
inmenso espacio silencioso. Una iglesia vacía. Un teatro abandonado. Una cueva. Echó hacia atrás la pica, apoyó la mano libre sobre
el hombro de la viral para no perder el equilibrio. *Por favor*, decían
los ojos de ella.

Luego, todo terminó.

La muchedumbre guardaba un silencio ensordecedor. Peter
cayó en la cuenta de que estaba temblando. Algo irrevocable había
sucedido, indiscernible. Miró el cuerpo. Había notado que su alma
la abandonaba. Le había rozado como una brisa, sólo que la brisa
estaba dentro de él, compuesta de palabras. *Gracias, gracias. Soy
libre.*

Tifty le estaba esperando cuando salió de la jaula.

—No se llamaba Sheila —dijo Peter—. Se llamaba Emily.

Tifty no dijo nada. Su expresión era de absoluta perplejidad.

—Tenía diecisiete años cuando la raptaron. Su último recuerdo
era el de besar a un chico.

—No lo entiendo.

Hollis, Michael y Lore se estaban acercando a las gradas. Peter
avanzó hacia ellos, se detuvo y giró en redondo hacia Tifty.

—¿Quiere saber cómo se les mata?

El hombre asintió, boquiabierto.

—Mirándolos a los ojos.

48

La mente de Amy estaba llena de él. Llena de Carter y de la mujer, cuyo nombre era Rachel. Rachel Wood.

Amy lo sentía, lo sentía todo. Sentía, veía y sabía. Los brazos de la mujer a su alrededor, que tiraba de él hacia el fondo más y más. El sabor del agua de la piscina, como el aliento del diablo. El golpe sordo cuando tocaron fondo, sus cuerpos entrelazados como los de unos amantes.

Cómo la había amado Carter. Eso era lo que Amy sentía más profundamente: su amor. La vida del hombre se había detenido allí, en el fondo de la piscina, su mente atrapada para siempre en un bucle de dolor. *Oh, por favor, déjame*, pensaba Anthony Carter. *Moriré si así lo deseas, moriría por ti si me lo pidieras, deja que muera yo en tu lugar.* Y entonces, las burbujas se elevaron mientras la mujer era la primera en respirar, y sus pulmones se llenaron del agua asquerosa, y profundos espasmos de muerte la sacudieron. Y después, el dejarse llevar.

La de él era la tristeza en el centro del mundo. El *Chevron Mariner*: aquél era el lugar. Era la encarnación del corazón transido de dolor.

Sangraba cuando atravesó la cubierta inclinada. Amy intuyó que el cambio se acercaba, un estruendo en las colinas. Se precipitaría sobre ella como una avalancha. La borraría, la modelaría de nuevo. Descendió a las entrañas del barco, a su laberinto de pasadizos, a sus escorados callejones de tuberías. Sus pies chapotearon en el agua estancada de color herrumbrado. Resplandores irisados bailaban sobre su superficie. Se movía por instinto. Recibía el mensaje. Era el receptor del transmisor de Carter, que la dirigía inexorablemente cada vez más abajo.

La sala de máquinas.

Colgaban por todas partes, llenaban el espacio con su resplandor. Se aferraban a todas las superficies. Yacían aovillados en el suelo como niños. Ahí estaba la reserva, la madriguera. El nido de Anthony Carter, sus compungidas legiones suspendidas a la espera. *¿Dónde estás?*, pensó, y entonces su cuerpo se estremeció, y después de aquella sacudida convulsiva llegó una opresión en el abdomen, como si un puño gigantesco la hubiera estrujado. Se tambaleó, luchó por mantenerse erguida. Puntos de negrura aparecieron ante sus ojos. Estaba sucediendo. Estaba sucediendo en ese momento.

Estoy aquí.

—¿Dónde? ¿Dónde estás? Por favor, creo que estoy... muriendo.

Ven a mí, Amy. Ven a mí ven a mí ven a mí...

Había una puerta delante de ella. ¿La había abierto? Avanzó dando tumbos por el angosto pasadizo que había al otro lado. El suelo estaba resbaladizo de petróleo, la sangre de la Tierra, el destilado del tiempo, comprimido por un planeta. Llegó a un segundo portal. D1, o sea, Depósito n° 1. Sabía lo que había al otro lado. Siempre había sido así. Agarró la rueda oxidada con todas sus fuerzas y la giró. Un amplio espacio abierto se abrió ante ella, como si hubiera entrado en una inmensa catedral.

Y allí estaba. Anthony Carter, Duodécimo de los Doce. Marchito y menudo, diminuto, no más grande que el hombre que había sido y, en el fondo de su corazón, seguía siendo. La encarnación del rechazo. Estaba tendido en el suelo, entre los desechos del mundo. Se desplegó poco a poco, se levantó para recibirla. Carter el Afligido, el Que No Podía, encerrado en la prisión que él mismo había construido.

—Ayúdame —dijo Amy, cuando un gran estremecimiento recorrió su cuerpo, se apoderó de ella, y cayó en sus brazos.

Y entonces se encontró en otro lugar.

Estaba bajo un paso elevado de la autopista. Amy conocía el lugar, o al menos lo creía. Sus vistas, sonidos y olores se hallaban henchidos de recuerdos. El estruendo resonante de los coches que pasaban por encima; el clic-clic-clic de las junturas de la autopista; la basura y la mugre acumuladas, y el aire pesado y cargado de humo. Amy estaba parada al borde de la carretera, sosteniendo un letrero de cartón: HAMBRE, CUALQUIER COSA SERÁ DE AYUDA, DIOS OS BENDIGA. El tráfico fluía a oleadas, coches, camiones, nadie la miraba siquiera. Iba vestida con andrajos. Tenía las manos negras de mugre. Su estómago, vacío, le pesaba como una piedra. Los vehículos continuaban desfilando. ¿Por qué no paraba nadie?

Entonces, el coche. Un todoterreno grande, oscuro y reluciente. Aminoró la velocidad, después frenó, no tanto acercándose al bordillo como posándose, como un gran pájaro negro. Sus ventanillas tintadas formaban cuadrados que reflejaban el mundo a la perfección. Con un suave zumbido mecánico, la ventanilla del pasajero descendió.

—Hola, Amy.

Wolgast estaba al volante, vestido con un traje azul marino y corbata oscura. Iba bien afeitado, con el pelo retirado de la frente, algo brillante, como si aún estuviera mojado de la ducha.

—Llegas a tiempo. —Sonrió y se inclinó para abrir la puerta—. ¿Por qué no subes?

Amy dejó su letrero en el suelo y subió al asiento del pasajero. El aire era frío dentro del coche, con olor a cuero.

—Es maravilloso verte —dijo Wolgast—. No olvides abrocharte el cinturón, cielo.

Su asombro era tal que apenas podía articular las palabras.

—¿Adónde vamos?

—Ya lo verás.

Dejaron atrás el paso elevado y salieron al sol del verano. A su alrededor pasaban desfilando tiendas, casas y vehículos, un mundo de humanidad ajetreada. El coche saltaba de una forma agradable bajo ellos sobre sus amortiguadores.

—¿Está muy lejos?

Wolgast se encogió de hombros.

—No mucho. Un poco más adelante. —La miró de soslayo—. Debo decir que tienes muy buen aspecto, Amy. Tan adulta...

—¿Qué... es este lugar?

—Bien, Texas. —Hizo una mueca de desagrado—. Todo esto es Houston, Texas. —Un recuerdo se plasmó en su expresión—. Lila se hartó de oír hablar de esto. «Brad, es un estado como cualquier otro», decía siempre.

—Pero ¿cómo es posible que estemos aquí?

—El cómo, lo ignoro. No creo que exista una respuesta para eso. En cuanto al porqué... —La miró de nuevo—. Soy uno de los suyos, ya lo entiendes.

—De Carter.

Wolgast asintió.

—¿Tú también estás en el barco?

—¿En el barco? No.

—¿Dónde, pues?

El hombre no respondió enseguida.

—Creo que será mejor que él te lo explique. —Sus ojos se desviaron de nuevo hacia el rostro de Amy—. Tienes un aspecto maravilloso, Amy. Como siempre te había imaginado. Sé que él se alegrará de verte.

Habían entrado en un barrio de casas grandes, árboles exuberantes y jardines amplios y bien cuidados. Wolgast tomó el camino de entrada de una casa colonial de ladrillo blanco y paró el coche.

—Ya hemos llegado. Supongo que voy a dejarte.

—¿No vienes conmigo?

—Temo que esta vez sólo soy el mensajero. Ni siquiera eso. Más bien el repartidor. Ve por detrás.

—Pero yo no quiero ir sin ti.

—No pasa nada, corazón, no te morderá. —Tomó su mano y la apretó con dulzura—. Vete ya, te está esperando. Nos veremos pronto. Todo irá bien, te lo prometo.

Amy bajó del coche. Zumbaban langostas en los árboles, un sonido que, de alguna manera, intensificaba el silencio. El aire estaba impregnado de humedad y olía a hierba recién cortada. Amy se volvió a mirar a Wolgast, pero el coche ya había desaparecido. Este lugar, dedujo, era diferente en ese sentido: las cosas desaparecían sin más.

Subió por el camino de entrada, atravesó una puerta enrejada con enredaderas en flor, y entró en el patio trasero. Carter estaba sentado a una mesa en el patio, vestido con tejanos, una camiseta sucia y pesadas botas de lazo. Se estaba frotando el cuello y el pelo con una toalla. Su segadora estaba aparcada cerca, y proyectaba un tenue olor a gasolina. Cuando Amy se acercó, alzó la vista sonriente.

—Bien, aquí está. —Indicó los dos vasos de líquido que había sobre la mesa—. Acabo de terminar. Venga a sentarse un rato. Pensé que le apetecería un poco de té. —La sonrisa se ensanchó y reveló sus dientes blancos—. No hay nada mejor que un vaso de té en un día caluroso de junio.

Amy se sentó frente a él. Tenía una cara pequeña y fina, ojos dulces y pelo muy corto, como una gorra de lana oscura. Su piel color cacao estaba sembrada de puntos negros. Tenía motas de hierba en la camisa y los brazos. Junto al patio, la piscina era una presencia azul, fría e invitadora, y el agua lamía en silencio sus bordes embaldosados. Sólo fue entonces cuando Amy cayó en la cuenta de que era la misma casa en la que Greer y ella habían pasado la noche.

—Este lugar —dijo Amy. Volvió la cara hacia los árboles zumbantes. La intensa luz del sol calentaba su piel—. Es muy bonito.

—En efecto, señorita Amy.

—Pero seguimos dentro del barco, ¿verdad?

—En cierta manera —replicó Carter sin alterarse—. En cierta manera.

Continuaron sentados en silencio, mientras bebían té frío. Gotas de humedad resbalaban por los costados de los vasos. Las cosas se estaban definiendo.

—Creo que sé por qué estoy aquí —dijo Amy.

—Eso espero.

De pronto, el aire se enfrió. Amy se estremeció y se abrazó el cuerpo. Hojas secas, como fragmentos de papel marrón, volaban a través del patio. La luz había perdido su color.

—He estado pensando en usted, señorita Amy. Todo el tiempo. Wolgast y yo estuvimos hablando. Una buena charla, como la que usted y yo estamos sosteniendo ahora.

De repente, no tuvo ganas de oír lo que Carter iba a decirle. Fueron las hojas el motivo de que lo pensara: tenía miedo.

—Dijo que usted es su propietario. Que le pertenece.

Carter asintió con afabilidad.

—Ese hombre dice que está en deuda conmigo, y yo deduzco que debe de tener razón, pero yo también estoy en deuda con él. Fue él quien me concedió tiempo para descubrirlo. Un océano de tiempo, Anthony, eso fue lo que dijo. Me costó bastante al principio, nunca he dicho lo contrario. Era por culpa del ansia. Pero nunca pude acostumbrarme. Wolgast fue el único que me concedió la oportunidad de enmendar las cosas.

—Fue él quien le encerró en el barco, ¿verdad?

—Sí, él. Le pedí que lo hiciera cuando el ansia empeoró. Él también se hubiera encerrado, de no ser por usted. Ve a cuidar de tu chica, le dije. Ese hombre la quiere con todo su corazón.

Amy se dio cuenta de que había algo en la piscina. Una sombra oscura que se alzaba poco a poco, que surcaba la superficie del agua para ocupar su lugar entre las hojas de otoño flotantes.

—Ella siempre está ahí. —Carter movió la cabeza con tristeza—. Es lo malo de eso. Cada día corto la hierba. Cada día ella emerge.

Guardó silencio un momento, consternado. Después, se serenó y la miró a la cara de nuevo.

—Sé que no es justo para usted lo que ha de afrontar. Wolgast también lo sabe. Pero ésa es nuestra oportunidad. Nunca surgirá otra.

La duda de Amy se convirtió en certeza en aquel momento,

como una semilla que se abriera dentro de ella. Lo había presentido durante días, semanas, meses. La voz de Cero, que la llamaba. *Amy, ve con ellos. Ve con ellos, hermana de sangre. Te he conocido, sentido. Eres la omega de mi alfa, la que los vigila y protege.*

—Por favor —dijo con voz temblorosa—. No me pida que haga esto.

—No soy yo quien lo pide. Tampoco se lo digo. Es lo que hay. —Carter se irguió en la silla, sacó un pañuelo del bolsillo posterior y se lo dio—. Llore si quiere, señorita Amy. Reconozco que le debemos eso, como mínimo. Yo también he llorado a raudales.

Amy lloró. En el orfanato había saboreado la vida. Con Caleb, las hermanas, Peter y todos los demás. Se había convertido en parte de algo, de una familia. Había creado un hogar en el mundo. Ahora, desaparecería.

—Nos matarán a ambos.

—Creo que lo intentarán. Lo supe desde el primer momento. —Se inclinó sobre la mesa y tomó su mano—. No es justo, lo sé, pero hemos de cargar con esa responsabilidad. Nuestra única oportunidad. Nunca habrá otra.

No había forma de negarse. El destino había ido a su encuentro. La luz se estaba desvaneciendo, las hojas caían al suelo. En la piscina, el cuerpo de la mujer proseguía su lenta travesía, flotaba y giraba en la corriente eterna.

—Dígame lo que debo hacer.

VIII

El desafío

¡No soy Nadie! ¿Quién eres tú?
¿Eres Nadie también?
¡En ese caso, somos dos!
¡No lo digas! Se darían cuenta.

EMILY DICKINSON

49

La primera nevada auténtica del invierno llegó, como parecía ser la costumbre siempre, en plena noche. Sara estaba durmiendo en el sofá cuando la despertó una especie de tamborileo. Durante un rato el sonido se mezcló en su mente con un sueño que estaba teniendo, en el cual estaba embarazada e intentaba explicárselo a Hollis. El escenario de este sueño era un desconcertante galimatías de lugares que se solapaban (el porche de la casa de Primera Colonia donde se había criado; la planta de biodiésel, entre el retumbar de los molinos; un teatro en ruinas, imaginario por completo, con raídas cortinas púrpura suspendidas sobre un escenario), y si bien otros personajes deambulaban por la periferia (Jackie, Michael, Karen Molyneau y sus hijas), la sensación era de aislamiento: Hollis y ella estaban solos, y la niña, que daba pataditas dentro de ella (Sara comprendía que era una especie de código), estaba pidiendo nacer. Cada vez que intentaba explicárselo a Hollis, las palabras expresaban otras situaciones (no «Estoy embarazada», sino «Está lloviendo», no «Voy a tener un hijo», sino «Hoy es martes»), lo cual provocaba que Hollis la mirara al principio confuso, después divertido, y al final se ponía a reír. «No es divertido», decía Sara. Lágrimas de frustración anegaban sus ojos cuando Hollis lanzaba sus cálidas carcajadas guturales. «No es divertido, no es divertido, no es divertido...», y así sucesivamente, y en esta fase el sueño se desvanecía, y entonces despertaba.

Se quedó inmóvil un momento. El tamborileo llegaba desde la ventana. Apartó a un lado la manta, cruzó la habitación y descorrió las cortinas. Los terrenos de la Cúpula estaban iluminados de noche, una isla de luminiscencia en un mar de oscuridad, y por entre los haces de esas luces estaba cayendo una nieve gélida, sacudida por ráfagas de viento. Parecía más hielo que nieve, pero al

cabo de un rato algo cambió. Las partículas aminoraron la velocidad de su caída y se hicieron más grandes, hasta convertirse en
copos de nieve. Se posaban sobre todas las superficies y construían
un manto blanco. En las otras dos habitaciones del apartamento
dormía Lila, y la hija de Sara, arrebujada en su camita. Sara anhelaba ir con ella, tomar en brazos a su hija, llevarla al sofá y abrazarla mientras dormía. Tocar su cabello, su piel, sentir el roce tibio de
su aliento. Pero esta idea era un sueño vacío, nada que se permitiera imaginar era posible. Transida de anhelo, Sara veía caer la nieve,
agradecía que poco a poco fuera borrando el mundo, aunque sabía
que allá abajo, en la planicie, significaba algo más. Dedos congelados, de las manos y los pies, cuerpos atormentados por el frío. Los
meses de oscuridad y desdicha. *Bien*, pensó Sara con un estremecimiento. *El invierno. Así que ha empezado. Al menos, estaré a buen
recaudo.*

Pero cuando despertó por la mañana, algo había vuelto a cambiar.

—¡Mira, Dani! ¡Nieve!

Una luz centelleante entraba a chorros en la habitación. La
niña, vestida con su camisón, se había subido a una silla para descorrer las cortinas, y tenía la nariz apretada contra la ventana helada. Sara se levantó a toda prisa del sofá y la cerró.

—¡Pero quiero ver!

—¡Dani! —gritó una voz desde la habitación de dentro—. ¿Dónde estás? ¡Te necesito!

—¡Un momento! —Sara miró a los ojos suplicantes de la
niña—. Lo siento, cariño. Ya conoces las normas.

—¡Pero ella puede quedarse en la cama!

—*¡Dani!*

Sara exhaló un suspiro. Las mañanas de Lila eran difíciles, acosada por una angustia indefinida y un miedo indescriptible. El
efecto se magnificaba cada día que pasaba desde su última ingesta.
Bajo el hechizo restaurador de la sangre, exhibía un estado de
ánimo alegre y afectuoso con ambas, incluso un poco atolondrado,

aunque su interés por Kate parecía más abstracto que personal. Parecía que no asimilaba del todo la edad de la niña, y con frecuencia hablaba de ella como si fuera una recién nacida. En esos días buenos, Lila daba la impresión de estar convencida de que vivía en un lugar llamado Cherry Creek, casada con un hombre llamado David (aunque también hablaba de un tal Brad, y los dos parecían intercambiables), y de que Sara era una criada enviada por «el servicio», fuera lo que fuera eso. Pero cuando el efecto de la sangre se desvanecía, tras un período de cuatro o cinco días adoptaba maneras bruscas y el pánico la invadía, como si aquella complicada fantasía fuera cada vez más difícil de mantener.

—Deja que la acompañe al baño. Después, veré si puedo llevarte fuera a jugar. ¿Trato hecho?

La niña asintió vigorosamente.

—Ahora vístete.

Sara encontró a Lila sentada en la cama, apretando contra el pecho los pliegues de su delgado camisón. Si Sara tuviera que calcular su edad, habría dicho que la mujer aparentaba unos cincuenta años. Al día siguiente serían más, las arrugas de su cara más profundas, los músculos más fofos, el pelo gris y más ralo. A veces, el cambio era tan repentino que Sara podía ser testigo de su evolución. Entonces, Guilder traía la sangre. Sara era expulsada de la habitación junto con Kate, y cuando regresaban, Lila volvía a ser una joven de veinticinco años, de pelo abundante y piel suave, y el ciclo empezaba de nuevo.

—¿Por qué no me contestabas? Estaba preocupada.

—Lo siento. Me dormí.

—¿Dónde está Eva?

Sara explicó que la niña se estaba vistiendo, y se excusó para preparar el baño de Lila. Al igual que el tocador de la mujer, el cuarto de baño era un lugar de importancia capital. En su profundo capullo, la mujer podía solazarse durante horas. Sara abrió el grifo y desplegó los jabones, aceites y frasquitos de cremas, con dos toallas gruesas y recién lavadas. A Lila le gustaba bañarse a la luz de las velas. Sara cogió una caja de cerillas de madera del tocador y encendió los candelabros. Cuando Lila apareció en la entrada, el aire estaba impregnado de vapor. Sara, con su pesado hábito de asistenta, había empezado a sudar. Lila cerró la puerta y se dio la vuelta para quitarse la bata. La parte superior de su cuerpo era delgada, aunque no tanto como llegaría a serlo, pues su masa se redistribuía hacia abajo con el paso de los días, en las caderas y muslos. Se volvió hacia Sara y contempló la bañera con expresión cautelosa.

—Dani, hoy no me siento en plena forma. ¿Podrías ayudarme a entrar?

Sara tomó a Lila de la mano y la ayudó a entrar en la bañera, hasta que se sentó en el agua humeante, tras lo cual la expresión de la mujer se suavizó y la tensión abandonó su cara. Se sumergió hasta la barbilla, inhaló una larga y feliz bocanada de aire, y movió las manos como palas para mover el agua sobre su cuerpo. Se reclinó para mojarse el pelo, y después se incorporó y apoyó la espalda contra el lado de la bañera. Liberados de la gravedad, los senos de la mujer flotaban sobre su pecho en una pantomima de juventud restaurada.

—Me encanta el baño —murmuró.

Sara se sentó en un taburete al lado de la bañera.

—¿Primero el pelo?

—Mmmmmmmmmmm. —Lila tenía los ojos cerrados—. Por favor.

Sara empezó. Lila observaba un riguroso ritual, como en todo lo demás. Primero la coronilla, que las manos de Sara masajeaban vigorosamente, y después las movía hacia abajo para alisar los largos mechones de pelo entre los dedos. El jabón, después el aclarado, y luego el mismo orden de acontecimientos se repetía con el aceite perfumado. A veces ordenaba a Sara que lo hiciera más de una vez.

—Esta noche ha nevado —comentó Sara.

—Ummmmmm. —El rostro de Lila estaba relajado, con los

ojos todavía cerrados—. Bien, así es Denver. Si no te gusta el tiempo, espera un poco, ya cambiará. Mi padre siempre decía eso.

Los dichos del padre de Sara, debidamente anotados como tales, eran una característica destacada de sus conversaciones. Sara utilizó una jarra que hundió en el agua para eliminar el jabón de la frente de Lila, y empezó a trabajar con el aceite.

—Supongo que todo estará cerrado —continuó Lila—. Tenía muchas ganas de ir al mercado. Nos hemos quedado sin nada.

—Daba igual que, por lo que Sara sabía, Lila jamás saliera del apartamento—. ¿Sabes qué me gustaría, Dani? Un almuerzo largo y agradable. En algún lugar especial. Con buenas servilletas de hilo, porcelana y flores en la mesa.

Sara había aprendido a seguirle la corriente.

—Eso suena bien.

Lila exhaló un prolongado suspiro de nostalgia, al tiempo que se hundía más en el agua.

—No sé cuánto tiempo hace que no disfruto de un almuerzo largo y agradable.

Transcurrieron algunos minutos. Sara estaba trabajando el cráneo de la mujer con el aceite.

—Creo que a Eva le gustaría salir un rato.

Se le antojó una mentira monstruosa pronunciar aquel nombre, pero a veces era inevitable.

—Sí, supongo que sí —contestó Lila sin comprometerse.

—Me estaba preguntando si hay otros niños con los que pueda jugar.

—¿Otros niños?

—Sí, niños de su edad. Creo que sería bueno para ella tener amigos.

Lila frunció el ceño, incómoda. Sara se preguntó si habría ido demasiado lejos.

—Bien —dijo la mujer en tono de concesión—, está esa chica del vecindario, no sé cómo se llama. La del cabello oscuro. Pero casi nunca la veo. Casi todas las familias de por aquí son muy reservadas. Una pandilla de estirados, si quieres saber mi opinión. Pero tú eres una buena amiga de ella, ¿verdad?

Amiga. Qué cruel ironía.

—Lo intento.

—No, es más que eso. —Lila sonrió adormilada—. Tú eres diferente, lo sé. Creo que es maravilloso para Eva tener una amiga como tú.

—Así que puedo llevarla a pasear.

—Dentro de un rato. —Lila volvió a cerrar los ojos—. Tenía la esperanza de que pudieras leerme. Me gusta muchísimo que me lean en el baño.

Cuando escaparon, era casi mediodía. Sara vistió a Eva con un abrigo, mitones, chanclos de goma y un gorro de lana, encasquetado sobre las orejas de la niña. Ella sólo contaba con el hábito, y para los pies únicamente sus zapatillas rotas y calcetines de lana, pero le daba igual. Los pies fríos, ¿y qué? Bajaron la escalera que daban al patio y salieron a un mundo tan renovado que parecía un lugar nuevo. El aire transportaba un aroma acre y fresco, y el sol se reflejaba en la nieve con una intensidad que hería los ojos. Después de tantos días en la forzada penumbra del apartamento, Sara tuvo que detenerse en el umbral para conceder a su ojos un momento de adaptación. Pero Kate no sufrió esa dificultad. Con un estallido de energía, soltó la mano de Sara y salió disparada de la entrada, cruzando a la carrera el patio. Cuando Sara logró alcanzarla (tal vez se había equivocado con las zapatillas; iban a constituir un problema), la niña se estaba metiendo puñados de nieve en la boca.

—Sabe... frío. —Su rostro irradiaba felicidad—. Prueba un poco.

Sara obedeció.

—Yum —dijo.

Enseñó a la niña a hacer un muñeco de nieve. Su mente estaba invadida de una dulce nostalgia. Era como si fuera una Pequeña de nuevo, cuando jugaba en el patio del Asilo. Pero esto era diferente: Sara era la madre ahora. El tiempo había cerrado su círculo inexorable. Era maravilloso sentir la felicidad contagiosa de su hija, experimentar la sensación de asombro que circulaba entre ellas. De momento, todo el dolor se había borrado de la mente de Sara. Podrían estar en cualquier sitio. Las dos solas.

Sara pensó también en Amy, la primera vez en años que lo hacía. Amy, que nunca había sido una niña pequeña, o eso parecía, pero que de alguna manera siempre lo era. Amy, la Chica de Ninguna Parte, para quien el tiempo no era un círculo, sino algo detenido y paralizado, un siglo contenido en la mano. Sara experimentó una repentina e inesperada tristeza por ella. Siempre se había preguntado por qué Amy había destruido los frascos del virus aquella noche en la Alquería, arrojándolos a las llamas. Sara los había odiado, no sólo por lo que representaban, sino por el mismo hecho de su existencia, pero también sabía lo que eran: una esperanza de salvación, la única arma lo bastante poderosa para usarla contra los Doce. (*Los Doce*, pensó. ¿Cuánto tiempo hacía que aquel nombre no cruzaba su mente?) Sara nunca había sabido bien qué pensar de la decisión de Amy. Ahora, ya conocía la respuesta. Amy sabía que la vida que le habían negado aquellos frascos era la única realidad humana verdadera. En la hija de Sara, aquella personita triunfalmente viva que el cuerpo de Sara había creado, residía la respuesta al mayor misterio de todos: el misterio de la muerte, y de lo que venía después. Era evidente. La muerte no era nada, porque la muerte no existía. Por el simple hecho de la existencia de Kate, Sara estaba unida a algo eterno. Tener un hijo era recibir el don de la verdadera inmortalidad: el tiempo no se detenía, como se había detenido para Amy, sino que continuaba eternamente.

—Vamos a hacer ángeles de nieve —dijo.

Kate nunca los había hecho. Se tendieron una al lado de la otra, sus cuerpos envueltos en la blancura, rozándose las yemas de los

JUSTIN CRONIN

dedos. Sobre ellas, el sol y el cielo únicos testigos. Movieron los miembros de un lado a otro y se levantaron para inspeccionar las marcas. Sara explicó qué eran los ángeles: somos nosotras.

—Eso sí que es divertido —dijo Kate, sonriente.

La criada, Jenny, llevaría la comida. Su rato en la nieve había terminado. Sara imaginó el resto del día: Lila perdida en sus fantasías, sin molestarlas; ropa mojada secándose en los tendederos junto al fuego, Sara y su hija arrebujadas en el sofá, y el dulce intercambio de calor en que sus cuerpos se tocaban, y las horas de cuentos que leería (*Peter Rabbit* y *La ardilla Nuececita* y *James y el melocotón gigante*), antes de que las dos se sumieran en un sopor de sueños entrelazados. Nunca había sido tan feliz.

Estaban regresando hasta la entrada cuando Sara alzó la mirada hacia la ventana y vio que habían descorrido las cortinas. Lila las estaba observando, los ojos ocultos tras gafas de sol. ¿Cuánto tiempo llevaría allí?

—¿Qué está haciendo? —preguntó Kate.

Sara forzó una sonrisa.

—Creo que se lo estaba pasando bien observándonos.

Pero por dentro sintió una punzada de miedo.

—¿Por qué he de llamarla Mami?

Sara paró en seco.

—¿Qué has dicho?

Por un momento, la niña guardó silencio. Nieve derretida estaba cayendo de las ramas.

—Estoy cansada, Dani —dijo Kate—. ¿Puedes llevarme en brazos?

Una alegría insufrible. El peso de la niña no era nada en sus brazos. Era lo que le faltaba, recuperado. Lila continuaba mirando desde la ventana, pero a Sara le daba igual. Kate enroscó los brazos y las piernas a su alrededor, y de esta manera Sara llevó a su hija al apartamento.

Sara no había recibido ningún mensaje. Cada día miraba si la cuchara estaba invertida, si había una nota oculta bajo el plato, y no encontraba ninguna. Jenny iba y venía, depositaba sus bandejas de pan, polenta y sopa, y se iba a toda prisa sin decir palabra. Como no había salido del apartamento más que para sacar a Kate al patio, Sara sólo había visto a Vale una vez, cuando Lila la había enviado a buscar a un trabajador de mantenimiento para que desatascara el desagüe de la bañera. Estaba recorriendo el pasillo en compañía de otros dos cols, incluido el de los mofletes que los había recibido en el ascensor el primer día de Sara. Vale había pasado a su lado. Como siempre, su disfraz (que en realidad no era más que una forma de alterar su porte, el paso confiado de su rango) era perfecto. No intercambiaron el menor saludo. Si Vale la reconoció, no lo manifestó.

No debía enviar un mensaje *motu proprio* salvo en caso de emergencia, pero la falta de contacto la ponía nerviosa. Por fin, decidió arriesgarse. No había ninguna hoja de papel en el apartamento, pero sí había libros. Una noche, después de que Lila se acostara, Sara rompió un trozo del final de *Winnie-the-Pooh*. El mayor problema era encontrar algo con que escribir. No había plumas ni lápices en el apartamento. Pero en el cajón del fondo del tocador de Lila encontró un costurero con una almohadilla de agujas. Sara eligió la que le pareció más afilada, la hundió en el extremo de su dedo índice, apretó y brotó una gota de sangre. Utilizó la aguja a modo de pluma improvisada y garabateó su mensaje en el papel.

Necesito encuentro. D.

Al día siguiente, cuando Jenny fue a recoger la bandeja de la comida, Sara estaba esperando. En lugar de dejar que la muchacha se marchara a toda prisa como de costumbre, Sara levantó la bandeja de la mesa y la extendió hacia ella, estableciendo contacto visual, y después desvió la mirada hacia abajo, por si no se había expresado con claridad.

—Gracias, Jenny.

Dos días después llegó la respuesta. Sara ocultó la nota en los pliegues de su hábito, a la espera de un momento de privacidad. Esto no sucedió hasta bien avanzado el día, cuando Lila hizo una siesta. Se estaba acercando al final del ciclo, reseca, indispuesta y endeble. Guilder no tardaría en llegar con la sangre. Sara desdobló la hoja de papel en el cuarto de baño, y vio escritos una hora y un lugar, además de una sola frase con las instrucciones. El corazón de Sara dio un vuelco. No se había dado cuenta de que debería salir de la Cúpula. Necesitaría el permiso de Lila mediante un pretexto plausible. Si no lo conseguía, no tenía ni idea de qué iba a hacer. Con Lila en aquel estado de postración, se preguntó si la mujer sería capaz de comprender la petición.

Abordó el tema al día siguiente, mientras le estaba lavando el pelo a Lila. Unas cuantas horas libres, dijo. Una excursión al mercado. Sería estupendo ver caras nuevas, y mientras estaba allí podría buscar jabones o aceites especiales. La petición despertó en Lila una palpable angustia. En los últimos tiempos se había mostrado más dependiente, y apenas perdía de vista a Sara. Pero al final cedió, ante la suave fuerza de los argumentos de Sara. *No tardes demasiado*, dijo Lila. *No sé cómo me las arreglaría sin ti, Dani.*

Vale había preparado el terreno. En el mostrador principal, el col le tendió el pase con una escueta advertencia de que sólo podía estar ausente dos horas. Sara salió al viento y se encaminó hacia el mercado. Sólo los cols y los ojosrojos tenían permiso para efectuar trueques en él. La moneda adoptaba la forma de pequeñas fichas de plástico de tres colores: rojo, azul y blanco. Sara llevaba en el bolsillo del hábito cinco de cada, parte de la paga que Lila le daba cada siete días, emperrada en la ficción de que Sara era una empleada a sueldo. Habían apartado la nieve de las aceras, amontonándola en lo que había sido una pequeña zona comercial de la ciudad, tres manzanas de edificios de ladrillo contiguos a la universidad. Casi toda la ciudad estaba abandonada, y se iba sumiendo en un lento deterioro. Casi todos los ojosrojos, salvo los cargos superiores, vivían en un complejo de apartamentos de mediana altura situado en el extremo sur del centro. El mercado era el corazón de la ciudad, con controles en cada extremo. Algunos edificios todavía conservaban letreros que indicaban su función original: Banco Estatal de Iowa, Fort Powell Army-Navy, Wimpy's Café, Prairie Books and Music. Había incluso un pequeño cine con una marquesina. Sara había oído que los cols recibían permiso a veces para ir, con el fin de ver un puñado de películas que proyectaban una y otra vez.

Exhibió su pase en el punto de control. Las calles estaban desiertas, salvo por las patrullas y un puñado de ojosrojos, que paseaban con sus lujosos abrigos y gafas de sol. Protegida por el velo, Sara se movía en una burbuja de anonimato, aunque esta sensación de seguridad era, y lo sabía, una fantasía peligrosa. Caminaba a un paso que no era ni lento ni rápido, con la cabeza gacha para protegerse de las ráfagas de viento que azotaban las calles y silbaban alrededor de las esquinas de los edificios.

Llegó a la herboristería. Unas campanillas repicaron cuando entró. Hacía calor en la tienda, que olía a hierbas y humo de leña. Detrás del mostrador, una mujer con una mata rala de pelo gris y una boca arrugada y sin dientes estaba inclinada sobre una balanza, pesando ínfimas cantidades de un polvillo amarillento, que después introducía en diminutos frascos de cristal. Levantó los ojos cuando Sara entró, y después los desvió hacia el col parado ante un expositor de aceites perfumados. *Ten cuidado. Sé quién eres. No te acerques hasta que me deshaga de él.* Después, habló en voz alta y servicial.

—Señor, tal vez está buscando algo especial.

El col estaba olisqueando una pastilla de jabón. Treinta y pico, no mal parecido, y proyectaba un aire vanidoso. Devolvió el jabón a su sitio del expositor.

—Algo para el dolor de cabeza.

—Ah. —Una sonrisa de seguridad. La solución era fácil—. Un momento.

La anciana seleccionó un tarro de la pared de hierbas que tenía detrás, cogió con una cuchara un puñado de hojas secas y las metió en una bolsa de papel, que entregó al hombre.

—Disuélvalas en agua caliente. Una pizca debería bastar.

El hombre inspeccionó la bolsa con inquietud.

—¿Qué hay dentro? No intentarás envenenarme, ¿verdad, vieja?

—Nada más que melisa común. Yo también la utilizo. Si quiere que la pruebe yo antes, será un placer.

—Olvídalo.

Pagó con una sola ficha azul. La mujer le siguió con la mirada mientras salía al son de las campanillas.

—Ven conmigo —dijo a Sara.

La condujo hasta un cuarto trasero con una mesa y sillas y una puerta que daba a un callejón. La mujer dijo a Sara que esperara y regresó a la tienda. Transcurrieron varios minutos. Después, la puerta se abrió y apareció Nina, vestida con una túnica de lugareña, chaqueta oscura y un largo pañuelo que ocultaba la parte inferior de su cara.

—Esto es de una torpeza increíble, Sara. ¿Eres consciente del peligro que corremos?

Miró los ojos acerados de la mujer. Hasta ese momento, no se había dado cuenta de lo enfadada que estaba.

—Sabíais que mi hija estaba viva, ¿verdad?

Nina se estaba desenvolviendo el pañuelo.

—Pues claro que lo sabíamos. Eso es lo que hacemos, Sara: saber cosas, y después utilizar la información. Pensaba que te sentirías feliz.

—¿Desde cuándo?

—¿Eso qué importa?

—Sí que importa, maldita sea.

Nina le dirigió una dura mirada.

—De acuerdo, supongamos que lo hemos sabido desde el principio. Supongamos que te lo hubiéramos dicho. ¿Qué habrías hecho? No te molestes en contestar. Te habrías vuelto medio loca y cometido alguna estupidez. No habrías avanzado ni diez pasos en la Cúpula sin volar por los aires tu tapadera. Si te sirve de consuelo, discutimos mucho sobre esto. Jackie pensaba que debías saberlo. Pero la opinión predominante fue que lo más importante era el éxito de la operación.

—La opinión predominante. O sea, la tuya.

—La mía y la de Eustace. —Por un momento, la expresión de Nina dio la impresión de ablandarse. Pero sólo un momento—. No te lo tomes tan a pecho. Ya tienes lo que querías. Sé feliz.

—Lo que quiero es sacarla de allí.

—Ya contábamos con eso, Sara. Y la sacaremos, a su debido tiempo.

—¿Cuándo?

—Creo que eso debería ser evidente. Cuando todo esto haya terminado.

—¿Me estás *chantajeando*?

Nina se sacudió de encima la acusación encogiéndose de hombros.

—No me malinterpretes. No es algo a lo que sea particularmente reacia, pero en este caso, no es necesario. —Miró a Sara con cautela—. ¿Qué crees que les pasa a esas chicas?

—¿Qué quieres decir con «chicas»? Mi hija es la única.

—*Ahora.* Pero no es la primera. Siempre hay otra Eva. Entregar una niña a Lila es la única forma que tiene Guilder de mantenerla calmada. En cuanto alcanzan cierta edad, la mujer pierde el interés, o bien la niña la rechaza. Entonces, le consiguen una nueva.

Sara se sintió repentinamente mareada. Tuvo que sentarse.

—¿A qué edad?

—Cinco o seis años. Depende. Pero siempre ocurre, Sara. Por eso te lo digo. El reloj sigue su curso. Quizás hoy no, ni siquiera mañana, pero pronto. Entonces, van a parar al sótano.

Sara se obligó a formular la siguiente pregunta.

—¿Qué hay en el sótano?

—Es donde fabrican la sangre para los ojosrojos. No conocemos todos los detalles. El proceso empieza con sangre humana, pero después le hacen algo. La cambian. Allí abajo hay un hombre, una especie de viral, al menos eso dicen. Le llaman la Fuente. Bebe un destilado de sangre humana, que cambia en su cuerpo y sale algo diferente. ¿Has visto lo que le ocurre a la mujer?

Sara asintió.

—Les pasa a todos, pero en los hombres va más despacio. La sangre de la Fuente los rejuvenece. Es lo que los mantiene vivos. Pero en cuanto tu hija baje, nunca más volverá a salir.

Una tormenta de emociones había estallado en el interior de Sara. Ira, impotencia, un feroz deseo de proteger a su hija. Era tan intenso que creyó que iba a vomitar.

—¿Qué debo hacer?

—Cuando llegue el momento, te avisaremos. Os sacaremos. Te doy mi palabra.

Sara comprendía lo que Nina le estaba pidiendo. Pidiendo no: ordenando. La habían manipulado a la perfección. Kate era el rehén, y el rescate se pagaría con sangre.

—Ódiala por eso, Sara. Piensa en lo que hace. Llegará el momento para todos nosotros, incluida yo, al igual que le llegó a Jackie. Iré de buen grado cuando me lo pidan. Y a menos que esto salga bien, tu hija estará desprotegida. Nunca podremos llegar hasta ella.

—¿Dónde está? —preguntó Sara. No era preciso extenderse más. Su significado era evidente.

—Es mejor que no lo sepas todavía. Recibirás un mensaje de la forma habitual. Tú eres el elemento principal, y la coordinación es muy importante.

—¿Y si no puedo hacerlo?

—Morirás de todos modos. Y también tu hija. Es una cuestión de cuándo. Ya te he hablado del cómo. —Clavó la mirada en los ojos de Sara. No había compasión en los de ella, sólo una transparencia gélida—. Si todo sale de acuerdo al plan, será el final de los ojosrojos. Guilder, Lila, todos. ¿Comprendes lo que te estoy diciendo?

La mente de Sara estaba entumecida. Notó que asentía, y después decía, con voz tenue:

—Sí.

—Pues cumple con tu deber. Hazlo por tu hija. ¿Se llama Kate? Sara se quedó estupefacta.

—¿Cómo lo has...?

—Porque tú me lo dijiste. ¿No te acuerdas? Me dijiste su nombre el día que nació.

Por supuesto, pensó. Ahora, todo tenía sentido. Nina era la mujer del pabellón de neonatos que le había dado el mechón de pelo de Kate.

—Puede que no quieras creerme, Sara, pero estoy intentando deshacer un agravio.

Sara tuvo ganas de reír. Lo habría hecho, de haber sido todavía posible.

—Tienes una forma muy rara de demostrarlo.

—Es posible. Pero así son los tiempos en que vivimos. —Otra pausa para meditar—. Llevas esto dentro. Lo sé cuando lo veo.

¿Era así? La pregunta carecía de sentido. Tendría que encontrar fuerzas.

—Hazlo por tu hija, Sara. Hazlo por Kate. De lo contrario, no tiene la menor posibilidad.

50

Las cosas que le hacían eran soportables. Iban acompañadas de dolor, y del primo del dolor, que era el hecho de anticiparlo. Pero podía sobrellevarlo. Durante mucho tiempo no le habían preguntado nada. No le exigieron nada. Era algo que les gustaba hacer, y así continuarían, disfrutando de su oscuro placer, al que Alicia no se rendía con facilidad. Silenciaba sus gritos, lo soportaba con estoicismo, se reía siempre que podía, y decía: *Perseverad en vuestra maldad, amigos míos. Soy yo la que ha de permanecer encadenada. ¿No creéis que este hecho, en sí mismo, no es ya una especie de victoria?*

El agua era lo peor. Algo extraño, porque a Alicia siempre le había gustado el agua. Había sido una intrépida nadadora de pequeña, cuando se sumergía en la gruta de la Colonia; contenía el aliento lo máximo posible, tocaba fondo mientras sus oídos zumbaban y veía que las burbujas del aliento exhalado ascendían desde la oscuridad hasta la luz del sol, muchos metros arriba. A veces le introducían agua por la boca, y casi se ahogaba. A veces la colgaban de las cadenas, la ataban a una tabla y le hundían la cabeza en una bañera helada. Cada vez pensaba: *Allá vamos*, y contaba los segundos hasta que terminaba.

Sus energías habían disminuido de manera considerable a medida que transcurrían los días. Un leve ajuste descendente, en conjunto, pero suficiente. Le ofrecían comida, unas gachas de soja o maíz, y tiras de cecina, duras como el cuero, con la intención no verbalizada de mantenerla con vida para poder divertirse lo máximo posible, pero sin los demás... Bien. Se hizo un juramento silencioso: cuando probara por fin la sangre humana, el acto final nada ambiguo de su transformación, la sangre sería de ellos. Renunciar a ser miembro de la raza humana era algo muy duro, pero existía cierto consuelo en la idea. Dejaría secos a aquellos hijos de puta.

No había forma de calcular el paso de los días. Abandonada a su suerte, adoptó la práctica mental de rememorar acontecimientos de su pasado, surcar su memoria como si fuera un pasillo flanqueado de cuadros: montar guardia en la Primera Colonia; su viaje con Peter, Amy y los demás atravesando las Tierras Oscuras hasta Colorado; su infancia árida y extraña con el Coronel. Siempre le había llamado «señor», nunca «Papá», ni siquiera «Niles». Desde el primer momento había sido su oficial superior, no un padre o un amigo. Era extraño pensar en eso ahora. Los recuerdos de su vida abarcaban un abanico de emociones, dolor, felicidad, júbilo y soledad, y hasta cierto punto amor, pero la sensación que compartían era de pertenencia. Ella era sus recuerdos, y sus recuerdos eran ella. Confiaba en poder conservarlos una vez estuviera todo dicho y hecho.

Empezó a preguntarse si la intención de aquella gentuza consistía en repetir de manera interminable sus dolorosos cuidados, cuando el ritmo de su cautividad se vio alterado por la llegada de un hombre cuya apariencia delataba que ostentaba cierta autoridad. No se presentó, y no dijo nada durante un minuto como mínimo. Se limitó a quedarse delante de ella, suspendida del techo, y la examinó con la expresión de alguien que está leyendo un libro desconcertante. Iba vestido con traje oscuro, corbata y camisa blanca almidonada. No aparentaba un día más de treinta años. Tenía la piel pálida y fofa, como si jamás viera el sol. Pero fueron sus ojos los que le contaron la verdadera historia. ¿Por qué debería sorprenderse tanto?

—Eres... diferente.

Se acercó más, aspiró por la boca y la olfateó como un perro.

—Sí, lo tengo claro.

—Lo huelo en ti.

—La verdad es que no he tenido muchas oportunidades de lavarme. —Le dedicó su sonrisa más osada—. Y tú eres...

—Yo haré las preguntas.

—No deberías leer a oscuras así. Se ve el infierno en tus ojos.

El hombre retrocedió y le dio una bofetada en la cara con la palma abierta.

—Caramba —dijo Alicia, mientras movía la mandíbula—. Ay. Eso duele.

El hombre avanzó y le retorció el brazo alzado con violencia.

—¿Por qué no tienes placa?

—Llevas un atuendo muy bonito. Consigues que las chicas se sientan casi desnudas.

Otro golpe en la cara, como el chasquido de un látigo. Alicia parpadeó, los ojos llorosos, se pasó la lengua por los dientes y notó el sabor de la sangre.

—Os estáis repitiendo. No es forma de dar la bienvenida. Creo que no os caigo muy bien.

El hombre entornó rabioso sus ojos inyectados en sangre. Estaban llegando a alguna parte.

—Háblame de Sergio.

—No puedo decir que me suene.

Volvió a golpearla. Pequeños destellos de luz brillaron en sus ojos. Intuyó que el hombre estaba reservando sus fuerzas. Las iría descargando poco a poco, sin prisas.

—¿Por qué no me bajas de aquí y hablamos de verdad? Porque es evidente que no te está saliendo bien.

Esta vez fue el puño. Fue como ser golpeada por una tabla. Alicia escupió sangre.

—*Dímelo.*

—Vete a la mierda.

Un golpe demoledor en el vientre. El aliento se le congeló en el pecho, mientras el diafragma se le comprimía como un tornillo de banco. Se quedó sin aire varios segundos. En cuanto sus pulmones se expandieron por fin, volvió a golpearla.

—*¿Quién... es... Sergio?*

A Alicia le costaba concentrarse. Concentrarse, respirar y pensar. Se preparó para otro golpe, pero no llegó. Fue consciente de que el hombre había abierto la puerta. Entraron tres figuras. Cargaban con una especie de banco, alto hasta la cintura, con un armazón ancho en la base.

—Me gustaría presentarte a un amigo mío. Se llama Cabrón. De hecho, ya le conoces.

La visión de Alicia se fue definiendo poco a poco. Algo le había pasado a la cara del hombre. Mejor dicho, a un lado de su cara, que parecía un pedazo de carne mal cocida, cruda en el centro y ennegrecida en los bordes. Tenía la mitad del pelo chamuscado, así como la mayor parte de la nariz. Su ojo izquierdo parecía fundido, vulcanizado hasta convertirse en una jalea llorosa.

—¡Puaj! —logró articular Alicia.

—Cabrón estaba en la zona de estacionamiento cuando decidiste volar un depósito lleno de propano líquido. No le ha hecho muy feliz.

—Un día bien aprovechado. Encantada de conocerte, Cabrón. Menudo nombre, Cabrón.

—Cabrón es un hombre de entusiasmos especiales. Podría decirse que se ha ganado el nombre a pulso. Quiere ajustar las cuentas contigo. —El hombre trajeado habló a los otros dos—. Atadla. Pensándolo mejor, esperad un momento.

Le propinó una tanda de golpes. La cara. El cuerpo. Cuando el hombre agotó sus fuerzas, Alicia casi no sentía nada ya. El dolor se había convertido en otra cosa, algo vago, lejano. Un ruido de cadenas y una liberación de la presión en sus muñecas. Estaba de cara al suelo, a horcajadas sobre el banco y los pies atados al armazón, abierta de piernas. Le arrancaron los pantalones de un tirón.

—Un poco de intimidad para nuestro amigo aquí presente —dijo el primer hombre, y Alicia oyó que la puerta se cerraba, y después el sonido, ominoso y definitivo, de las llaves que giraban en la cerradura.

51

Cada noche, mientras Amy y Greer viajaban hacia el norte, ella soñaba con Wolgast. A veces, estaban en el tiovivo. A veces iban en coche, dejando atrás pequeñas ciudades y la verde campiña primaveral, con las montañas cerniéndose en la lejanía, sus caras relucientes de hielo. Esa noche se encontraban en Oregón, en el campamento. Estaban en la habitación principal del alojamiento, sentados uno enfrente del otro en el suelo, con las piernas cruzadas al estilo indio, y entre ellos había un tablero de Monopoly con sus cuadrados de colores desteñidos y el dinero ordenado en pilas, y el sombrerito de Amy y el pequeño automóvil de Wolgast, y Wolgast tiraba los dados de un cubilete y movía su pieza en dirección a St. Charles Place, emplazamiento de uno de los seis (¡seis!) hoteles de Amy. La estufa calentaba la estancia, y al otro lado de las ventanas caía una nieve seca a través de la oscuridad aterciopelada y el profundo frío del invierno.

—Por los clavos de Cristo —gruñó Wolgast.

Repartió sus billetes. Su exasperación era falsa: quería perder. Le dijo que estaba de suerte, y lo expresó con palabras: Estás de suerte, Amy.

Sus piezas se desplazaban de un lado a otro. Más dinero cambió de manos. Park Place, Illinois Avenue, Marvin Gardens, lo que llevaba aquel nombre tan divertido, «B. & O.».* La pila de dinero de Amy iba creciendo, en tanto la de Wolgast disminuía hasta cero. Ella compró ferrocarriles y servicios públicos, había construido casas y hoteles por todas partes, un puñado de propiedades que le permitían erigir más, invadiendo el tablero. Pues comprendía que aquellas matemáticas aceleradas eran la clave del juego.

—Creo que necesito un préstamo —confesó Wolgast.

—Prueba en el banco.

Amy sonreía victoriosa. Una vez pidiera prestado dinero, el fin llegaría enseguida. Alzaría los brazos en señal de rendición. Después, ocuparían sus lugares habituales en el sofá, con una manta subida hasta el pecho, e irían leyendo por turnos. El libro de esa noche: H. G. Wells, *La máquina del tiempo*.

Wolgast tiró los dados sobre el tablero. Un tres y un cuatro. Movió el coche hacia delante y aterrizó sobre «Impuesto de lujo», con su pequeño anillo de diamantes.

—Otra vez no. —Puso los ojos en blanco y pagó—. Es maravi-

---

* Baltimore and Ohio Railroad. (*N. del T.*)

lloso estar aquí contigo. —Miró hacia la ventana—. Seguro que está nevando fuera. ¿Cuánto hace que nieva?

—Creo que hace mucho rato.

—Siempre me ha gustado. Me recuerda cuando era un crío. Siempre me parece que es Navidad cuando nieva.

La leña de la estufa crepitó. La nieve caía y caía sobre el espeso bosque. Amanecería con una suave luz blanca y silencio, aunque en el lugar donde se hallaban la mañana no llegaría.

—Cada año, mis padres me llevaban a ver *Cuento de Navidad*. Viviéramos donde viviéramos, localizaban un teatro y me llevaban. Jacob Marley siempre me asustaba mucho. *Cargaba con las cadenas que había forjado en vida.* Es tan triste... Pero también hermoso. Muchas historias son así. —Reflexionó un momento—. A veces me gustaría poder quedarme siempre contigo. Qué tontería, lo sé. Nada dura eternamente.

—Algunas cosas sí.

—¿Qué clase de cosas?

—Las cosas que nos gusta recordar. El amor que hemos sentido por personas.

—Tal como yo te quiero —dijo Wolgast.

Amy asintió.

—Porque te quiero. ¿Te lo he dicho alguna vez?

—No hacía falta que lo dijeras. Siempre lo he sabido. Lo supe desde el primer momento.

—No, tendría que haberlo dicho. —Wolgast hablaba en tono pesaroso—. Es mejor cuando lo dices.

Se hizo el silencio, profundo como el bosque, profundo como la nieve que caía sobre los árboles.

—Hay algo diferente en ti, Amy. —El hombre estaba estudiando su rostro—. Algo ha cambiado.

—Creo que sí.

Una suave oscuridad estaba avanzando desde los bordes. Siempre sucedía así, como luces apuntadas a un escenario, hasta que sólo quedaban los dos.

—Bien, sea lo que sea —replicó él, sonriente—, me gusta. —Transcurrió un momento—. ¿Le dijiste a Carter cuánto lo lamenté?

—Lo sabe.

Wolgast tenía la mirada perdida.

—Es algo que nunca me podré perdonar. Lo supe nada más mirarle. Amaba a esa mujer con todo su corazón. —Bajó la vista hacia el tablero de Monopoly—. Parece que hemos terminado. No sé cómo lo haces. La próxima vez te ganaré.

—¿Te gustaría leer?

Ocuparon su lugar en el sofá bajo la manta de lana. Tazones de chocolate caliente descansaban sobre la mesa, después de haber llegado, como todo lo demás, por voluntad propia. Wolgast levantó el libro y pasó las páginas hasta que encontró la que buscaba.

—*La máquina del tiempo*, capítulo siete. —Carraspeó y se volvió hacia ella—. Mi valiente muchacha. Mi valiente Amy. Te quiero de verdad.

—Yo también te quiero —dijo Amy, y se acurrucó contra él.

Y de esta manera pasaron una infinidad de horas, apenas el parpadeo de un ojo, hasta que la oscuridad, una manta por derecho propio, se posó sobre ellos.

52

Siguieron la línea de aprovisionamiento al norte de Texarkana, se proveyeron de combustible y durmieron en habitáculos. Su vehículo pertenecía a Tifty, un pequeño camión de carga acondicionado para pernoctar en él, y que pronto necesitarían: al norte de Little Rock se refugiarían al aire libre. El combustible no significaba ningún problema, explicó Tifty. El camión podía cargar con ochocientos litros extra de reserva, y en su viaje hacia el norte Greer y

Crukshank, quince años antes, habían descubierto fuentes a lo largo de todo el camino hasta la frontera de Iowa, aeródromos, centrales eléctricas diésel, complejos de almacenamiento con sus campos de depósitos. El camión iba equipado con un sistema de filtraje que podían utilizar para eliminar los productos contaminantes, además de un compuesto oxidante. Un proceso lento, pero con suerte y buen tiempo podrían llegar a Iowa a mediados de diciembre.

Su primera noche en el camión tuvo lugar a ciento cincuenta kilómetros al sur de la frontera de Misuri. Cuando anocheció, Tifty sacó una jarra grande de plástico del depósito de carga, se puso un trapo sobre la cara y vertió el contenido, un líquido transparente, dibujando una línea alrededor del vehículo.

—¿Qué lleva esa cosa? —preguntó Lore. El hedor le hizo saltar las lágrimas.

—Una vieja receta familiar. Los dragones la odian. Además, disimula nuestro olor. Ni siquiera saben que estamos aquí.

Cenaron judías y galletas y se acostaron en las literas. Hollis no tardó en empezar a roncar. ¿Hollis?, pensó Peter. No, Lore. Dormía como hacía todo: como le daba la gana. Peter comprendía por qué Michael se sentía atraído hacia ella (su atractivo era muy poderoso), pero también por qué su amigo no se decidía a manifestarlo. ¿Quién podía aguantar ser deseado hasta tal punto? Hasta la presa que deseaba ser atrapada oponía resistencia. Durante sus días de espera en la refinería, Peter se había preguntado en más de una ocasión si Lore estaba flirteando con él. Sí, decidió. Pero sólo era una táctica. Estaba intentando profundizar todavía más en el mundo de Michael. En cuanto llegara a su núcleo, ya no le quedarían defensas: Michael caería en sus garras.

Peter se removió en la litera para acomodarse mejor. Siempre le costaba dormir en un camión. Justo cuando se estaba adormilando, un ruido procedente del exterior le despejó por completo. Una vez, cerca de Amarillo, los virales habían golpeado las paredes toda la noche. Llegaron a levantar el armazón y trataron de volcarlo.

Para mantener los ánimos, el escuadrón de Peter había pasado el tiempo jugando a póquer y contando chistes, como si no estuviera pasando nada importante. *Vaya follón que se ha montado ahí fuera*, fue lo máximo que dijo alguien. *¿Cómo podré concentrarme en las cartas?* Peter echaba de menos esa vida. Llevaba ausente sin permiso nueve días, y se había convertido en un forajido como Hollis o Tifty. Adujera lo que adujera Gunnar en defensa de Peter, el mensaje del hombre había sido claro: vas a hacer esto sin ayuda. Nadie va a decir que te conocía.

Al momento siguiente fue consciente de que Hollis le estaba sacudiendo. Salieron al frío. Tan al norte, el cambio de estación no ofrecía dudas. El cielo se veía bajo, con pesadas nubes grises como formaciones de piedras aéreas.

—¿Lo ves? —dijo Tifty, y señaló el terreno que rodeaba al camión—. No hay rastros.

Siguieron conduciendo. La ausencia de virales preocupaba a Peter. Ni siquiera fuera de los habitáculos vieron huellas, ni una. Un giro de los acontecimientos bienvenido, pero tan improbable que resultaba inquietante, como si los virales les estuvieran reservando algo especial.

Redujeron la velocidad, porque las carreteras eran imprecisas. Con frecuencia, Tifty tenía que parar el camión para volver a fijar su ruta, y para ello utilizaba una brújula, planos y, en ocasiones, un sextante, un aparato que Peter no había visto nunca. Michael le enseñó su funcionamiento. Al medir el ángulo del sol con relación al horizonte, y teniendo en cuenta la hora y la fecha, era posible calcular su emplazamiento sin más puntos de referencia. El instrumento se utilizaba sobre todo en barcos, explicó Michael, donde el horizonte se veía sin obstáculos, pero también podía utilizarse en tierra. ¿Cómo sabes estas cosas?, preguntó Peter, pero comprendió la respuesta mientras formulaba la pregunta. Michael había aprendido a utilizar el sextante pensando en el día en que zarparía para encontrar, o no, la barrera.

Transcurrieron más días de viaje, y ni rastro de virales. A esas alturas ya estaban desconcertados por ese hecho, aunque las discusiones no avanzaban más allá de que resultaba extraño. *Extraño*, decían. *Supongo que podríamos considerarnos afortunados*. Cosa que eran, pero la suerte solía traicionarte al final. Once días. Tifty anunció que se estaban acercando a la línea divisoria entre Misuri e Iowa. Estaban sucios y exhaustos. Predominaban los arranques de mal humor. Durante dos días completos les había impedido el paso un río anónimo, y habían tenido que retroceder kilómetro a kilómetro, con la intención de encontrar un puente en pie. Su provisión de combustible se estaba agotando. El paisaje había vuelto a cambiar, no tan plano como Texas pero casi, con colinas ondulantes cubiertas de hierba alta hasta la cintura. Era cerca de mediodía cuando Hollis, al volante, detuvo el camión.

Peter, que estaba dormitando en la parte de atrás, despertó cuando oyó que se abrían las puertas del camión. Se irguió y descubrió que estaba solo en la cabina. ¿Por qué se habían detenido?

Cogió el rifle y bajó. Todo estaba cubierto de un polvillo fino y claro, la hierba, los árboles. ¿Nieve? El aire transportaba un olor ácido, a quemado. No era nieve. Cenizas. Pequeñas nubes blancas que aplastó con el pie cuando avanzó hacia donde los demás estaban parados, en la cumbre de una colina. Se detuvo, al igual que sus compañeros se habían detenido, petrificados por lo que estaban viendo.

—¡Por el amor de Dios! —exclamó Michael—. ¿Qué demonios estamos mirando?

53

La mujer: ¿quién era?

Una espía. Una insurgente. Eso era evidente: su intento de liberar a los rehenes llevaba la marca de fábrica, y había matado a seis hombres antes de cometer su fatal equivocación. Pero la ausencia de placa en el brazo no concordaba. Aquel curioso olor que Guilder había detectado. ¿Qué significaba? Habían recuperado su arma, una Browning semiautomática con dos balas en la recámara. Guilder nunca había visto una semejante. No era de ellos. O la insurgencia había capturado un alijo de armas de una fuente que desconocía, o la mujer venía de un lugar muy diferente.

A Guilder no le gustaban los misterios. Le gustaban todavía menos que la idea de Sergio.

La mujer parecía inquebrantable. Ni siquiera les había dicho su nombre. Ni siquiera Cabrón, aquel psicópata, un hombre de notorios apetitos repugnantes, había logrado extraer una pizca de información. La decisión de emplear los servicios del hombre se había tomado con curiosa facilidad. Enviar gente al cebadero era una cosa; los virales se encargaban del asunto con misericordiosa celeridad, y era preciso alimentar a los seres. No era agradable, pero terminaba deprisa. Y en cuanto a unos cuantos golpes a los detenidos, o la cautelosa aplicación del submarino, la tortura suprema, bien, a veces eran inevitables dichas medidas. ¿Cuál había sido la expresión, en los viejos tiempos? Interrogatorio reforzado.

Pero la violación legitimada: eso era algo nuevo. Eso era un completo desafío. Era el tipo de cosas que ocurrían en países pequeños y brutales donde hombres provistos de machetes hacían pedazos a personas por el simple motivo de que habían nacido en la aldea equivocada, o tenían las orejas un poquito diferentes, o preferían el chocolate a la vainilla. La idea tendría que haberle repelido. Tendría que haber sido... indigna de él. A esto le había impulsado el tal Sergio. Era curioso que algo pareciera una locura un día, y de lo más razonable al siguiente.

Esos pensamientos pasaban por la mente de Guilder mientras estaba sentado a la cabecera de la mesa de conferencias. De haber podido, habría pasado de aquellas reuniones semanales, que inevitablemente degeneraban en intrincadas disputas de procedimiento, un ejemplo clásico de demasiados cocineros en la cocina. Guilder creía firmemente en una cadena estructurada de mando, y en las autoridades dispersas de la burocracia piramidal. Tendía a crear excesivo trabajo sin resultado en la base y excesivo apetito de papeleo y precedentes, pero mantenía a todo el mundo en su sitio. De todos modos, era preciso alimentar la falsa idea de un gobierno compartido, al menos de momento.

—¿Alguien tiene algo que decir?

Por lo visto no. Tras un incómodo silencio, el ministro de Propaganda Hoppel, sentado a la izquierda de Guilder, al lado de Suresh, ministro de Salud Pública, y enfrente de Wilkes, carraspeó.

—Creo que todo el mundo está preocupado al respecto, bien, no tanto preocupado como afectado, y creo que hablo en nombre de todos...

—Dilo ya, por el amor de Dios. Y quítate las gafas.

—Ah. Claro. —Hoppel se quitó las gafas color humo y las puso con nerviosa delicadeza sobre la mesa de conferencias—. Como ya he dicho —continuó, y volvió a carraspear—, es posible que, tal vez, se nos esté yendo la situación de las manos.

—Tienes mucha razón. Es la primera cosa inteligente que alguien me ha dicho en todo el día.

—Lo cual significa que las estrategias que hemos empleado no parecen conducirnos a donde queremos llegar.

Guilder suspiró irritado.

—¿Qué estás insinuando?

Los ojos de Hoppel se desviaron de manera involuntaria hacia sus colegas. *Será mejor que me apoyéis. No voy a salir sin ayuda de este enredo.*

—Tal vez deberíamos aflojar. Por una vez.

—Aflojar. Ahí fuera nos están machacando.

—Bien, ésa es la cuestión. Se habla mucho en la planicie, y no en nuestro favor. Tal vez deberíamos intentar calmar un poco las cosas. A ver qué conseguimos.

—¿Has perdido la cabeza? ¿Habéis perdido todos la cabeza?

—Tú mismo dijiste que las cosas no van tan bien como nos gustaría.

—No fui yo, sino tú.

—Sea como sea, algunos de nosotros hemos estado hablando...

—Es el secreto peor guardado de esta sala.

—Exacto. Bien, de acuerdo. Llegamos a la conclusión de que tal vez deberíamos ir en dirección contraria. Intentar ganarnos las mentes y los corazones. No sé si me sigues.

Guilder respiró hondo para calmarse.

—Por lo tanto, estás sugiriendo, y perdona la paráfrasis, que deberíamos portarnos como unos mariquitas.

—Director Guilder, si me permite... —Era Suresh—. La pauta del éxito de una insurgencia...

—Están matando a gente. Están matando a *lugareños*. ¿Qué parte no está clara? Esos tipos son carniceros.

—Nadie dice lo contrario —continuó Suresh con expresión desabrida—. Y durante un tiempo eso nos benefició. Pero las detenciones no han producido ninguna información útil. Todavía no sabemos dónde está Sergio o cómo se mueve. Nadie ha revelado nada. Y entretanto, las represalias se han convertido en una herramienta de reclutamiento muy eficaz para los insurgentes.

—¿Sabes lo que parece? Yo te diré lo que parece. Parece que lo hayas ensayado.

Suresh hizo caso omiso de la pulla.

—Permita que le enseñe algo.

Sacó una hoja de papel de una carpeta que tenía encima de la mesa y la empujó en dirección a Guilder. Uno de sus boletines de propaganda, pero en el dorso había garabateado un mensaje muy diferente:

¡Levantaos, lugareños!

¡Los últimos días de los ojosrojos están cerca!

¡Uníos a vuestros hermanos en la insurgencia!

¡Cada acto de desobediencia es una bofetada contra el régimen!

Y así sucesivamente, en el mismo estilo. Guilder levantó la cabeza y vio que todo el mundo le estaba mirando, como si fuera una bomba a punto de explotar.

—¿Y bien? ¿Qué demuestra esto?

—El personal de Recursos Humanos ha encontrado cincuenta y seis como éste hasta el momento —replicó Suresh—. Le daré un ejemplo del problema que está causando. Esta mañana, a la hora de pasar lista, todo un alojamiento se negó a cantar el himno nacional.

—¿Fueron castigados?

—Eran más de trescientos. Sólo podemos encarcelar a la mitad. Estamos limitados por la capacidad de las instalaciones.

—Pues rebajad las raciones a la mitad.

—Los lugareños ya siguen una dieta de subsistencia. Si la reducimos más, no podrán trabajar.

Era enloquecedor. Cada punto que lanzaba Guilder era rechazado al instante. Estaba mirando el cañón de una insurrección organizada entre los altos cargos.

—Fuera todos.

—Creo que deberíamos llegar a un consenso sobre la estrategia —replicó Suresh, enfurecido.

Una oleada de calor invadió el rostro de Guilder. La cabeza le iba a estallar. Estaba a las puertas de una apoplejía. Levantó el papel y lo agitó en el aire.

—Ganarse las mentes y los corazones. ¿Habéis oído lo que estáis diciendo? ¿Habéis leído esto?

—Director Guilder...

—No tengo nada más que decir. Fuera.

Se recogieron papeles, se cerraron maletines, se intercambiaron miradas de angustia de un lado a otro de la mesa. Todo el mundo se levantó y empezó a encaminarse hacia la salida. Guilder apoyó la cabeza en las manos. ¡Jesús!, sólo le faltaba esto. Tenía que hacer algo, y de inmediato.

—Wilkes, espera un momento.

El hombre se volvió y enarcó las cejas.

—Quédate.

Los demás salieron. Su jefe del estado mayor permaneció junto a la puerta.

—Siéntate.

Wilkes volvió a su silla.

—¿Te importa decirme de qué va todo esto? Siempre he confiado en ti, Fred. Confié en ti para dirigir la máquina. No me vengas ahora con chorradas.

—Están preocupados.

—Preocuparse es una cosa. No toleraré la división en las filas. Cuando estamos tan cerca no. Podrían llegar en cualquier momento.

—Todo el mundo comprende eso. Es que no quieren... Bien, perder el control de la situación. A mí también me pillaron por sorpresa.

Ahórrate las excusas, pensó Guilder.

—¿Tú qué opinas? ¿Han perdido el control?

—¿De veras quieres preguntarme eso? —Como Guilder no dijo nada, Wilkes se encogió de hombros—. Tal vez un poco.

Guilder se levantó, sacó las gafas del bolsillo de la chaqueta y descorrió las cortinas. Aquel lugar deprimente. En el culo del mundo. De pronto, descubrió que sentía nostalgia del pasado, del antiguo mundo de coches, restaurantes, tiendas, tintorerías, declaraciones de renta, embotellamientos de tráfico y colas en los cines. Hacía mucho tiempo que no se sentía tan deprimido.

—La gente tendrá que tener más hijos.

—¿Perdón?

Habló dando la espalda al hombre.

—Hijos, Fred. —Movió la cabeza ante la ironía—. Es curioso, nunca he sabido gran cosa sobre eso. Nunca experimenté la necesidad. Tenías un par, ¿verdad?

Era una regla no escrita abstenerse de hacer preguntas sobre sus vidas anteriores. Guilder percibió la vacilación de Wilkes en su respuesta.

—Mi señora y yo tuvimos tres. Dos chicos y una chica. Y siete nietos.

—¿Piensas en ellos?

Guilder se volvió desde la ventana. Wilkes también se había puesto las gafas. ¿Era la luz u otra cosa?

—Ya no. —Una comisura de la boca de Wilkes se agitó—. ¿Me estás poniendo a prueba, Horace?

—Tal vez sí, un poco.

—No lo hagas.

La palabra contenía más fuerza de la que Guilder había oído jamás en labios del hombre. No consiguió decidir si era tranquilizador o todo lo contrario.

—Hemos de conseguir que todo el mundo esté en la misma sintonía. ¿Puedo contar contigo?

—¿Por qué has de preguntarme eso?

—Complázceme.

Una fracción de segundo. Después, Wilkes asintió.

La respuesta correcta, pero la vacilación de Wilkes era preocupante. ¿Por qué le preguntaba eso Guilder? No era el tenor juvenil del encuentro lo que le molestaba. Ya había lidiado con eso antes. Alguien estaba siempre tocando los cojones a otro. *¡Ay! ¡Eso duele! ¡No es justo! ¡Ya está bien!* Algo más profundo e inquietante se estaba cociendo. Era más que una falta de resolución. Olía a insurrección en ciernes. Todos sus instintos se lo decían, como si estuviera al borde de una ancha grieta, con un pie a un lado y el otro sobre el abismo.

Corrió las cortinas y volvió a la mesa.

—¿Cuál es la situación en el cebadero?

Los músculos de la cara de Wilkes se relajaron visiblemente. Volvían a pisar terreno familiar.

—La explosión causó muchos destrozos. Tardaremos al menos tres días en reparar las puertas y el alumbrado.

Demasiado tiempo, pensó Guilder. Tendrían que hacerlo al aire libre. Tal vez fuera mejor así. Podía matar dos pájaros de un tiro. Un poco de teatro para mantener la disciplina de las tropas. Empujó su libreta hacia su jefe del estado mayor por encima de la mesa.

—Anota esto.

54

—Es tan... raro.

Lila acababa de comer y aún estaba padeciendo las secuelas. Le habían entregado la sangre, seguramente habría sido Guilder, mientras Sara y Kate jugaban en el patio de recreo. Después de dos días sucesivos sin helar, la nieve se había convertido en una piel pegajosa, perfecta para bolas de nieve. Se las habían estado tirando mutuamente durante horas.

Ahora estaban jugando con judías y tazas en el suelo, junto al fuego. El juego era nuevo para Sara. Kate se lo había enseñado. Otro placer, que tu hija te enseñara un juego. Sara intentó no pensar en la fugacidad del momento. Cualquier día llegaría un mensaje de Nina.

—Sí, bien —dijo Lila, como si Sara y ella estuvieran sosteniendo una conversación—. Pronto tendré que ir a hacer un recado.

Sara le prestaba escasa atención. La mente de Lila parecía vagar en sus ensueños. ¿Un recado adónde?

—David dice que he de ir. —De cara al espejo, Lila compuso la expresión ceñuda que siempre adoptaba cuando hablaba de David—. Lila, es para caridad. Sé que no te gusta la ópera, pero hemos de ir queramos o no. Este hombre, Lila, es el director de un hospital importante, todas las esposas acudirán, ¿qué dirán si voy solo? —Exhaló un suspiro de resignación, y el cepillo se detuvo en sus viajes a través de la lustrosa cabellera—. Tal vez por una vez podría pensar en lo que a mí me apetece, en adónde quiero ir. Bien,

Brad era muy considerado. Brad era el tipo de hombre que escucha. —Sus ojos se encontraron con los de Sara a través del espejo—. Dime algo, Dani. ¿Tienes novio? ¿Alguien especial en tu vida? Si no te importa que lo pregunte. ¡Dios!, eres muy guapa. Apuesto a que hay docenas llamando a tu puerta.

Sara se quedó un momento desorientada por la pregunta. Pocas veces le hacía Lila preguntas personales.

—La verdad es que no.

Lila meditó sobre sus palabras.

—Bien, eres lista. Aún te queda mucho tiempo. Tantea el terreno, no te conformes con lo primero que llegue. Si conoces al hombre adecuado, lo sabrás. —La mujer continuó cepillándose el pelo. De repente su voz adquirió un tono apesadumbrado—. Recuerda eso, Dani. Alguien te está esperando. Una vez le conozcas, no le pierdas de vista. Yo cometí esa equivocación, y ahora mira en qué lío me he metido.

El comentario, como tantos otros, pareció flotar en el éter, incapaz de posarse sobre ninguna superficie firme. No obstante, durante los días de confinamiento, Sara había empezado a detectar una pauta de significado en aquellas aseveraciones. Había sombras de algo real: una historia verdadera de gente, lugares, acontecimientos. Si lo que Nina decía acerca de la mujer era cierto (y Sara así lo creía), Lila era un monstruo como los ojosrojos. ¿Cuántas Evas habían sido enviadas al sótano porque Lila había...? ¿Cuáles habían sido las palabras de Nina? *Perdido el interés.* Sin embargo, Sara no podía negar que la mujer le daba cierta pena. Parecía tan perdida, tan frágil, tan abrumada por los remordimientos. *A veces*, había comentado Lila en una ocasión, sin venir a cuento, y con el más profundo de los suspiros, *no entiendo cómo las cosas pueden continuar así.* Y una noche, mientras Sara le estaba masajeando los pies con loción: *Dani, ¿has pensado alguna vez en fugarte? ¿Dejar toda tu vida atrás y empezar de nuevo?* Cada vez más dejaba que Sara y Kate fueran a la suya, como si estuviera abdicando de su papel en la vida de la niña, como si, en cierto modo, supiera la verdad. *Os miro a las dos y pienso, juntas sois perfectas. La cría te adora. Eres la pieza que faltaba en el rompecabezas, Dani.*

—¿Qué opinas?

La atención de Sara había regresado al juego. Levantó la vista del suelo y vio que Lila la estaba mirando muy seria.

—Es tu turno, Dani —dijo Kate.

—Un momento cariño. Lo siento —dijo a Lila—. ¿Qué opino de qué?

Una sonrisa forzada se pintó en su cara.

—De acompañarme. Creo que me serás de gran ayuda. Jenny puede cuidar de Eva.

—¿Acompañarla adónde?

Sara lo vio en los ojos de Lila: fuera cual fuera su destino, la mujer no quería ir sola.

—¿Y qué más da? Una de las... *cosas* de David. Suelen ser igual de aburridas, para ser sincera. Me iría muy bien un poco de compañía. —Se inclinó hacia delante en el taburete y habló a la niña—. ¿Qué dices, Eva? ¿Qué te parece pasar una noche con Jenny mientras Mamá sale?

La niña se negó a mirarla a los ojos.

—Quiero quedarme con Dani.

—Pues claro que sí, cielo. Todos queremos a Dani. No hay persona más especial en el mundo. Pero de vez en cuando los adultos han de salir solos, para hacer cosas de adultos. Las cosas son así a veces.

—Pues vete.

—Eva, creo que no estás escuchando lo que digo.

La niña estaba tirando de la manga del hábito de Sara.

—Díselo.

Lila frunció el ceño.

—¿Dani? ¿Qué está pasando?

—No... sé. —Miró a Kate, que se había acurrucado junto a ella en el suelo, y apretaba su cuerpo contra el de Sara como pidiendo protección. Sara la rodeó con el brazo—. ¿Qué pasa, cariño?

—Eva —interrumpió Lila—, ¿qué quieres que Dani me diga? Dilo ahora.

—No me gustas —murmuró la niña contra los pliegues del hábito de Sara.

Lila retrocedió, y todo el color se retiró de su cara.

—¿Qué has dicho?

—¡No me gustas! ¡Me gusta *ella*!

La expresión de Lila no era sólo de asombro. Era el retrato del rechazo más absoluto. De repente, Sara comprendió qué había sido de las demás Evas. *Esto* era lo que había sucedido.

—Bien. —Lila carraspeó, y sus ojos heridos vagaron sin rumbo por la habitación, en busca de algún objeto que le llamara la atención—. Entiendo.

—Lila, no lo ha dicho en serio. —La niña había vuelto a recostarse contra el cuerpo de Sara, con la cabeza apretada contra el hábito, mientras que al mismo tiempo observaba con cautela a Lila por el rabillo del ojo—. Díselo, cariño.

—No será necesario —dijo Lila—. No podría haberse expresado con mayor claridad. —La mujer se levantó del taburete con movimientos inseguros. Ya todo era diferente. Se habían pronunciado las palabras—. Si me excusáis, creo que me acostaré un rato. David no tardará en llegar.

Más que caminar se tambaleó hacia su cuarto. Tenía la espalda encorvada, como si hubiera recibido un golpe físico.

—¿Aún quieres que te acompañe? —preguntó con dulzura Sara.

Lila se detuvo y se aferró el marco para conservar el equilibrio. No miró a Sara cuando contestó.

—Por supuesto, Dani. ¿Por qué no iba a querer?

Fueron en coche al estadio a oscuras. Un convoy de diez vehículos, con furgonetas delante y detrás, cada una con un destacamento de cols armados en la parte de atrás, y ocho elegantes todoterrenos en medio para el personal de mayor categoría. Lila y Sara ocupaban el asiento trasero del segundo todoterreno. Lila iba vestida con una capa oscura con la capucha recogida en el cuello, y grandes gafas de sol que cubrían la parte superior de su cara como un escudo. El conductor era alguien a quien Sara reconoció sin poder situarlo, un hombre esquelético de lacio cabello castaño y pálidos ojos erráticos, que se encontraron con los de Sara en el retrovisor cuando se alejaron de la Cúpula.

—Tú, ¿cómo te llamas?

—Dani.

Sonrió al retrovisor. Sara sintió una punzada de aprensión. ¿La conocía? ¿Había conseguido atravesar la mirada del hombre la cortina de su velo?

—Bien, Dani, esta noche lo pasarás en grande.

Guilder se había negado al principio a permitir que Sara fuera, pero Lila no dio su brazo a torcer. *David, ¿cómo crees que me siento cuando me veo arrastrada a todas tus estúpidas fiestas con tus estúpidos amigos? No pienso ir sin ella, te guste o no.* Y así sucesivamente, hasta que Guilder accedió con un gruñido. Está bien, dijo. Como quieras, Lila. Tal vez alguna de tus asistentas debería ver lo que eres en realidad. Cuantos más seamos, más reiremos.

Estaban siguiendo la llanura, paralelos al río, sereno bajo una piel de hielo invernal. Algo le estaba sucediendo a Lila. A cada minuto que pasaba, las luces de la Cúpula se iban desvaneciendo a sus espaldas, y su personalidad se esfumaba. Tensaba la espalda como una gata, emitía tenues canturreos guturales, se tocaba la cara y el pelo.

—Mmmm —ronroneó Lila con un placer casi sexual—. ¿Los sientes?

Sara no podía contestar.

—Es... *mara*villoso.

Atravesaron la puerta. Sara vio delante el estadio, iluminado por dentro, refulgente en la noche invernal. No sentía tanto miedo como una negrura cada vez más extensa. La caravana aminoró la velocidad cuando subieron la rampa y salieron al campo iluminado rodeado de gradas. Los vehículos se detuvieron detrás de un camión de carga plateado donde esperaba una docena de cols, que movían sus porras y pateaban el suelo para entrar en calor. Habían clavado en el suelo una alta estaca en medio del campo.

—Mmmmmm —dijo Lila.

Las puertas se abrieron. Todo el mundo bajó. Lila, parada al lado del coche, levantó el velo de Sara y tocó con ternura su mejilla.

—Mi Dani. Mi dulce muchacha. ¿No es maravilloso? Mis bebés, mis hermosos bebés.

—Lila, ¿qué está pasando aquí?

La mujer giró la cabeza sobre el cuello con deleite sensual. Tenía los ojos dulces y distantes. La Lila que conocía no estaba dentro de ellos. Movió la cabeza hacia la de Sara y, ante su sorpresa, le estampó un beso en los labios.

—Me alegro tanto de que estés conmigo... —dijo.

El conductor tomó a Sara por el codo y la condujo hasta las gradas. Veinte hombres con traje oscuro estaban sentados en dos filas, conversaban animadamente entre sí y soplaban sobre sus puños.

—Esto es fantástico —oyó Sara que decía uno, mientras la acompañaban hasta su lugar en la cuarta fila, entre un grupo de cols—. *Nunca* consigo invitaciones.

Guilder se volvió hacia el grupo. Llevaba un abrigo negro y una corbata visible en la garganta. Sujetaba algo en su mano enguantada. Una radio.

—Caballeros de rango superior, bienvenidos —anunció con una sonrisa radiante. Nubes de aliento surgían de su boca, puntuando las palabras—. Un pequeño regalo para ustedes esta noche. Una demostración de gratitud por todo su esforzado trabajo, ahora que nos estamos acercando al clímax de nuestros esfuerzos.

—¡Traedlos! —bramó un ojorojo, lo cual despertó vítores y carcajadas.

—Bien, bien —dijo Guilder, al tiempo que solicitaba silencio con un ademán—. Todos ustedes están bien familiarizados con el espectáculo que está a punto de empezar. Pero esta noche hemos preparado algo muy especial. Ministro Hoppel, ¿quiere hacer el favor de adelantarse?

Un ojorojo de la segunda fila se puso en pie y se reunió con Guilder. Alto, de mandíbula cuadrada y pelo muy corto.

—Caramba, Horace —dijo avergonzado—, ni siquiera es mi cumpleaños.

—¡Quizás está a punto de degradarte! —gritó otra voz.

Más risas. Guilder esperó a que se calmaran.

—El señor Hoppel, aquí presente —dijo, al tiempo que ponía una mano paternal sobre la espalda del hombre—, como todo el mundo sabe, ha estado con nosotros desde el primer momento. Como ministro de Propaganda, nos ha proporcionado un elemento clave en apoyo de nuestros esfuerzos. —Su expresión se endureció de repente—. Por eso, con el mayor pesar, debo deciros que han llegado a mis manos pruebas incontrovertibles de que el ministro Hoppel está conchabado con la insurgencia. —Alargó una mano hacia el rostro del hombre, le despojó de las gafas y las tiró a un lado. Hoppel lanzó un chillido de dolor mientras se cubría los ojos con el brazo—. Guardias, cogedle.

Un par de cols asieron a Hoppel por los brazos. Otros varios le rodearon a toda prisa, con las armas desenfundadas. Un momento de confusión, voces que susurraban en las gradas. *¿Qué? ¿Qué está diciendo? ¿Podría ser cierto que Hoppel...?*

—Sí, amigos míos. El ministro Hoppel es un traidor. Era él quien pasaba información crucial a la insurgencia, lo cual dio como resultado el atentado con bomba de la semana pasada, en el cual resultaron muertos dos de nuestros colegas.

—¡Jesús!, Horace. —Las rodillas le fallaban al hombre. Tenía los ojos cerrados con fuerza. Intentó soltarse de los hombres, pero daba la sensación de haber perdido todas sus energías—. ¡Me conoces! ¡Todos me conocéis! Suresh, Wilkes... ¡Que alguien se lo diga!

—Lo siento, amigo mío. Tú eres el único responsable de lo que está pasando. Llevadle al campo.

Se lo llevaron a rastras. Al lado del camión plateado ataron a Hoppel a la estaca con gruesas cuerdas. Uno de los cols trajo un cubo y vertió el contenido sobre él con un chapoteo púrpura, hasta empapar su ropa, pelo, cara. El hombre se retorció inútilmente, y emitió los gritos más lastimeros. *No hagáis esto. Por favor, lo juro, no soy un traidor. ¡Decid algo, hijos de puta!*

Guilder hizo bocina con las manos.

—¿Está el prisionero inmovilizado?

—¡Inmovilizado!

Se llevó la radio a la boca.

—Encended las luces.

El ruido de las llaves, el chirrido de la puerta al abrirse.

Alicia estaba colgada del techo, con las muñecas estiradas sobre la cabeza, que sostenían su peso cada vez más precario. Estaba cansada, muy cansada. Riachuelos de sangre resbalaban sobre sus piernas desnudas. El hombre conocido como Cabrón, durante los días de su oscuro oficio, no había dejado incólume ninguna parte de su cuerpo. Le había llenado los oídos y la nariz con el cálido aliento de sus guturales exhalaciones. La había arañado, golpeado, mordido. Mordido, como un animal. Los pechos, la piel suave del cuello, la parte interior de los muslos, todo llevaba la marca de sus dientes. Ella no había llorado en ningún momento. Gritado sí. Chillado. Pero no le proporcionó la satisfacción de las lágrimas. Y ahora estaba ahí de nuevo, dando vueltas perezosas al tintineante llavero en el dedo, paseando el ojo bueno arriba y abajo de su cuerpo, con una sonrisa codiciosa y bestial en su rostro medio quemado.

—He pensado que, como todo el mundo está en el estadio para presenciar el gran espectáculo, podríamos pasar un ratito a solas.

¿Qué podía decir? Nada.

—Y también estaba pensando que podríamos probar algo nuevo. El banco me parece tan... impersonal.

Empezó a desnudarse, un asunto complicado de cuero y hebillas. Se despojó de una patada de las botas, los pantalones. Mientras llevaba a cabo su majestuosa ceremonia, Alicia sólo podía mirar asqueada, sin decir nada. Tenía la impresión de que había diez Alicias diferentes en su cabeza, cada una con una pizca de información carente de relación con las demás. Y no obstante: *un ratito a solas*. Eso era nuevo, pensó. Una alteración definitiva del protocolo. Por lo general, eran cuatro: uno manipulaba el torno, dos la bajaban, y Cabrón. ¿Dónde estaban los demás?

Un ratito a solas.

—Te lo suplico —graznó—, no me hagas daño. Seré buena contigo.

—Eso es muy amable por tu parte.

—Bájame y te demostraré lo buena que puedo llegar a ser.

Cabrón meditó.

—Sólo dime lo que quieres y lo haré.

—Me estás enredando.

—Puedes dejarme puestos los grilletes. Te prometo que colaboraré. Te haré todo lo que quieras.

Leyó en su rostro que la idea estaba echando raíces. Estaba desnuda, apaleada. ¿Qué podía hacer una mujer en ese estado? Las llaves estaban sujetas a la presilla del cinturón, tiradas en el suelo a su lado. Alicia se obligó a no mirarlas.

—Podríamos probar —dijo Cabrón.

Las cadenas, que pasaban a través de una argolla colgada del techo, se accionaban mediante una palanca fija a la pared. Cabrón, sin pantalones, avanzó hacia ella y accionó la palanca. Un sonido metálico sobre su cabeza: los pies de Alicia tocaron el suelo.

—Menos tensas —dijo—. He de moverme.

Una adormilada sonrisa sexual.

—Me gusta cómo piensas.

La presión sobre sus muñecas disminuyó.

—Un poco más.

Su táctica tenía que ser transparente, pero la impaciencia del hombre se impuso a lo último que le quedaba de juicio. Los brazos de Alicia cayeron a sus costados. Ahora contaba con dos metros y medio de cadena para jugar.

—Nada de tonterías.

Se puso a cuatro patas a modo de invitación. Cabrón se colocó detrás de ella sobre el suelo.

—Seré buena contigo —dijo Alicia—. Te lo prometo.

Cuando el hombre apoyó las manos sobre sus caderas, Alicia acercó el pie derecho a su pecho y le propinó una patada en la cara. Un crujido, y después un chillido. Alicia se puso en pie de un salto y giró en redondo. Cabrón estaba sentado en el suelo, sujetándose la nariz, mientras sangre oscura resbalaba entre sus dedos.

—¡Puta de mierda!

Se precipitó hacia ella, en busca de su garganta. La cuestión era quién sería más rápido. Alicia retrocedió, describió un arco con la mano, formó un lazo con la cadena y la arrojó hacia delante.

El lazo cayó sobre la cabeza de Cabrón. Alicia tiró hacia ella, se apartó y utilizó la aceleración para hacerle girar en redondo. Le tenía cogido por detrás. Con la otra mano formó un segundo lazo de cadena y lo pasó alrededor de su cuello. Un veloz salto y rodeó su cintura con las piernas. El hombre emitía gorgoteos, mientras agitaba las manos en el aire. *Muere, cerdo*, pensó ella, *muere*, y con todas sus fuerzas balanceó su peso hacia atrás, tiró de las cadenas como si fueran las riendas de un caballo y los envió al suelo, hasta que la cadena se atoró con una violenta sacudida, la argolla resistió el estirón, y Alicia oyó el sonido que tanto ansiaba: el satisfactorio crujido de huesos.

Estaban suspendidos a unos cuarenta centímetros del suelo. Tenía encima noventa kilos de peso muerto. Dobló las piernas bajo ella, arqueó la espalda y entonces empujó. El cuerpo de Cabrón se dobló hacia delante sobre sus rodillas y cayó de cara contra el hormigón, mientras ella desenrollaba las cadenas del cuello del hombre. Recogió las llaves del suelo, abrió los grilletes y liberó sus muñecas.

Después se puso a propinarle patadas, golpes en la cabeza, aplastó su cara contra el hormigón con la parte dura del talón. Su mente se derrumbó en un rugido de odio. Le agarró por el pelo y arrastró su forma sin vida por la celda y le enderezó para golpear su cabeza contra la pared.

—¿Te gusta esto, pedazo de mierda? ¿Te gusta que te rompa el cuello? ¿Te gusta que te mate?

Tal vez había alguien en el pasillo, y tal vez no. Tal vez más hombres entrarían a toda prisa, la encadenarían al techo y todo volvería a empezar. Pero daba igual. Lo único que importaba era la cabeza de Cabrón. La aplastaría hasta que fuera la cosa más muerta de la historia del mundo, el hombre más muerto que jamás había existido.

—¡Maldito seas! —gritaba una y otra vez—. ¡Maldito seas! ¡Maldito seas!

Entonces, todo terminó. Alicia le soltó. El cuerpo se inclinó de lado hacia el suelo, y dejó un rastro reluciente de sesos en la pared. Alicia cayó de rodillas, al tiempo que aspiraba grandes bocanadas de aire. Había terminado, pero no tenía la sensación de que hubiera terminado. No había final, ya no.

Necesitaba ropa. Necesitaba un arma. Sujeto a la pantorrilla de Cabrón descubrió un cuchillo de mango pesado. El balance era pobre, pero tendría que bastar. Recogió sus pantalones y la camisa. Vestirse con la ropa del hombre, teñida de su hedor, le produjo un gran asco. Su piel se erizó, como si la estuviera tocando. Se subió las mangas y las perneras de los pantalones, y se ciñó el cinturón. Las botas, demasiado grandes, sólo conseguirían disminuir su velocidad. Tendría que desplazarse a pie. Arrastró el cadáver lejos de la puerta y golpeó el metal con el mango del cuchillo.

—¡Eh! —chilló, haciendo bocina con las manos para bajar el registro de su voz—. ¡Eh, me he quedado encerrado!

Transcurrieron los segundos. Tal vez no había nadie fuera. ¿Qué haría entonces? Golpeó la puerta repetidas veces, esta vez con más fuerza, y rezó para que acudiera alguien.

Entonces, la llave giró. Alicia se escondió detrás de la puerta cuando el guardia entró en la habitación.

—Qué coño pasa, Cabrón, me dijiste que tenía media hora...

Pero la frase quedó interrumpida cuando Alicia saltó detrás de él, le tapó la boca con una mano y utilizó la otra para hundirle el cuchillo en la zona lumbar, moviendo el mango de un lado a otro mientras empujaba la hoja hacia arriba.

Acompañó el cuerpo en su caída hasta el suelo. La sangre estaba formando un charco amplio y oscuro en el suelo. Su intenso olor llegó a su nariz. Alicia recordó su juramento. *Dejaré secos a esos hijos de puta. Me bautizaré en la sangre de mis enemigos.* El pensamiento que la había sostenido durante sus días de tormento. Pero cuando miró a los dos hombres, primero al guardia y después a Cabrón, su cuerpo desnudo y pálido como una mancha blanca sobre el hormigón, se estremeció de asco.

Ahora no, pensó, *todavía no*, y salió al pasillo.

El campo estaba sumido en la oscuridad. Por un momento reinó el silencio. Después, desde lo alto, una fría luz acuática bañó el campo con una luz lunar artificial.

Lila había aparecido en la parte posterior del camión plateado. Todos los ojosrojos estaban guardando en el bolsillo las gafas de sol. Hoppel había dejado de suplicar y empezado a sollozar. Una camioneta entró en el campo. Bajaron dos cols, corrieron hacia la parte posterior del vehículo y abrieron las puertas.

Once personas bajaron dando tumbos, seis hombres y cinco mujeres, encadenados por las muñecas y los tobillos y entre sí. Avanzaban tambaleantes, lloraban, suplicaban por su vida. Su terror era demasiado grande. Toda su resistencia se había disipado. Una de las mujeres se parecía a Karen Molyneau, pero Sara no estaba segura. Los cols los arrastraron hacia Hoppel y les ordenaron ponerse de rodillas.

—Esto es espantoso —dijo una voz cercana.

Todos los cols se alejaron corriendo, salvo uno que se quedó con Lila detrás del enorme camión. El cuerpo de la mujer oscilaba, su cabeza se mecía de un lado a otro, como si estuviera flotando en una corriente invisible o bailara al son de una música inaudible.

—Pensaba que serían diez —dijo la misma voz. Uno de los ojosrojos, dos filas más abajo.

—Sí, diez.

—Pero hay once.

Sara volvió a contar. Once.

—Será mejor que bajes y se lo digas a Guilder.

—¿Bromeas? ¿Quién sabe lo que pasa por su mente últimamente?

—Deberías dejar esas ideas en la puerta. Si te oye, serás el siguiente.

—Ese tipo ha perdido un tornillo, ya te lo digo yo. —Una pausa—. De todos modos, siempre supe que Hoppel era un poco raro.

Estas palabras rozaron a Sara como un viento lejano. Su atención estaba concentrada en el campo. ¿Era Karen aquella mujer? Parecía mayor, y demasiado alta. Casi todos los prisioneros habían adoptado una postura defensiva, el cuerpo doblado, arrodillados en la nieve helada, con las manos sobre la cabeza. Otros, arrodillados erguidos, el rostro bañado por la luz azul, habían empezado a rezar. El último col se estaba ciñendo un traje acolchado. Se puso un casco en la cabeza e hizo un ademán en dirección a las gradas. Todos los músculos del cuerpo de Sara se tensaron. Quiso apartar la mirada, pero no pudo. El col avanzó hacia la puerta del compartimento de carga del camión plateado y manipuló con torpeza las llaves.

La puerta se abrió. El col se apartó. Durante un segundo no pasó nada. Entonces aparecieron los virales, saltando del interior del camión como insectos de tamaño natural, y aterrizaron a cuatro patas sobre la nieve. Sus figuras delgadas, estriadas de músculos, proyectaban una intensidad brillante. Ocho, nueve, diez. Avanzaron hacia Lila, que tenía los brazos abiertos a los costados, con las palmas en alto. Un gesto de invitación, de bienvenida.

Se postraron de hinojos a sus pies.

Los tocó, los acarició. Pasó las manos sobre sus cabezas lisas, alzó su barbilla como niños para que la miraran con ojos de adoración. *Queridos míos*, la oyó decir Sara. *Mis maravillosas bellezas.*

—¿Has visto eso? Los quiere, joder.

De los rehenes se elevaba tan sólo el sonido de sus sollozos. El fin era inevitable. No tenían otro remedio que aceptarlo. O tal vez era la extrañeza de la escena lo que les había reducido a un silencio estupefacto.

Mis dulces mascotas. ¿Tenéis hambre? Mamá os dará de comer. Mamá os cuidará. Mamá hará eso por vosotros.

—No, estoy seguro de que tenían que ser diez.

Una nueva voz, esta vez procedente de la derecha:

—¿Has dicho diez? Eso había oído yo también.

—¿Quién es la undécima?

Uno de los ojosrojos se puso en pie y señaló el campo.

—¡Hay uno de más!

Todas las cabezas se volvieron hacia la voz, incluida la de Guilder.

—¡No estoy bromeando! ¡Hay once personas ahí abajo!

Idos ya, queridos míos.

Los virales se alejaron de Lila. Al mismo tiempo, uno de los rehenes se puso en pie como impulsado por un resorte y reveló su rostro. Era Vale. Los virales estaban rodeando al grupo. Todo el mundo estaba chillando. Vale apartó los faldones de su chaqueta y reveló hileras de tubos metálicos sujetos a su pecho. Alzó los brazos hacia el cielo, con el pulgar apoyado sobre el detonador.

—¡Sergio vive!

IX

La llegada

Miré y vi un caballo bayo, y el que cabalgaba sobre él tenía por nombre Mortandad, y el infierno le acompañaba.

Apocalipsis 6,8

55

El tocador de Lila estalló con un ruido de madera astillada. Guilder la levantó de nuevo del suelo y la abofeteó en la cara con el dorso de la mano, enviándola hacia el sofá.

—¿Cómo pudiste permitir que ocurriera? —Su voz hervía de rabia—. ¿Por qué no llamaste de vuelta a los virales? ¡Dímelo!

—¡No lo sé, no lo sé!

Esta vez la sujetó del cuello del albornoz. Con una facilidad terrorífica, Guilder la lanzó de cabeza contra la librería. Un golpe sordo, cosas que caían, los chillidos de Lila. Sara estaba acurrucada en el suelo, con el cuerpo aovillado alrededor de Kate. La niña estaba muerta de miedo.

—¡Hasta el último viral! ¡Nueve de mis hombres muertos! ¿Sabes cómo voy a quedar?

—¡No fue culpa mía! ¡No me acuerdo! ¡David, por favor!

—¡Yo no soy David!

Sara cerró los ojos con fuerza. Kate estaba llorando en voz baja en sus brazos. ¿Qué pasaría si Guilder mataba a Lila? ¿Qué sería de ellas dos?

—¡Basta! ¡David, te lo suplico!

Lila estaba tendida cara arriba en el suelo, con Guilder a horcajadas sobre ella, y con una mano la agarraba del cuello del albornoz. La otra estaba convertida en un puño, echado hacia atrás, preparado para golpear. Lila tenía los brazos cruzados sobre los ojos como un escudo, aunque su esfuerzo no serviría de nada. El puño de Guilder aplastaría su cara como un ariete.

—Me das... asco.

Aflojó su presa y se alejó, mientras se secaba las manos en la camisa. Lila lloraba de manera incontrolable. Manaba sangre de un corte en el pómulo. Tenía más sangre en el pelo. Guilder desvió la vista hacia Sara y la despidió con una mirada. *No eres nada*, decían sus ojos. *Eres un personaje en un juego de fingimientos que se ha prolongado demasiado.*

Entonces, salió como una tromba de la habitación.

Sara se acercó a Lila. Se arrodilló a su lado, examinó el corte de la cara. Con un estallido de energía inesperado, Lila apartó la mano de Sara de un manotazo y retrocedió.

—¡No me toques!

—Pero estás herida...

Los ojos de la mujer estaban desorbitados de pánico. Cuando Sara se movió hacia ella, agitó las manos delante de su cara.

—¡Vete! ¡No toques mi sangre!

Se puso en pie de un brinco y corrió al dormitorio, cuya puerta cerró de golpe a su espalda.

Las 06.02.

Los vehículos se internaron en la planicie en la oscuridad previa al amanecer, y las puertas se abrieron a su paso. A la cabeza de la hilera, como una punta de flecha, iba el elegante todoterreno negro del Director, seguido de un par de camiones abiertos llenos de hombres uniformados. Se adentraron en el laberinto de alojamientos, sus neumáticos incrustados de barro levantaban grumos de nieve sucia, mientras los obreros que salían de los edificios para pasar la lista de la mañana observaban su paso: rostros agotados, ojos cansados, que miraban pasar los vehículos. Pero las miradas eran breves. Sabían que mirar era peligroso. *Algo oficial. No tiene nada que ver conmigo. Al menos, mejor no.*

Guilder miraba a los lugareños desde la ventanilla del pasajero, henchido de desprecio. Cómo los odiaba. No sólo a los insurgentes, los que le desafiaban: a todos. Arrastraban su vida como animales, sin ver otra cosa que el siguiente cuadrado de tierra que debían arar. Otro día en las lecherías, los campos, la planta de biodiésel. Otro día en la cocina, la lavandería, las pocilgas.

Pero hoy no era un día como los demás.

Los vehículos se detuvieron ante el Alojamiento 16. Hacia el este, el cielo se había teñido de un gris amarillento, como plástico viejo.

—¿Es éste? —preguntó Guilder a Wilkes.

El hombre que iba a su lado asintió con los labios apretados.

Los cols bajaron y tomaron posiciones. Guilder y Wilkes se alejaron del coche. Ante ellos, en quince hileras separadas por la misma distancia, trescientos lugareños esperaban temblando de frío. Dos camiones más llegaron y aparcaron en la parte superior del cuadrado. Sus plataformas de carga estaban cubiertas por pesadas lonas.

—¿Qué van a hacer ésos? —preguntó Wilkes.

—Un poco más de... persuasión.

Guilder se acercó al jefe de Recursos Humanos y le arrebató el megáfono de la mano. Un aullido de reverberación. Después, su voz tronó sobre la plaza.

—¿Quién puede decirme algo de Sergio?

No hubo respuesta.

—Es la última advertencia. ¿Qué podéis decirme sobre Sergio?

Una vez más, nada.

Guilder dedicó su atención a una mujer de la primera fila. Ni joven ni vieja, tenía una cara tan vulgar que podría estar hecha de engrudo. Aferraba un mugriento pañuelo alrededor de la cabeza, con las manos cubiertas de guantes sin dedos negros de hollín.

—Tú. ¿Cómo te llamas?

Con la vista gacha, murmuró algo en los pliegues de su pañuelo.

—No te he oído. Habla en voz alta.

La mujer carraspeó y ahogó una tos. Su voz era rasposa a causa de la flema.

—Priscilla.

—¿Dónde trabajas?

—En los telares, señor.

—¿Tienes familia? ¿Hijos?

La mujer asintió apenas.

—¿Y bien? ¿Qué tienes?

Las rodillas de la mujer temblaban.

—Una hija y dos hijos.

—¿Marido?

—Murió, señor. El pasado invierno.

—Mi sentido pésame. Ven aquí.

—Ayer canté el himno. Fueron los demás, lo juro.

—Y yo te creo, Priscilla. No obstante... Caballeros, ¿pueden ayudarla, por favor?

Un par de cols se adelantaron y agarraron a la mujer por los brazos. Su cuerpo se derrumbó, como si estuviera a punto de desmayarse. Medio la llevaron en volandas medio la arrastraron hasta el frente, donde la pusieron de rodillas de un empujón. No emitió el menor sonido. Su sumisión era total.

—¿Quiénes son tus hijos? Señálalos.

—Por favor. —Se puso a llorar desconsoladamente—. No me obligue.

Uno de los cols alzó la porra sobre su cabeza.

—Este hombre va a desparramar tus sesos —dijo Guilder.

Ella negó con la cabeza inclinada.

—Muy bien —dijo Guilder.

La porra cayó. La mujer se derrumbó de cabeza en el barro. Desde la izquierda se oyó un grito agudo.

—Cogedla.

Una joven adolescente, con la cara de su madre. Fue a parar de rodillas. Estaba llorando, temblorosa. Manaban mocos de su nariz. Guilder levantó el megáfono.

—¿Alguien quiere decir algo?

Silencio. Guilder sacó una pistola de debajo del abrigo y montó la corredera.

—Ministro Wilkes —dijo, y extendió la pistola—, ¿quiere hacer los honores?

—¡Jesús!, Horace. —El hombre estaba aterrado—. ¿Qué intentas demostrar?

—¿Vamos a tener un problema?

—Tenemos *gente* para esta clase de cosas. Eso no formaba parte del trato.

—¿Qué trato? No hay trato. El trato consiste en hacer lo que yo digo.

Wilkes se puso rígido.

—No lo haré.

—¿No quieres o no puedes?

—¿Qué más da?

Guilder frunció el ceño.

—Poco, ahora que lo pienso.

Y con estas palabras se puso detrás de la chica, apoyó el cañón de la pistola contra su nuca y disparó.

—¡Santo Dios!

—¿Ya sabes cuál es el mayor problema de no envejecer jamás? —preguntó Guilder a su jefe del estado mayor. Estaba secando el cañón teñido de sangre con un pañuelo—. Lo he meditado mucho.

—Que te den por el culo, Horace.

Guilder apuntó la pistola al rostro pálido de Wilkes, justo entre los ojos.

—Te olvidas de que puedes morir.

Y Guilder le disparó también.

Un cambio se produjo en la multitud, cuando su miedo se convirtió en otra cosa. Se alzaron murmullos de las filas, se susurraron amenazas, la energía en marcha de la gente que no tenía nada que perder. Los acontecimientos se habían desarrollado más deprisa de lo que Guilder habría preferido (esperaba obtener algo útil antes del desenlace), pero ahora la suerte estaba echada.

—Abrid los camiones.

Apartaron la lona. Una erupción de gritos volcánicos: ahora se había desvelado el misterio. Guilder caminó a buen paso hacia su coche, subió y dijo al conductor que arrancara. Se alejaron entre una nube de barro y nieve sucia mientras, detrás de ellos, la orquesta iniciaba su sinfonía de muerte, una melodía de disparos y gritos, aguda, desenfrenada y henchida de miedo, puntuada por el ritmo sincopado del fuego de armas automáticas, que se desvaneció con las últimas detonaciones cuando los cols pasaron entre los cuerpos caídos y silenciaron a los supervivientes.

56

Iowa. Los huesos cenicientos.

Habían agotado el combustible cerca de la ciudad de Millersburg, encontrado refugio para pasar la noche en una iglesia sin techumbre, y partido al amanecer a pie. Otros cien kilómetros, dijo Tifty, tal vez algo más. Habían encontrado dos osarios más como el primero, el número de virales muertos inimaginable. Miles, tal vez millones. ¿Qué significaba? ¿Qué impulso los había llevado a tenderse sobre la tierra sin protección, a la espera de que el sol los destruyera? ¿O habían perecido antes, sus cuerpos reclamados por el sol de la mañana? Hasta Michael, el hombre de las teorías, no encontraba respuesta.

Caminaron. Con dificultad, entre la nieve que ahora se alzaba en algunos puntos hasta las rodillas. Sus raciones eran escasas. No veían caza. Se vieron reducidos a consumir sus últimos recursos, tiras de carne seca y sebo, que les dejó una capa de grasa en el paladar. La tierra parecía cristalizada, el aire en suspensión, como aliento contenido. Durante horas no sopló ni una brizna de viento, y después llegó con un aullido. La luz del día apareció y se fue en un abrir y cerrar de ojos. Gruesas parkas con capucha forrada de piel, gorros de lana encasquetados hasta la frente, guantes con las puntas de los dedos cortadas por si necesitaban utilizar las armas, aunque Peter se preguntaba si podrían dominar la situación. Jamás había sentido tanto frío. Ignoraba que pudiera existir un frío semejante. No tenía ni idea de cómo lograba orientarse Tifty en aquel lugar desolado.

Pasaron su decimoctava noche en un taller de reparaciones que albergaba, por algún milagro, una estufa ventruda de hierro forjado con tapa de esteatita. Ahora, ¿qué podían quemar? Cuando llegó la oscuridad, Michael y Hollis regresaron de la casa de al lado, cargados con un par de sillas de madera y un puñado de libros. La *Enciclopedia Británica*, 1998. Una pena quemarla. Era contrario a sus principios, pero necesitaban el calor. Dos viajes más, y ya tuvieron bastante para pasar la noche.

Despertaron a una brillante luz solar, la primera en días, aunque la temperatura había descendido si cabe todavía más. Un fuerte viento del norte agitaba las ramas de los árboles. Se permitieron el lujo de encender un último fuego y se acurrucaron alrededor, saboreando hasta el último ápice de calor.

—Como... si hubieran mudado.

Era Michael quien había hablado. Peter se volvió hacia su amigo.

—¿Qué has dicho?

Los ojos de Michael estaban concentrados en la puerta de la estufa.

—¿Cuántos crees que hemos visto?

—No lo sé. —Peter se encogió de hombros—. Un montón.

—Y todos murieron al mismo tiempo. Vamos a suponer que lo que está sucediendo tenía que suceder, que forma parte del ciclo vital viral. Como en el caso de los pájaros, los insectos, los reptiles. Cuando una parte del cuerpo se gasta, la tiran y les crece una nueva.

—Pero estamos hablando de virales enteros —dijo Lore.

—Eso es lo que *parece*. Pero todo cuanto sabemos sobre ellos indica que funcionan como grupo. Cada uno está conectado con su vaina; cada vaina, conectada con su miembro de los Doce. Da igual esa superchería de las almas. No estoy diciendo que no sea cierto, pero ése es el territorio de Amy. Desde mi punto de vista, los virales constituyen una especie como cualquier otra. Cuando Lacey mató a Babcock, todos sus virales murieron. Como las abejas, ¿te acuerdas?

—Sí —replicó Hollis, y asintió—. Matas a la reina, y matas la colmena. Eso dijiste.

—Y lo que vimos en aquella montaña lo confirmó. Pero supongamos que cada una de las familias virales es un solo organismo. Cada uno de los Doce es como un órgano fundamental: el corazón, el cerebro. El resto son como las plumas de un ave o el caparazón de un insecto. Cuando se gasta, el organismo se deshace de él, con el fin de que le crezca uno nuevo.

—No *parecen* plumas —observó Lore con sarcasmo.

—De acuerdo, no son plumas, pero así captas la idea. Algo periférico, sacrificable. Siempre me he preguntado qué mantenía vivos a tantos. ¿Qué queda para comer? Sabemos que pueden pasar mucho tiempo sin comer, tú lo has demostrado, Tifty, pero nada puede sobrevivir indefinidamente sin alimentos. Desde el punto de vista de la longevidad de las especies, es absurdo devorar por completo toda tu provisión de alimentos. Como depredadores, tienen *demasiado* éxito. La idea siempre me ha preocupado, porque en todo lo demás están muy organizados.

—No estoy seguro de seguirte —dijo Tifty—. ¿Quieres decir que se están extinguiendo?

—Es evidente que algo está pasando. El hecho de que esté ocurriendo de repente implica que es un proceso natural, incorporado en el sistema. Otra analogía: cuando el cuerpo humano sufre un *shock*, recaba sangre de la periferia y la desvía hacia los órganos principales. Es un mecanismo de defensa. Protege lo importante, y se desentiende del resto. Imaginad que cada una de las tribus virales es un único animal, y que sufrirá un *shock* debido al hambre. Lo lógico sería reducir los miembros de manera radical y recuperar la provisión de alimentos.

—Y después, ¿qué? —preguntó Peter.

—Después, el ciclo vuelve a empezar.

Nadie habló durante un momento.

—En cualquier caso —continuó Michael—, es sólo una idea que se me ha ocurrido. Podría ser una chorrada.

Peter no opinaba lo mismo.

—¿Por qué está sucediendo aquí?

—Eso es lo que me preocupa —replicó Michael.

Había llegado el momento de partir. Se habían quedado demasiado tiempo. Recogieron sus cosas, subieron la cremallera de las parkas, y se prepararon para el chorro de aire helado que los atacaría en cuanto salieran al exterior.

—Seis días si el tiempo aguanta —dijo Tifty, mientras se colgaba la mochila—. Siete a lo sumo.

—¿Por qué deseo que sean más? —se preguntó Lore en voz alta.

Grey. Grey.

Sus ojos se abrieron de golpe.

¿Los sientes, Grey?

—¿Quién anda ahí? ¿Eres tú, Guilder?

Siento haberme ausentado. Sigues siendo mi favorito, Grey. Desde el primer día que nos conocimos. ¿Te acuerdas?

Se le hizo un nudo en el estómago: la voz de Cero.

—Basta. —Sus muñecas tiraron de las cadenas en un acto reflejo. Estaba tendido en su propia mierda, su cuerpo hedía, su boca sabía a sangre de manera permanente—. Vete. Déjame en paz.

Me contaste todo sobre ti. Ni siquiera sabías que lo estabas haciendo. ¿Me sentiste en tu mente entonces?

Fuera, pensó. Fuera fuera fuera. Despierta, Grey.

Oh, no estás dormido. Siempre he estado aquí. Incluso encadenado durante estos cien años, yo he estado a tu lado. Como la historia de Job, quien yació en las cenizas, maldiciendo su hado. Dios le puso a prueba, como yo te he puesto a prueba a ti.

—No te conozco. No sé qué eres.

¿No, Grey? ¿Cómo es posible que no me conozcas? Yo soy el Dios al que obedeces. El único Dios verdadero de Grey. ¿No sientes mi amor? ¿No sientes mis alas de amor extendidas sobre ti, por los siglos de los siglos?

Había empezado a llorar.

—Déjame morir. Por favor. Lo único que deseo es morir.

La amas, ¿verdad, Grey?

Tragó saliva y notó el sabor pestilente de su boca. Su cuerpo era una caverna de suciedad y podredumbre.

—Sí.

La mujer. Lila. Significa todo para ti.

—Sí.

Tuya es la sangre que fluye por sus venas, como la mía fluye por las tuyas. ¿Lo entiendes? ¿Lo comprendes? Somos un todo, Grey. Estás encadenado, pero no estás solo. El Dios de Grey te protege. El Dios de todo cuanto existe, y de todo cuanto existirá. El Dios del mundo siguiente. Habrá un lugar especial para ti en ese mundo, Grey.

—El mundo siguiente.

Ya vienen, Grey.

—¿Quién? ¿Quién viene?

Pero mientras formulaba la pregunta, ya supo la respuesta.

Nuestros hermanos.

57

Y de repente, la libertad. Alicia Donadio, Última de los Primeros, la Nueva Cosa y capitana de los Expedicionarios, estaba saltando sobre las alambradas, fundiéndose con la noche, a la fuga.

Corrió. Corrió y siguió corriendo.

Había matado a algunos hombres a lo largo del trayecto. También a algunas mujeres. Alicia nunca había matado a una mujer humana hasta entonces. No parecía tan diferente, en conjunto. Porque al final, todo el mundo abandonaba la vida de la misma forma. La misma sorpresa en la cara, los dedos tocaban la herida con ternura indagadora, la misma mirada etérea, clavada en la eternidad. Poseía cierta gracia.

Tal vez por eso le gustaba tanto a Alicia.

Encontró sus herramientas donde las había dejado, entre la maleza. Una pica y una ballesta. La antena direccional. Sus bandoleras de cuchillos. Una muda, una manta, zapatos. Cien balas, pero sin arma para dispararlas. Había abandonado el cuchillo de Cabrón hundido en el riñón izquierdo de un hombre que le había ordenado detenerse, como si ella fuera a obedecer. Mientras huía del centro de detención, aún no se había enterado de si era de día o de noche. El tiempo había sido aniquilado. El mundo que encontró era un lugar cambiado. No, eso no era cierto. El mundo seguía siendo igual; quien había cambiado era ella. Se sentía alejada de todo, espectral, casi incorpórea. En el cielo, las estrellas invernales brillaban rotundas y puras, como astillas de hielo. Necesitaba refugio. Necesitaba dormir. Necesitaba olvidar.

Se refugió en un cobertizo que tal vez en otro tiempo habría albergado gallinas. Medio techo había desaparecido. Sólo quedaba la forma desnuda: una única pared en pie, las pequeñas jaulas incrustadas de excrementos fosilizados, el suelo de tierra compactada. Se envolvió en la manta, mientras su cuerpo roto temblaba de frío. *Louise*, pensó, *¿fue así?* Los recuerdos desfilaban por su mente, destellos brillantes de tormento que partían sus pensamientos como el rayo. Cuándo terminaría, cuándo terminaría.

Era todavía oscuro cuando despertó, y su mente recobró la conciencia poco a poco. Algo tibio le estaba acariciando la nuca. Rodó, abrió los ojos y descubrió una inmensa forma oscura sobre ella.

Mi buen chico, pensó, y dijo: «Mi buen chico, mi chico estupendo». *Soldado* acercó la cara a la de ella, con sus grandes ollares dilatados, y le bañó la cara con el aliento. Le lamió los ojos y las mejillas con su larga lengua. Un milagro. No había otra palabra. Alguien había venido. Al final, alguien había venido. Alicia lo había anhelado sin saberlo, un alma que la consolara en aquel mundo despiadado.

Entonces, una figura se desgajó de la oscuridad, y una voz de mujer, extraña y familiar a la vez:

—Alicia. Hola.

La mujer se acuclilló ante ella, al tiempo que se bajaba la capucha de su largo abrigo de lana. Sus largas trenzas negras se desparramaron.

—No pasa nada —dijo en voz baja—. Estoy aquí.

¿Amy? Pero no era la Amy que conocía.

Esta Amy era una mujer.

Una mujer fuerte y hermosa de espeso cabello oscuro y ojos como cristales, iluminados por una luz dorada. La misma cara pero diferente, más profunda. Transmitía una impresión de finalización, de un yo consolidado. Un rostro, pensó Alicia, de sabiduría. Su belleza era más que apariencia, más que una colección de detalles físicos: era producto del conjunto.

—No... entiendo.

—Shhh. —Tomó la mano de Alicia. Su tacto era firme pero tierno, como el de una madre que consolara a una hija—. Tu amigo. Nos enseñó dónde estabas. Un caballo muy hermoso. ¿Cómo lo llamas?

Alicia sentía su mente pesada, entumecida.

—*Soldado*.

Amy tomó en sus dedos la barbilla de Alicia y la levantó un poco.

—Estás herida.

¿Cómo era posible? ¿Cómo era posible cualquier cosa de las que estaban ocurriendo? Alicia vio otra figura al otro lado del cobertizo, que sujetaba un par de caballos por las riendas. Un remolino de pelo blanco alborotado por el viento y una gran barba clara cubrían sus facciones. Pero era su porte, el porte de un soldado, lo que reveló a Alicia su identidad: aquel hombre de la nieve era Lucius Greer.

—¿Qué te han hecho? —susurró Amy—. Cuéntamelo.

Con eso bastó. Su voluntad se derrumbó, una oleada de dolor se desbordó en su interior. Más que pronunciarlas, estremeció las palabras:

—De todo.

Y por fin, un gran sollozo la sacudió, un aullido de puro dolor y pena que se elevó hacia las estrellas invernales, y en los brazos de Amy, Alicia se puso a llorar.

Guilder. Ha llegado el momento.

Guilder, levántate.

Pero Guilder no oyó estas palabras. El Director Horace Guilder estaba dormido y soñaba, un sueño terrible y repetido con frecuencia, en el que se encontraba en el centro de convalecencia, asfixiando a su padre con una almohada. Contrariamente a la historia, el hecho no se produjo sin lucha. Su padre se removió y resistió, sus manos arañaron el aire, luchó por liberarse mientras emitía gritos ahogados de dolor. Sólo cuando su resistencia cesó, y Guilder apartó la almohada de su cara, comprendió su error. No era su padre a quien había matado, sino a Shawna. ¡Oh, Dios, no! Entonces, los ojos de Shawna se abrieron de repente. Empezó a reír. Rió con tantas ganas que brotaron lágrimas de sus ojos. ¡Deja de reír!, gritó él. ¡Deja de reirte de mí! Guilder, dijo ella, eres tan divertido. Deberías ver la expresión de tu cara. Tú y tu brazalete de pacotilla. Tu madre era una puta. Una puta una puta una puta...

Prepárate, Guilder. Levántate para salir a su encuentro. El momento ha llegado.

Despertó sobresaltado.

Nuestro momento, Guilder. El nacimiento del nuevo mundo.

La información llegó a su cerebro como una descarga eléctrica. Se enderezó en su inmensa cama, en su ridículo amontonamiento de almohadas, mantas y sábanas, y se dio cuenta, algo avergonzado, de que se había dormido vestido. ¿Y por qué necesitaba, nada más y nada menos, que una cama con dosel?, se preguntó absurdamente. ¿Una cama tan enorme que parecía una muñeca? Pero desechó la pregunta encogiéndose de hombros. ¡Ya venían! ¡Estaban ahí! Apoyó los pies en el suelo y los embutió en los zapatos con cordones que, por lo visto, había conseguido quitarse antes de perder el conocimiento debido al agotamiento. Se remetió el faldón de la camisa en los pantalones, corrió hacia la puerta y siguió pasillo adelante.

—¡Suresh!

El sonido de sus nudillos sobre la puerta resonó en el pasillo desierto.

—¡Suresh, despierta!

La puerta de los aposentos de Suresh se abrió y reveló la adormilada cara color bronce de su nuevo jefe del estado mayor. Vestía un grueso albornoz blanco y zapatillas, y parpadeaba como un oso que saliera de su cueva.

—Caramba, Horace, no hace falta que chilles. —Ahogó un bostezo con el puño—. ¿Qué hora es?

—¿Qué más da? Están *aquí.*

Suresh se sobresaltó.

—¿En este momento, te refieres?

Levántate y sal a su encuentro, Guilder. Llévalos a casa.

—No te quedes ahí parado, vístete.

—Vale, de acuerdo, ya voy.

—¡Muévete, maldita sea!

Guilder regresó a su apartamento y entró en el cuarto de baño. ¿Debería afeitarse? ¿Lavarse la cara, al menos? ¿Por qué estaba pensando en estas cosas, como un chaval antes del baile de graduación? Pasó una mano húmeda por el pelo y se cepilló los dientes, mientras intentaba serenarse. ¿Era esto lo que tenían como pasta de dientes en aquel lugar? ¿Aquel mazacote arenoso de sabor horrible? Por el amor de Dios, ¿por qué, en noventa y siete años, jamás había descubierto un dentífrico decente?

Sacó un traje limpio del guardarropa. La corbata azul, la roja, la verde y la de franjas amarillas: no sabía. De pronto se sintió tan nervioso que sus dedos apenas consiguieron hacer el nudo. Una visita a su viejo amigo Grey habría servido para calmar sus nervios, pero tendría que haberlo pensado antes.

Se paró ante el espejo y respiró hondo para calmarse. Tranquilo, Guilder, tranquilo. Ya sabes lo que has de hacer. Es otro día más en el cargo. No puede ser peor que reunirse con el Estado Mayor Conjunto, ¿verdad?

En realidad, cabía la posibilidad de que sí. Pero era absurdo darle más vueltas a las perspectivas.

Cuando llegó al vestíbulo, Suresh estaba esperando con el chófer de Guilder.

—Los camiones ya vienen —comentó Suresh cuando Guilder se puso los guantes—. ¿Quieres que te acompañe un destacamento completo?

Guilder declinó la oferta. Iría solo. Mejor no complicar las cosas. Los dos hombres se estrecharon la mano.

—Buena suerte —dijo Suresh.

Mientras el coche descendía la colina, la angustia de Guilder empezó a remitir. El momento era inminente. Al llegar al río giraron hacia el norte, en dirección al Proyecto. Su forma oscura se elevaba de la tierra como una lápida, un cuadrado de una negrura profundísima recortado contra el cielo nocturno. El portal estaba abierto, esperando.

No se detuvieron, sino que se desviaron hacia el este por la carretera de servicio. En un tiempo la habían utilizado para transportar equipo a la obra: los bloques de piedra extraídos de la cantera, las remolineantes mezcladoras de cemento de la planta de hormigón, los camiones articulados con sus vigas de acero apiladas. Ahora se trataba de una entrega totalmente diferente. Atravesaron la puerta auxiliar. Cinco minutos más y llegaron al lugar donde dos tráilers estaban esperando en un campo de rastrojos de maíz helados.

Guilder le dijo al chófer que se fuera. Las cabinas de los tráilers estaban vacías. Sus conductores también se habían marchado. Guilder aplicó el oído a uno de los camiones. Oyó dentro murmullos apagados, intercalados con el sonido de sollozos de terror femeninos.

La voz de su cabeza estaba callada. Un profundo silencio le envolvía, como la calma que precede a una tormenta. Vendrían del oeste. Esperaría.

Entonces:

Apareció el primero, y después otro y otro, once puntos de fosforescencia luminosa espaciados a intervalos iguales en el horizonte. La distancia entre ellos disminuyó cuando se acercaron, como las luces de un avión gigantesco que se aproximara.

Venid a mí, pensó Guilder. *Venid a mí.*

Empezaron a concretarse los detalles. No tanto concretarse como aumentar de tamaño. Uno era más pequeño que el resto (ése sería Carter, por supuesto, pensó; el enigmático y anómalo Anthony Carter), pero los demás le dejaron sin aliento. Con sus formas poderosas, sus elegantes movimientos y el absoluto dominio de sí mismos, daban la impresión de empequeñecer el espacio que los rodeaba, doblar las dimensiones, reescribir el curso del tiempo. Fluían hacia él como un río luminoso, le bañaban con la luz de su majestuoso horror.

Venid a mí, pensó. *Venid a mí. Venid a mí.*

El momento de su llegada estuvo poseído por una sensación de finalización. Un bautismo. Las cubiertas de un libro al cerrarse. Una larga zambullida en el agua azul y el instante de la entrada, el mundo borrado. Se pararon ante él, enormes y terribles. Guilder asimiló las imágenes terroríficas y majestuosas de sus recuerdos, como hundido en un charco de la locura más pura. Una chica llorosa en un colchón sucio. Un tendero, con las manos alzadas, y la presión ósea del cañón de una pistola contra la arruga vertical que separaba sus cejas. Una sensación de ebriedad absoluta, y un chico en bicicleta vislumbrado a través de un parabrisas, y el golpe sordo del contacto seguido de la brusca sacudida de su pequeño cuerpo cuando las ruedas del vehículo le pasaron por encima. Una deliciosa sensación de sexo, y los ojos de una mujer abiertos de par en par de una manera imposible, mientras la cuerda se tensaba alrededor de su cuello. Un coro de terror, depravación, maldad.

Soy Morrison-Chávez-Baffes-Turrell-Winston-Sosa-Echols-Lambright-Martínez-Reinhardt-Carter.

Guilder abrió la puerta de carga del primer camión. Los prisioneros intentaron huir, por supuesto. Guilder había ordenado que no los encadenaran. No quería que nada los reprimiera. La mayoría sólo consiguió dar unos pasos. Los pocos que llegaron más lejos experimentaron, tal vez, una fugaz esperanza de salvación. Su huida inútil formaba parte del éxtasis. El momento se desplegó en grandes salpicaduras de sangre, gritos interrumpidos con brusquedad y tejido vivo hecho pedazos, y en el silencio que siguió, Guilder se acercó a la parte posterior del segundo camión y abrió su puerta a modo de bienvenida.

—Bienvenidos, amigos míos. Por fin habéis llegado a casa. Satisfaremos todas vuestras necesidades.

X

El asesino

¡Voy; está hecho; la campana me invita!

SHAKESPEARE,
Macbeth

58

Vale había muerto, lo cual sólo podía significar una cosa: Sara sería la siguiente.

Jenny también había desaparecido. Dos días después de la bomba en el estadio, una chica nueva había ocupado su lugar. ¿Era de los suyos? No, Sara lo habría detectado. Un mensaje debajo del plato, un intercambio de miradas tranquilizadoras. Algo. Pero la chica (pálida, nerviosa, cuyo nombre Sara no sabía ni sabría nunca) iba y venía en silencio.

Lila se había recluido en su cama. Durante todo el día y toda la noche dio vueltas y vueltas. Se levantó sólo para bañarse, pero rechazó las ofertas de Sara de ayudarla. Tenía la voz apagada. Parecía que hasta para hablar tenía que hacer acopio de todas sus energías. «Déjame en paz», decía.

Sara estaba sola, aislada. El sistema se estaba derrumbando.

Pasaba los días con Kate, pero esta vez la sensación era diferente, definitiva. La pequeña también lo presentía, como hacían los niños. ¿Cuál era la fuente de sus poderes de percepción? Todo estaba teñido por una sensación de inutilidad. Jugaban a los juegos acostumbrados, sin importarles quién ganara. Sara leía los cuentos habituales, pero la niña escuchaba sólo vagamente. Nada ayudaba. El final de su tiempo se estaba acercando. Los días eran largos, y después demasiado cortos. De noche dormían juntas en el sofá, fundidas en una sola. El suave calor del cuerpo de la niña era un tormento. Sara se pasaba horas despierta escuchando su respiración tranquila, absorbiendo su aroma. ¿Qué estará soñando?, se preguntaba. ¿Estás soñando con el adiós, como yo? ¿Volveremos a vernos algún día? ¿Existe un lugar así? Abrazaba a Kate y recordaba las palabras de Nina: *La sacaremos. De lo contrario, no tiene la menor oportunidad.* Hija mía, pensó Sara, haré cuanto sea por salvarte. Iré cuando me lo pidan. Es lo único que poseo.

La tercera mañana, Sara sacó a Kate a pasear. El frío era intenso, pero lo agradeció. Empujó un rato a la niña en el columpio, y después jugó con ella en el balancín. Kate no había dirigido la palabra a Lila desde que Guilder le había pegado. El cordón que las había conectado, fuera cual fuera, se había cortado. Cuando el frío arreció, volvieron dentro. Justo cuando estaban llegando a la puerta, Kate se detuvo.

—Alguien me ha dado esto —dijo, y se lo enseñó a Sara. En su mano había un huevo de plástico rosa.

—¿Quién?

—No lo sé. Ella estaba allí.

Siguió el gesto de la niña hasta el patio. No había nadie. Kate se encogió de hombros.

—Estaba allí hace un momento.

Durante unos minutos, un máximo de cinco, Sara había dejado que Kate paseara sola.

—Me dijo que te lo diera —añadió Kate, y le entregó el huevo.

La mujer tenía que ser Nina, por supuesto. Sara escondió el huevo en el bolsillo del hábito. Sentía el cuerpo entumecido. Cuando Jenny desapareció, se había permitido la tenue esperanza de que le quitarían aquel peso de encima. Qué estúpida había sido.

—Lo mantendremos en secreto. ¿Te parece bien?

—Ella dijo lo mismo. —Su rostro se iluminó—. ¿Es un mensaje secreto?

Sara forzó una sonrisa.

—Eso es exactamente.

No abrió el huevo enseguida. Tenía miedo de hacerlo. Cuando volvieron al sombrío apartamento, encontraron a Lila encendiendo candelabros con una cerilla larga. Su rostro estaba vacío de color, el pelo frágil y desaliñado. Les dijo que se acercaran al sofá y extendió un libro.

—¿Quieres leerme un rato?

Mujercitas. Sara abrió la cubierta y una nubecilla de polvo se elevó de sus páginas amarillentas.

—Hace siglos que no lo oigo —suspiró Lila.

Sara se vio obligada a leer unas cuantas horas. Una parte de su mente registraba la historia como interesante, pero el resto era niebla. El lenguaje era difícil, y se perdía con frecuencia. La atención de Kate decayó. Al final, se quedó dormida. Parecía imposible que Lila fuera a obligar a Sara a leer el libro entero.

—He de ir al baño —dijo Sara por fin—. Vuelvo enseguida.

Antes de que Lila pudiera decir algo, se encaminó a toda prisa al lavabo y cerró la puerta. Se subió el hábito y se sentó en el retrete, y luego recuperó el huevo del bolsillo. Su corazón latía desbocado. Una pizca de vacilación. Después, lo abrió y desenvolvió el papel.

El paquete está en el cobertizo del jardín que hay en el borde del patio. Mira debajo de las tablas a la izquierda de la puerta. El objetivo es la reunión del personal directivo en la sala de conferencias, mañana a las 11.30 horas. Toma el ascensor central hasta la cuarta planta, y después, el primer pasillo a la derecha. La última puerta a la izquierda es la sala de conferencias. Dile al guardia que Guilder te envió. Sergio vive.

Había devuelto el papel al huevo cuando alguien llamó a la puerta de manera perentoria.

—¡Dani! ¡Te necesito!

—¡Un momento!

El pomo se agitó. ¿La había cerrado con llave?

—¡Tengo la llave, Dani! ¡Abre la puerta, por favor!

Sara se levantó del retrete, y el huevo saltó por el suelo. ¡Mierda! La llave estaba girando en la cerradura. Tuvo el tiempo justo de esconder el huevo en el cajón inferior del tocador, antes de volverse y ver a Lila parada en la puerta abierta.

—Ya está. —Dibujó una sonrisa en la cara—. ¿Qué necesitas, Lila?

El rostro de la mujer palideció de confusión.

—No lo sé. Pensaba que te habías ido a algún sitio. Me asustaste.

—Bien, sí. Fui al cuarto de baño.

—No he oído que tiraras de la cadena.

—Oh. Lo siento. —Sara se volvió y tiró de la cadena—. Ha sido muy grosero por mi parte.

Por un momento, Lila no dijo nada. Parecía desconectada por completo de la realidad.

—¿Podrías hacer algo por mí? Un favor.

Sara asintió.

—Me apetece un poco de... chocolate.

—Chocolate. —¿Qué era «chocolate»?—. ¿Dónde puedo conseguirlo?

Lila la miró con incredulidad.

—En la cocina, por supuesto.

—Claro. Supongo que era evidente. —Tal vez alguien de la cocina sabría de qué estaba hablando Lila—. Voy ahora mismo.

El rostro de Lila se relajó.

—Cualquier cosa servirá. Hasta una taza de cacao. —Tenía los ojos desenfocados. Exhaló un leve suspiro—. Siempre me gusta tomar una taza de cacao las tardes de invierno.

Sara salió del apartamento. ¿Qué habría visto Lila? ¿Por qué no había pensado Sara en tirar la nota por el retrete? ¿Había cerrado el cajón? Repasó la escena en su mente. Sí, lo había cerrado. No existían motivos para que Lila lo inspeccionara, aunque por si acaso, Sara tendría que recuperarlo antes de que regresara la criada.

La cocina se hallaba al otro lado del edificio. Tendría que cruzar el atrio, que estaba lleno de cols. Todavía espoleada por la adrenalina, Sara clavó la vista en el suelo y caminó por el pasillo.

Cuando entró en el vestíbulo oyó un alboroto. Una asistenta estaba siendo escoltada por dos guardias, sus lastimeros gritos amplificados por la acústica expansiva de la sala.

—¡No! ¡Por favor, os lo suplico! ¡No me llevéis al sótano!

La mujer era Karen Molyneau.

—¡Sara! ¡Ayúdame!

Sara se detuvo en seco. ¿Cómo podía Karen ver su cara? Y después, se dio cuenta de que había cometido un error fatal, lo único que jamás debía olvidar: había olvidado bajarse el velo.

—¡Sara, por favor!

—¡Alto!

La orden había llegado de un tercer hombre. Cuando avanzó, Sara le reconoció al instante. La tripa redonda, las gafas empañadas apoyadas en el extremo de la nariz, las cejas como alas. El tercer hombre era el doctor Verlyn.

—Tú. —Examinó su cara con atención—. ¿Cómo te llamas?

Tenía la boca seca.

—Dani, señor.

—Ella te ha llamado Sara.

—Estoy segura de que se ha confundido. —Sus ojos se desviaron hacia la salida en un acto reflejo—. Soy Dani.

—Sara, ¿por qué me haces esto? —Karen se estaba revolviendo como un pez en una red—. ¡Diles que no soy una insurgente!

La mirada de Verlyn se endureció. Las comisuras de su boca se alzaron en una sonrisa.

—Ah, ya me acuerdo de ti. La guapa. Nunca olvido una cara, y mucho menos si es como la tuya.

Sara corrió hacia la puerta. Tres zancadas y la atravesó. Bajó los escalones, salió al sol y el viento, y oyó gritos a su espalda.

—¡Detenedla! ¡Detened a esa mujer!

¿Adónde podía huir? A ningún sitio. Los cols estaban corriendo hacia ella desde todas las direcciones, se cerraban a su alrededor como un lazo que estuvieran tensando. La mano de Sara fue al bolsillo y encontró el pequeño envoltorio de papel de aluminio. El fin había llegado. Se detuvo en seco. Era inútil continuar corriendo. Le quedaban uno o dos segundos. El paquete se abrió y reveló su contenido mortífero. Cogió el papel secante entre el índice y el pulgar y se lo llevó a la boca. *Adiós, hija mía, te quiero mucho, adiós.*

Pero no pudo ser. Cuando acercó el papel secante a los labios, alguien se abalanzó contra ella por detrás y la hizo caer. El suelo descendió bruscamente y volvió a elevarse, poco a poco, y después con rapidez, y al fin su cráneo chocó contra el pavimento y todo fue negrura.

59

Los tres estaban tumbados boca abajo, con el estómago apretado contra la pendiente ascendente de la alcantarilla, mientras Greer examinaba la escena con los prismáticos. El sol del atardecer estaba encendiendo hogueras en las nubes.

—¿Estás *segura* de que éste es el lugar? —dijo Amy.

Alicia asintió. Llevaban casi tres horas allí. Su atención estaba concentrada en una tubería de drenaje de boca ancha que sobresalía de la base de una ladera baja. La nieve que rodeaba la abertura estaba cruzada por rodaduras de neumáticos.

Los minutos transcurrían. Alicia había empezado a dudar de sí misma, cuando Greer levantó la mano.

—Ya vienen.

Una figura había emergido de la tubería, vestida con una chaqueta oscura. Hombre o mujer, Alicia no lo pudo distinguir. Un pañuelo cubría la parte inferior de su cara. Llevaba una gorra calada hasta los ojos. La figura se detuvo y miró hacia el sur con la mano sobre la frente.

—Parece que el tipo está esperando a alguien —comentó Greer.

—¿Cómo sabes que es un hombre? —preguntó Alicia.

—No lo sé.

Greer pasó los prismáticos a Amy, quien se apartó un mechón de pelo y aplicó los ojos a las lentes. Era un espectáculo asombroso, pensó Alicia. En todos los aspectos, hasta en el menor de los gestos, Amy era al mismo tiempo la chica que siempre había sido y alguien nuevo por completo. Mientras Greer contaba la historia, Amy se había internado en el vientre del barco, el *Chevron Mariner*, y una cosa había conducido a la otra. Ni siquiera Amy podía aportar una explicación. Lo más raro de todo, para Alicia, era el hecho de que no parecía nada raro.

—Yo tampoco puedo decirlo. Pero la persona con la que se ha citado va retrasada. —Amy bajó los prismáticos. Debajo de su abrigo de lana demasiado grande, aún llevaba la túnica informe de la Orden. Llevaba las piernas cubiertas con gruesos leotardos de malla, los pies calzados con botas de lazo de piel arrugada—. Si hemos de localizar a Sergio, creo que no gozaremos de una mejor oportunidad.

Alicia asintió.

—¿Está de acuerdo, comandante?

—Ninguna objeción.

Lo único que podía ocultar su avance era una línea de matorrales en el lado este de la tubería, y un bosquecillo de árboles desnudos que había encima, en la ladera. Amy y Alicia dejaron a Greer de vigilante y avanzaron acuclilladas a lo largo de la alcantarilla en direcciones opuestas. Amy iría por la derecha, al nivel del suelo. Alicia descendería desde arriba. Una vez hubieran tomado posiciones, Greer silbaría, distraería al hombre y ellas actuarían.

Todo se desarrolló de acuerdo con el plan. Alicia se arrastró sobre el estómago hasta la parte superior de la tubería. La coronilla de la cabeza encapuchada del hombre estaba justo debajo de ella. Desde aquel ángulo no podía ver a Amy, pero Greer sí. Esperaría la señal, y después:

¿Adónde había ido el hombre?

Alicia se puso de rodillas y giró a tiempo de recibir todo su peso lanzado contra el de ella. Pero no era *un* hombre. Sino una mujer. En su abrazo aéreo cayeron por el borde, y la mujer aterrizó sobre ella cuando Alicia cayó de espaldas en la nieve.

—¿Quién demonios eres tú?

La mujer había inmovilizado los brazos de Alicia con las rodillas, y apretaba un cuchillo contra su garganta, con la hoja a escasos milímetros de su piel. Alicia no albergaba la menor duda de que lo iba a utilizar.

—Tranquila. Soy una amiga.

—Contesta a la pregunta.

—Amy, échame una mano.

Amy había llegado por detrás con el mayor sigilo. Antes de que la mujer pudiera reaccionar, Amy la agarró por el cuello de la camisa y la arrojó a un lado. Cuando la mujer se puso en pie de un salto y se abalanzó hacia ella con el cuchillo, Amy lo apartó de un manotazo, se puso detrás de ella y la sujetó con una media llave, mientras pasaba el otro brazo alrededor de su cintura. El único pensamiento de Alicia fue: *Caramba*.

—Basta —dijo Amy—. Queremos hablar, eso es todo.

La mujer habló con los dientes apretados.

—Vete al infierno.

—¿No crees que podría romperte el cuello si quisiera?

—Haz lo que te plazca. Dile a Guilder que le den por el culo.

Amy miró a Alicia, quien había recogido el cuchillo de la mujer y se estaba sacudiendo la nieve de los pantalones. Greer estaba corriendo hacia ellas.

—¿Significa ese nombre algo para ti? —preguntó Amy.

Alicia negó con la cabeza.

—¿Quién es Guilder? —preguntó a la mujer.

—¿Qué quieres decir con quién es Guilder?

—¿Cómo te llamas? —preguntó Amy—. Estaría bien que me lo dijeras.

Un momento de vacilación.

—Nina, ¿de acuerdo? Soy Nina.

—Ahora voy a soltarte, Nina —dijo Amy—. Prométeme que escucharás lo que vamos a decirte. Es lo único que te pido.

—Que te den.

Amy la sujetó más fuerte para dejar las cosas bien claras.

—Pro-mé-te-lo.

Más forcejeos. Después, la mujer cedió.

—Vale, vale. Lo prometo.

Amy la liberó. La mujer avanzó tambaleante y giró en redondo. Un rostro joven, no mayor de veinte años, pero los ojos contaban una historia diferente: duros, casi feroces.

—¿Quiénes sois?

—Bonito truco —dijo Alicia a Amy. Hizo girar el cuchillo alrededor de su dedo índice y se lo pasó—. ¿Dónde lo has aprendido?

—¿Dónde crees? Observándote. —Señaló con los ojos a Greer. Su larga barba estaba sembrada de nieve, como el hocico de un perro—. Lucius, ¿puedo pedirte otra vez que vigiles? Avísanos cuando se acerque el vehículo.

—¿Eso es todo? ¿Sólo os informo?

—Sería estupendo que... los retrasaras un poco. Hasta que hayamos terminado de hablar.

Greer subió corriendo la colina. Amy habló de nuevo a la mujer, al tiempo que efectuaba un leve pero significativo gesto con el cuchillo.

—Siéntate.

Nina le lanzó una mirada desafiante.

—¿Por qué debería hacerlo?

—Porque estarás más cómoda. Vamos a tardar un poco. —Amy deslizó el cuchillo en el cinto. *He terminado con esto, siempre que te portes bien*—. No somos quienes crees que somos. Siéntate de una vez.

Nina se sentó en la nieve a regañadientes.

—No voy a contaros nada.

—Lo dudo mucho —replicó Amy—. Creo que vas a decirme todo cuanto necesito saber, una vez te explique qué está a punto de pasar aquí.

—¡Quiero jugar con Dani!

—Eva, corazón...

La carita de la niña estaba congestionada de ira. Levantó una taza de cuero del suelo y la arrojó contra Lila, fallando por poco.

—¡Vete a la cama! —chilló Lila—. ¡Vete a la cama ahora mismo!

La niña no cedió. Su rostro brillaba de odio.

—¡No puedes obligarme!

—¡Soy tu madre! ¡Obedece!

—¡Quiero a Dani!

Había llenado una mano con judías secas. Antes de que Lila pudiera reaccionar, la pequeña echó la mano hacia atrás y las arrojó con sorprendente fuerza, alimentada por el odio, contra la cara de Lila. Más judías cayeron al suelo detrás de ella, una lluvia repiqueteante. Se puso en pie de un brinco y empezó a destrozar el apartamento: tiró libros de las estanterías, arrojó cosas de las mesas, lanzó almohadas al aire.

—¡Para ahora mismo!

La niña alzó un jarro de cerámica grande.

—Eva, no...

La niña lo levantó sobre la cabeza y lo arrojó al suelo como alguien que cerrara el maletero de un coche. No fue tanto un crujido como una detonación: el jarrón estalló en un millón de fragmentos.

—¡Te odio!

Algo estaba pasando, algo definitivo. Lila lo sabía, del mismo modo que presentía en las capas más profundas de su cerebro que todo esto ya había sucedido antes. Pero no elaboró la idea. El canto duro de algo la golpeó en la cabeza. La niña estaba arrojando libros.

—¡Vete! —chilló—. ¡Te-odio-te-odio-te-odio!

Pero mientras Lila veía formarse en su boca aquellas palabras terribles, daban la impresión de proceder de otra parte. Venían de dentro de su cabeza. Se precipitó hacia delante, agarró a la niña por la cintura y la levantó en vilo. La niña pataleó y chilló, se revolvió en las manos de Lila. Todo cuanto deseaba Lila era... ¿qué?

¿Calmar a la niña? ¿Controlar la situación? ¿Silenciar los chillidos que estaban desgarrando su cerebro? Por cada gramo de fuerza que Lila aplicaba, la niña respondía del mismo modo, gritando a pleno pulmón, de modo que la escena adquirió dimensiones grotescas, una especie de locura, hasta que Lila perdió pie, sus centros de gravedad combinados se inclinaron hacia atrás, y ambas se desplomaron sobre el tocador.

—¡Eva!

La niña se estaba alejando de ella a gatas. Se detuvo contra la base del sofá y la miró furiosa. ¿Por qué no estaba llorando? ¿Estaría herida? ¿Qué había hecho Lila? Lila se acercó a ella a cuatro patas.

—Eva, lo siento, no era mi intención...

—¡Espero que te mueras!

—No digas eso. Por favor. Te suplico que no digas eso.

Y con estas palabras las lágrimas asomaron por fin a los ojos de la pequeña, aunque no eran lágrimas de dolor, ni de humillación, ni siquiera de miedo. *Siempre te despreciaré. Tú no eres mi madre y nunca lo fuiste, y lo sabes tan bien como yo.*

—Por favor, Eva, yo te quiero. ¿No sabes cuánto te quiero?

—¡No digas eso! ¡Quiero a Dani! —Sus pequeños pulmones proyectaban una cantidad de sonido asombrosa—. ¡Te-odio-te-odio-te-odio!

Lila se tapó los oídos con las manos, pero nada ahogaba los gritos de la niña.

—¡Basta! ¡Por favor!

—¡Espero-que-te-mueras-espero-que-te-mueras-espero-que-te-mueras!

Lila entró corriendo en el cuarto de baño y cerró la puerta de golpe. Pero no logró nada: daba la impresión de que los gritos llegaban de todas partes, un estruendo destructor. Cayó de rodillas y lloró sobre sus manos. ¿Qué le estaba pasando? *Mi Eva, mi Eva. ¿Qué he hecho para que me odies de esta manera?* Su cuerpo se estremecía de dolor. Sus pensamientos giraban, dando tumbos, se partían en mil pedazos: un millón de fragmentos rotos de Lila Kyle esparcidos en el suelo.

Porque la niña no era Eva. Por más que Lila lo deseara, no era Eva: Eva había desaparecido para siempre, un fantasma del pasado. La certeza brotó de sus poros como ácido y quemó las mentiras. *Vuelve*, pensó Lila, *vuelve*. Pero nunca podría volver, ya no.

¡Oh, Dios, las cosas terribles que había hecho! ¡Los actos terribles, espantosos, imperdonables! Lloró y se estremeció. Lloró, como siempre decía su padre, mientras pintaba sus barquitos, a mares. Era una abominación. Era una mancha de maldad sobre la Tierra. Todo se le reveló, todo era de una pieza, el tiempo se detuvo y reanudó de nuevo su movimiento mientras se armaba de nuevo en su interior, y contó su historia de vergüenza.

Espero que te mueras. Espero que te mueras espero que te mueras espero que te mueras espero que te mueras.

También estaba sucediendo algo más. Lila se descubrió sentada en el borde de la bañera. Había entrado en un estado que anulaba su voluntad: no elegía nada, todo la estaba eligiendo a ella. Abrió el grifo. Hundió la cabeza en la corriente y vio que el agua fluía entre sus dedos. De modo que así era, pensó. La solución oscura. Era como si siempre lo hubiera sabido. Como si, en los recovecos más profundos de su mente, hubiera estado realizando este acto final una y otra vez, durante un centenar de años. Por supuesto, la bañera sería el medio. Se había sumergido durante horas en su tibieza. Décadas enteras habían transcurrido en su confortable inmersión, en su deliciosa anulación del mundo, pero siempre le había susurrado: *Aquí estoy. Lila, permíteme ser tu medio de liberación*. El vapor remolineó hacia el techo, enturbiando la habitación con su aliento húmedo. Una calma perfecta se apoderó de ella. Encendió las velas una a una. Era médico: sabía lo que estaba haciendo. *Soy médico*. Se desnudó y examinó su cuerpo desnudo en el espejo. Su belleza, porque *era* hermoso, la embriagó de recuerdos; de la juventud, de la niñez, cuando salía del baño. Eres mi princesa, bromeaba su padre, mientras frotaba su pelo para secarlo y la envolvía en el suave calor de una toalla recién lavada. Eres la más hermosa del país. Los recuerdos fluían a través del agua. Era una niña, y después, una adolescente, con su vestido de tafetán azul adornado con un grueso ramillete sujeto al hombro, y cada imagen se fundía con la siguiente hasta que al final contemplaba a una mujer, henchida de energía juvenil madura, parada ante el espejo con el vestido de novia de su madre. El corpiño de delicado encaje, la cortina descendente de seda blanca reluciente: toda la promesa de su vida parecía capturada en esa imagen. *Hoy es el día en que me casaré con Brad.* Se llevó la mano al vientre. El vestido de novia había desaparecido, sustituido por un vaporoso camisón. El sol de la mañana entraba a chorros a través de las ventanas. Se volvió y, de perfil, posó la mano sobre la voluptuosa forma de su vientre. *Eva. Ésa serás, ésa es la que eres ya. Te llamaré Eva.* El vapor se estaba elevando, la bañera casi llena.

Brad, Eva, ya voy. He estado ausente demasiado. Ahora voy con vosotros.

Tres líneas azules vibraban en la base de cada muñeca: la vena cefálica, que ascendía alrededor del borde radial del antebrazo; la basílica, que comenzaba en la red venosa dorsal antes de ascender por la superficie posterior del lado ulnar para reunirse con la vena mediana cubital; la cefálica accesoria, que se elevaba desde el plexo de venas tributarias para unirse con la cefálica en la parte posterior del codo. Necesitaba algo afilado. ¿Dónde estaban las tijeras? Las que Dani, y todas las anteriores, empleaban para cortarle el pelo. Buscó en un cajón del tocador, y después en el siguiente, y cuando llegó al del final, allí estaban, brillantes y afiladas.

Pero ¿qué era aquello?

Era un huevo. Un huevo de Pascua de plástico, como los que había buscado en la hierba cuando era pequeña. El ritual le había encantado: correr como una loca por el campo, la cestita colgando de su mano, el rocío en sus pies y la lenta acumulación de tesoros, su mente imaginando el gran conejo blanco cuya visita nocturna había dejado ese premio. Lila acunó el huevo en su mano. Palpó y oyó un levísimo tintineo dentro. ¿Podría ser...? ¿Era posible...? Pero ¿qué otra cosa *podía* ser?

Sólo había una respuesta. Lila Kyle moriría con el sabor del chocolate en la lengua.

60

Traición. *Traición.*

¿Cómo había conseguido la insurgencia acercarse tanto? ¿Alguien se lo podía decir, por favor? Primero la pelirroja, después Vale, y ahora, ¿también la asistenta de Lila? ¿Aquel ratón tembloroso? ¿Aquella nulidad que bajaba la vista al suelo cuando alguien entraba en la habitación? ¿Hasta qué niveles de la Cúpula se había infiltrado la conspiración?

Ante la inmensa irritación de Guilder, la pelirroja continuaba huida. Había matado a once personas durante su fuga. ¿Cómo era eso posible? Jamás habían averiguado su nombre. *Llamadme como queráis*, había dicho, *pero no me llaméis de buena mañana.* Chistes, de una mujer a la que habían dado palizas sin cesar durante días. En cuanto a Cabrón, Guilder se vio obligado a reconocer su error. Dar rienda suelta a un hombre como aquél había sido un pasaporte al desastre.

Guilder supervisó en persona el interrogatorio de la asistenta. Con independencia de lo que concediera a la pelirroja tanta energía, aquélla estaba hecha de un material más blando. Tres inmersiones en la bañera bastaron para soltarle la lengua. La bomba en el cobertizo. La criada, Jenny, a quien nadie había visto desde hacía días. Un escondite cuyo emplazamiento ignoraba porque la habían dejado sin conocimiento, lo cual era lógico. Eso habría hecho Guilder. Una mujer llamada Nina, aunque la única Nina de los archivos había muerto cuatro años antes, y un hombre llamado Eustace, de quien no constaba ningún historial. Todo muy interesante, pero sin el menor valor práctico.

¿Quiere que insistamos?, preguntó el guardia. Podríamos proseguir. Guilder miró a la mujer, sujeta todavía a la tabla, el pelo empapado de agua helada, que aún emitía los últimos jadeos estremecidos. Sara Fisher, n° 94801, residente del Alojamiento 216, obrera en la Planta de Biodiésel n° 3. Verlyn la recordaba del cargamento que habían traído de Roswell. Bien, uno de aquellos infernales tejanos. Ahora que habían llegado los once virales, tendrían que pensar algo serio sobre la situación en Texas. La mujer no parecía de ese tipo. Tuvo que recordarse que había intentado matarle. No obstante, por supuesto, no existía un tipo definido. Eso era lo que los últimos violentos meses le habían enseñado: la insurgencia era todo el mundo y nadie.

Da igual, dijo al guardia. Encadenadla. Creo que a Grey le gustará lo que ésta puede ofrecerle. Siempre le gustan las jovencitas.

Subió la escalera desde el sótano a su despacho, se caló las gafas y abrió las cortinas. El sol acababa de hundirse bajo el horizonte, y había teñido las nubes con franjas de brillantes colores. La vista era bonita, más o menos. Guilder suponía que era la clase de cosas que le habían gustado un siglo antes. Pero una persona sólo podía mirar un número determinado de anocheceres durante su vida y formarse una opinión. El problema de vivir eternamente, etc., etc., etc.

Echaba de menos a Wilkes. El hombre no había sido siempre la mejor compañía (se había mostrado demasiado ansioso por complacer), pero al menos se podía hablar con él. Guilder había confiado en él. A lo largo de los años se lo habían confesado casi todo. Guilder le había hablado incluso de Shawna, aunque había disimulado con ironía la historia. *Una puta, ¿no te parece increíble? ¡Qué gilipollas era!* Caramba, pero se habían reído a gusto. La cuestión residía en que era el tipo de hora imprecisa, de cierto desasosiego, en que Guilder habría asomado la cabeza y llamado a su amigo al despacho con cualquier excusa («¡Fred, ven aquí!») para charlar.

Su amigo. En teoría, lo eran. Lo habían sido.

Llegó la oscuridad. La mirada de Guilder descendió por la colina hasta el Proyecto. Ahora necesitaría un nombre. Hoppel habría sido el tipo ideal para eso. No cabía duda, era hábil con las palabras. En su vida anterior había sido el director de una gran agencia en Chicago, una experiencia que había utilizado para pergeñar latiguillos y sintonías publicitarias que mantenían a las tropas firmes de una manera retórica, incluida la letra del himno. *Patria, nuestra Patria, juramos dar la vida por ti. Te ofrecemos nuestros sacrificios, sin recompensa ni honorarios. Patria, nuestra Patria, una nación se alza aquí. Seguridad, esperanza, salvación, de mar en mar rutilante.* Cursi por lo demás, y a Guilder no le había entusiasmado mucho la palabra «recompensa» (se le antojaba algo literaria), pero todo había funcionado a las mil maravillas, y teniendo en cuenta las pautas del género, no hacía daño a los oídos.

Bien, ¿cómo deberían llamarlo? «Búnker» era demasiado marcial. «Palacio» sonaba bien, pero aquel lugar no tenía nada de palaciego. Parecía una caja de hormigón grande. ¿Algo religioso? ¿Un santuario? ¿Quién no iría de buen grado a un santuario?

Cuántos lugareños tendrían que ir, y con qué frecuencia, aún había que verlo. Guilder tenía que recibir instrucciones específicas de Cero al respecto, pero la impresión general era de que, al final, todo se arreglaría. Los Doce (o mejor dicho, los Once) podían ser diferentes del viral común, pero eran lo que eran, máquinas de comer, básicamente. Fueran cuales fueran las directrices que llegaran de arriba, un siglo de deglutirlo todo de un trago sería una costumbre difícil de erradicar. Pero en general, su dieta consistía en una combinación de sangre humana donada y ganado. Había que mantener escrupulosamente las raciones correctas. La población humana tendría que aumentar. Generación tras generación, humana y viral, trabajando juntas, lo cual, pensándolo bien, no era una mala forma de vender el producto. Era muy típico de Hoppel. ¿Cuál era la expresión? ¿Renovar la imagen? Eso era lo que Guilder necesitaba. Un punto de vista nuevo, un léxico nuevo, una visión nueva. Una renovación de la imagen de la experiencia vital.

Tal vez había dado en el clavo con este rollo del santuario. La creación de algo similar a una religión oficial, con todo el galimatías y los adornos sacramentales, tal vez fuera el lubricante que necesitaran los engranajes de la psicología humana. El culto estatal era todo palo y cero zanahoria. Producía tan sólo una árida obediencia a la autoridad. Pero la esperanza era el mayor organizador social. Insufla esperanza al pueblo y podrás obligarlo a hacer lo que te dé la gana. Y no sólo la esperanza media cotidiana (de comida, ropa, ausencia de dolor, buenas escuelas en los barrios residenciales o préstamos de fácil financiamiento). Lo que el pueblo necesitaba era una esperanza que trascendiera el mundo visible, el mundo del cuerpo y sus penurias, el aburrido desfile incesante de *cosas*. Una esperanza que no fuera sólo apariencia.

Y ya tenía el nombre. Qué sencillo, qué elegante. Un santuario no; un templo. El Templo de la Vida Eterna. Y él, Horace Guilder, sería su sacerdote.

Por lo tanto, no había sido un día desaprovechado. Era curioso que las cosas pudieran suceder así, pensó con una sonrisa, la primera desde hacía semanas. Que le den por el culo a Hoppel y a sus cancioncillas. Y ya que estaba en eso, que le den por el culo a Wilkes, ese ingrato. Guilder lo tenía todo controlado.

Primero la inyección, y el mareo, y Sara, tendida en una camilla de ruedas, observó desfilar el techo.

—Ale... *¡hop!*

Ahora estaba en otra parte. La habitación se hallaba apenas iluminada. Unas manos la estaban subiendo a una mesa, sujetaban con correas sus brazos, piernas y frente. En algún momento le habían quitado el hábito para sustituirlo por una bata de algodón. Su mente repasaba con pesadez animal estos datos, y tomaba nota de ellos sin la menor emoción. Era difícil preocuparse por algo. Ahí estaba el doctor Verlyn, que la estaba examinando a través de sus diminutas gafas con sus maneras de abuelo. Sus cejas se le antojaban extraordinarias. Sostenía un fórceps plateado. Había un copo de algodón mojado en un líquido marrón entre sus dientes. Se suponía que, al ser médico, le estaba haciendo algo de índole médica.

—Puede que lo notes un poco frío.

En efecto. El doctor Verlyn estaba lavando sus brazos y piernas. Al mismo tiempo, alguien estaba colocando un tubo de plástico debajo de su nariz.

—Catéter.

Vaya, eso no era tan agradable. No era nada agradable. Un gemido brotó de su garganta. Empezaron a suceder otras cosas, diversos pinchazos, la sensación desconocida de objetos extraños deslizándose bajo su piel, los antebrazos, la parte interior de los muslos. Se oyó un pitido, y un silbido de gas, y un olor peculiar bajo la nariz, extrañamente dulce. Éter etílico. Lo fabricaban en la planta de biodiésel, aunque Sara nunca había visto cómo lo hacían. Sólo recordaba los depósitos con la palabra INFLAMABLE escrita con letras rojas en los lados, y los bultos ruidosos cuando los transportaban en plataformas rodantes hasta el camión que esperaba.

—Limítese a respirar, por favor.

¡Qué petición tan extraña! ¿Cómo podía dejar de respirar?

—Ya está.

Ascendió al cielo sobre la nube más blanda.

61

Dos días habían transcurrido desde que habían establecido contacto con la insurgencia. Al principio, Nina no les había creído, como era natural. La historia era demasiado fantástica, demasiado compleja. Fue Alicia quien ideó por fin una forma de demostrar sus aseveraciones. Recuperó la antena direccional de su mochila, condujo a la mujer a lo alto de la colina y señaló hacia la Cúpula. Green estaba contemplando el valle. A esa distancia, Alicia estaba preocupada por si no podía recibir una señal. ¿Qué harían para convencer a la mujer? Pero allí estaba, fuerte y clara, una pulsación continua. Alicia se quedó aliviada, pero también perpleja. En cualquier caso, la señal era más fuerte. Amy guardó silencio un momento, y luego dijo: «Tendremos que darnos prisa. Ese sonido que oyes significa que los Doce restantes ya han llegado». Sacó el cuchillo del cinto y se lo dio a Nina, y luego dijo a Alicia y a Greer que también se desarmaran. Nos estamos rindiendo a ti, dijo Amy. El resto depende de ti.

Llegó el camión con dos hombres armados. Alicia y los demás los recibieron con los brazos en alto. Les ataron las muñecas, pasaron una capucha negra sobre sus cabezas. Transcurrió un intervalo de tiempo, los tres congelados en el suelo del vehículo. Después oyeron el sonido de una puerta de garaje al abrirse y les dijeron que esperaran. Pasaron unos minutos. Se acercaron pasos.

—Sacadlos —dijo una voz de hombre.

Les quitaron la capucha y vieron a media docena de hombres y mujeres plantados ante ellos con las armas apuntadas..., todos menos uno.

—¿Eustace?

—Comandante Greer. —Eustace desvió su cara rota hacia Alicia—. Y también Donadio. —Movió la cabeza—. ¿Por qué me siento sorprendido? —Se volvió hacia los demás y les indicó que bajaran las armas—. Ningún problema.

—¿Los *conoces*? —preguntó Nina.

Eustace volvió a mirarlos, y se fijó en Amy.

—Creo que a ti no te había visto nunca.

—De hecho, eso no es estrictamente cierto —replicó Amy.

Habían llegado la víspera de que la gente de Eustace llevara a cabo
su maniobra. Años de meticulosa infiltración habían llegado al momento cumbre. Primero, la decapitación de la dirección, seguida
de ataques simultáneos contra un abanico de objetivos importantes: estaciones de Recursos Humanos, infraestructuras industriales, la central eléctrica, el centro de detención, el complejo de apartamentos en el borde del centro de la ciudad, donde vivían casi
todos los ojosrojos. Tenían armas y explosivos repartidos por toda
la ciudad. Sus fuerzas no eran numerosas, pero creían que una vez
iniciado el ataque su número aumentaría. El gigante dormido de
setenta mil lugareños se despertaría y rebelaría. Una vez sucediera
eso, la insurrección se convertiría en una avalancha, imparable. La
ciudad sería suya.

Pero algo había salido mal. Su agente en la Cúpula había sido
descubierta. Sabían que la habían apresado con vida, pero no dónde se encontraba. Con toda probabilidad, en el sótano.

—Temo que debo contaros algo —dijo Eustace, y explicó quién
era la agente.

Sara estaba ahí. Parecía inverosímil. No, mucho más que eso.
Y su hija también. La de Sara. La de Hollis. En el fondo, la pequeña era de todos. Su propósito se había magnificado, pero también
la complejidad de la situación. Tendrían que rescatarlas.

Amy repitió la historia que había contado a Nina. No cabía
duda de que los virales se hallaban en algún lugar de la ciudad, ni
tampoco de su significado. Era ahí donde empezarían a reconstruir
sus legiones. Eustace escuchaba su historia con escepticismo, pero
después cayó en la cuenta.

—Guilder querrá protegerlos —dijo Amy—. ¿Existe algún lugar de la ciudad que esté más fortificado de lo normal? Debería ser
grande.

Eustace envió a un hombre a buscar los planos del Proyecto.
Tres personas murieron para conseguirlos, dijo Eustace, y desenrolló el papel encima de la mesa.

—Nunca supimos para qué era este lugar. Montones de historias, pero ninguna que tuviera sentido. Se trata de una fortaleza. Los ojosrojos han dedicado años a su construcción.

Amy examinó los planos, y sus ojos efectuaron veloces cálculos.

—Es aquí donde los encontraremos.

—No sé cómo puedes estar tan segura.

—Cuenta las dependencias.

Eustace se inclinó sobre el papel. Con el dedo índice siguió cada pasillo hasta su destino. Después, levantó la vista.

De este modo, su causa se sumó a otra. El edificio conocido como el Proyecto era ahora el objetivo. Su diseño jugaba a su favor. Como la cueva de Nuevo México, los estrechos confines del Proyecto podrían aumentar la fuerza explosiva de una sola bomba detonada en el corazón del edificio. Pero ¿podrían entrar? Dudoso, y aunque pudieran, sería como meterse en la guarida del león. Sus bajas serían enormes, y demasiados hombres tendrían que ser apartados de otros objetivos.

—De modo que no entraremos a por ellos —concluyó Amy—. Los obligaremos a salir.

—¿Qué estás tramando?

Amy pensó un momento.

—Dime qué clase de hombre es Guilder.

Eustace se encogió de hombros. En ningún momento se había sentido agraviado por su presencia. Era estupendo, dijo, encontrarse de nuevo entre Expedicionarios.

—Es un monstruo. Cruel, obsesivo, monomaníaco en extremo. Está absolutamente obsesionado con Sergio.

—¿Qué haría si le capturara?

—Pasar el mejor momento de su vida, supongo. Pero Sergio no existe. Es sólo un nombre.

—Pero ¿y si lo hiciera?

Eustace se masajeó la barbilla con la mano.

—Bien, al hombre le gustan los espectáculos. Probablemente montaría una ejecución pública, una gran exhibición.

—Pública. Lo cual significa todo el mundo.

—Supongo. —La expresión de Eustace cambió—. Ah. Entiendo.

—¿Dónde lo haría?

—El estadio es el único lugar lo bastante grande. Puede dar cabida a setenta mil personas con facilidad. Lo cual...

—Dejaría al resto de la Patria sin defensas. Los recursos minimizados, los blancos importantes expuestos.

Eustace asintió.

—Y si de verdad le interesa hacer una demostración de poder...

—Exacto.

Miradas perplejas se intercambiaron alrededor de la mesa.

—Que alguien me ilumine, por favor —dijo Nina.

Amy se inclinó hacia delante en la silla.

—Esto es lo que vamos a hacer.

Tardaron veinticuatro horas en prepararse. Nina volvió a la ciudad para ponerse en contacto con los líderes de las diversas células y comunicarles las instrucciones. El escondite de la insurgencia sería abandonado, por supuesto. Lo llenarían de trampas explosivas, barriles de nitrato de amonio y combustible diésel conectados a detonadores de sulfuro. Tan sólo quedaría un agujero ceniciento. Con suerte, Guilder daría por sentado que todos sus ocupantes habían muerto, una masa suicida, el último destello de gloria de la insurgencia.

Prepararon los vehículos para la partida. Alicia conduciría a Amy a la alcantarilla, y después se reunirían con el resto de los hombres de Eustace para continuar hasta la segunda línea defensiva. Todo dependía de la meteorología. Necesitaban que nevara para cubrir las rodaduras de los neumáticos. Podría ser al día siguiente. Podría ser al cabo de una semana. Podría ser nunca. Una hora antes del anochecer del tercer día, un seductor polvillo de nieve empezó a caer. Se detuvo, volvió a empezar, cobró fuerza poco a poco, como si el tiempo hubiera carraspeado y hablado: *idos ya*.

Se pusieron en marcha, un convoy de nueve camiones que transportaba a cuarenta y siete hombres y mujeres. Alicia se separó de la columna y desvió el vehículo hacia el norte. La nieve formaba una densa masa remolineante ante los faros del camión. A su lado, Amy, vestida con hábito de asistenta, guardaba silencio. Alicia le había advertido a qué se enfrentaba. No había motivos para abundar en ello, sobre todo en ese momento.

Media hora después llegaron a la alcantarilla.

—Ya sabes lo que te harán —dijo Alicia, sin poder contenerse.

Amy asintió. Un breve silencio, y después:

—Todo tiene un propósito. Una forma. ¿Lo crees?

—No sé.

Amy apartó la mano de Alicia del volante y la tomó en la suya, enlazando los dedos.

—Somos hermanas. Hermanas de sangre. Sé lo que te está pasando, Lish.

Tuvo la sensación de que las palabras de Amy caían como algo físico en su interior. Y no obstante: pues claro que lo sabía. ¿Cómo no iba a saberlo?

—¿Puedes controlarlo?

Alicia tragó saliva con dificultad. Durante los dos últimos días, el deseo se había intensificado. Estaba hundiendo su oscura mano en su interior, apoderándose de ella. Nublaba su mente. Pronto vencería su voluntad de resistencia.

—Se está poniendo cada vez... más difícil.

—Cuando llegue el momento...

—No voy a permitirlo.

La nieve estaba cayendo a su alrededor. Alicia sabía que, si no se marchaba pronto, podía quedarse atrapada. Era preciso decir una última cosa. Tuvo que hacer acopio de todo su valor para pronunciar las palabras.

—Cuida de Peter. No le digas lo que me ha pasado. Prométemelo.

—Lish...

—Puedes contarle todo lo demás. Inventa una historia. Me da igual. Pero necesito tu palabra.

Siguió un profundo silencio, que envolvió a las dos. Alicia había sido la única poseedora de aquella información durante demasiado tiempo. Ahora, la compartía. Estudió sus sentimientos. Pérdida, alivio, la sensación de cruzar una frontera y adentrarse en un país oscuro. Estaba abandonando a Peter.

—En cierto modo, siempre supe que esto sucedería. Incluso antes de conocerte. Siempre hubo alguien más.

Amy no contestó. Su silencio reveló a Alicia todo cuanto necesitaba saber.

—Deberías irte —dijo Alicia.

Amy continuó callada. Su expresión era de inseguridad. Después:

—Hay algo que no te he contado, Lish.

Día gris tras día gris. El inmenso imperio interior de la meteorología del continente. ¿Nevaría? ¿Volvería a salir alguna vez el sol? ¿El viento soplaría sobre sus espaldas, o les abofetearía el rostro congelado? Caminaban y caminaban, encorvados debido al peso de las mochilas. No había letreros, ni puntos de referencia. Las carreteras y las ciudades habían desaparecido, cubiertas como barcos hundidos bajo las olas de la pradera nevada. Tifty confesó que no sabía exactamente dónde se encontraban. En el centro de Iowa, al noreste de Des Moines, pero algo más concreto... No se disculpó. La situación era la que había. ¿Por qué no pudisteis decidir hacer esto en verano?, preguntó.

Se habían quedado casi sin comida. Habían reducido las raciones a la mitad, pero la mitad de nada era nada. Cuando se acurrucaron en el interior de una granja en ruinas, Lore repartió las escasas porciones sobre la hoja de su cuchillo. Peter la puso debajo de la lengua para que durara más, y la grasa endurecida se fue disolviendo poco a poco en el calor de su boca.

Continuaron su camino.

Después, ya avanzada la tarde del vigésimo octavo día, apareció una visión: se materializó lentamente a partir de un cielo sin color, una señal alta, que se mecía al viento. Avanzaron hacia ella. Un grupo de edificios se definió. ¿Qué ciudad era aquélla? Daba igual. La necesidad de refugio superaba cualquier otra preocupación. Atravesaron el anillo comercial exterior, con sus cascarones de supermercados y franquicias, los tejados lisos derrumbados bajo el peso de la nieve invernal, y se internaron en la ciudad vieja. Los restos y escombros habituales, pero en el centro llegaron a dos manzanas de edificios de ladrillo que parecían ilesos.

—No creo que vayamos a encontrar comida ahí —dijo Michael.

Estaban parados ante un escaparate, cuyas ventanas estaban inexplicablemente ilesas. Letras descoloridas rezaban en el cristal: FANCY'S CAFÉ.

—Parece que cerraron hace tiempo —comentó Hollis.

Forzaron la puerta y entraron. Un espacio angosto, con reservados de vinilo agrietado frente a una barra con taburetes. Salvo por el polvo, que cubría cada superficie como una costra, se hallaba extrañamente inalterado. De vez en cuando encontraban sitios así, un museo del pasado en que el paso de las décadas no había dejado su huella, más inquietante que las ruinas.

Michael levantó una carta de una pila que descansaba sobre la barra y la abrió.

—¿Qué es carne mechada? Lo de «carne» lo pillo, pero ¿mechada?

—¡Jesús!, Michael —dijo Lore. Estaba temblando, con los labios azulados—. No empeores la situación.

Hollis y Peter registraron la parte de atrás. La puerta y las ventanas posteriores estaban aseguradas con madera contrachapada. En el suelo había un martillo y clavos.

—No llegaremos mucho más lejos sin comida —dijo Hollis en tono lúgubre.

—No hace falta que me lo recuerdes.

Volvieron a la parte delantera de la cafetería, donde los demás se estaban envolviendo con mantas en el suelo. La oscuridad estaba cayendo. Hacía un frío gélido en la sala, pero al menos estaban a salvo del viento.

—Voy a echar un vistazo por los alrededores —dijo Peter—. Puede que me haga una idea de dónde estamos.

Atravesó la calle y después caminó manzana abajo, examinando los escaparates. Probó algunas puertas, pero todas estaban cerradas con llave. Bien, podían volver por la mañana y forzar unas cuantas para ver qué había.

Al final de la segunda manzana probó un pomo sin mirar (iba ya en piloto automático), y se quedó sorprendido cuando la puerta se abrió. Entró, desenfundó la pistola y sacó una cerilla de la caja que llevaba en el bolsillo del pecho de su parka. Rascó la punta y protegió la llama con la mano de la brisa que se colaba por la puerta.

Bien, hijo de puta.

Peter reconocía una reserva de víveres escondidos cuando veía una.

Había sacos de arpillera apilados contra las paredes de la sala, por lo demás vacía. Se arrodilló y abrió el saco más cercano de un navajazo: judías secas. En otro descubrió patatas; en un tercero, manzanas. Encendió otra cerilla y la levantó sobre el suelo. Había pisadas en el polvo por todas partes. ¿Quién había dejado aquello allí? ¿Qué significaba?

La situación era extraña, pero al menos no morirían de hambre. Era mejor pensar en lo que deberían hacer a continuación con el estómago lleno. Hundió los dientes en una manzana. Carecía de sabor, dura como un pedazo de hielo. La devoró en un abrir y cerrar de ojos, metió más en los bolsillos y exploró la sala en busca de algo que pudiera utilizar para cargar comida. Encontró en un rincón un cubo lleno de alambre de cobre. Tiró el alambre al suelo, llenó el cubo de manzanas y patatas, y volvió a la calle.

Al instante se dio cuenta de que algo no era normal. La noche parecía más luminosa. ¿La luna? Pero no había luna. Un destello de alarma bailó sobre su piel, y entonces oyó el sonido. Miró en dirección contraria al viento y aguzó el oído. El sonido se estaba acercando, más definido a cada segundo.

Motores.

Dejó caer el cubo y corrió hacia el café. Una hilera de vehículos estaba avanzando hacia él. Oyó gritos, y después una serie de estampidos. Chorros de nieve se alzaban a su alrededor.

Alguien le estaba disparando.

Atravesó las puertas del café justo cuando una falange de fusiles abría fuego y pulverizaba las ventanas. *¡Al suelo!*, gritó, *¡Al suelo!*, pero todo el mundo lo había hecho ya. Saltó sobre la barra, aterrizó encima de Lore, que tenía las manos alzadas sobre la cabeza. El resplandor de los focos de los vehículos inundaba la sala. Las cosas se estaban astillando por la balacera.

—¡Michael! ¿Dónde estás?

Se oyó su voz desde debajo de una banqueta.

—¿Quiénes son? ¿Qué quieren?

Era una pregunta retórica: fueran quienes fueran, querían matarlos.

—¿Tifty? ¿Hollis?

Michael otra vez:

—¡Están conmigo! ¡Tifty se ha hecho un corte, pero está bien!

—¡Yo estoy con Lore!

Una pausa en el tiroteo. Después, volvieron a abrir fuego.

—¿Alguien ve algo?

—Tres vehículos justo delante —dijo Hollis—. ¡Otros más abajo de la calle!

—¿Deberíamos rendirnos, tal vez? —gritó Michael.

—¡No creo que sea la clase de gente que acepta rendiciones!

Estaban machacando la sala. Peter sólo contaba con su pistola. Había dejado el rifle junto a la puerta. Nunca conseguirían llegar a la parte de atrás, y, en cualquier caso, las puertas y ventanas estaban aseguradas con tablones. El café era una trampa mortal.

—¿Qué queréis hacer? —preguntó Hollis.

—¿Tifty puede moverse sin ayuda?

—¡Estoy bien!

Peter, aplastado contra el suelo, volvió la cabeza hacia Lore.

—¿Qué tienes tú?

Ella le enseñó el cuchillo.

—Sólo esto.

Habló por encima de la barra.

—¡Salimos a la de tres! ¡Que alguien nos tire un arma!

Llegó desde la dirección de Michael, y aterrizó encima de ellos. Lore la cogió y montó la corredera. Las armas de fuera habían vuelto a enmudecer. Nadie tenía prisa.

—Abrirnos paso a tiros no es un gran plan —dijo Lore.

—Me encantaría saber de uno mejor.

Peter se estaba poniendo de rodillas cuando Lore le detuvo con una mano.

—Escucha —susurró.

Oyó pasos que pisaban la nieve, seguidos de un tintineo de cristal. Se llevó un dedo a los labios. ¿Cuántos serían? ¿Dos? Un rehén, pensó de repente. Era su única posibilidad. No había forma de comunicarse con los demás. Tendría que hacerlo solo. Llamó la atención de Lore y señaló el final de la barra, el extremo más alejado de la puerta. Dijo sin palabras: *Haz ruido*.

Lore se deslizó sobre el suelo. Peter enfundó su pistola y se acuclilló. Cuando Lore ocupó su posición, la joven le miró con expresión decidida y asintió.

—Socorro —gimió.

Peter saltó sobre la barra. Cuando el hombre más cercano se

volvió, Peter desenfundó la pistola y disparó contra la forma iluminada por detrás, para luego abalanzarse sobre el segundo hombre. Los dos fueron a parar al suelo. La pistola de Peter cayó lejos de él. Un momento de frenético forcejeo. El hombre pesaba seis kilos más, pero la sorpresa favorecía a Peter. El desconocido llevaba sujeta al muslo una semiautomática. Peter rodeó el cuello de su adversario con el antebrazo, tiró de él hacia sí, le arrancó la pistola de la funda y hundió el cañón en la curva de su mandíbula, debajo del largo pelo plateado.

—¡Diles que no disparen!

Desde el suelo, Peter veía a Michael, escondido debajo de una mesa. Tenía los ojos abiertos de par en par.

—Peter...

—Hablo en serio —dijo Peter al hombre, y apretó más el cañón—. Grita, para que todo el mundo te oiga.

El hombre se había relajado en sus brazos. Peter notó que temblaba, aunque no de dolor. El hombre se había puesto a reír.

—¡Retiraos! —dijo una nueva voz, de mujer—. ¡Alto el fuego todo el mundo!

El segundo hombre no era un hombre. Estaba sentada en el suelo con la espalda apoyada contra uno de los reservados, el brazo derecho cruzado sobre el pecho para aferrar su hombro herido.

—Voladores, Peter. —Alicia apartó su mano ensangrentada. Ella también estaba riendo—. Lucius, ¿te creerás que el muy jodido me ha disparado?

62

En la base de la escalera, Amy acercó la antorcha al plano. El papel ardió al instante, destruido en un destello de llamas azules. Apagó la antorcha en el riachuelo de agua que corría a sus pies, subió la escalera y apartó a un lado la tapa.

Estaba en el callejón situado detrás de la herboristería. Enroscó la tapa y se asomó a la esquina del edificio. La Cúpula se alzaba imponente sobre el corazón de la ciudad, su superficie reluciente de luz. Se bajó el velo y se alejó a buen paso del callejón. Hombres con perros paseaban por las barricadas. Se acercó a la caseta del guardia, donde dos hombres se estaban soplando en las manos, y exhibió su pase.

—No me parece correcto. —Lo empujó hacia el segundo hombre—. ¿A ti te parece correcto?

El col le lanzó una veloz mirada, y después miró a Amy.

—Levántate el velo.

Ella obedeció.

—¿Pasa algo?

El hombre estudió su cara un momento. Después, le devolvió el pase.

—Olvídalo. Está bien.

Amy entró y subió la escalera. Ninguno de los demás hombres le prestó atención. Los guardias de la puerta habían verificado que su presencia estaba autorizada. Ya dentro, dejó atrás al guardia del mostrador, quien apenas la miró, cruzó el vestíbulo en dirección al ascensor y subió al sexto piso.

El ascensor se abrió en una galería circular que seguía el atrio del edificio. Cuatro pasillos se alejaban en otras tantas direcciones, como radios de una rueda. Amy rodeó la galería hasta el tercer corredor y continuó por él hasta la última puerta, donde el guardia, un hombre de cara mustia con una tonsura de pelo gris, estaba sentado en una silla metálica plegable, pasando las páginas quebradizas de una revista con cien años de antigüedad. En la portada se veía la imagen de una mujer con biquini naranja, que se estaba mesando el pelo.

—El Director ha pedido verme —dijo Amy, al tiempo que se subía el velo.

El hombre apartó los ojos de la página, miró los de Amy, y eso fue suficiente. Ella lo derribó, apoyó su espalda contra la pared y le arrebató la llave del cinturón. El hombre tenía la barbilla apoyada contra el pecho. Amy acercó los labios a su oído.

—Ahora voy a entrar. Quiero que cuentes hasta sesenta. ¿Sabrás hacerlo?

El hombre tenía los ojos cerrados. Asintió apenas y emitió un murmullo de asentimiento.

—Bien. Cuenta hasta sesenta, y cuando termines, arrójate por la galería.

Abrió la puerta y entró. La habitación proyectaba una sensación engañosamente benévola. Dos sillones de orejas se encontraban encarados a un enorme escritorio, cuya pulida superficie despedía un leve brillo. El suelo estaba cubierto por una gruesa alfombra, que apagaba todos los sonidos salvo la respiración de Amy. Una pared entera estaba forrada de libros. Otra exhibía un cuadro de grandes dimensiones, iluminado por un diminuto foco, de tres figuras sentadas a una larga barra y un cuarto hombre con sombrero blanco, todo visto a través de la ventana en una calle mal iluminada. Amy se detuvo a leer la pequeña placa situada en la base del marco: Edward Hopper, *Nighthawks*, 1942.

A su derecha había un par de puertas de salón con ventanas de vidrio emplomado. Amy giró el pomo y entró.

Guilder estaba tumbado encima de las mantas en ropa interior. Una pila de carpetas de cartón flotaba en el mar de ropa de cama a su lado. Suaves ronquidos surgían de su nariz. ¿Dónde se colocaría? Eligió el pie de la cama.

—Director Guilder.

El hombre despertó con brusquedad y su mano voló debajo de la almohada. Se incorporó contra la cabecera, al tiempo que se alejaba de ella. Levantó la pistola con ambas manos y la amartilló. Estaba temblando tanto, que Amy pensó que podría dispararle sin querer.

—¿Cómo has entrado aquí?

Amy intuyó su inseguridad. El hábito de una asistenta, pero una cara desconocida.

—El guardia fue muy amable. ¿Por qué no baja eso?

—Maldita sea, ¿quién eres?

Oyó voces en el pasillo, puños que golpeaban la puerta exterior.

—Soy Sergio —dijo—. He venido a entregarme.

XI

La noche más oscura del año

21 DE DICIEMBRE, 97 d.V.

Mi alma está en medio de leones,
yazgo entre hombres encendidos (en furor),
cuyos dientes son lanzas y saetas,
cuya lengua es tajante espada.

Salmo 57,4

¡CAPTURADO!

MENSAJE DE LA OFICINA DEL DIRECTOR

¡El despreciable asesino conocido como «Sergio» ha sido detenido!

¡La insurgencia ha sido aplastada!

¡La paz ha vuelto a imponerse en nuestra amada Patria!

LA SENTENCIA SERÁ EJECUTADA
EN PÚBLICO
EN EL ESTADIO

TODOS LOS TRABAJADORES DEBERÁN
PRESENTARSE AL PERSONAL DE RECURSOS
HUMANOS DE SUS ALOJAMIENTOS A
LAS 21.30 HORAS DE MAÑANA

¡Manteneos unidos, Ciudadanos de la Patria!
¡Regocijaos en este glorioso día de justicia!
¡Que todos los traidores se den por enterados
de que ése será su destino!

63

Los acontecimientos se habían desarrollado tal como Amy había previsto. Fijaron el momento y el lugar de su ejecución. Sólo faltaba revelar el método, el detalle final del cual dependía su plan. ¿Se limitaría Guilder a fusilarla? ¿A colgarla? Pero si sólo pretendía llevar a cabo una exhibición tan pobre, ¿por qué había ordenado que toda la población, las setenta mil almas de la Patria, fuera testigo? Amy había mordido el anzuelo. ¿Lo mordería Guilder?

Peter pasó los cuatro días siguientes debatiéndose entre polos emocionales, alternando estados de preocupación y estupefacción, ambos teñidos de una poderosa sensación de *déjà vu*. Todo poseía una sorprendente familiaridad, como si no hubiera transcurrido ni un segundo desde que había plantado cara a Babcock en lo alto de la montaña de Colorado. Aquí estaban todos juntos una vez más. Peter, Alicia, Michael, Hollis, Greer. Habían convergido en ese lugar por diferentes rutas, por diferentes motivos. No obstante, había sido Amy, una vez más, quien los había dirigido.

Greer había relatado la historia de su transformación: Houston, Carter, el *Chevron Mariner*; el viaje de Amy a las entrañas del barco, y después su regreso. Todo lo sucedido entre Amy y Carter, Greer lo ignoraba. Sólo sabía que Carter los había dirigido ahí. Más allá de eso, Amy no podía o no quería decirlo.

Aquella noche en el orfanato, los dos parados ante la puerta, las yemas de sus dedos encontrándose en el espacio. ¿Sabía ella lo que le estaba pasando? ¿Y él? Peter había sentido en el tacto de Amy la presión de algo no verbalizado. *Me voy lejos. La chica que conoces no será la misma cuando volvamos a encontrarnos.* Y así había sido: la chica que era Amy había desaparecido. En su lugar, había ahora una mujer.

El grupo disimulaba su angustia con la innecesaria repetición de los diversos preparativos. Limpiar las armas. Examinar planos y mapas. Repasar las listas y los diversos inventarios mentales que llevarían a la guerra. Hollis y Michael se habían convertido, durante los últimos días, en una especie de bucle cerrado. Su propósito se había reducido a Sara y Kate. Alicia manejaba su angustia de la misma forma que manejaba todo lo demás: fingía que no era importante. La bala de la pistola de Peter había errado el hueso y salido con limpieza, una cuestión de pura suerte, pero aun así... Curaría en uno o dos días, pero entretanto el cabestrillo del brazo era un recordatorio constante de lo cerca que había estado Peter de matarla. Cuando no estaba bramando órdenes, se recluía en un silencio inexorable, con el fin de informar a Peter, sin necesidad de verbalizarlo, de que ella había entrado en zona de batalla. Greer barruntaba que algo le había sucedido en la celda, que la habían golpeado con saña, pero cualquier intento de preguntarle más al respecto era rechazado con brusquedad. «Estoy perfectamente», decía Alicia en un tono perentorio que sólo podía significar todo lo contrario. «No te preocupes por mí. Sé cuidar de mí misma». De hecho, daba la impresión de evitarle activamente, y desaparecía durante ratos prolongados. De no haberla conocido mejor, habría dicho que estaba enfadada con él. Regresaba horas después oliendo a sudor de caballo, pero cuando Peter preguntaba adónde había ido, se limitaba a decir que había ido a explorar el perímetro. Él no tenía motivos para dudarlo, pero la explicación se le antojaba poco convincente, una tapadera de algo no explicado.

También Tifty había experimentado un cambio, sutil pero significativo. Su reunión con Greer había dado más frutos de lo esperado por Peter. Habían servido juntos en los Expedicionarios, un vínculo indiscutible, pero Peter no había imaginado la profundidad de su amistad. Un auténtico cariño flotaba entre ellos. Peter reflexionó sobre la circunstancia al principio, pero el motivo era evidente: Greer y Tifty ya habían pasado por eso, con Crukshank, muchos años antes. La historia del campo, y de Dee, y de las dos niñas pequeñas. De entre todos los hombres vivos, Greer era quien mejor conocía el corazón de Tifty Lamont.

De esta forma, las horas, y después los días, fueron transcurriendo. Dos preguntas planeaban sobre todo: ¿funcionaría el plan? Y en ese caso, ¿podrían salvar a Amy a tiempo?

La tercera noche, cuando Peter ya no podía soportar la espera ni un segundo más, abandonó el sótano de la comisaría de policía donde todo el mundo estaba durmiendo, subió la escalera y salió a la calle. La fachada del edificio estaba protegida por un amplio saliente que mantenía la zona despejada de nieve. Alicia estaba sentada con la espalda apoyada contra la pared y las rodillas subidas hasta el pecho. El cabestrillo había desaparecido. En una mano sostenía una larga y reluciente bayoneta, aserrada cerca de la base. En la otra, una piedra de afilar. Con movimientos serenos y uniformes estaba pasando la hoja del cuchillo a lo largo de la piedra, primero un lado y después el otro, y hacía una pausa al concluir cada pase para examinar su obra. Dio la impresión de que, al principio, no se había fijado en Peter, tan concentrada estaba. Pero después, intuyó su presencia y alzó los ojos hacia él. Pareció que iba a hablar, pero no dijo nada. Su rostro no expresaba la menor emoción, aparte de una especie de vaga distracción.

—¿Te apetece un poco de compañía?

—Siéntate, si quieres.

Se acomodó a su lado en el suelo. Entonces, lo sintió. El aire que la rodeaba parecía hervir de rabia contenida. Lo proyectaba su cuerpo como una corriente eléctrica.

—Menudo cuchillo.

Ella había continuado afilando la hoja.

—Me lo dio Eustace.

—¿Crees que ya está bastante afilada?

—Así mantengo las manos ocupadas.

Peter intentó decir algo más, pero no encontró las palabras. ¿Adónde has ido a parar, Lish?

—Debería estar enfadado contigo —dijo—. Podrías haberme dicho cuáles eran tus órdenes.

—¿Y qué habrías hecho? ¿Seguirme?

—Estoy ausente sin permiso. Unos días más no habrían significado una gran diferencia.

Alicia sopló sobre la punta del cuchillo.

—No eran tus órdenes, Peter. No me malinterpretes. Me alegro de verte. Ni siquiera estoy sorprendida. En cierto sentido retorcido, es lógico que estés aquí. Eres un buen oficial, y te vamos a necesitar. Pero todos tenemos que hacer nuestro trabajo.

Se quedó patidifuso. ¿Un buen oficial? ¿Eso era lo único que iba a decirle?

—Eso no es muy propio de ti.

—Da igual. Las cosas son así. Tal vez ya fuera hora de que alguien lo dijera.

No supo qué responder. Aquélla no era la Alicia que él conocía. Lo que había sucedido en aquella celda la había impulsado a replegarse tanto en su interior que era como si no estuviera.

—Estoy preocupado por ti.

—Bien, no deberías.

—Lo digo en serio, Lish. Algo pasa. Puedes contármelo.

—No hay nada que contar, Peter. —Le miró a los ojos—. Tal vez sólo estoy... despertando. Afrontando la realidad. Tú también deberías. Esto no va a ser fácil.

Se sintió ofendido. Escudriñó su cara en busca de alguna pizca de ternura, y no descubrió ninguna. Peter fue el primero en romper el contacto visual.

—¿Qué crees que le está pasando? —preguntó.

No tuvo que concretar más. Alicia sabía a quién se estaba refiriendo.

—Intento no pensar en eso.

—¿Por qué la dejaste ir?

—Yo no la *dejé* hacer nada, Peter. La decisión no era mía.

Se hizo un gélido silencio.

—Me apetece un trago —dijo Peter.

Ella se rió en voz baja.

—Vaya, qué novedad. Creo que nunca te había oído pronunciar esas palabras.

—Hay una primera vez para todo. ¿Recuerdas aquella noche en el búnker de Twentynine Palms, cuando encontramos el whisky?

La botella estaba en un cajón del escritorio. Para celebrar la reparación de los Humvees y su inminente partida del búnker, se la habían ido pasando y brindando por la gran aventura que los esperaba en su viaje hacia el este, en dirección a Colorado.

—Dios, qué borrachera pillamos —dijo Alicia—. Michael fue el peor. Lo vomitó todo.

—No, creo que fue Zapatillas. ¿Te acuerdas de que rompió uno de los bastones de luz y se manchó la cara con aquella sustancia viscosa? «¡Fijaos, fijaos, soy un viral!». Aquel chico era muy divertido.

Su equivocación fue evidente al instante. Cinco años después, la muerte del muchacho era todavía una herida abierta. En todo aquel tiempo, Peter nunca había oído a Alicia ni siquiera pronunciar su nombre.

—Lo siento, no quería...

Una luz brillante destelló sobre el horizonte. ¿Un rayo? ¿En invierno? Momentos después escucharon el estallido, apagado pero inconfundible.

Eustace apareció al pie de la escalera.

—Yo también lo he oído. ¿Desde qué dirección?

Había llegado del norte. Era difícil calcular la distancia, pero imaginaron unos ocho kilómetros.

—Bien —dijo Eustace, mientras cabeceaba—, supongo que nos enteraremos de algo más por la mañana.

Poco después del amanecer llegó un mensajero enviado por Nina. Los explosivos del escondite habían hecho su trabajo. Su treta había tenido éxito. Se rumoreaba que el ministro Suresh, a quien Guilder había enviado en persona para supervisar su captura, se contaba entre los muertos. Un anticipo, confiaba todo el mundo, de lo que se avecinaba.

Pero era la segunda parte del mensaje la más prometedora. Un tráiler estaba aparcado delante del Proyecto desde la noche anterior. Estaba custodiado por un numeroso destacamento de seguridad, veinte hombres como mínimo. La última pieza había encajado en su sitio. Los virales iban a efectuar su movimiento. Guilder había revelado sus intenciones.

Todo el mundo sabía las implicaciones de lo que iban a intentar. El plan parecía sólido, pero las probabilidades eran escasas. Las órdenes de Guilder de trasladar la población al estadio implicaban que el resto de la ciudad estaría muy poco protegida, y si todo procedía según lo previsto, los insurgentes lograrían de un solo golpe decapitar todos los estamentos del régimen. Pero la coordinación sería fundamental. Con tantos elementos de la insurgencia actuando de manera independiente, y teniendo en cuenta la falta de capacidad para comunicarse mutuamente en cuanto hubiera empezado el asedio, no costaría mucho que todo se viniera abajo. Cualquier variable podía arrojar al caos la operación.

La mayor variable era Sara. Suponiendo que estuviera en el sótano de la Cúpula, organizar una operación de rescate sería engorroso desde un punto de vista estratégico, y nadie sabía dónde estaba su hija. Podía estar en la Cúpula, o en otro lugar muy diferente. En cuanto invadieran el edificio y empezara el tiroteo, distinguir entre amigos y enemigos sería casi imposible. La decisión que tomaron fue que Michael y Hollis irían al frente de un grupo de avanzadilla con destino al sótano. Contarían únicamente con cinco minutos. Después, el edificio y todos sus habitantes se convertirían en objetivos.

Eustace encabezaría la operación contra el estadio. El contenido del paquete de explosivos, una especie de nitroglicerina, había sido robado de la obra del Proyecto durante la construcción, y modificado con posterioridad a tenor de sus propósitos, de manera que dio como resultado un producto más potente pero altamente inestable. Era del mismo tipo que habían entregado a Sara en la Cúpula, y que ahora se consideraba perdido. Pese a su potencia, la única forma de garantizar el resultado era entregarlo a los once virales, como decía Eustace, «en persona, una bomba con patas». Al principio, Peter no lo entendió. Después captó el significado: las patas serían las de Eustace.

Sus equipos entrarían en la ciudad por cuatro puntos, todos conectados con la tubería de desagüe principal. El equipo de Eustace, que incluía a Peter, Alicia, Tifty, Lore y Greer, aprovecharía la confusión en el estadio para infiltrarse entre la muchedumbre. Elementos de la insurgencia al mando de Nina ya habrían ocupado posiciones en las gradas para hacerse con el control cuando llegara el momento. Habían escondido armas en los váteres y debajo de la escalera que conducía a las gradas de arriba. La aparición de Eustace en el campo sería la señal de atacar.

Se pusieron en marcha nada más oscurecer. Era absurdo disimular sus huellas. Pasara lo que pasara, no volverían nunca. La noche estaba despejada, el cielo inmenso e iluminado por las estrellas, una gigantesca presencia indiferente que los observaba. Bien, pensó Peter, tal vez no tan indiferente. Confiaba en que alguien allí arriba se preocupara de ellos, tal como había dicho Greer. Costaba creer que sólo habían transcurrido unas pocas semanas desde su conversación en la prisión. Llegaron a la tubería y se pusieron a andar. Peter se descubrió pensando no tan sólo en Amy, sino también en la hermana Lacey. Amy era una cosa; la hermana, otra. La mujer se había enfrentado a Babcock sin el menor temor, aceptando sin más el resultado. Peter esperaba demostrarse digno de ella.

En la base de la alcantarilla más próxima al estadio, el grupo intercambió las últimas palabras. Los demás grupos, que avanzaban hacia sus posiciones a través de la Patria, se esconderían bajo tierra hasta oír la detonación en el estadio, que sería la señal de iniciar los ataques. Sólo Hollis y Michael entrarían en acción antes. No había forma de predecir el momento de actuar. Tendrían que seguir su intuición.

—Buena suerte —dijo Peter. Los tres hombres se estrecharon la mano, y después, como les pareció inadecuado, se abrazaron. Lore se puso de puntillas para besar a Hollis en su barbuda mejilla.

—Recuerda lo que te dije —le espetó—. Ella te está esperando. La encontrarás. Lo sé.

Hollis y Michael se alejaron por el túnel, sus imágenes se difuminaron, y después desaparecieron. Entre apretones de manos y deseos de buena suerte, los demás grupos partieron a continuación. Peter y los demás esperaron. El frío era entumecedor. Todos tenían los pies húmedos, y los zapatos empapados de las aguas fétidas. Eustace vestía una chaqueta verde oliva, la carga mortífera escondida debajo. Nadie habló, pero el silencio que rodeaba al hombre era más profundo. En un momento de intimidad, Eustace había asegurado a Peter que no existía otra alternativa. De hecho, estaba contento de hacerlo. Mucha gente había ido a la muerte siguiendo sus órdenes. Era justo que hubiera llegado su turno.

Pasaban unos minutos de las 17.00 cuando, desde lo alto de la escalera, Tifty habló.

—Va a empezar. Hemos de proceder.

Irían saliendo de uno en uno a intervalos de un minuto. La abertura se encontraba debajo de una camioneta que un miembro del equipo de Nina había dejado aparcada en el lado sur del estadio. Tarde o temprano, alguien se fijaría en ella y haría el comentario (*¿Qué está haciendo ese vehículo ahí?*), pero hasta el momento había escapado a la atención. Desde la alcantarilla, cada uno de ellos se mezclaría con las colas de gente que irían camino del estadio. Un momento delicado, pero sólo el primero de muchos más.

Eustace fue primero. Greer le observaba desde lo alto de la escalera.

—De acuerdo —dijo—. Creo que lo ha conseguido.

Lore y Greer le siguieron. Una vez dentro se citarían en puntos concretos del interior del edificio. Alicia sería la penúltima. Tifty cerraría la marcha. Peter tomó posiciones en la base de la escalera. Alicia estaba parada detrás de él. Como todos los demás, iba disfrazada con una raída túnica de lugareña y pantalones.

—Siento lo de tu brazo —dijo él por enésima vez.

Alicia le dedicó su sonrisa de complicidad. Era la primera sonrisa que le había visto en días.

—Bien, supongo que ya era hora de que alguno de los dos disparara contra el otro. Hemos hecho prácticamente todo lo demás. Me alegro de que tengas tan mala puntería.

—La escena es conmovedora —dijo Tifty con sequedad—, pero hemos de irnos.

Peter vaciló. No quería que aquellas palabras fueran las últimas que se intercambiaran.

—Te dije que tendrías tu oportunidad, ¿verdad? —Alicia le dio un rápido abrazo—. Ya has oído a ese hombre: hay que ponerse en marcha. Nos veremos cuando el polvo se aposente.

Pero no le miró cuando habló, sino que evitó su mirada con ojos empañados.

La pregunta que se le planteaba era: ¿cómo demonios debía vestirse?

La era de los trajes y las corbatas había llegado a su fin para Horace Guilder. Esa parte de su vida había concluido. Un traje era el atuendo de una autoridad del Gobierno, no del sumo sacerdote del Templo de la Vida Eterna.

Todo era un poco angustiante. Nunca había ido mucho a la iglesia, ni siquiera de niño. Su madre le llevaba de vez en cuando, pero su padre no la pisaba nunca. Pero, como recordaba

Guilder, se imponía una especie de hábito. Algo en la línea de un vestido.

—¡Suresh!

El hombre entró cojeando en la habitación. Menudo panorama. Tenía el rostro hinchado y rosado. Se le habían chamuscado las cejas y las pestañas, y en su mirada se reflejaba el miedo. Tenía cortes y morados por todas partes, algunos en carne viva. Todo se curaría en cuestión de días, pero, entretanto, el hombre parecía un cruce entre un jamón al horno y el perdedor de un combate de boxeo desigual.

—Consígueme un vestido de asistenta.

—¿Para qué?

Guilder le indicó la puerta con un ademán.

—Tú consíguelo. Grande.

Recibió la prenda solicitada. Suresh se quedó, con la esperanza de recibir alguna explicación de la curiosa petición de Guilder, o quizá tan sólo para ver la pinta de Guilder con la indumentaria en cuestión.

—¿No te necesitan en otra parte?

—Pensaba que querías que me quedara.

—No seas tan duro de mollera, por favor. Ve a encargarte del coche.

Suresh se fue. Guilder se colocó delante del espejo de cuerpo entero, sujetando el vestido delante de él. Por el amor de Dios, iba a parecer un payaso. Pero el reloj estaba desgranando los minutos. En cualquier momento, Recursos Humanos llegaría al estadio con los lugareños. Un pequeño retraso no era negativo (alimentaría la impaciencia), pero el control de la multitud podía convertirse en un problema si se demoraba demasiado. Lo mejor era afrontar las consecuencias. Se pasó el vestido por encima de la cabeza. Al fin y al cabo, la imagen del espejo no era la de un payaso, sino más bien la de la novia de una boda amish. La prenda era informe por completo. Sacó un par de corbatas de la percha del armario, las ató y se ciñó el resultado a la cintura. Una mejora definitiva, pero faltaba algo. Los sacerdotes que recordaba de los roces de su infancia con la religión siempre llevaban una especie de chal. Guilder caminó hacia la ventana. Las cortinas estaban sujetas contra el marco de la ventana por pesadas cuerdas doradas con borlas en los extremos. Las desanudó y colocó sobre los hombros, con las borlas oscilando a la altura de su cintura, y volvió al espejo. No estaba mal para alguien que no sabía absolutamente nada de religión ni, por descontado, de modas. Sería toda una sorpresa para los historiadores del futuro averiguar que Horace Guilder, Sumo Sacerdote del Templo de la Vida Eterna, Reconstructor de la Civilización, Pastor del Alba de la Nueva Era de la Cooperación Entre Humanos y Virales, se había consagrado a sí mismo con un par de cuerdas para sujetar cortinas.

Abrió la puerta y vio que Suresh le estaba esperando. En el rostro del hombre se manifestó su sorpresa.

—No digas ni una palabra.

—No iba a hacerlo.

—Bien, pues no lo hagas.

Bajaron en ascensor al vestíbulo. Reinaba un silencio sepulcral en el edificio. Guilder había enviado casi todo su destacamento personal al estadio. Esto disminuía las fuerzas de cols y ojosrojos, pero mantener el estadio bajo control era fundamental. Los vehículos estaban esperando, lanzando gases de escape al frío: el coche de Guilder, un tráiler con su magnífico cargamento, un par de camiones de escolta y una furgoneta de seguridad. Caminó a buen paso hacia la furgoneta, donde dos cols estaban esperando en la parte posterior. Un detalle del atuendo de un sacerdote: no ofrecía mucho calor en una noche de invierno. Tendría que haberse puesto un abrigo.

—Ábrela.

Costaba creer que la figura sentada ante él en el banco hubiera sido la causante de tantos problemas. Se la podría considerar guapa, si los pensamientos de Guilder fueran en esa dirección. Tampoco era delicada. Debajo de las hinchazones y el descoloramiento, no cabía duda de que se trataba de un espécimen sólido. Ojos hundidos, facciones definidas, un cuerpo de carnes prietas y musculoso que, no obstante, era femenino. Pero en la imaginación de Guilder, Sergio siempre había sido un hombre, y no sólo cualquier hombre. El retrato mental que había imaginado era una réplica de Che Guevara, un revolucionario de alguna república bananera con ojos como puntas de alfiler y barba rala y desaliñada. Ésta era Juana de Arco.

—¿Quieres alegar algo en tu defensa?

A Guilder no habría podido importarle menos. Con la pregunta sólo pretendía divertirse.

Tenía las muñecas y los tobillos esposados. Sus labios partidos e hinchados enronquecieron su voz, como si estuviera muy resfriada.

—Me gustaría decir que lo lamento.

Guilder se rió. ¡Sergio lo lamentaba!

—Dime, ¿qué es lo que lamentas?

—Lo que te va a suceder.

Desafiante hasta el final. Guilder suponía que iba incluido en el lote, pero no dejaba de resultar irritante. No le habría importado sacudirla un poco más.

—Última oportunidad —dijo la mujer.

—Tu punto de vista es muy interesante —replicó Guilder. Se alejó de la puerta abierta—. Encerradla.

Durante mucho rato, sentada en el borde de la cama, Lila la observó. Rayos de luz oblicuos caían desde la ventana sobre el rostro dormido de la niña, con los rubios rizos desparramados sobre la almohada. Durante días había sido imposible consolarla, y había alternado entre horas de hosco silencio y arrebatos explosivos en que los juguetes volaban por los aires, pero en el sueño sus defensas se disolvían y volvía a convertirse en una niña: confiada, plácida.

¿Cómo te llamas?, pensó Lila. ¿Con quién estás soñando?

Extendió la mano para tocar el pelo de la niña, pero se contuvo. La pequeña no se despertaría. Ése no era el motivo. Se debía a que la mano de Lila no era digna de ello. Tantas Evas durante tantos años... Y no obstante, sólo había existido una.

Lo siento, pequeña. No te merecías esto. Ninguna de ellas lo merecía. Soy la mujer más egoísta del mundo. Lo que hice, lo hice por amor. Espero que puedas perdonarme.

La niña se removió, se ciñó más las mantas y volvió la cara hacia Lila. Flexionó la mandíbula. Emitió un leve gemido. ¿Iba a despertarse? No. Deslizó la palma bajo la curva de su mejilla, un sueño dio paso al siguiente, y el momento pasó.

Mejor así, pensó Lila. Mejor que me disuelva en la oscuridad. Se levantó con cautela de la cama. Se giró en la puerta para mirar por última vez, bañada en recuerdos: de una época en la que se había parado en la puerta del cuarto de la niña con Brad, en la casa que habían construido juntos con su amor, para mirar a su hijita, aquel bulto neonato, aquel milagro en la Tierra, dormida en su cuna. Lila se arrepintió de no haber muerto muchos años atrás. Si el cielo era un lugar de sueños, ése era el sueño en el que habría morado durante toda la eternidad.

Hasta la vista, pensó. Hasta la vista, hija de otra.

La escena que se desarrollaba ante el estadio era de caos controlado, una masa humana en movimiento. Peter se mezcló con el torrente. Nadie le miró. Era un rostro anónimo más, una cabeza afeitada y un cuerpo sucio vestido con andrajos como los demás.

—¡Moveos, moveos!

Subieron una rampa en cuatro hileras y atravesaron una puerta de hierro que daba acceso al estadio. A la izquierda de Peter, una serie de escaleras de hormigón subían a puertas señaladas con letras. Delante, un tramo más largo ascendía a las gradas superiores. Estaban dividiendo a la multitud: dos filas a las tribunas

de abajo, dos escaleras arriba. El campo estaba muy bien iluminado. Entraba luz por todas las puertas. Peter intentó divisar a
Lore o a Eustace, pero se le habían adelantado demasiado. Tal
vez ya se habían separado. Las letras seguían el orden alfabético:
P, Q, R, y después S.

Peter dobló una rodilla y fingió que se ataba los cordones de
los zapatos. El siguiente de la cola tropezó con él y emitió un gruñido de sorpresa. Estaba prohibido parar.

—Lo siento, continúa.

La cola se apiñó, al tiempo que fluía a su alrededor. Entre las
piernas que se arrastraban divisó al guardia más cercano. Estaba
mirando vagamente en la dirección de Peter desde una distancia
de diez metros, tal vez con la intención de descubrir el motivo de
la interrupción. *Mira a otro lado*, pensó Peter.

El col parpadeó, y Peter se zambulló en el angosto espacio que
había debajo de la escalera. Nadie gritó detrás de él. O había pasado desapercibido, o a la multitud le daba igual, bloqueada por su
hábito de obediencia. La entrada del lavabo de hombres se hallaba
a escasa distancia, en la base de las gradas. No había puerta, sólo
una pared de bloque de cemento construida en ángulo para preser-
var la privacidad. Peter se asomó a la escalera. Una barrera protectora de lugareños que desfilaban. *Ahora*.

La habitación era sorprendentemente grande. A la derecha había una larga hilera de urinarios y reservados. Corrió hacia el último, empujó la puerta y vio a una mujer de aspecto feroz, de pelo
corto y oscuro, subida al borde del retrete, que apuntaba un revólver de culata pesada a su cara.

—Sergio vive.

La mujer bajó la pistola.

—¿Peter?

Él asintió.

—Nina. Vámonos.

Ella le condujo hasta una diminuta habitación que había detrás de
los váteres: un escritorio y una silla, cubos de ruedas con fregonas y

una hilera de taquillas metálicas. De una de las casillas, Nina sacó un par de pistolas de un tipo que Peter nunca había visto, algo a medio camino entre un rifle y una pistola grande, con un cargador extralargo y una segunda culata que sobresalía de la parte inferior del cañón.

—¿Sabes utilizarlas?

Peter echó hacia atrás el cerrojo para demostrar que sí.

—Sólo ráfagas cortas, y disparas desde la cintura. Tendrás doce balas por segundo. Si dejas apretado el gatillo, el cargador se vaciará deprisa.

Le entregó tres cargadores más, y después abrió un panel en la pared similar a un cajón.

—¿Qué es eso? —preguntó Peter.

—El bajante de la basura.

Peter se subió a la silla, se introdujo en la abertura y cayó con los pies por delante. El corredor estaba inclinado como un tobogán, lo cual amortiguó su descenso, pero no lo suficiente. Aterrizó con violencia, y sus pies resbalaron bajo su cuerpo.

—¿Quién demonios eres?

Había dos hombres vestidos con traje. Ojosrojos. Tendido indefenso de espaldas, Peter no podía hacer nada. Aferraba la pistola sobre su pecho, pero los disparos se oirían. Mientras huía a gatas, al tiempo que intentaba ponerse en pie, los dos hombres sacaron las pistolas de su funda.

Entonces, Tifty. Apareció detrás del de la derecha y descargó la culata del rifle sobre la cabeza del hombre. Cuando el segundo se volvió, Tifty le hizo caer de una patada, dobló las rodillas para colocarse a horcajadas sobre su espalda, le tiró del pelo para levantar su cabeza, rodeó su cuello con el brazo libre y lo torció. Un crujido, después el silencio.

—¿Bien?

Tifty miró a Peter. La cabeza del hombre muerto, todavía sujeta por el antebrazo de Tifty, estaba caída en un ángulo anormal. Peter miró al otro ojorojo. Sangre oscura estaba manando de su cabeza y formaba un charco en el suelo.

—Sí —logró articular Peter.

Un ruido metálico detrás y Nina bajó. Aterrizó como un gato y barrió la habitación con el arma.

—Veo que llego tarde. —Apuntó al techo con el arma—. ¿Tú eres Tifty?

Por un momento, el hombre no dijo nada. La estaba mirando fijamente.

—Puedes soltarle —dijo ella—. No puede estar más muerto.

Tifty desvió la mirada. Soltó la cabeza del muerto y se levantó. Parecía un poco conmocionado. Peter se preguntó qué le habría afectado.

—Será mejor que escondamos estos cuerpos —dijo Tifty—. ¿Eustace logró entrar?

—Nos habríamos enterado si no lo hubiera hecho.

Se hallaban en una especie de zona de carga. Un túnel lo bastante ancho para que pasara un camión de buen tamaño conducía a la izquierda, quizás al exterior. A la derecha había un pasadizo más pequeño. Una flecha pintada en la pared iba acompañada por las palabras VESTUARIO DE VISITANTES.

Arrastraron los cadáveres, los dejaron detrás de una pila de cajas y siguieron por el pasadizo. Ahora se encontraban debajo del campo, en la parte sur. El pasadizo terminaba en un tramo de escaleras que subían. Apenas había luz suficiente para verse. Peter oyó arriba el rugido de la multitud.

—Esperaremos aquí hasta que empiece —dijo Nina.

En la parte posterior de la furgoneta, Amy no podía ver nada. Una pequeña ventana separaba la zona de carga de la cabina, pero el conductor la había dejado cerrada. Tenía la sensación de que un caballo desbocado había arrastrado su cuerpo, pero su mente estaba despejada y concentrada en el momento. La furgoneta descendió la colina y llegó a terreno llano, los neumáticos levantaron barro y nieve, que se metieron en los huecos de las ruedas.

—Eh, tú, la de atrás.

La ventanilla se había abierto. El conductor miró a Amy a través del espejo con una sonrisa de perverso placer.

—¿Cómo te va?

El hombre del asiento del pasajero se rió. Amy no dijo nada.

—Hijos de puta —dijo el conductor. Entornó los ojos—. ¿Sabes a cuántos amigos míos habéis matado?

—¿Los llamas así?

—En serio —dijo el hombre con una siniestra carcajada—, deberías ver esas cosas. Van a descuartizarte.

La furgoneta saltaba sobre los baches, de modo que las cadenas se agitaban.

—¿Cómo te llamas? —preguntó Amy.

El conductor frunció el ceño. No era la clase de pregunta que esperaba de una mujer que iba a ser ejecutada.

—Anda, díselo —dijo el otro hombre. Después, desplazó su peso para volverse hacia la abertura—. Se llama Ween.

—¿Ween? —repitió Amy.

—Sí, todo el mundo le llama así porque la tiene corta.*

—Ja, ja —se rió el conductor—. Ja, ja, ja, ja.

Dio la impresión de que la conversación había terminado. Entonces, el conductor desvió de nuevo los ojos hacia el espejo.

—Eso que dijiste a Guilder —dijo. Amy percibió la incertidumbre en su voz—. Sobre lo que iba a suceder. O sea, te estabas echando un farol, ¿no?

Amy enganchó un pie bajo el banco y concentró sus pensamientos en los ojos del hombre. Al instante, el conductor pisó el freno, lo cual provocó que el segundo hombre saliera disparado hacia el parabrisas. El golpe le hizo rebotar hacia atrás, al tiempo que el vehículo que los seguía golpeaba el parachoques de la furgoneta con un sonido de cristales rotos y metal aplastado.

—¿Qué demonios te pasa? —El segundo hombre tenía la mano

* *Weenie* es una «salchicha de Frankfurt». (*N. del T.*)

apretada contra la cara. Brotaba sangre entre sus dedos—. ¡Me has roto la nariz, gilipollas!

El convoy se había detenido. Amy oyó que alguien llamaba con los nudillos a la puerta del conductor.

—¿Qué pasa? ¿Por qué te has detenido?

—No lo sé —contestó el conductor lentamente—. Se me ha dormido el pie o algo por el estilo.

—¡Jesús!, mira esto —dijo el segundo guardia. Había extendido sus manos ensangrentadas para que las viera el hombre de la ventanilla—. Mira lo que ha hecho este idiota.

—¿Necesitáis otro conductor?

Amy miró la cara del conductor a través del espejo. El hombre negó con la cabeza.

—Estoy bien. Es que... No sé. Fue raro. Me encuentro bien.

El hombre de la ventanilla hizo una pausa.

—Bien, ve con cuidado, ¿de acuerdo? Casi hemos llegado. No os separéis.

Se alejó. La furgoneta empezó a avanzar poco a poco.

—Eres un capullo de mierda, ¿lo sabías?

El conductor no contestó. Desvió los ojos hacia los de Amy, y sus miradas se encontraron en el espejo. Una fracción de segundo, pero Amy vio miedo en ellos. Después, el conductor desvió la vista.

Las 21.40 horas. Hollis y Michael estaban acuclillados en la callejuela situada detrás de la herboristería. Vieron con los prismáticos que cargaban a Amy en la furgoneta, y después el convoy continuó en dirección al estadio. El equipo de asalto que tomaría la Cúpula, una docena de hombres y mujeres armados con pistolas y bombas caseras, seguía oculto en la alcantarilla, cinco metros más abajo.

—¿Cuánto más vamos a esperar? —preguntó Michael.

Era una pregunta retórica. Hollis se limitó a encogerse de hombros. Aunque la ciudad parecía vacía, la entrada a la Cúpula continuaba defendida por un contingente de veinte hombres, como mínimo, que veían desde el callejón. Lo que callaban era que no había forma de saber si Sara y Kate se encontraban todavía en el edificio, ni de cómo localizarlas si seguían allí, en el supuesto de que pudieran burlar la vigilancia de los guardias, un cúmulo de contingencias que, en abstracto, se les había antojado insuperable, pero que en ese momento se alzaba ante ellos con prístina definición.

—No te preocupes por Lore —dijo Hollis—. Esa chica sabe cuidar de sí misma, créeme.

—¿He dicho que estuviera preocupado?

Pues claro que lo estaba. Estaba preocupado por todos ellos.

—Me gusta —comentó Hollis. Continuaba examinando la escena con los prismáticos—. Sería buena para ti. Mejor que Lish.

Michael se quedó estupefacto.

—¿De qué estás hablando?

Hollis apartó los prismáticos y le miró a los ojos.

—Por favor, Circuito. Nunca has sabido mentir. ¿Te acuerdas de cuando éramos pequeños, lo bien que os llevabais? No habría podido ser más evidente, incluso entonces.

—¿De veras?

—Para mí sí, en cualquier caso. Todo. Tú, ella. —Volvió a encoger sus anchos hombros y miró una vez más por los prismáticos—. Sobre todo tú. A Lish nunca la supe descifrar.

Michael intentó inventar una negativa, pero tal intento fracasó. Desde que tenía uso de razón, Lish siempre había ocupado un lugar en su mente. Había hecho lo posible por reprimir esos sentimientos, puesto que nada bueno saldría de ellos, pero nunca había logrado eliminarlos por completo.

—¿Crees que Peter lo sabe?

—De quien hay que preocuparse es de Lore. A esa chica no se le escapa una, pero a él tendrías que preguntárselo. Yo diría que sí, pero no hay forma de saber algo sin averiguarlo. —Hollis se puso en tensión—. Atención.

Un vehículo se estaba aproximando. Se aplastaron contra la

entrada. Unos faros barrieron la callejuela. Michael contuvo el aliento. Cinco segundos, después diez; el camión se alejó.

—¿Has disparado alguna vez contra alguien? —preguntó en voz baja Hollis.

—Sólo contra virales.

—Confía en mí. En cuanto empiece la acción, no será tan difícil como crees.

Pese al frío, Michael había empezado a sudar. Su corazón martilleaba contra las costillas.

—Pase lo que pase, rescátala, ¿de acuerdo? Rescátalas a las dos.

Hollis asintió.

—Hablo en serio. Yo te cubriré. Cruza esa puerta.

—Iremos los dos.

—No, tal como pinta la situación. Has de hacerlo tú, Hollis. ¿Comprendido? No te detengas.

Hollis le miró.

—Sólo para dejarlo claro —dijo Michael.

Al igual que los demás, Lore y Greer se habían mezclado con éxito entre la multitud. Cuando las colas de lugareños se separaron, se abrieron paso a codazos entre el torrente desviado hacia la segunda fila, después la tercera, y por fin la última. Se encontraron debajo de la escalera que conducía a las salas de control.

—Bien hecho —susurró Greer.

Recuperaron sus armas: un par de revólveres antiguos, que sólo utilizarían como último recurso, y dos cuchillos de quince centímetros de longitud, con empuñaduras de acero curvas. Los últimos lugareños estaban entrando en el estadio. Green se quedó maravillado de la disciplina de los lugareños, de la aturdida sumisión con la que se dejaban dirigir. Eran esclavos, pero no lo sabían, o quizá sí, pero hacía mucho tiempo que habían aceptado aquel hecho. ¿Todos? Puede que todos no. Los que no lo aceptaran constituirían el factor decisivo.

—¿Te gustaría rezar conmigo? —preguntó.

Lore le miró con escepticismo.

—Ha pasado mucho tiempo. No estoy segura de saber cómo.

Se pusieron de rodillas uno frente al otro.

—Coge mis manos —dijo Greer—. Cierra los ojos.

—¿Ya está?

—Intenta no pensar. Imagina una habitación vacía. Ni siquiera una habitación. Nada.

Ella aceptó sus manos, con expresión algo avergonzada. Tenía las palmas mojadas de sudor a causa de la angustia.

—Estaba pensando que ibas a decir algo, como hacen las hermanas. Santo esto y Dios bendiga lo otro.

Él negó con la cabeza.

—Esta vez no.

Greer vio que cerraba los ojos, y luego él hizo lo mismo. El momento de la inmersión: sentía un calor cada vez más intenso. Al cabo de otro momento su mente se dispersó en una impensable energía infinita. *Oh, Dios mío*, rezó, *acompáñanos. Acompaña a Amy.*

Pero algo no iba bien. Greer sintió dolor. Un dolor terrible. Después, el dolor se disipó, oculto por la oscuridad, una oscuridad que rodó sobre su conciencia como una sombra que cruzara un campo. Un eclipse de muerte, terror, maldad en estado puro.

Soy Morrison-Chávez-Baffes-Turrell-Winston-Sosa-Echols-Lambright-Martínez-Reinhardt...

Se apartó de un salto. El hechizo se había roto. Estaba de vuelta en el mundo. ¿Qué había visto? Los Doce, sí, pero ¿qué era el otro? El dolor que había experimentado, Lore, todavía arrodillada, con las manos vacías extendidas, también lo había sentido. Greer lo vio en su rostro alterado.

—¿Quién es Wolgast? —preguntó.

Los pies de Lila apenas parecían tocar el suelo cuando recorrió el pasillo en dirección al atrio. Sus acciones tenían un aire de invencibilidad. Una vez tomadas ciertas decisiones, no había vuelta atrás. La escalera que buscaba estaba situada al final del largo pasillo que había en el lado opuesto del edificio. Cuando dobló la esquina se puso a correr en dirección a la puerta como si la persiguieran. El corpulento guardia se levantó de la silla para detenerla.

—¿Adónde crees que vas?

—Por favor —jadeó ella—, me muero de hambre. Todo el mundo se ha ido.

—Has de salir de aquí.

Lila se levantó el velo.

—¿Sabes quién soy?

El guardia se sobresaltó.

—Lo siento, señora —tartamudeó—. Por supuesto.

Sacó la llave de un cordel fijo al cinto y la introdujo en la cerradura.

—Gracias —dijo Lila, fingiendo alivio—. Eres una bendición del cielo.

Bajó la escalera. Al final se encontró con un segundo guardia, parado ante la puerta de acero que conducía a la instalación de procesamiento de sangre. Hacía muchos años que no bajaba allí, pero lo recordaba con claridad en todo su horror despiadado: los cuerpos sobre las mesas, los inmensos frigoríficos, las bolsas de sangre, el olor dulzón del gas que conservaba a los sujetos en un crepúsculo eterno. El guardia la estaba mirando con la mano apoyada sobre la culata de la pistola. Lila no había disparado un arma en su vida. Confió en que no fuera difícil.

Avanzó hacia él con paso resuelto y levantó la cara en el último instante para mirarle a los ojos.

—Estás cansado.

Oculta tras la caseta que había en el lado norte del estadio, Alicia dejó caer el cargador de la semiautomática, lo examinó sin el menor interés, sopló un polvo imaginario de la parte superior, la cogió por la empuñadura y la devolvió a su lugar con la base de la palma. Ya había quitado y vuelto a introducir el cargador diez veces. La pistola era una 45 ACP con culata de madera rayada, doce balas en cada cargador. Doce, pensó Alicia, y reparó en la ironía. Era extraño, aunque no desagradable, cómo el universo funcionaba a veces.

Un murmullo se elevó de la multitud. Alicia se puso de rodillas para mirar el campo. ¿Ya había empezado? Estaban entrando a remolque en el campo un objeto curioso, un armazón de acero en forma de Y, de unos seis metros de altura, sujeto a una ancha plataforma. Colgaban cadenas de los aguilones. El camión se detuvo en medio del campo. Aparecieron dos cols y corrieron hacia el tráiler. Colocaron topes debajo de los neumáticos, subieron con un cabrestante el morro, desengancharon el tráiler del camión y se fueron en él.

Hizo los preparativos finales. Llevaba sujeta al muslo la bayoneta con una tosca cuerda. Tras soltarla, la ciñó al cinto.

Amy, pensó. *Amy, mi hermana de sangre. Sólo te pido una cosa. Deja que sea yo la que mate a Martínez.*

Cuando la fila de vehículos se detuvo ante la rampa principal del estadio, Guilder aún estaba de los nervios por culpa del choque con la furgoneta. Tenían suerte de que no hubiera sido peor.

Pero si había pensado que llegar sano y salvo le aportaría cierto alivio, la visión del estadio, rutilante de luz en la oscuridad invernal, pronto le disuadió de dicha idea. Bajó del coche entre un inmenso clamor de humanidad. No eran vítores (aquella gente estaba demasiado acobardada para eso), sino que una muchedumbre de setenta mil personas apretujadas en un lugar emitía su propio ruido, intrínseco a su masa. Setenta mil pares de pulmones abriéndose y cerrándose; setenta mil pares de pies ociosos dando pataditas; setenta mil espaldas removiéndose en las gradas de hormigón, con la intención de ponerse cómodas. En la mezcla también había

voces, y toses, niños que lloraban, pero lo que más oía Guilder era
una especie de estruendo subterráneo, como después de un terremoto.

—Conducidla a su sitio —ordenó.

Los guardias la sacaron de la furgoneta. Guilder no experimentó la necesidad de mirarla cuando se la llevaron a rastras. Indicó con un gesto a Suresh que ordenara al tráiler ocupar su lugar. El
camión avanzó y subió la rampa hacia la zona del final.

Guilder había reflexionado largo y tendido sobre el problema
de la presentación. Haría falta un poco de pompa. Había dado
vueltas a qué debía hacer, hasta que encontró una analogía muy
apropiada de cara a la multitud: la ensayada llegada al campo de
juego de una franquicia deportiva importante. Suresh ejercería las
funciones de director de escena, y coordinaría los diversos elementos visuales y auditivos que elevarían la exhibición de la noche al
nivel de espectáculo. Juntos habían repasado los puntos de la lista:
sonido, iluminación, exhibición. Aquella tarde habían llevado a
cabo un simulacro. Habían surgido algunos problemas, pero nada
que no pudiera solucionarse, y Suresh le había asegurado que todo
saldría a pedir de boca.

Subieron la rampa. Suresh, cojeando, hizo lo posible por no
rezagarse. Personal de Recursos Humanos flanqueaba los dos lados del tráiler. Las autoridades ya estaban sentadas en los palcos
inferiores. Daba la impresión de que el ruido de la muchedumbre
flotaba hacia Guilder como una ola y le sumergía en su energía.
Los arados habían barrido el campo de nieve, dejando un paisaje
embarrado. En el centro aguardaban la plataforma y el armazón.
Un invento ingenioso. Había sido idea de Suresh. La insurgencia
había estado a punto de volarle en pedazos. ¿Quién no estaría un
poco loco? Como médico, también parecía conocer mejor que
nadie fórmulas interesantes de matar a la gente. Suspenderla
en el aire proporcionaría a todo el mundo la oportunidad de ver
desenmarañarse sus tripas. Ella sufriría más de esa forma, y más
rato.

Mientras Guilder revisaba sus notas, Suresh le colocó el micrófono, cuyo cable bajaba por su espalda hasta el transmisor, que sujetó al improvisado cinturón de corbatas de Guilder.

—Cuando accione esto —Suresh atrajo su atención hacia el interruptor de palanca—, lo oirá todo el mundo.

Suresh retrocedió. Se puso los auriculares, ajustó el micrófono y empezó la cuenta atrás:

—Cabina de sonido.

(Comprobada.)

—Luces.

(Comprobado.)

—Bomberos.

(Comprobado.)

Y así sucesivamente. Guilder, quien escuchaba distraído, sacudió los brazos cubiertos por el hábito como un boxeador que se preparara para subir al cuadrilátero. Siempre se había sentido intrigado por aquel gesto, que se le antojaba una exhibición vacua. Ahora, comprendía su significado.

—Cuando quiera —dijo Suresh.

Bien: por fin había llegado el momento. Menuda sorpresa se iba a llevar la muchedumbre. Guilder se caló las gafas y respiró hondo.

—Muy bien, todo el mundo —dijo—. Ánimo. Ha llegado la hora.

Avanzó y salió a la luz.

64

—Dani, despierta.

La voz era familiar. La voz pertenecía a alguien conocido. Flotó hasta ella como desde muy arriba, pronunciando aquel curioso nombre que apenas recordaba.

—Dani, has de abrir los ojos. Necesito que lo intentes.

Sara sintió que su mente emergía, que su cuerpo tomaba forma a su alrededor. De pronto, sintió frío. Tenía la garganta seca y tensa, con un sabor dulce. Se suponía que debía abrir los ojos (eso era lo que la voz le estaba diciendo), pero parecía que los párpados le pesaran mil toneladas cada uno.

—Voy a darte algo.

¿Era la voz de Lila? Sara sintió un pinchazo en el brazo. Nada. Después:

¡Oh!

Se irguió como impulsada por un resorte, se dobló en dos por la cintura, mientras el corazón martilleaba contra su caja torácica. Un chorro de aire invadió sus pulmones, expulsado por una tos seca que resbaló sobre el forro reseco de su garganta.

Lila apretó un vaso contra sus labios, mientras sostenía la nuca de Sara con la palma.

—Bebe.

Sara probó agua, agua fría. Las imágenes que la rodeaban empezaron a cobrar forma. Su corazón latía desbocado todavía como el de un pájaro. Pinchazos de dolor, tanto reales como recordados, aguijoneaban sus extremidades. Notaba la cabeza como algo vagamente relacionado con el resto del cuerpo.

—Te encuentras bien —dijo Lila—. No te preocupes. Soy médico.

¿Lila era médico?

—Hemos de proceder con celeridad. Sé que no será fácil, pero ¿puedes ponerte de pie?

Sara creía que no podría, pero Lila la obligó a intentarlo. Bajó las piernas por un lado de la camilla, mientras Lila la sujetaba por el codo. Bajo el dobladillo de la bata de Sara, vendajes blancos rodeaban la parte superior de sus muslos. Más vendajes cubrían la parte inferior de sus brazos. Todo esto había ocurrido sin que ella fuera consciente de nada.

—¿Qué me han hecho?

—Extirpan la médula. Empiezan por las caderas. Es el dolor que sientes.

Sara apoyó los pies en el suelo. Sólo entonces se le ocurrió que la presencia de Lila era una aberración, porque la estaba poniendo en libertad.

—¿Por qué llevas una pistola, Lila?

La mujer frágil e insegura que Sara había conocido ya no existía. Su rostro proyectaba apremio.

—Vamos.

Sara vio el primer cadáver cuando salieron al pasillo, un hombre con bata de laboratorio tendido de bruces en el suelo, los brazos y piernas extendidos en la disposición aleatoria de una muerte rápida. Le habían partido el cráneo, y su contenido estaba desparramado sobre la pared. Había dos más cerca, uno con un disparo en el pecho, el otro en la garganta, aunque el segundo no estaba muerto. Se hallaba sentado contra la pared, rodeándose el cuello con las manos, mientras su pecho se agitaba. Era el doctor Verlyn. A través del hueco de su garganta, su veloz respiración emitía unos chasquidos. Sus labios se movían sin cesar, y miró a Sara con ojos suplicantes.

Lila la estaba tirando del brazo.

—Hemos de darnos prisa.

No tuvo que repetirlo. Más cadáveres (salpicaduras de sangre, posturas de estupor, expresiones de sorpresa en ojos que no veían) fueron desfilando. Una masacre. ¿Era posible que fuera obra de Lila? Llegaron al final del pasillo, cuya pesada puerta de acero estaba abierta. Había un col tendido al lado, con un disparo en la cabeza.

—Sácala del edificio —ordenó Lila—. Es lo último que te pediré. Haz lo que debas.

Sara comprendió que estaba hablando de Kate.

—¿Qué estás haciendo, Lila?

—Lo que tendría que haber hecho hace mucho tiempo. —Una expresión de paz había aparecido en su rostro. Sus ojos brillaban de ternura—. Pronto habrá terminado todo, Dani.

Sara vaciló.

—No me llamo Dani.

—Ya me lo imaginaba. Dime.

—Soy Sara.

Lila asintió poco a poco, como si aceptara que ése era el nombre que le correspondía. Tomó la mano de Sara.

—Serás una buena madre para ella, Sara. —Apretó su mano—. Lo sé. Ahora, corre.

El silencio se hizo entre la multitud cuando Guilder salió al campo, setenta mil caras vueltas en su dirección. Permaneció inmóvil un momento, absorbiendo el silencio mientras sus ojos recorrían las tribunas. Entraría con humildad, como un sacerdote. Dio la impresión de que el tiempo se dilataba mientras caminaba hacia la plataforma. ¿Quién sabía lo que tardaría en recorrer cincuenta metros? El silencio que le rodeaba parecía hacerse más profundo a cada paso que daba.

Llegó a la plataforma. Contempló a la multitud, primero un lado del campo, después el otro. Se llevó la mano a la cintura y localizó el interruptor de palanca.

—Todos en pie para cantar el himno nacional.

No pasó nada. ¿Le había dado al botón correcto? Miró hacia Suresh, parado en la línea de banda, que efectuaba frenéticos movimientos circulares con la mano.

—He dicho que os levantéis, por favor.

La multitud se puso en pie de mala gana.

—Patria, nuestra Patria —empezó a cantar Guilder—, juramos dar la vida por ti...

Te ofrecemos nuestros sacrificios, sin recompensa ni honorarios. Patria, nuestra Patria, una nación se alza aquí. Seguridad, esperanza, salvación, de mar en mar rutilante...

Guilder se dio cuenta desolado de que casi nadie estaba cantando el himno. Oyó algunas voces aisladas (personal de Recursos

Humanos y, por supuesto, el estado mayor, que graznaban la letra con valentía desde la línea de cincuenta metros), pero eso sólo lograba aumentar la impresión de que la muchedumbre estaba en huelga.

Patria, nuestra Patria, de paz y justicia. La luz del cielo brilla sobre tu belleza abundante y única. ¡Una mente! ¡Un alma! Sólo vemos tu amor. Combinemos todo con el corazón y la mano: ¡una Patria, fuerte y libre!

La canción no finalizó. No era una buena señal. La primera de varias gotas de sudor brotó de su axila y resbaló sobre su torso sin obstáculos. Tal vez habría debido buscar a alguien que supiera cantar para animar a la multitud. De todos modos, Guilder había planeado algunas cosas para captar la atención de las masas en las festividades de transformación de la velada. Carraspeó, miró hacia Suresh una vez más, recibió el cabeceo de aprobación del hombre, y habló.

—Aparezco ante vosotros en la víspera de una nueva era...

—¡Asesino!

Un murmullo de voces recorrió la multitud. El grito había llegado desde detrás de él, en las gradas superiores. Guilder giró en redondo y escudriñó ciegamente el mar de caras.

—¡Criminal!

Era una voz de mujer. Guilder la vio parada ante la barandilla. Agitaba un puño en el aire.

—¡Carnicero!

—¡Que alguien detenga a esa mujer! —bramó Guilder en el micrófono, en voz demasiado alta.

Estalló un clamor de abucheos. Volaron objetos por los aires, que aterrizaron sobre el campo. La multitud estaba arrojando lo único que tenía. Le estaba tirando los zapatos.

—¡Monstruo! ¡Asesino! ¡Torturador!

Guilder estaba petrificado. Todo aquello le resultaba de lo más inesperado.

—¡Demonio! ¡Tirano! ¡Cerdo!

—¡Diablo! ¡Satanás! ¡Desalmado!

Si no hacía algo enseguida, perdería el control por completo. Hizo la señal a Suresh. Accionaron el interruptor. Tras una explosión organizada de luces de colores y humo, la camioneta cargada con la mujer entró en el campo, con el tráiler detrás. Al mismo tiempo, los equipos encargados del fuego corrieron alrededor de los bordes del campo, encendiendo barriles con leña empapada en etanol, creando así un perímetro de llamas. Cuando la camioneta frenó ante la plataforma, el tráiler describió un amplio círculo y empezó a retroceder. Los guardias dejaron caer la puerta de la camioneta, tiraron de la mujer sentada en el suelo y la arrojaron al suelo embarrado, en la base de la plataforma.

—Levántate.

La multitud prorrumpió en chillidos: abucheos, silbidos, y zapatos lanzados como misiles.

—He dicho que te levantes.

Guilder le propinó una patada en las costillas. Como la mujer no gritó, volvió a darle una patada, después la levantó por la fuerza y acercó su cara a la de él tanto que el extremo de sus narices prácticamente se tocaba.

—No tienes ni idea de a qué estás a punto de enfrentarte.

—Pues resulta que sí. Podría decirse que nos conocemos desde hace mucho tiempo.

No supo qué deducir de aquella curiosa afirmación, pero tampoco le importó. Indicó a los guardias que se la llevaran. La mujer no ofreció resistencia cuando la arrastraron hasta la base del armazón y la obligaron a ponerse de rodillas. Tenía manchas de barro en las mejillas, en la túnica, en el pelo. Bajo las luces cegadoras parecía menuda, casi una muñeca, y, no obstante, Guilder pudo discernir el desafío en sus ojos, un absoluto rechazo a acobardarse. Confió en que los virales procedieran con calma, y en que tal vez la sacudieran un poco. Los guardias abrieron sus grilletes, y después sujetaron sus muñecas a las cadenas que colgaban del armazón.

Empezaron a subirla con el cabrestante.

A cada paso de la ascensión, los rugidos de la multitud se intensificaban. ¿En señal de protesta? ¿De impaciencia? ¿El estremecimiento emocional de ver a una persona destripada? Le odiaban, Guilder lo comprendía, pero ahora formaban parte del espectáculo. Su oscura energía se había unido al poder transformador de la noche.

La mujer quedó suspendida en el aire, con los brazos extendidos, el cuerpo oscilante.

—¿Últimas palabras?

Ella pensó un momento.

—¿Adiós?

Guilder se rió.

—Ésa es la idea.

—Lo has entendido al revés.

Guilder ya había oído bastante. Se volvió hacia la parte posterior del tráiler. Dos cols con pesados trajes acolchados estaban apostados junto a las puertas. Suresh le estaba mirando fijamente desde la línea de banda. Guilder le miró y asintió.

Oye, Lila, pensó, vieja gloria chiflada, fíjate en *esto.*

Y de repente se hizo el silencio. Todo movimiento cesó cuando el estadio se sumió en la oscuridad.

Un estallido azul.

La hora de actuar había llegado. Greer y Lore salieron de su escondite y ascendieron por la escalera. Un solo col montaba guardia en la puerta de la sala de control. Greer fue el primero en llegar.

—¿Qué coño...? —El guardia se fijó en los cuchillos—. Caramba.

Greer le agarró por las orejas, convenientemente grandes, proyectándose desde cada lado de su cabeza como un par de asas, y golpeó el cráneo del hombre con la frente. Se desplomó como un saco.

Atravesaron corriendo la puerta. Una vez más, sólo esperaba un hombre, un ojorojo. Provisto de auriculares voluminosos con micrófono, estaba sentado ante un panel de luces e interruptores. Una muralla de ventanas daba al campo, bañado en luz azul. Los auriculares les confirieron ventaja: el hombre no los vio entrar. El entendimiento tácito entre Greer y Lore decía que ahora le tocaba a ella.

El ojorojo levantó la cara.

—No deberíais estar aquí.

—Es verdad —dijo Lore, quien se puso detrás de él, apoyó la mano sobre su frente y le rajó con el cuchillo la garganta, frágil como papel.

Las puertas del tráiler se abrieron.

Salieron en toda su magnificencia, como reyes. Sus movimientos eran majestuosos, decididos. No demostraban prisa, sólo la excelsa serenidad de su especie. Nadie podía confundirse al verlos. Se alzaban en toda su estatura. Ocupaban el espacio con una gloriosa inmensidad de altura y anchura. Se habían alimentado de sangre durante generaciones, hasta convertirse en colosos. Incluso Carter, con sus modestas dimensiones, parecía, en compañía de sus iguales, compartir su magnificencia. Ante aquel maravilloso espectáculo, la multitud respiró hondo al unísono. Se oyeron chillidos a continuación, un hecho del que Guilder no había dudado, pero en el momento de la aparición de los once virales reinaba un silencio de anticipación. Los poderosos seres avanzaron en una exhibición ostentosa. Caminaban con la espalda erguida, las poderosas garras articuladas como inmensos instrumentos de dolor. Tenían el aspecto de gigantes. Eran leyendas hechas carne, los grandes jinetes de la Tierra. Los guardias corrieron hacia las líneas de banda para sobrevivir un día más, aunque Guilder no prestó atención. Su mente estaba llena de gloria.

Hermanos míos, pensó. *Os ofrezco este obsequio, este anticipo. Este tierno bocado, este principio. Hermanos míos, venid y juntos gobernaremos la Tierra.*

El equipo de asesinos de Nina subió corriendo la escalera. Emergieron al nivel del campo en una caseta que había justo debajo de las gradas donde estaban sentados los miembros de la dirección. En cuanto Eustace iniciara su carrera saltarían al campo, se volverían hacia sus enemigos y liberarían el contenido de sus automáticas de cañón corto.

Pero ahora, acuclillados en los momentos finales previos a entrar en acción, experimentaban como todos los presentes una emoción que era en parte terror, en parte admiración, y en parte algo que carecía de cualquier punto de referencia en su vida. Peter estaba intentando procesar al mismo tiempo tres datos visuales en disputa. Lo que quedaba de los Doce estaba ante él, a escasos metros de distancia. Amy, suspendida de las cadenas, era el cebo que los había atraído. Amy no era Amy, sino una mujer adulta. Greer y Alicia habían intentado prepararla, pero ninguna palabra habría podido prepararla para la realidad.

¿Dónde estaba Eustace?

Entonces, Peter le vio. Estaba parado ante la barandilla de la zona final, un lugareño más, asumiendo el papel de testigo. Los once virales se alzaban ante Guilder, como un pelotón de soldados que esperaran órdenes. *Maldita sea*, pensó Peter, *estáis demasiado apartados. Acercaos unos a otros, hijos de puta.*

Guilder levantó los brazos.

Lila, sola. La Cúpula se hallaba en silencio, como un gran animal que contuviera el aliento. Este lugar, pensó. Este tabernáculo de dolor. ¿Cómo habían podido permitir la existencia de semejante lugar en la Tierra?

La pistola estaba vacía. La dejó en el suelo y volvió al pasillo. Detrás de cada puerta había una persona sobre una losa, mientras le chupaban poco a poco la vida. No había tiempo para salvarlos, lamentó Lila, pero al menos podría liberarlos de su tormento.

Se desplazó de habitación en habitación, abriendo las puertas con el llavero que había quitado al guardia. Unas palabras de bendición para cada alma atrapada en el interior. Después, fue abriendo las válvulas de los depósitos. Un dulzor empalagoso impregnó el aire. Sus movimientos se fueron haciendo más perezosos. Tendría que darse prisa. Dejó las puertas abiertas y avanzó por el corredor. Los letreros de advertencia estaban colocados a intervalos regulares en las paredes del pasillo: ÉTER EN EL AIRE. NO ENCENDER FUEGO.

Llegó a la última puerta. Probó una llave, y después otra y otra, con dedos pesados y torpes, el gas había penetrado en sus pulmones. Los bordes dentados encajaron.

El corazón de Lila se partió cuando le vio. Le habían encadenado al suelo. Yacía desnudo en su degradación, suspendido eternamente en el precipicio de la muerte. ¡Monstruos! ¿Cómo había podido permitir que tuviera lugar aquella escena de angustia? ¿Cómo había podido esperar cien años a aliviar su dolor?

—Lawrence, ¿qué te han hecho?

Se arrodilló a sus pies junto a él. Tenía los ojos abiertos, pero daba la impresión de estar mirando otro mundo. Ella acarició sus mejillas arrugadas, su frente marchita. Inclinó la cabeza y sus frentes se tocaron, mientras le acariciaba la cara.

—Lawrence —susurró una y otra vez—, mi Lawrence.

Los labios de él formaron palabras por fin.

—Sálvame...

—Por supuesto, querido. —Un torrente de lágrimas se desbordó de sus ojos. El gas había invadido el pasillo. Lila sacó la caja de cerillas del bolsillo de la bata—. Nos salvaremos mutuamente.

Greer y Lore, desde su posición elevada, estaban esperando también a que los once virales se movieran.

—Maldita sea —dijo Greer, con los prismáticos apretados contra los ojos—. ¿Por qué no hacen nada?

Guilder tenía todavía las manos levantadas. ¿Qué estaba pasando? Las dejó caer a los costados y volvió a levantarlas, para luego agitarlas. No hubo reacción.

—*¡Cabrón!*

La mano de Lore estaba apoyada sobre el interruptor. Habló con voz frenética.

—¿Qué debería hacer? ¿Qué debería hacer?

—¡No lo sé!

Entonces, Greer distinguió movimientos en el campo. Una figura estaba corriendo hacia la zona final: Eustace.

—¡Hazlo! ¡Enciende las luces!

Incluso entonces, ya era demasiado tarde.

Sara, corriendo. Cruzó el atrio (¿sonaban disparos fuera?) y se dirigió por el pasillo hasta el apartamento de Lila, cuya puerta atravesó como una exhalación.

—¡Kate!

La niña estaba dormida en su cama. Cuando la levantó en brazos, abrió los ojos.

—¿Mamá?

—Estoy aquí, nena, estoy aquí.

Ahora estaba segura: se oían disparos fuera. (Aunque no podía saberlo, aquél era el momento en que su hermano Michael subía corriendo la escalera, recibía un balazo en el muslo derecho, un dolor que consideró carente de toda importancia, tan acelerado iba debido a la descarga de adrenalina. Hollis no había mentido: en cuanto las cosas empezaban a rodar, disparar contra alguien no resultaba nada difícil, y abatió a dos guardias antes de que su pierna cediera bajo su cuerpo y el arma resbalara de su mano —de todos modos, la pistola estaba ya descargada—.) Sara corría también por el pasillo, con su hija en brazos. *Mi hija, mi hija.* Vivirían o morirían, pero fuera lo que fuera lo harían juntos. Nunca más volverían a separarse.

Llegó al atrio justo cuando un hombre atravesaba las puertas exteriores. Tenía la camisa manchada de sangre. Sostenía una pistola. En su barbudo rostro se pintaba una expresión de feroz determinación. Sara paró en seco.

¿Hollis?

Suspendida en el aire, Amy abarcaba toda la escena. La multitud, compuesta de miles de personas, y el fragor de sus voces; Guilder, con las manos levantadas inútilmente; la salida del equipo de Nina de la caseta, y las ráfagas que dispararon a continuación contra las filas de hombres trajeados, que chillaban, buscaban refugio o no hacían nada, sentados con una compostura perpleja, mientras rosados arcos de muerte brotaban de sus cuerpos; la aparición de Alicia en el campo, con el arma desenvainada, preparada para cargar; la carrera de Eustace hacia ellos desde la zona final, con la bomba sujeta al pecho, y detrás de él el col que hincaba una rodilla, levantaba el rifle y le apuntaba; el chorro de sangre, Eustace que caía y rodaba, mientras la bomba salía despedida. Estos acontecimientos se movían a su alrededor como planetas en sus órbitas, un cosmos giratorio de actividad, pero su presencia tan sólo la rozaba, acariciaba sus sentidos como una brisa. Se alzaba en el centro, ella y sus familiares, y sería entonces, en aquella fase, cuando todo se decidiría.

—Hola, hermanos míos. Ha pasado mucho tiempo.

Somos Morrison-Chávez-Baffes-Turrell-Winston-Sosa-Echols-Lambright-Martínez-Reinhardt...

—Soy Amy, vuestra hermana.

Fue entonces cuando le presintió. En el seno del mal, una luz brillante. Amy buscó a Carter con los ojos. Se hallaba algo apartado, con el cuerpo acuclillado en la postura de su especie.

No era Carter.

—Padre.

Sí, Amy. Estoy aquí.

Un torrente de amor inundó su corazón. Las lágrimas ascendieron hasta su garganta.

—Oh, Papá. Lo siento. No mires. No mires.

Cuando la luz bañó el campo, Amy cerró los ojos. Sería como abrir una puerta. Era así como lo había imaginado. No un acto de voluntad, sino de rendición, de desprenderse de esta vida, de este mundo. Desfilaron imágenes por su mente, más veloces que el pensamiento. Su madre arrodillada para abrazarla, la fuerza luminosa de su abrazo, la visión de su espalda cuando se alejaba; Wolgast, con su gran mano apoyada contra su columna vertebral, parado a su lado mientras ella giraba en el tiovivo bajo las luces y la música; una visión del cielo nocturno iluminado por las estrellas, la noche en que habían fabricado ángeles de nieve; Caleb, que la miraba con ojos cómplices mientras le arropaba en la cama, y preguntaba: «¿Te quiere alguien?»; Peter, parado en la puerta del orfanato, cuando sus manos se encontraron en el espacio, diciendo con su tacto lo que no podían decir con palabras. Los días desfilaron uno a uno, y cuando hubieron pasado, Amy envió su mente hacia sus seres queridos y dijo adiós.

Abrió la puerta.

En el borde del campo, Peter y los demás, tras haber vaciado sus cargadores contra las filas inferiores, estaban extrayendo los cargadores para recargar. Todavía no sabían que habían abatido a Eustace, sólo que las luces se habían encendido tal como habían planeado, lo cual señalaba el principio de su huida. En cualquier momento, esperaban oír la explosión a sus espaldas.

No pasó nada.

Peter giró hacia la plataforma. Los virales, deslumbrados por la luz, habían adoptado diversas posturas de autoprotección.

Algunos estaban retrocediendo dando tumbos con el rostro hundido en el hueco del brazo. Otros se habían arrojado al suelo, aovillados como bebés en su cuna. Era un espectáculo espantoso, que Peter recordaría todos los días de su vida, pero palidecía en comparación con lo que estaba ocurriendo sobre la plataforma.

Algo le estaba pasando a Amy. Se debatía contra las cadenas, recorrida por una serie de contracciones de tal violencia que daba la impresión de que iba a romperse en pedazos. Espasmo tras espasmo, cada vez más intensos. Se derrumbó con una última sacudida estremecedora. Por un momento, Peter confió en que todo hubiera terminado.

No había terminado.

Con un profundo aullido animal, Amy echó la cabeza hacia atrás. Ahora, Peter comprendió lo que estaba viendo. Algo que habría debido tardar horas estaba sucediendo en cuestión de segundos. Las facciones del rostro se fundieron en una indefinición fetal. La columna vertebral se alargó, los dedos de manos y pies se estiraron hasta transformarse en garras prensiles. Los dientes salieron como filas de estacas, y la piel se endureció hasta metamorfosearse en su grueso caparazón cristalino. El espacio que la rodeaba había empezado a brillar, como si estuviera iluminado por la fuerza acelerada de su transformación. Con una violenta sacudida, Amy tiró de las cadenas sobre su pecho, las arrancó y, cuando llegó al suelo, acuclillada con gracia líquida para amortiguar la fuerza del impacto de la caída, ya no había once virales en el campo, sino doce.

Estaban los Doce.

Amy se levantó. Rugió.

Fue entonces cuando, en el sótano de la Cúpula, Lila Kyle y Lawrence Grey, cuyo destino jamás llegaría a conocerse, se tomaron de las manos, contaron hasta tres, encendieron la cerilla, y todas las luces se apagaron.

65

La explosión en el sótano, alimentada por la feroz ignición de mil cuatrocientos cincuenta kilos de éter etílico, produjo una liberación de energía equivalente más o menos a la colisión de un pequeño avión a reacción de pasajeros. Encajonada, la fuerza explosiva salió disparada hacia arriba, en busca de cualquier conducto que acomodara su expansión cada vez más oxigenada (pozos de escalera, pasillos, cañerías), antes de replegarse sobre sí misma y atravesar el suelo. Una vez liberada en los espacios más amplios del edificio, el resto fue coser y cantar. Las ventanas volaron en pedazos. Los muebles salieron despedidos por los aires. De repente, las paredes dejaron de existir. Se elevó, y mientras se elevaba dejaba una estela de destrucción, como un tornado invertido. Todo salió proyectado hacia arriba y hacia fuera desde su corazón al rojo vivo, hasta que encontró los huesos del edificio, las vigas de metal, y cinceló meticulosamente los bloques de piedra caliza que habían sostenido su techo sobre la pradera de Iowa desde los tiempos de los pioneros, y todo saltó en pedazos.

La Cúpula empezó a caer.

A cinco kilómetros de distancia, los espectadores del estadio experimentaban la destrucción de la Cúpula como una cadena de sucesos sensoriales discretos: primero un destello, después un estruendo, seguido de un temblor sísmico profundo y una nube de negrura cuando la central eléctrica de la ciudad se vino abajo. Todo el mundo se quedó petrificado, pero al instante siguiente algo cambió. Una nueva fuerza cobró vida en su interior. ¿Quién sabría decir quién la inició? Los insurgentes infiltrados en las gradas ya habían iniciado su ataque contra los guardias, pero ahora ya no estaban solos. La muchedumbre se alzó con violencia, una masa enloquecida. Tan feroz era su furia incontenible que, cuando cayeron sobre sus captores, fue como si su individualidad se hubiera disuelto en un solo colectivo animal. Un enjambre. Una estampida. Una vaina. Se convirtieron en su enemigo, como todos deben hacer. Dejaron de ser sus esclavos, y de esta forma cobraron vida.

En el campo, Guilder se estaba... disolviendo.

Lo sintió primero en el dorso de las manos, una repentina constricción de la piel, como si se estuviera encogiendo. Las levantó hasta la cara. Perplejo y paralizado (el dolor aún no había llegado), vio que la carne de sus manos se arrugaba y empezaba a agrietarse en largas vetas ensangrentadas. La sensación se extendió, bailó sobre la superficie de su cuerpo. Las yemas de los dedos encontraron su cara. Fue como tocar una calavera. Se le estaba cayendo el pelo, los dientes. Su espalda se dobló hacia dentro, y se quedó encorvado como un anciano. Cayó de rodillas en el barro. Sintió que sus huesos se derrumbaban y convertían en polvo.

—Grey, ¿qué has hecho?

Cayó una sombra.

Guilder levantó la cara. Los virales ocupaban su visión borrosa con una imagen final de su magnificencia. *Hermanos míos*, pensó, *¿qué me está pasando? Ayudadme, hermanos míos. Me muero.* Pero no vio solidaridad en sus ojos.

Traidor.

Traidor.

Traidor traidor traidor...

Otras cosas estaban ocurriendo: disparos, gritos, figuras que corrían en la oscuridad. Pero la conciencia de Guilder de dichos acontecimientos se vio superada al instante por una conciencia más amplia, fría y definitiva, de lo que estaba a punto de sucederle.

Shawna, pensó. *Shawna, yo sólo deseaba un poco de compañía. Lo único que deseaba era no morir solo.*

Y cayeron sobre él.

El desarrollo definitivo de los acontecimientos, que supuso tan sólo treinta y siete segundos en la vida de los participantes, tuvo lugar en marcos superpuestos de movimientos simultáneos desmoronados hacia el centro. Iluminada únicamente por la luz del fuego (los barriles de la periferia continuaban ardiendo) y el resplandor de los virales, la escena ofrecía una cierta visión del infierno. Los virales, una vez terminaron con Guilder, su cuerpo esparcido en pedazos resecos que eran más polvo que cadáver, habían formado una fila irregular. Daba la impresión de que estaban observando a Amy con precaución. Tal vez desconocían todavía sus intenciones. Tal vez le tenían miedo. Peter, con el arma recargada, estaba disparando ráfagas contra sus inmensas figuras, aunque sin efecto visible. Las balas rebotaban en sus cuerpos blindados con chispas brillantes. Ni siquiera miraban en su dirección. Desde el otro lado del campo, Alicia estaba avanzando con la pistola levantada, justo cuando Nina y Tifty corrían para rodearlos. El plan se había ido al traste. Sólo los sostenía el instinto. Amy, erguida en la plataforma, alzó los brazos. De cada muñeca colgaba un largo fragmento de cadena. Las lanzó al aire y empezó a girarlas alrededor de las muñecas, describiendo amplios arcos acelerados. Peter comprendió que Amy lo estaba haciendo para desorientar a los virales. Cada vez más veloces, las cadenas zumbaban en el aire sobre su cabeza, un hipnótico movimiento borroso. Los seres estaban petrificados, como en trance. Con un veloz movimiento de ave, la cabeza de Amy se inclinó a un lado. Su mirada calculó el ángulo de ataque. Peter supo lo que estaba a punto de suceder.

Amy Harper Bellafonte, transformada en arma. Amy, la Chica de Ninguna Parte, arma aérea.

Cuando saltó hacia delante, dejó que las cadenas volaran, las desprendió de su cuerpo como un par de látigos. Al mismo tiempo, inclinó la cabeza sobre el pecho y alineó su postura en pleno vuelo, para colisionar contra el más cercano con los pies por delante, a la altura del pecho, su persona física transformada en el momento del impacto en un ariete provisto de alas de hierro de seis metros de longitud. Medía una fracción de su tamaño, pero la aceleración la beneficiaba. Arremetió contra el primero, que cayó de espaldas. Cuando Amy aterrizó, las cadenas ya habían encontrado sus objetivos, enrolladas alrededor del cuello de otros dos. Con un violento tirón acercó el de la izquierda hacia ella, sepultó la cara debajo de su mandíbula y le sacudió como un perro con un trapo en la boca.

El viral aulló.

Y, con un chorro de sangre y un crujir de huesos rotos, murió.

Amy desprendió la cadena con un giro de la muñeca e hizo girar el cuerpo como una peonza. Concentró su atención en el segundo viral, pero el equilibrio había cambiado. El elemento sorpresa se había desvanecido, diluido el efecto hipnótico de las cadenas giratorias. El ser se lanzó hacia ella, y sus cuerpos se encontraron en una colisión incontrolada que los envió a los dos dando volteretas lejos de la plataforma. Amy liberó la cadena, pero parecía desorientada. Aterrizó a cuatro patas sobre el suelo. Una especie de onda recorrió todo el cuerpo de los restantes virales, al tiempo que su conciencia compartida se coordinaba y concentraba de nuevo. En un abrir y cerrar de ojos caerían sobre ella como una manada de animales.

Cosa que habrían hecho, de no ser por el pequeño.

La mente de Peter todavía los consideraba un colectivo. Ahora, se vio obligado a distinguirlos. Uno de los virales era diferente. En tamaño y estatura no parecía mayor que un hombre. En el instante previo a que los demás saltaran sobre Amy les ganó la mano. Con un salto aéreo aterrizó entre ella y sus atacantes, se volvió para plantarles cara, con las garras alzadas, el cuerpo en una postura desafiante. Su cuerpo se hinchó cuando inhaló una gran bocanada de aire. Abrió los labios y exhibió los dientes.

El bramido que siguió no estaba en proporción con el tamaño del cuerpo que lo había emitido. Era un aullido de rabia en estado puro. Era un rugido que habría podido talar un bosque, aplanar una montaña, desviar a un planeta de su eje. Peter se sintió literalmente empujado hacia atrás por el grito. Sus tímpanos crujieron de dolor. El pequeño viral sólo había conseguido conceder un segundo a Amy, pero fue suficiente. Cuando ella se puso en pie, los demás saltaron hacia delante.

Caos.

De repente, resultó imposible discernir qué estaba sucediendo o adónde disparar, pues las imágenes de la batalla eran demasiado rápidas para que el ojo humano las asimilara. Peter cayó en la cuenta de que había disparado el último cartucho, pero el arma ya no le servía de nada, en cualquier caso. Vio que Alicia estaba avanzando por el otro lado del campo, todavía disparando su pistola.

¿Dónde estaban Tifty y Nina?

Miró al fondo del campo. Nina estaba corriendo hacia la plataforma, con la bomba apretada contra el pecho. Tifty la seguía. Ella agitaba la mano libre sobre la cabeza, al tiempo que gritaba a pleno pulmón: «¡Hijos de puta! ¡Mirad aquí! ¡Eh!».

El que se fijó, ¿comprendió sus intenciones? ¿Captó el significado de lo que sujetaba la mujer? Se precipitó hacia ella, y aterrizó a cuatro patas como una araña en la tela. Tifty lo vio antes. Cuando levantó el arma intentó apartar a un lado a Nina, pero el esfuerzo llegó demasiado tarde. Como con todas las cosas que caen, la lentitud del descenso del viral era engañosa. Se desplomó sobre los dos, y Tifty se llevó la peor parte. Peter esperaba que la bomba estallara, pero eso no ocurrió. El viral asió a Nina del brazo y la lanzó por los aires. Después, se volvió hacia Tifty. Cuando éste levantó el arma, el ser le envolvió.

Un grito. Un disparo.

No fue una decisión. No había pros ni contras. Peter dejó caer la pistola y se abalanzó hacia la bomba caída en el suelo, corriendo como si le fuera la vida en ello.

Las únicas dos personas que lo vieron todo fueron Lore y Greer. Incluso entonces, fue únicamente Greer, el hombre de fe, cuyas oraciones le habían permitido una comprensión más profunda de la escena, quien le extrajo mayor sentido.

Desde la sala de control, la perspectiva del campo era más abarcable, y la distancia permitía que fuera más descifrable. En un extremo estaba tendido Eustace, inconsciente o muerto; y entre ellos y la plataforma, el cuerpo de Tifty Lamont. Nina había desaparecido, proyectada hacia la oscuridad. Alicia, en el lado opuesto, era la única que continuaba disparando. Amy, tras haber escapado de la refriega, había saltado sobre la parte superior del armazón. Su túnica estaba hecha jirones, manchada de sangre oscura. Con una mano engarfiada se agarraba el costado, como para restañar una herida. Incluso desde aquella distancia, Greer distinguió que le costaba respirar. Su transformación era completa, pero todavía perduraba un vestigio humano: el pelo. Negro y desgreñado, caía sin trabas alrededor de su cara. Al cabo de otro momento, sus atacantes cargarían con fuerza abrumadora, pero su postura no comunicaba la menor intención de rendirse. Proyectaba la sensación de ser invencible, algo casi majestuoso.

Entonces vio a Peter, que corría por el campo. ¿Adónde iba? ¿Hacia el tráiler?

No.

Greer salió corriendo de la habitación y bajó la escalera. Se abriría paso entre la muchedumbre con el cuerpo, con los puños, con el cuchillo si fuera necesario. *Amy, Amy, ya voy.*

Nada impediría la venganza de Alicia. Había consagrado su existencia a este acto sagrado. Lo había sentido desde la cueva: un singular anhelo que la arrastraba hacia delante, como si tiraran de ella desde el fondo de un túnel. Mientras corría hacia los virales y disparaba su arma (sabía que las balas no producían ningún daño concreto; sólo deseaba atraer su atención), era un ser dominado por un solo pensamiento, una sola visión, un solo deseo.

Louise, te vengaré. No te hemos olvidado. Louise, tú también eres mi hermana de sangre.

—¡Muéstrate, hijo de puta!

Sus balas rebotaban y destellaban. Tiró el cargador vacío, introdujo otro y continuó disparando. Avanzaba con los dientes apretados, mientras murmuraba su oscura oración. La conocía, la sentía; no podía ser de otra manera. El destino había dictaminado que fuera ella quien debía matarle, borrarle de la faz de la Tierra. Era Julio Martínez, Décimo de los Doce. Era el Cabrón del banco y de las exhalaciones como gruñidos. Era todos los hombres en todos los años de historia que habían violado a mujeres de esta manera, y ella hundiría su cuchillo en su oscuro corazón y le sentiría morir.

Uno de los virales giró hacia ella. Por supuesto, pensó Alicia. Le habría reconocido en cualquier parte. Su físico era idéntico al de los demás, pero no obstante había algo diferente en él, un aire de altivez que sólo ella era capaz de detectar. La contempló con sus ojos carentes de alma, preñados de una languidez aburrida. Dio la impresión, casi, de que sonreía. Alicia nunca había visto una expresión en la cara de un viral; ahora sí. *Te conozco*, parecía decir su rostro inexpresivo y arrogante. *¿Verdad que te conozco? No me lo digas, deja que lo adivine. Estoy seguro de que te conozco de algún sitio.*

Ya lo creo que me conoces, pensó ella, y sacó la bayoneta del cinto.

Se lanzaron el uno hacia el otro al mismo tiempo, Alicia con la hoja alzada sobre la cabeza, Martínez con sus grandes manos provistas de garras, extendidas hacia delante como una proa de cuchillos. Una fuerza imparable al encuentro de un objeto inamovible: sus trayectorias se cruzaron en una colisión frontal, cuerpo a cuerpo. Martínez, mucho más corpulento, la envió dando vueltas por encima de su cabeza. En el momento de vuelo incontrolado, Alicia reconoció, pero no sintió todavía, las laceraciones en brazos y cara que le habían dejado las garras de Martínez cuando desgarraron su carne. Tocó suelo y rodó una, dos, tres veces, y cada giro atenuaba su aceleración, hasta que se puso en pie de un salto. Estaba aturdida, tambaleante, su cabeza zumbaba a causa del impacto. Había conseguido mantener agarrada la bayoneta. Perderla significaría aceptar la derrota, algo impensable.

Martínez, a seis metros de distancia, se había acuclillado como un sapo, con las manos extendidas como palas sobre la tierra. La sonrisa se había metamorfoseado en otra cosa, algo más juguetón, pletórico de placer. Daba la impresión de estar a punto de reírse. Maldita sea su cara risueña, pensó Alicia, y levantó la bayoneta una vez más.

Una sombra estaba cayendo sobre ellos.

La bomba, la bomba, ¿dónde estaba la bomba?

Entonces, Peter la vio, caída a escasos metros del cuerpo de Tifty. Resbaló en la tierra y la apretó contra su pecho. El émbolo estaba intacto, los cables todavía conectados. ¿Qué sentiría? Nada, pensó. No sentiría nada.

Algo le golpeó por detrás, duro como una pared. Por un momento, le abandonó todo: aliento, pensamientos, gravedad. La bomba se alejó dando vueltas. El suelo se desplegó bajo él, y un destello de negrura mental. Entonces, Peter descubrió que estaba caído boca arriba en el barro.

El viral se cernía sobre él. Escasos centímetros separaban sus rostros. Aquella visión dio la sensación de cruzar los cables de los sentidos de Peter, como si estuviera saboreando el anochecer, o escuchando el rayo. Cuando el ser inclinó la cabeza, Peter hizo lo último que se le ocurrió, convencido de que sería el último gesto de su vida: ladeó la cabeza al mismo tiempo, ordenó a su mente que se concentrara por completo y miró al viral directamente a los ojos.

Soy Wolgast.

Entonces, Peter lo vio: estaba sosteniendo la bomba.

Ayúdame.

Alicia, hermana. Alicia, tuyo es.

Martínez no la vio venir. En la fracción de segundo anterior a desplegar su enorme cuerpo, Amy aterrizó detrás de él. Con un movimiento brusco de las muñecas lanzó hacia delante las cadenas para rodear su bulto como un par de lazos, inmovilizando sus manos a los costados. La sonrisa se convirtió en una expresión de sorpresa.

Ahora, dijo Amy.

Con un fuerte tirón elevó a Martínez, dejando al descubierto la enorme masa de su pecho. Cuando Martínez cayó hacia atrás, Alicia aterrizó, se sentó a horcajadas sobre su cintura e inmovilizó su cuerpo contra el suelo. Tenía la bayoneta alzada sobre la cabeza, sujeta con las dos manos. Sin embargo, no la bajó.

—¡Dilo! —gritó sobre el rugido de sus oídos—. ¡Di su nombre!

Los ojos del viral querían enfocarla. *¿Louise?*

Y con estas palabras, y todo cuanto ella era, Alicia bajó la bayoneta y la hundió en su presa, matándola a la antigua usanza.

Los segundos finales de la batalla del campo fueron, para las multitudes de las gradas, una incomprensible sucesión de movimientos borrosos. No para Lucius Greer. Éste comprendió, más que nadie, lo que iba a suceder. Las cadenas que Amy había utilizado para sujetar a Martínez la estaban ahora apretando contra el cuerpo del viral. Alicia se estaba esforzando por darle la vuelta con el fin de liberarla. Estaban fuera de juego, pero todavía había que terminar con los demás virales. Tal vez la muerte de Martínez había provocado una ruptura en su línea de pensamientos común. Tal vez la conmoción de ver perecer a uno de los suyos a manos de un humano los había dejado paralizados. Tal vez sólo deseaban prolongar el momento de victoria, y así extraer toda la satisfacción posible de su ataque final. Tal vez era otra cosa.

Era otra cosa.

Mientras Greer atravesaba el campo a toda la velocidad que le permitan sus piernas, otra figura corría a su derecha. Sólo necesitó una mirada para que sus ojos asimilaran lo que su mente ya sabía. Era Peter. Estaba gritando, agitando los brazos. Pero algo era diferente. Los virales también lo presintieron. Se pusieron en estado de alerta, y olfatearon el aire con la nariz.

—¡Mirad aquí, hijos de puta!

Peter iba desnudo hasta la cintura, con el torso cubierto de sangre, tibia, fresca, ríos vivos de sangre que resbalaban sobre sus brazos y el pecho desde las largas heridas curvas de la hoja que todavía aferraba en la mano. Sus intenciones eran claras: alejar a los virales de Amy y Alicia para que se lanzaran sobre él. Él era el cebo. ¿Cuál era la trampa?

Y Greer oyó:

Soy Wolgast.

Soy Wolgast.

Soy Wolgast.

Greer corrió.

Alicia también lo vio.

Amy estaba todavía sujeta al cuerpo de Martínez. Las cadenas que la inmovilizaban habían girado sobre sí mismas. Cada vez que tiraba de ellas, se tensaban más. Alicia lanzó un aullido de frustración y vio que Peter corría hacia los virales. Vio que sus cuerpos giraban, ladeaban la cabeza, los ojos llameantes de atracción animal, el placer de matar.

Peter, no, suplicó. *Tú no. Después de todo, tú no.*

Jamás supo cómo se había soltado Amy. En un momento dado estaba a su lado, y al siguiente no. Los grilletes vacíos estaban donde se encontraba Amy antes, sujetos a las cadenas todavía unidas al cuerpo de Martínez. Durante los días venideros, cada uno de ellos reflexionaría sobre el significado de este hecho, y cada opinión sería diferente. Para algunos significaba una cosa; para otros, algo diferente. Era un misterio, del mismo modo que Amy era un misterio. Y como misterio, decía tanto sobre quien miraba como sobre lo mirado.

Pero esto fue después. En la fracción de segundo que restaba, todo cuanto Alicia supo fue que Amy se había ido. Se estaba alejando a toda la velocidad que le permitan sus piernas. Una franja de luz, como una estrella fugaz, y después cayó sobre Peter.

—Amy...

Pero eso fue lo único que dijo.

Porque Wolgast la quería.

Porque Amy era el hogar.

Porque la había salvado, y ella a él.

Y Peter Jaxon, teniente de los Expedicionarios, oyó y vio y sintió todo. En un solo cruce de miradas, toda la vida de Wolgast se había vertido sobre la de él. Todas sus penas. Sus amargas pérdidas y dolorosos remordimientos. Su amor por la niña olvidada, y su largo viaje a través de cien años de noche. Vio rostros, figuras, imágenes del pasado. Un bebé en su cuna, una mujer que lo levantaba para acunarlo en sus brazos, las dos bañadas en una luz casi sagrada. Vio a Amy tal como había sido, una niña diminuta, henchida de una extraña intensidad, sola en el mundo, y las luces de un tiovivo y estrellas en un cielo invernal y las formas de ángeles tallados en la nieve. Era como si estas visiones siempre hubieran formado parte de él, como un sueño recurrente que sólo se recuerda más tarde, y se sintió profundamente agradecido por haberlos visto, por atestiguar a su favor en los últimos segundos de su vida.

Venid a mí, pensó. *Venid a mí.*

Se lanzó de cabeza. Se arrojó a las manos de Dios. Presintió, pero no vio, que Greer corría hacia él, y a Wolgast lanzado como un cañón con la bomba apretada contra el pecho, con el cuerpo dirigido hacia el núcleo de la vaina. Y en el último instante, Peter oyó las palabras:

Corre, Amy.

Y: *Padre...*

Y: *Te quiero.*

Y cuando Wolgast se zambulló entre ellos, con el pulgar de la garra apoyado sobre el émbolo; y cuando Amy se arrojó sobre Peter para llevárselo a rastras, con el fin de recibir la peor parte de la destrucción en su lugar; y cuando los supervivientes de los Doce se abalanzaron con toda su furia sobre Wolgast (Wolgast el Auténtico, el Padre de Todo, el Que Amaba), se abrió un agujero en el espacio donde había estado, la noche oscura dio paso al día más brillante, y los truenos hendieron el cielo.

<hr>

66

Dio la sensación de que existían dos ciudades en los minutos que siguieron: las tribunas, donde reinaba el caos, y el campo, una zona donde todo había concluido, de repentina calma. Un principio y un final, contiguos pero separados. Ambos no tardarían en fundirse, cuando la multitud, agotada la violencia del levantamiento, asimilara el asombroso dato de su libertad y empezara a dispersarse, en dirección a donde le apeteciera, incluido el campo. La descubrirían uno a uno, mientras deambulaban sin rumbo y se movían vacilantes, en tanto sus cuerpos saboreaban la libertad. Pero a corto plazo, los combatientes del campo estaban solos, e iban a llevar a cabo un cálculo definitivo de los vivos y los muertos.

Fue Alicia a quien Peter vio al despertar. Tenía la cara ennegrecida, magullada, ensangrentada. Gran parte de su pelo se había chamuscado, y de él se elevaban todavía hilillos de humo. Se erguía sobre él, mientras las lágrimas resbalaban sobre sus mejillas. Peter.

Él se esforzó por hablar. Su lengua se movía pesada en la boca. ¿Amy? ¿Ha...?

Alicia, sin dejar de llorar, negó con la cabeza.

Greer había logrado sobrevivir. La explosión le había arrojado lejos. En realidad, debería estar muerto, pero le encontraron tendido de espaldas, contemplando el cielo tachonado de estrellas. Tenía la ropa hecha trizas y quemada. Por lo demás, parecía ileso. Era como si la fuerza de la explosión no le hubiera alcanzado, sino rodeado, su vida protegida por una mano invisible. Durante un largo momento ni habló ni se movió. Después, con un gesto vacilante, se llevó una mano al pecho y lo palpó con cautela. La alzó hacia la cara, tocó sus mejillas, frente y barbilla.

—Caramba —dijo.

Eustace también viviría. Al principio pensaron que había muerto. Tenía el rostro empapado en sangre. Pero el disparo le había rozado. La sangre era de su oreja izquierda, ahora desaparecida, rebanada como una planta arrancada del suelo y sustituida por un hueco arrugado. De la detonación no recordaba nada, ninguna memoria que pudiera asociar, aparte de una cadena de sensaciones aisladas: un estruendo ensordecedor y una oleada de aire abrasador que le pasó por encima, después algo húmedo que llovía del cielo y un sabor a humo y polvo. Sobreviviría a la noche con tan sólo esta desfiguración adicional de una cara que ya exhibía multitud de cicatrices de guerra, y un permanente zumbido en los oídos, que jamás desaparecería y provocaría que hablara siempre en voz demasiado alta, lo cual, a su vez, sería motivo de que la gente creyera que estaba enfadado incluso cuando no era cierto. Con el tiempo, una vez regresara a Kerrville y fuera ascendido al rango de coronel, ejerciendo de enlace militar con el estado mayor presidencial, llegaría a considerar esta minusvalía menos un inconveniente que un refuerzo enormemente útil de su autoridad. Se preguntaba por qué no se le había ocurrido antes.

Sólo Nina saldría del campo incólume. Lanzada por los aires por el viral que había matado a Tifty, había caído fuera de la zona afectada por la explosión. Estaba corriendo campo arriba cuando la bomba detonó, y la violencia de su fuerza la arrojó hacia atrás. Pero en el momento anterior había sido la única testigo de la muerte de los Doce, sus cuerpos consumidos y dispersos en una bola de luz. Todo lo demás era confuso. De Amy, no había visto nada.

Nada en absoluto.

Pero uno de ellos había caído.

Encontraron a Tifty con la pistola todavía en la mano. Yacía en el barro, destrozado y mutilado, los ojos ribeteados de sangre. Su brazo derecho había desaparecido, pero eso era lo de menos. Cuando se congregaron a su alrededor, se esforzó por hablar pese a su laboriosa respiración. Por fin, sus labios formaron las palabras:

—¿Dónde está ella?

Sólo Greer pareció comprender lo que estaba preguntando. Se volvió hacia Nina.

—Pregunta por ti.

Tal vez ella comprendió la naturaleza de la petición, o tal vez no. Nadie supo decirlo. Se reclinó en el suelo a su lado. Con un esfuerzo tembloroso, Tifty levantó la mano y tocó su cara con las yemas de los dedos, el gesto más tierno.

—Nitia —susurró—. Nitia mía.

—Soy Nina.

—No. Eres Nitia. Mi Nitia. —Le dedicó una sonrisa perlada de lágrimas—. Te pareces... mucho a ella.

—¿A quién?

La vida se estaba apagando en sus ojos.

—Le dije... —Perdió el aliento. Había empezado a atragantarse con la sangre que manaba de su boca—. Le dije... que te mantendría a salvo.

Entonces, la luz de sus ojos se apagó y murió.

Nadie habló. Uno de ellos se había deslizado en la oscuridad.

—No lo entiendo —dijo Alicia. Miró a los demás—. ¿Por qué la ha llamado así?

Fue Greer quien contestó.

—Porque se llama así. —Nina alzó la vista del cadáver—. No lo sabías, ¿verdad? Claro, no podías saberlo.

Ella movió la cabeza.

—Tifty era tu padre.

A su debido tiempo, se lo contaría todo. Una camioneta entró en el campo. Vieron salir a tres personas. No, cuatro. Michael, Hollis y Sara, que sostenía a una niña pequeña en brazos.

Pero de momento continuaron erguidos en silencio ante la presencia de su amigo, revelado el secreto de su vida. El gran gángster Tifty Lamont, capitán de los Expedicionarios. Le enterrarían donde había caído, en el campo. Porque nunca te vas, explicó Greer. Eso decía siempre Tifty. Tal vez pienses que puedes hacerlo, pero no es así. Una vez lo pisabas, te convertías en parte de él para siempre.

Nadie abandonaba jamás el campo.

XII

El beso

ENERO 98 d.V.

El día de la victoria, ningún hombre está cansado.

Proverbio árabe

67

El tiempo no quería cooperar. Enero en Iowa: ¿qué podían esperar? Un día agotador seguía a otro día agotador. Comida, combustible, agua, electricidad, la compleja empresa de mantener en funcionamiento una ciudad de setenta mil almas... Preocupaciones más mundanas habían calmado en poco tiempo la alegría de la victoria. De momento, la insurgencia había asumido el control, aunque Eustace ya había admitido que carecía de cualidades para la tarea. Se sentía abrumado por el volumen de detalles, y el gobierno provisional formado a toda prisa, compuesto de delegados designados por cada uno de los alojamientos, hacía poco para aligerar su carga. Era demasiado numeroso y desorganizado, la mitad de la sala se dedicaba a disputar siempre con la otra mitad, de modo que Eustace alzaba las manos al cielo y tomaba todas las decisiones al final. Perduraba cierto grado de docilidad entre la población, pero no duraría mucho. Se habían producido saqueos en el mercado antes de que Eustace pudiera tomar medidas de seguridad, y cada día corrían más historias de represalias. Muchos cols habían intentado mezclarse de forma anónima entre el populacho, pero sus rostros eran conocidos. Sin un sistema judicial que juzgara a los que se habían rendido, o a los que habían sido capturados por la insurgencia adelantándose a las masas, era difícil saber qué hacer con ellos. El centro de detención estaba a reventar. Eustace había sugerido la posibilidad de modernizar el Proyecto (parecía lo bastante seguro y poseía la ventaja adicional del aislamiento), pero eso llevaría tiempo y no haría nada por solucionar el problema de qué hacer con los prisioneros cuando la población empezara a trasladarse al sur.

Y todo el mundo se estaba congelando. Bien, qué le vamos a hacer, pensó Peter. ¿Qué era un poco de frío?

Había establecido una estrecha amistad con Eustace. En parte, se debía a que compartían el vínculo de ser oficiales de los Expedicionarios, pero había algo más: habían descubierto, a medida que pasaban los días, que poseían temperamentos compatibles. Decidieron que Peter iría al frente del equipo de avanzadilla que viajaría al sur para preparar Kerrville en vistas a la llegada de refugiados. Al principio se opuso. No le parecía justo contarse entre los primeros en marchar. Pero era la elección lógica, y al final Alicia dio carpetazo al asunto. Caleb te está esperando, le recordó. Ve a ver a tu muchacho.

El éxodo tendría que esperar a la primavera. Suponiendo que Kerrville pudiera enviar vehículos y personal, Eustace planeaba trasladar a cinco mil personas cada vez. La composición de los grupos la determinaría una lotería. El viaje sería difícil (todo el mundo debería ir a pie, salvo los muy pequeños y los muy ancianos), pero con suerte la Patria se vaciaría al cabo de dos años.

—No todo el mundo querrá marcharse —dijo Eustace.

Los dos estaban sentados en el despacho de Eustace, que era el cuarto interior de la herboristería, entrando en calor con sendas tazas de infusión. Casi todos los edificios del mercado habían sido requisados por el gobierno provisional para ejercer diversas funciones. El último proyecto que les ocupaba era la elaboración de un censo. Como toda la documentación de los ojosrojos había sido destruida junto con la Cúpula, no tenían ni idea de quién era quién, o de cuánta gente había. Setenta mil era la cifra aceptada en general, pero no había manera de precisarla hasta que los contaran.

—¿Por qué no?

Eustace se encogió de hombros. Llevaba vendada todavía la parte izquierda de la cabeza, lo cual dotaba a su cara de un aspecto torcido, si bien equilibrado por su ojo malo. Sara había quitado a Peter los últimos puntos el día anterior. Su pecho y brazos parecían ahora un mapa de carreteras compuesto por cicatrices largas y rosadas. En momentos de intimidad, Peter no podía reprimir el impulso de tocarlas, asombrado no sólo por el hecho de que él mismo se había infligido aquellas heridas, sino de que, en el calor del momento, no había sentido nada.

—Sólo conocen esto. Han vivido aquí toda la vida. Pero no es el único motivo. Es estupendo acabar con un abuso. No sé cuántos pensarán así una vez empecemos a trasladar a gente al sur, pero algunos lo harán.

—¿Cómo se las arreglarán?

—Supongo que de la forma habitual. Elecciones, el peliagudo asunto de construir una vida. —Bebió la infusión—. Será complicado. Puede que no llegue a funcionar. Pero al menos será de ellos.

Nina llegó del frío y dio patadas en el suelo para soltar la nieve de sus botas.

—¡Jesús!, ahí fuera está helando —dijo.

Eustace le ofreció su taza.

—Toma, para que entres en calor.

Ella cogió la taza entre las manos y bebió, y después se inclinó para darle un fugaz beso en la boca.

—Gracias, esposo mío. Necesitas un buen afeitado.

Eustace se rió.

—¿Con una cara como la mía? ¿A quién le importa?

Que los dos eran pareja constituía, tal como había averiguado Peter, el secreto peor guardado de la insurgencia. Una de las primeras cosas que había hecho Eustace había sido promulgar una orden ejecutiva para permitir que los lugareños se casaran. En muchos casos era un simple tecnicismo. Había gente que vivía en pareja desde hacía años, incluso décadas. Pero el matrimonio nunca había sido sancionado oficialmente. La lista de parejas que esperaban casarse ascendía a centenares, y Eustace tenía a dos jueces de paz trabajando día y noche en una tienda de la manzana. Nina y él habían sido de los primeros, al igual que Hollis y Sara.

—Buenas noticias —dijo Nina—. Acabo de llegar del hospital.

—¿Y?

—Dos bebés más han nacido esta mañana, ambos saludables. Las madres se encuentran bien.

—Bien, qué te parece. —Eustace sonrió a Peter—. ¿Qué te decía yo? Incluso en la noche más oscura, amigo mío, la vida se abre paso.

Peter bajó la colina, encorvado para protegerse del viento. Como miembro del estado mayor ejecutivo, se le permitía el uso de un vehículo, pero prefería caminar. Al llegar al hospital se dirigió a la habitación de Michael. La electricidad se había restablecido sólo en parte, pero el hospital había sido uno de los primeros edificios en recuperar la luz. Encontró a Michael despierto y sentado. La pierna derecha, envuelta en un yeso desde el tobillo a la cadera, estaba suspendida de un cabestrillo, situado en un ángulo de cuarenta y cinco grados en relación con la cama. Su estado había sido crítico durante unos días, y Sara creía que iba a perder la pierna, pero Michael era un luchador, y ahora, tres semanas después, se encontraba oficialmente en vías de curación.

Lore estaba sentada al lado de la cama, manipulando un par de agujas de tejer. Eustace la había puesto a trabajar de capataz en la planta de biodiésel, pero en sus escasos momentos libres estaba en el hospital, al lado de Michael.

—¿Qué estás haciendo? —preguntó Peter.

—Y yo qué sé. Tenía que ser un jersey, pero me están saliendo unos calcetines.

—Deberías ceñirte a hacer lo que sabes —aconsejó Michael.

—Espera a que te hayan sacado el yeso, amigo mío. Te enseñaré lo que sé. No lo olvidarás jamás. —Miró a Peter, y sonrió furtivamente para asegurarse de que había entendido la broma—. Oh, lo siento, Peter. Me he pasado un poco. Supongo que me olvidé de que estabas delante.

Peter se rió.

—No pasa nada.

Lore movió una aguja.

—Sólo quiero decir, en caso de que el estado de nuestro chico aquí presente empeore, que siempre te he considerado muy atractivo. Además, eres un héroe de guerra. Me interesa todo cuanto quieras decir, teniente.

—Me lo pensaré.

—De eso no me cabe la menor duda. —Dejó caer el hilo sobre el regazo—. Resulta que mi turno empieza dentro de media hora, de modo que os abandonaré para que habléis de mí. —Se levantó, metió su labor en una bolsa, dio una palmada a Michael en el brazo, se lo pensó mejor, y le dio un beso en la cabeza—. ¿Necesitas algo antes de que me vaya?

—Estoy bien.

—No estás bien, Michael. Te encuentras muy lejos de estar bien. Lo que hiciste me dejó acojonada.

—Ya dije que lo sentía.

—Pues sigue repitiéndolo, tío. Algún día te creeré. —Le besó de nuevo—. Caballeros...

Cuando Lore se fue, Peter se sentó.

—Lo siento —dijo Michael.

—No sé por qué sigues disculpándote en su nombre, Michael. Eres el tipo más afortunado del planeta Tierra, en mi opinión. —Inclinó la cabeza hacia la cama—. ¿Cómo va la pierna?

—Duele como un demonio. Me alegro de que hayas venido por fin.

—Lo lamento. Eustace me ha mantenido ocupado.

—¿A cuántos has encontrado?

Peter comprendió que Michael estaba preguntando por los demás habitantes de Primera Colonia.

—La cifra que nos ha llegado es de cincuenta y seis. Todavía estamos intentando localizar a todos. Hasta el momento hemos encontrado a las hijas de Jimmy, Alice y Avery. Constance Chou, Russ Curtis, Penny Darrell. Tardaremos un poco en identificar a los Pequeños. Todo el mundo está esparcido por el recinto.

—Buenas noticias, supongo.

Michael calló, sin terminar la frase. Muchos otros habían muerto.

—Hollis me contó lo que hiciste —dijo Peter.

Michael se encogió de hombros. Parecía un poco avergonzado, pero también orgulloso.

—En aquel momento, me pareció que era lo adecuado.

—Si alguna vez quieres trabajar con los Exped, avísame. Suponiendo que me vuelvan a admitir. La próxima vez que hablemos, tal vez sea en la prisión.

—Peter, seamos serios. Es probable que te nombren general. O eso, o te presentas a presidente.

—Eso quiere decir que no conoces al ejército como yo. —No obstante, por un momento pensó si sería posible—. Nos vamos dentro de unos días.

—Ya me lo imaginaba. No te olvides de abrigarte. Saluda a Kerrville de mi parte.

—Te meteremos en el siguiente viaje, te lo prometo.

—No sé, *hombre*, el servicio es muy bueno aquí. Este lugar me sienta bien. ¿Quién irá contigo?

—Sara, Hollis y Kate, pero eso es evidente. Greer se queda para colaborar en la evacuación. Eustace está reuniendo un equipo.

—¿Y Lish?

—Se lo preguntaría si pudiera localizarla. Apenas la he visto en todo este tiempo. Ha salido a cabalgar en ese caballo suyo. Le llama *Soldado*. No tengo ni idea de lo que está haciendo.

—Siento que no coincidierais. Pasó a verme esta mañana.

—¿Lish ha estado aquí?

—Dijo que quería saludarme. —Michael le miró—. ¿Por qué? ¿Tan raro es eso?

Peter frunció el ceño.

—Supongo que no. ¿Qué aspecto tenía?

—¿Qué crees? El de Lish.

—O sea, no has observado ninguna diferencia.

—No me he fijado. No estuvo mucho rato. Dijo que iba a ayudar a Sara con las donaciones.

Como directora provisional de salud pública, Sara había descubierto que el edificio que hacía las veces de hospital era, como sospechaba desde hacía tiempo, un hospital sólo de nombre. Casi no había equipo médico, y ni una gota de sangre. Con tanta gente herida en el asedio, los niños que nacían y todo lo demás, había ordenado que trajeran un congelador de la instalación de procesamiento de comida, y había instituido un programa de donación de sangre.

—Lish, enfermera —dijo Peter, y meneó la cabeza ante la ironía—. Ya me gustaría verlo.

Nunca comprendieron del todo qué había sido de los ojosrojos. Los que no habían muerto en el estadio habían dejado de existir. La única conclusión que se podía extraer, apoyada por la historia de Sara sobre Lila, era que la destrucción de la Cúpula, y la muerte del hombre conocido como la Fuente, habían provocado una reacción en cadena similar a la que habían visto en los descendientes de Babcock en la montaña de Colorado. Los que la habían presenciado la describían como un veloz envejecimiento, como si cien años de vida tomados de prestado hubieran transcurrido en escasos segundos: carne arrugada, pelo cayendo a puñados, rostros marchitados hasta convertirse en calaveras. Los cuerpos que habían encontrado, todavía vestidos con traje y corbata, no eran más que una pila de huesos de color marrón. Daba la impresión de que llevaban décadas muertos.

A medida que se iba acercando el día de la partida, Sara se encontró trabajando prácticamente las veinticuatro horas del día. Cuando corrió la voz por la planicie de que se habían instaurado cuidados médicos de verdad, cada vez más gente había acudido. Las dolencias abarcaban desde el resfriado común a las aflicciones propias de la vejez, pasando por la malnutrición. Algunos sólo parecían sentir curiosidad por ver cómo sería un médico. Sara trataba a los que podía, consolaba a los que no. Al final, el resultado no era muy diferente.

Abandonaba el hospital sólo para ir a dormir, y a veces para comer, o bien Hollis le llevaba la comida, siempre acompañado de Kate. Se alojaban en un apartamento del complejo situado en la periferia de la ciudad, un lugar curioso, con amplias ventanas tintadas que creaban una luz nocturna permanente en el interior. Producía una sensación inquietante, sabiendo que sus anteriores ocupantes habían sido ojosrojos, pero era cómodo, con grandes camas provistas de sábanas de hilo, agua caliente y una cocina de gas que funcionaba, en la cual pergeñaba Hollis sopas y guisos a base de ingredientes de los que ella no quería saber nada, pero que resultaban deliciosos. Comían juntos en la oscuridad iluminada con velas, caían en la cama a continuación y hacían el amor con serena ternura, con el fin de no despertar a su hija.

Aquella noche, Sara decidió tomarse un descanso. Estaba muerta de cansancio, hambrienta por añadidura, y echaba mucho de menos a su familia. Su familia: después de todo lo ocurrido, aquellas dos palabras eran de lo más notable. Parecía el milagro más grande en la historia del habla humana. Cuando había visto a Hollis irrumpir en tromba por la entrada de la Cúpula, su corazón había sabido al instante lo que sus ojos eran incapaces de creer. Por supuesto que había ido a por ella. Hollis había removido cielos y tierra, y ahí estaba. ¿Cómo habría podido ser de otra manera?

Subió la colina, dejó atrás los restos de la Cúpula (sus vigas de madera habían ardido durante días) y atravesó la ciudad vieja. Moverse con libertad, sin miedo, se le antojaba todavía un poco irreal. Sara pensó en pasar por la herboristería para saludar a Eustace y a quien estuviera con él, pero sus pies rechazaron este impulso, que se pasó enseguida. Espoleado su paso por la impaciencia, subió los seis tramos de escalera que conducían al apartamento.

—¡Mamá!

Hollis y Kate estaban sentados juntos en el suelo, jugando con judías y tazas. Antes de que Sara pudiera quitarse el pañuelo del cuello, la niña se puso en pie de un brinco y voló a sus brazos, una tierna colisión. Sara subió a Kate hasta su cintura para mirarla a los ojos. Nunca había dicho a Kate que la llamara de esta forma, para no acrecentar su confusión, pero tampoco había sido necesario: la niña había adoptado la costumbre. Como nunca había tenido padre, Kate había tardado un poco más en adaptarse al papel de Hollis en su vida, pero un día, una semana después de la liberación, había empezado a llamarle Papá.

—Bien, aquí estáis —dijo Sara muy contenta—. ¿Cómo ha ido el día? ¿Te has divertido con Papá?

La niña envolvió la nariz de Sara con el puño y fingió que se la arrancaba de la cara, se la metía en la boca y empujaba la lengua contra la parte interna de la mejilla.

—Me voy a comer tu nariz —dijo.

—Devuélvemela.

Kate, con una gran sonrisa, el rubio pelo bailando alrededor de la cara, movió la cabeza en señal de juguetón desafío.

—Nooo. Es mía.

Así, las cosquillas, risas por todos lados, el robo de más partes del cuerpo y la devolución final de la nariz de Sara. Cuando el forcejeo terminó, Hollis se había sumado a ellas. Apoyó la mano sobre la nuca de Kate, dio un veloz beso a Sara, con su barba (cálida, familiar, impregnada de su olor) apretada como lana contra sus mejillas.

—¿Hambrienta?

Ella sonrió.

—No me iría mal comer algo.

Hollis le dio un cuenco. Kate y él ya habían cenado. Se sentó con ella a la pequeña mesa, mientras ella devoraba. La carne, confesó, podría haber sido de cualquier animal, pero las zanahorias y las patatas estaban pasables. A Sara le daba igual. Nunca le había sabido tan bien la comida como en las últimas semanas. Hablaron

de sus pacientes, de Peter, Michael y los demás, de Kerrville y lo
que les aguardaba allí, del viaje al sur, para el cual ya faltaban pocos días. Hollis había sugerido al principio que esperaran a la primavera, cuando el viaje sería menos difícil, pero Sara no quiso saber nada al respecto. Demasiadas cosas habían sucedido en el
recinto, le dijo. No sé dónde está mi hogar, pero de momento que
sea Texas.

Lavaron los platos, los guardaron en el escurridor y prepararon
a Kate para acostarse. Mientras Sara pasaba el camisón por encima
de la cabeza de Kate, ya estaba medio dormida. La arroparon y
volvieron a la sala de estar.

—¿De veras has de volver al hospital? —preguntó Hollis.

Sara descolgó su abrigo y se lo puso.

—Sólo serán unas horas. No me esperes levantado. —Aunque
eso sería lo que haría. Sara habría hecho lo mismo—. Ven aquí.

Le besó durante unos segundos.

—Lo digo en serio. Vete a la cama.

Pero cuando apoyó la mano sobre el pomo, él la detuvo.

—¿Cómo lo supiste, Sara?

Casi comprendió lo que le estaba preguntando, pero no del
todo.

—¿Cómo supe qué?

—Que era ella. Que era Kate.

Era extraño. Sara nunca había pensado en formularse esa pregunta. Nina había confirmado la identidad de Kate en su encuentro clandestino en el cuarto trasero de la herboristería, pero se lo
podría haber ahorrado: jamás había existido la menor duda en la
mente de Sara. Era algo más que el parecido físico de la niña. La
certeza había surgido de algo más profundo. Sara había mirado a
Kate y comprendido al instante que, de todos los niños del mundo,
aquel ser era de ella.

—Llámalo instinto maternal. Fue como... conocerme a mí misma. —Se encogió de hombros—. No puedo explicarlo de una manera mejor.

—De todos modos, somos afortunados.

Sara nunca le había hablado del paquete de papel de plata. No lo haría nunca.

—No estoy seguro de que pueda calificarse de suerte algo semejante —dijo—. Sólo sé que estamos aquí.

Era pasada la medianoche cuando terminó sus rondas. Disimuló un bostezo con la mano, su mente ya a medio camino de casa. Entró en el último cuarto de reconocimiento y encontró a una joven sentada sobre la mesa.

—¿Jenny?

—Hola, Dani.

Sara se vio forzada a reír, no sólo del nombre, que parecía algo perteneciente a un sueño lejano, sino de la presencia de la chica. No fue hasta verla que Sara cayó en la cuenta de que la había dado por muerta.

—¿Qué te pasó?

La joven se encogió de hombros avergonzada.

—Siento haberme marchado. Después de lo que sucedió en el cebadero, me entró el pánico. Uno de los cocineros me escondió en un barril de harina y me sacó en uno de los camiones de reparto.

Sara sonrió para tranquilizarla.

—Bien, me alegro de verte. ¿Qué tienes?

—Creo que estoy embarazada.

Sara la examinó. Si lo estaba, era demasiado pronto para saberlo. Pero estar embarazada te conseguía un hueco en la primera evacuación. Rellenó el formulario y se lo entregó.

—Lleva esto a la oficina del censo y diles que yo te he enviado.

—¿De veras?

—De veras.

La muchacha contempló la hoja de papel que sostenía en la mano.

—Kerrville. No puedo creerlo. Apenas me acuerdo.

Sara estaba rellenando una orden de evacuación por duplicado en su tablilla. Su pluma se detuvo en el aire.

—¿Qué has dicho?

—Que no puedo creerlo.

—No, lo otro. Lo de que no te acordabas.

La chica se encogió de hombros.

—Nací allí. Al menos eso creo. Era muy pequeña cuando me secuestraron.

—Jenny, ¿se lo has dicho a alguien?

—Sí. Se lo dije al encuestador del censo.

Voladores, ¿cómo se le había pasado por alto aquello?

—Bien, me alegro de que me lo hayas dicho a *mí*. Es posible que alguien te esté buscando. ¿Cuál es tu apellido?

—No estoy del todo segura, pero creo que era Apgar.

68

El día de la partida llegó con un amanecer radiante y frío. El equipo de avanzadilla se reunió en el estadio: treinta hombres y mujeres, seis camiones y dos repostadores. Eustace y Nina habían ido a despedirlos, así como Lore y Greer.

Una pequeña multitud se había congregado, familiares y amigos de quienes se marchaban. Sara y los demás ya se habían despedido de Michael la noche anterior, en el hospital. Idos, dijo, con la cara congestionada, largaos de aquí. ¿Cómo voy a poder descansar? Pero la tarjeta que Kate le había escrito fue su perdición. *Te quiero, tío Michel, ponte vien.* Ay, voladores, dijo él, ven aquí, y apretó con fuerza a la niña contra su pecho, mientras brotaban lágrimas de sus ojos.

Cargaron las últimas provisiones en los camiones, y todo el mundo subió. Peter iría en la primera camioneta con Hollis. Kate y

Sara, en uno de los transportes grandes de la retaguardia. Cuando Peter encendió el motor, Greer se acercó a la ventanilla. En ausencia de Peter, el comandante había accedido a ocupar su puesto, con Eustace como lugarteniente, y se hallaba ahora a cargo de la evacuación.

—No sé dónde está ella, Peter. Lo siento.

¿Tan evidente era? Una vez más, Lish le había dejado plantado ante el altar.

—Sólo estoy preocupado por ella. Algo no va bien.

—Sufrió mucho en aquella celda. Creo que no nos ha contado ni la mitad. Se recuperará. Siempre lo hace.

No había nada más que decir sobre el asunto. Ni sobre el otro, que desde los días del levantamiento había flotado sobre ellos con su peso de dolor no verbalizado. La explicación lógica era que Amy había muerto en la explosión, desintegrada con los demás virales, pero en el fondo no podía aceptarlo. Era como una extremidad fantasma, una parte invisible de él.

Los dos hombres se estrecharon la mano.

—Ve con cuidado, ¿de acuerdo? —dijo Greer—. Tú también, Hollis. Ahí fuera hay otro mundo, pero nunca se sabe.

Peter asintió.

—Ojo avizor, comandante.

Greer se permitió una de sus raras sonrisas.

—Confieso que me gusta cómo suena eso. ¿Quién sabe? Tal vez me readmitirán, a pesar de todo.

Había llegado el momento de partir. Peter puso la primera. Con una vibración de motores pesados, la hilera de vehículos atravesó la puerta. Por el retrovisor, Peter vio que los edificios de la Patria se iban perdiendo de vista, hasta fundirse con el blanco invernal.

—Estoy seguro de que ella se encuentra en alguna parte, Peter —dijo Hollis.

Peter se preguntó a quién se refería.

Desde su escondite en la alcantarilla, Alicia vio que el convoy se alejaba. Durante muchos días había vivido aquel momento por anticipado, con la intención de prepararse. ¿Cuál sería la sensación? Ni siquiera ahora sabía decirlo. Definitiva, eso era todo. Una sensación de conclusión. La hilera de camiones describió un amplio arco alrededor de las vallas de la ciudad y giró hacia el sur. Durante mucho tiempo Alicia la siguió con la mirada, la imagen cada vez más pequeña, el sonido de los motores disminuyendo en la distancia. Aún seguía mirando cuando desapareció.

Quedaba una cosa por hacer.

Se había llevado la sangre del hospital, ocultando bajo su túnica la bolsa de plástico cuando Sara le dio la espalda. Había precisado de toda su fuerza de voluntad para no hundir las mandíbulas en ella y bañarse la cara, la boca y la lengua con su riqueza terrenal. Pero cuando pensó en Peter, en Amy y en Michael, y en todos los demás, había encontrado fuerzas para esperar.

Había enterrado la bolsa en la nieve, y señalizado el punto con una piedra. Ahora, la sacó de su escondrijo: un bloque de hielo rojo, pesado en la mano. *Soldado* la estaba mirando desde el borde de la alcantarilla. Alicia le habría dicho que se marchara, pero él no habría obedecido, por supuesto. Serían el uno del otro hasta el final. Encendió un fuego de arbustos chisporroteantes, derritió la nieve en una olla, esperó a que subieran las burbujas y hundió la bolsa en el agua humeante, como si, pensó, estuviera preparando té. Poco a poco, el contenido se fue ablandando. Cuando la sangre se derritió por completo, Alicia quitó la bolsa y se tendió en la nieve, acunando su calor contra el pecho. En el interior del envoltorio de plástico aguardaba un destino aplazado. Desde el día en que el viral la había mordido en la montaña, cinco años antes, había sabido su destino en lo más hondo. Ahora iría a su encuentro. Iría a su encuentro y moriría.

El sol de la mañana se estaba alzando hacia un cielo invernal carente de nubes. El sol. Alicia entornó los ojos para protegerse de su brillo. *El sol*, pensó. *Mi enemigo, mi amigo, mi última liberación.*

Se la llevaría por delante. Dispersaría sus cenizas en el viento. Date prisa, dijo Alicia al sol, pero no demasiada. Quiero sentir cómo me abandona.

Se llevó la bolsa a los labios, abrió el cierre y bebió.

Al anochecer, el convoy había recorrido noventa kilómetros. La ciudad se llamaba Grinnell. Se refugiaron en una tienda abandonada a la entrada, que por lo visto había vendido zapatos. Cajas y cajas se alineaban en las estanterías. Un lugar al que valdría la pena regresar, algún día. Comieron sus raciones, se acostaron y durmieron.

O lo intentaron. No era el frío. Peter estaba acostumbrado a eso. Estaba demasiado espabilado, simplemente. Los acontecimientos ocurridos en el estadio habían sido demasiado enormes para asimilarlos al instante. Casi un mes después, todavía se sentía atrapado en sus emociones, y por su mente desfilaban las imágenes de manera incesante.

Peter se puso la parka y las botas, y salió. Habían apostado un solo guardia, que estaba sentado en una silla plegable metálica que habían sacado del comercio. Peter cogió el rifle del hombre y le envió a la cama. La luna brillaba, el aire era como hielo en sus pulmones. Se irguió en silencio, absorbió la claridad absoluta de la noche. Durante los días posteriores al levantamiento, Peter había intentado imbuirse de alguna emoción que estuviera a la altura de la magnitud de los acontecimientos (felicidad, triunfo, o sólo alivio), pero lo único que sentía era soledad. Recordaba las palabras de Greer al despedirse: *Ahí fuera hay otro mundo.* En efecto, Peter ya lo sabía. Pero no lo parecía. Como mucho, el mundo se parecía todavía más a lo que era. Los campos helados, como un enorme mar en calma; el inconmensurable cielo tachonado de estrellas; la luna con su mirada ictérica de párpados pesados, como la respuesta a una pregunta que nadie había formulado. Todo era igual que antes, y así continuaría, mucho después de que todos hubieran muerto, sus nombres, recuerdos y todo cuanto eran sepultados como sus huesos en el polvo del tiempo, que se lo llevaría todo.

Un ruido detrás de él: Sara cruzó la puerta, con Kate apoyada sobre su cadera. Los ojos de la niña estaban abiertos y miraban a su alrededor. Sara se puso al lado de Peter, y sus botas pisaron la nieve con un crujido.

—¿No podías dormir? —preguntó él.

Ella hizo una mueca de exasperación.

—Créeme, *yo* sí puedo. Es culpa mía. La dejé dormir demasiado rato en el camión.

—Hola, Peter —dijo la pequeña.

—Hola, corazón. ¿No deberías estar en la cama? Mañana nos espera otro largo día.

Ella apretó los labios.

—Mmmm.

—¿Lo ves? —dijo Sara.

—¿Quieres que me la quede un rato? Puedo hacerlo, ya sabes.

—¿Aquí fuera, quieres decir?

Peter se encogió de hombros.

—Un poco de aire puro le sentará bien. Y a mí no me iría mal un poco de compañía. —Sara no contestó—. No te preocupes, estaré ojo avizor. ¿Qué dices, Kate?

—¿Estás seguro? —insistió Sara.

—Pues claro que estoy seguro. ¿Qué voy a hacer, si no? En cuanto se duerma, entraré con ella. —Apoyó el rifle contra el edificio y extendió los brazos—. Anda, dámela. No aceptaré un no como respuesta.

Sara asintió y entregó la niña a Peter. Kate le rodeó con sus piernas y aferró la solapa de la parka para equilibrar su peso.

Sara retrocedió unos pasos para contemplarlos.

—Debo decir que ésta es una versión de ti que no había visto nunca.

Peter se dio cuenta de que sonreía.

—Cinco años. Muchas cosas pueden cambiar.

—Bueno, te sienta bien. —Un repentino bostezo se apoderó de ella—. En serio, si te da mucho la paliza...

—No lo hará. ¿Quieres irte ya? Duerme un poco.

Sara los dejó a solas. Peter se sentó en la silla, acomodó a Kate sobre su regazo y volvió su cuerpo hacia el cielo invernal.

—¿De qué quieres hablar?

—No sé.

—¿No estás cansada?

—No.

—¿Quieres que contemos estrellas?

—Eso es aburrido. —Cambió de postura para acomodarse—. Cuéntame un cuento —ordenó.

—Un cuento. ¿De qué clase?

—Un cuento de érase-una-vez.

No estaba muy seguro de cómo, porque nunca lo había hecho. No obstante, mientras meditaba sobre la petición de la niña, un torrente de recuerdos desfiló por su mente: los días de Pequeño en el Asilo, sentado en círculo con los demás niños, con las piernas cruzadas bajo el cuerpo; Profesora, su rostro de luna pálido y los cuentos que narraba, de animales parlanchines con chalecos y faldas, y reyes en sus castillos, y barcos que surcaban los mares en busca de un tesoro; la sensación somnolienta de las palabras que le transportaban a mundos y tiempos lejanos, como si estuviera abandonando su cuerpo. Eran recuerdos de otra vida. Eran tan lejanos que parecían históricos, pero sentado en el frío del invierno con la hija de Sara en el regazo, no parecían ajenos a él. Sintió una punzada de arrepentimiento: nunca había contado un cuento a Caleb.

—Bien. —Carraspeó, con el fin de ganar tiempo y ordenar sus pensamientos. Pero la verdad era que no sabía nada. Todos los cuentos de su infancia se habían borrado de repente de su mente. Tendría que inventar—. Vamos a ver...

—Tiene que haber una chica —colaboró Kate.

—Y la hay. Estaba llegando a eso. Bien, érase una vez una niña pequeña...

—¿Qué aspecto tiene?

—Ummm. Bien, era muy guapa. Se parecía mucho a ti, en realidad.

—¿Era una princesa?

—¿Vas a dejar que te cuente el cuento o no? Pero ahora que lo dices, sí que lo era. La princesa más hermosa que jamás existió. Pero la cuestión estriba en que ella no sabía que era princesa. Ésa es la parte interesante.

Kate frunció el ceño con aire mandón.

—¿Por qué no lo sabía?

Entonces, algo encajó en su sitio. Percibió que los contornos de una historia se estaban formando en su mente.

—Es una pregunta excelente. Lo que ocurrió fue esto: cuando era muy pequeña, apenas un bebé, sus padres, el rey y la reina, se la llevaron de excursión al bosque real. Era un día de sol, y la niña, cuyo nombre era princesa...

—Elizabeth.

—Princesa Elizabeth, vio una mariposa. Una mariposa *asombrosa*. Sus padres no le estaban prestando atención, y ella siguió a la mariposa al bosque e intentó atraparla. Pero la cuestión es que no se trataba de una mariposa. Era... la reina de las hadas.

—¿De veras?

—De veras. Bien, la cuestión es que las hadas no confían en la gente. Son muy reservadas, porque les gusta ser así. Pero la reina de las hadas era diferente. Siempre había querido tener una hija. Las hadas no tienen hijos. Le entristecía mucho no tener una hija a quien cuidar, y cuando vio a la princesa Elizabeth, su belleza la conmovió hasta tal punto que no lo pudo evitar. Se llevó a la niña al corazón del bosque. Muy pronto, la niña se extravió y empezó a llorar. La reina de las hadas se posó sobre su nariz, y secó sus lágrimas con sus delicadas alas, y dijo: «No te pongas triste. Yo cuidaré de ti. Ahora serás mi hijita». Y se la llevó a su gran árbol hueco donde vivía con las demás hadas, sus súbditas, y le dio de comer y una mesa a la que sentarse y una pequeña cama donde dormir, y al cabo de muy poco la princesa Elizabeth ya no recordaba ninguna otra vida, salvo su vida entre las hadas del bosque.

Kate estaba asintiendo.

—¿Qué sucedió entonces?

—Bueno, nada. De inmediato no. Durante un tiempo fueron muy felices juntas, sobre todo la reina de las hadas. Era maravillosa la sensación de tener una hija. Pero cuando Elizabeth creció, empezó a experimentar la sensación de que algo no iba bien. ¿Sabes qué era?

—¿No era un hada?

—Exacto. Bien por ti. Por deducirlo. No era un hada, era una niña pequeña, y ya no tan pequeña. ¿Por qué soy tan diferente?, se preguntaba. Y cuanto más crecía, más le costaba a la reina de las hadas disimular este hecho. Por qué los pies sobresalen de mi cama, le preguntaba Elizabeth, y la reina de las hadas contestaba: Porque las camas son muy pequeñas, por eso sobresalen. Por qué es mi mesa tan diminuta, preguntaba Elizabeth, y la reina de las hadas respondía: Lo siento, no es culpa de la mesa, es que has de dejar de crecer. Cosa que, por supuesto, no hizo. Creció y creció, y casi no cabía ya dentro del árbol. Todas las demás hadas se quejaban. Tenían miedo de que se comiera toda su comida y no les quedara nada. Tenían miedo de que las aplastara sin querer. Había que hacer algo, pero la reina de las hadas se negaba. ¿Me sigues?

Kate asintió, fascinada.

—Bien, el rey y la reina, los padres de Elizabeth, nunca habían dejado de buscarla. Habían peinado hasta el último milímetro del bosque, y de todas las tierras del reino. Pero el árbol estaba muy bien escondido. Entonces, un día oyeron el rumor de que una niña pequeña vivía en el bosque con las hadas. ¿Podría ser su hija?, se preguntaron. Hicieron lo único que se les ocurrió. Ordenaron a los leñadores reales que talaran todos los árboles hasta que encontraran el que albergaba a Elizabeth.

—¿*Todos?*

Peter asintió.

—Hasta el último. Lo cual no era una buena idea. Los bosques no sólo eran el hogar de las hadas, sino de toda clase de animales y aves. Pero los padres de Elizabeth estaban muy desesperados, habrían hecho cualquier cosa con tal de recuperar a su hija. De modo que los leñadores se pusieron a trabajar y talaron el bosque, mientras el rey y la reina iban a caballo y la llamaban por su nombre. «¡Elizabeth! ¡Elizabeth! ¿Dónde estás?». ¿Y sabes qué pasó?

—¿Los oyó?

—Sí, los oyó. Pero el nombre de Elizabeth no significaba nada para ella. Ahora llevaba un nombre de hada, y había olvidado todo sobre su vida anterior. Pero la reina de las hadas sabía que los estaba oyendo, y se sentía fatal por dicha causa. ¿Cómo había podido hacer algo tan terrible?, pensó. ¿Cómo podía haber secuestrado a Elizabeth? Pero aun así, no fue capaz de salir del árbol para decir a los padres de Elizabeth dónde estaba. Quería demasiado a la niña para dejarla marchar. «Estate muy callada —dijo a Elizabeth—. No emitas el menor sonido.» Los leñadores se iban acercando cada vez más. Caían árboles por todas partes. Todas las hadas estaban asustadas. «Devuélvela —dijeron a la reina de las hadas—. Por favor, devuélvela antes de que destruyan todo el bosque.»

—Caramba —jadeó Kate,

—Lo sé. Es una historia terrorífica. ¿Quieres que pare?

—Tío Peter, *por favor.*

Él se rió.

—Vale, vale. Bien, los leñadores llegaron al árbol que albergaba a Elizabeth y a las hadas. Era un árbol especialmente magnífico, alto y ancho, con un gran dosel de hojas. Un árbol de hadas. Pero cuando un leñador echó el hacha hacia atrás, el rey cambió de opinión. El árbol era demasiado bonito para cortarlo. Estoy seguro de que los seres del bosque quieren este árbol tanto como yo quiero a mi hija, dijo. No sería justo arrebatárselo, sólo porque he perdido algo que amo. Que todo el mundo baje las hachas, vuelva a casa, y deje que mi mujer y yo lloremos a nuestra hija, a la que nunca volveremos a ver. Fue muy triste. Todo el mundo estaba deshecho en lágrimas. Los padres de Elizabeth, los leñadores, hasta la reina de las hadas, que había escuchado cada palabra. Porque ella sabía que Elizabeth jamás podría ser su verdadera hija, por más que lo deseara. De modo que la tomó de la mano, la sacó del árbol y dijo: «Perdonadme, majestades, fui yo quien robó a vuestra hija. Deseaba tanto una hija que no pude evitarlo. Pero ahora sé que os pertenece. Lo siento mucho, muchísimo». ¿Y sabes qué dijeron el rey y la reina?

—¿Decapitadla?

Peter reprimió una carcajada.

—Justo lo contrario. Pese a todo cuanto había ocurrido, eran tan felices de haber recuperado a su hija, y estaban tan conmovidos por el arrepentimiento de la reina de las hadas, que decidieron recompensarla. Emitieron una proclamación real para que dejaran vivir en paz a las hadas, y para que todos los niños del reino pudieran tener una amiga hada especial. Por eso, a día de hoy, sólo los niños pueden verlas.

Kate guardó silencio un momento.

—¿Así termina?

—Pues sí. —Peter se sentía algo avergonzado—. No lo había hecho nunca. ¿Qué tal?

La niña meditó, y después asintió.

—Me ha gustado. Ha sido un buen cuento. Cuéntame otro.

—No estoy seguro de saber otro. ¿Aún no estás cansada?

—*Por favor*, tío Peter.

La noche estaba despejada, las estrellas brillaban en lo alto. Todo estaba en silencio, ni la menor huella de movimiento o sonido. Peter pensó en Caleb, y se dio cuenta con una intensidad que le asombró de lo mucho que le echaba de menos, de cuánto deseaba estrecharle en sus brazos. Alicia tenía razón, y Tifty también. Pero sobre todo, Amy. *Él te quiere, ¿sabes?* La verdad fue como una ráfaga de aire invernal. Peter volvería a casa y aprendería a ser padre.

—Bien, de acuerdo...

Habló y habló. Contó todos los cuentos que sabía. Cuando terminó, Kate estaba bostezando. Su cuerpo se había desplomado en sus brazos. Peter bajó la cremallera de su chaqueta y la giró sobre su regazo, rodeándola con los faldones.

—¿Tienes frío, corazón?

La niña habló en voz baja, adormilada.

—Nooo.

La acurrucó contra él. Sólo un minuto más, pensó Peter, y cerró los ojos. Sólo un minuto más, y la llevaré dentro. Sentía el calor del aliento de Kate sobre su cuello. Su pecho se movía suavemente contra el de él, subía y bajaba, como olas largas sobre una playa. Pero transcurrió un minuto, y después otro y otro, y a esas alturas Peter ya no podía ir a ningún sitio, porque se había dormido como un tronco.

Lucius Greer se estaba afeitando en el lavabo de la herboristería.

Aquel día, y casi toda la noche, había desaparecido bajo una avalancha de deberes. Una reunión del Consejo de Alojamientos, durante la cual Eustace había intentado primero volver a explicar, y después justificar una vez más, la lotería del procedimiento de evacuación; la recogida de datos del censo, que había revelado numerosos formularios duplicados, algunos erróneos, otros con intentos deliberados de aumentar las probabilidades de ser elegido; una bronca en el centro de detención cuando un grupo de tres cols, medio muertos de hambre después de semanas de esconderse en un almacén abandonado, habían intentado entregarse, pero fueron interceptados por una pequeña multitud que vigilaba delante del edificio; nueve bodas que le habían pedido oficiar cuando uno de los jueces de paz había caído enfermo (lo único que debía hacer Lucius era leer cuatro frases de una tarjeta, pero le sorprendió el peso que cobraban cuando las leía en voz alta); la primera reunión oficial de los equipos de apoyo a la evacuación, y el reparto de responsabilidades en vistas a la primera partida; y así sucesivamente. Un día dedicado a una cosa, y después otro y otro. Lucius ya no recordaba qué o cuándo había comido, si lo había hecho, apenas se había sentado en todo el día, pero ahí estaba, pasada la medianoche, contemplando su rostro canoso e hirsuto en el espejo, con una navaja en una mano y unas tijeras en la otra.

Empezó con las tijeras. Tijeretazo a tijeretazo, el desgreñado torrente de su pelo y barba fue cayendo, y las greñas blancas se fueron acumulando en el suelo junto a sus pies como ventisqueros de nieve. Cuando hubo terminado calentó una olla de agua, empapó un trapo, lo escurrió y lo apoyó sobre su cara para ablandar la barba que quedaba. Untó sus mejillas con jabón, áspero y de olor químico, y después se puso a trabajar con la navaja: primero las mejillas, después el largo arco de su cuello, y por fin la cabeza, trabajando hacia atrás, desde la frente hasta la base del cráneo, pasando por la coronilla, con breves y medidos movimientos. La primera vez que se había afeitado de esta forma, la noche anterior a prestar el juramento de los Expedicionarios, se había cortado en unos veinte sitios. Por lo general, decían que no necesitabas mirar el uniforme para reconocer a un recluta novato; bastaba con echar un vistazo a su cabeza. Pero con el tiempo y la práctica, Greer, como todos sus camaradas, había llegado a coger el tranquillo, y fue un placer para él descubrir que no había perdido su toque. Podría haberlo hecho a ciegas en la oscuridad en caso necesario, pero resultaba satisfactorio observar un ritual que, después de tantos años, todavía poseía el poder de un bautismo. Poco a poco, su rostro fue quedando al descubierto, y cuando finalizó la tarea, Greer retrocedió para examinar su cara en el espejo, y recorrió con una mano la fría extensión rosada de su carne descubierta de nuevo, para luego dedicar un cabeceo de asentimiento a la imagen que veía.

Se pasó una toalla por la cara, limpió y secó la navaja, y guardó los utensilios. Habían transcurrido muchos días desde que había dormido como es debido, y todavía no se sentía cansado. Se puso la parka y las botas, salió por la parte de atrás y recorrió la callejuela. Era casi la una de la mañana y no había ni un alma a la vista, pero Greer intuía a su alrededor una especie de inquietud molecular, un zumbido de vida que el oído era incapaz de percibir. Dejó atrás la Cúpula en ruinas, bajó la colina, atravesó la planicie hasta el estadio. Cuando llegó, la luna estaba baja. Prefirió no entrar en el edificio, sino quedarse inmóvil y asimilarlo en su conjunto, aquella mancha oscura contra el cielo estrellado. Se preguntó: ¿recordaría la historia aquel lugar? La gente del futuro, fuera cual fuera, ¿le daría un nombre, uno que fuera digno de los acontecimientos que habían tenido lugar allí, para documentarlo de cara a la posteridad? Un pensamiento esperanzado, algo prematuro, pero que valía la pena acariciar. Y Lucius Greer prestó un juramento silencioso. Si ese futuro llegara, si la batalla final por el dominio de la Tierra concluía en victoria, él sería quien tomaría pluma y papel para describir la historia con palabras.

No sabía cuándo tendría lugar esa batalla. Amy no se lo había dicho. Sólo que llegaría.

Entonces comprendió cuál había sido la fuerza que le había guiado hasta aquel lugar. Estaba buscando una señal. Ignoraba qué forma adoptaría dicha señal. Podría llegar en ese momento, podría llegar más adelante, puede que no llegara nunca. Tal era el peso de su fe. Abrió la mente y esperó. Transcurrió un intervalo de tiempo. La noche, las estrellas, el mundo viviente: todo pasó a través de él, como una bendición.

Después:

Lucius. Amigo mío. Hola.

Y aquella noche milagrosa, Peter, sentado delante de la zapatería, despertó con la sensación de que, en realidad, no estaba despierto, de que un sueño había dado paso al siguiente, como una puerta detrás de una puerta. Un sueño en el cual estaba sentado con la hija de Sara en sus brazos al borde de campos nevados, y todo lo demás era lo mismo (el cielo oscuro, el frío del invierno, lo avanzado de la hora), salvo por el hecho de que no estaban solos.

Pero no era un sueño.

Ella estaba acuclillada delante de él, al estilo de los de su especie. Su tranformación era absoluta. Hasta su melena negra había desaparecido. Pero cuando sus ojos se encontraron y sostuvieron la mirada, la imagen fluctuó en su mente. No estaba viendo a un viral. Era una chica, y después una mujer, y luego ambas a la vez. Ella era Amy, la Chica de Ninguna Parte; era Amy de las Almas, Última de los Doce; era tan sólo ella misma. Extendió un brazo hacia él con la palma hacia arriba. Peter le contestó de la misma forma. Una fuerza de anhelo en estado puro se encendió en su corazón cuando los dedos se tocaron. Era una especie de beso.

Peter no supo cuánto rato estuvieron así. Entre ellos, en el cálido refugio de su abrigo, Kate dormía ajena a todo. El tiempo había soltado amarras. Peter y Amy iban a la deriva en su corriente. Pronto despertarían los niños, o Sara vendría, o Hollis, y Amy habría desaparecido. Se alejaría en un rayo de luz estelar. Peter devolvería la niña dormida a la cama, y en el gris amanecer invernal estirarían los huesos, cargarían con sus cosas y continuarían su largo viaje hacia el sur. El momento pasaría, como todas las cosas, al recuerdo.

Pero todavía no.

EPÍLOGO

La hora dorada

Me sería tan fácil desertar de mí mismo
como alejarme de mi alma, que reposa en tu seno.
Ésa es la morada de mi amor.

SHAKESPEARE,
Soneto 109

69

Esta vez, el conductor era una mujer. Amy bajó su letrero y subió al coche.

—¿Cómo estás, Amy? —La mujer le ofreció la mano—. Soy Rachel Wood.

Se estrecharon la mano. Por un momento, Amy se quedó sin habla, fascinada por la belleza de la mujer: un rostro de huesos delicados y perfectos, como cincelado con las mejores herramientas; piel que irradiaba salud juvenil; un cuerpo esbelto y fuerte, los brazos articulados de músculo sin grasa. El pelo recogido en una cola de caballo, rubio con mechas doradas. Vestía lo que Amy sabía que era ropa de tenis, aunque daba la impresión de que su conocimiento procedía de algún otro sitio, pues la idea de tenis carecía de cualquier referencia significativa. Sobre la cabeza llevaba gafas de sol con diminutas joyas incrustadas en las patillas.

—Lamento no haber llegado antes para recogerte —continuó Rachel—. Anthony pensó que, la primera vez, te gustaría ver un rostro conocido.

—Me alegro mucho de conocerte —contestó Amy.

—Eres muy amable. —Rachel sonrió, exhibió los dientes, muy pequeños, rectos y blancos—. Ponte el cinturón.

Se alejaron del paso elevado. Todo era igual que la última vez: las mismas casas, tiendas y aparcamientos, la misma luz de verano resplandeciente, el mismo mundo ajetreado que desfilaba ante la ventanilla. En el mullido cuero del asiento, Amy se sentía como si estuviera flotando en un baño. Rachel parecía estar como en casa al volante del inmenso vehículo, mientras tarareaba una cancioncilla indefinida para sí y las guiaba con seguridad a través del tráfico. Cuando una camioneta de grandes dimensiones frenó delante de ellas y bloqueó el carril, Rachel le hizo luces y la adelantó con destreza.

—Por el amor de Dios —suspiró—, esa gente... ¿Dónde han aprendido a conducir? —Miró a Amy a toda prisa y devolvió los ojos a la carretera—. Debo decirte que no eres como había imaginado.

—¿No?

—Oh, no en un sentido negativo —la tranquilizó Rachel—. No me refería a eso. La verdad, eres muy bonita. Me gustaría tener una piel como la tuya.

—¿En qué soy diferente?

La mujer titubeó, y eligió las palabras.

—Pensaba que serías, bueno... Más joven.

Continuaron su viaje. La brusca llegada de Amy a aquel lugar había producido cierta desorientación, acompañada de un amortiguamiento de los sentimientos. Pero a medida que pasaban los minutos, sintió que su mente se abría a las circunstancias, y las imágenes y las reacciones a ellas se fueron definiendo más. Qué notable era todo, pensó Amy. Muy, muy notable. Estaban en el interior del barco, el *Chevron Mariner*, pero no tenía una conciencia física de ello. Como antes, con Wolgast, cada detalle de la escena poseía una firme apariencia de realidad. Tal vez era real, en cierto sentido alternativo de la palabra. Al fin y al cabo, ¿qué era «real»?

—Justo aquí es donde me paré con él la primera vez. —Rachel indicó una manzana de tiendas a través de la ventanilla—. Se me había metido en la cabeza que le apetecerían dónuts. Dónuts, ¿te imaginas? —Antes de que Amy pudiera articular una respuesta, la mujer prosiguió—: Hay que ver, haciendo de guía turística. Estoy segura de que lo sabes todo al repecto. Y estarás cansada, después de un viaje tan largo.

—Tranquila —contestó Amy—. No me importa.

—Vaya pinta que tenía. —Rachel meneó la cabeza con tristeza—. Aquel pobre hombre. Me partió el corazón. Me dije: Rachel, has de hacer algo. Por una vez en tu corta vida, vive la realidad. Pero estaba pensando en mí, por supuesto, como de costumbre. Ésa es la cuestión. Tengo suficientes remordimientos sobre ese asunto para llenar cien vidas. Yo no era digna de él, en absoluto.

—Yo diría que él no se cree eso.

La mujer aminoró la velocidad para desviarse por una calle residencial.

—Es maravilloso. Lo que estás haciendo. Lleva mucho tiempo solo.

No tardaron en frenar delante de la casa.

—Bien, ya hemos llegado —anunció Rachel con voz cantarina. Había aparcado, aunque el motor seguía en marcha, como Wolgast había hecho—. Ha sido un placer conocerte por fin, Amy. Fíjate dónde pisas cuando bajes.

—¿Por qué no me acompañas? Sé que le gustaría verte.

—Oh, no. Es muy amable por tu parte, pero temo que las cosas no funcionan así. Es contrario a las normas.

—¿Qué normas?

—Sólo... las normas.

Amy esperó a que se explicara mejor, pero sin éxito. No podía hacer otra cosa que bajar del coche. Junto a la puerta abierta se volvió para mirar a Rachel, que estaba esperando con las manos sobre el volante. El aire estaba cargado y tibio bajo el gran dosel verde de árboles. Los insectos zumbaban por todas partes con su música alegre y caótica, como las notas de una orquesta que estuviera afinando los instrumentos.

—Dile que pienso en él, por favor. Dile que Rachel le envía un beso.

—No entiendo por qué no puedes acompañarme.

Rachel miró hacia la casa por encima del salpicadero. Amy pensó que estaba buscando algo, pues sus ojos, que se habían nublado por una pena repentina, se iban deteniendo en las numerosas ventanas. Aparecieron lágrimas en las comisuras de sus ojos.

—No puedo porque sería absurdo.

—¿Por qué sería absurdo?

—Porque, Amy, ya estoy allí.

Le encontró arrodillado entre los parterres, trabajando en la tierra. Cerca había una carretilla. Pilas de abono oscuro, que proyectaba un fuerte olor a tierra, estaban dispersas entre los parterres. Cuando se acercó, el hombre se puso en pie, se quitó el sombrero de paja de ala ancha y los guantes.

—Señorita Amy, llega justo a tiempo. Me iba a poner a trabajar en el jardín, pero supongo que eso puede esperar. —Movió el sombrero en dirección al patio, donde esperaban vasos de té—. Venga a sentarse un rato.

Se acomodaron a la mesa. Amy alzó la cara hacia las copas de los árboles y dejó que el sol la bañara. Los aromas a hierba y flores impregnaron sus sentidos.

—Pensé que se sentiría más cómoda así —dijo Carter—. Así podremos hablar. Para matar el tiempo.

—Sabía que él estaría aquí, ¿verdad?

Carter se secó la frente con un trapo.

—No le envié, si es eso lo que me está preguntando. Wolgast lo quiso así. Cuando se le mete una idea en la cabeza, no hay forma de disuadirle.

—Pero ¿cómo es posible que los demás no supieran quién era? En ese caso, le habrían matado.

Carter movió la cabeza.

—Su raza nunca pudo entenderme, de una u otra forma. Podría decirse que hemos estado alejados un tiempo. Es una calle de doble sentido, y no les he enviado nada desde el principio. Cerré mi mente a todos. —Carter se incorporó en la silla y devolvió el trapo al bolsillo de atrás—. Lo ha hecho bien, señorita Amy. Wolgast también. Fue algo duro y terrible. Lo sé.

De pronto, Amy se sintió sedienta. Disfrutó el té frío y dulce cuando resbaló por su garganta y dejó un intenso sabor a limón en su lengua. Carter la observaba, mientras movía despacio el sombrero para darse aire en la cara.

—¿Y Cero?

—Espero que aún quede tiempo, pero vendrá a por nosotros.

Esto se ha convertido en algo personal. Es sin duda el peor de ellos. Entre todos no le llegan a la altura del zapato. Ya nos ocuparemos de ese problema cuando llegue el momento.

—Y hasta entonces, nos quedaremos aquí.

Carter asintió paciente.

—Sí. Aquí nos quedaremos.

Siguieron sentados en silencio, pensando en lo que se avecinaba.

—Nunca he cuidado de un jardín —dijo Amy—. ¿Quiere enseñarme?

—Siempre hay mucho trabajo que hacer. Supongo que me iría bien una ayudita. El cortacésped es complicado, no obstante.

—Estoy segura de que podría aprender.

—Yo también —dijo el hombre con una sonrisa—. Imagino que ése es el caso.

Amy recordó su promesa.

—Rachel me dijo que le diera recuerdos de su parte.

—Vaya. Estaba pensando en ella. ¿Qué aspecto tenía?

—Está muy guapa. Nunca había podido verla con claridad hasta ahora. Pero también triste. Estaba mirando la casa, como si contuviera algo que ella deseara.

Carter pareció sorprenderse.

—Pues claro, sus hijos, señorita Amy. Pensaba que lo sabía.

Amy negó con la cabeza.

—Haley y el pequeño. La mujer, donde está, no puede verlos ni tocarlos. Siempre está soñando con sus chavales. Es su pena más amarga.

Amy comprendió por fin. Rachel se había ahogado, abandonando a sus hijos.

—¿Volverá a verlos algún día?

—Espero que sí, cuando esté preparada. Es a ella misma a quien ha de perdonar, por abandonarlos como lo hizo.

Dio la impresión de que sus palabras flotaban en el aire, no sólo los sonidos, sino cosas con forma y sustancia. La temperatura estaba bajando. Las hojas habían empezado a caer.

—Ella no es la única, señorita Amy. Algunas personas son incapaces de encontrar su camino. Para algunas es una mala sensación en la mente. Otras no pueden olvidarlo. Son las que aman demasiado.

En la piscina, el cuerpo de Rachel Wood había completado su largo ascenso y flotaba en la superficie. Amy contempló la mesa. Sabía lo que Carter le estaba diciendo. *Cada día corto el césped*, pensó. *Cada día ella emerge*.

—Ha de ir a verle —dijo Carter—. Enseñarle el camino.

—Es que... —Notó sus ojos clavados en la cara—. No sé cómo.

El hombre extendió la mano por encima de la mesa, tomó su barbilla y le levantó el rostro.

—La conozco, señorita Amy. Es como si hubiera estado dentro de mí toda la vida. Fue usted hecha para enderezar este mundo. Pero Wolgast sólo es un hombre. Ha llegado su momento. Ha de devolverlo.

Las lágrimas temblaron en su garganta.

—Pero ¿qué haré sin él?

—Lo que siempre ha hecho —dijo Anthony Carter, y la miró sonriente a los ojos—. Lo que hace ahora. Ser *Amy*.

70

Acudió a ella por última vez. O fue ella quien acudió a él. Acudieron uno al encuentro del otro, para decirse adiós por última vez.

Para Wolgast empezó con una sensación de movimiento abstracto. Estaba en una especie de ninguna parte, flotando en un espacio infinito, pero poco a poco la escena se fue definiendo, sus parámetros espaciales y temporales se afirmaron, y fue consciente de que iba, nada más y nada menos, pedaleando en una bicicleta. ¡Una bicicleta! Bien, eso sí que era extraño. ¿Por qué iba en bici-

cleta? No había montado en una desde hacía años, pero de pequeño le había encantado: la sensación de absoluta libertad y
elevación giroscópica, la energía de su cuerpo fluyendo a través
de aquel maravilloso mecanismo que le unía con el viento. Wolgast iba en bicicleta, recorriendo una polvorienta carretera rural,
y Amy pedaleaba a su lado, subida en su propia bicicleta. Este
hecho le sorprendió ni más ni menos que los demás elementos de
la escena, simplemente *era* así, del mismo modo que Amy era una
niña y una mujer adulta al mismo tiempo, y durante un rato pe-
dalearon juntos sin hablar, aunque la misma idea del tiempo le
resultaba extraña. ¿Qué era el tiempo? ¿Cuánto tiempo llevaban
pedaleando? Un período de horas, tal vez, o incluso días, y no
obstante la luz era siempre la misma, un permanente crepúsculo
de penumbras que enriquecía los colores de todo cuanto le rodeaba con un resplandor dorado: los campos y los árboles, el polvo que se alzaba bajo sus ruedas, las pequeñas formas blancas de
las casas en la distancia. Todo se le antojaba muy cercano; todo
estaba muy lejos.

—¿Adónde vamos? —preguntó Wolgast.

Amy sonrió.

—Oh, ya falta poco.

—¿Qué... es este lugar?

Ella no dijo nada más. Continuaron su camino. El corazón de
Wolgast estaba henchido de gozo, como si volviera a ser un niño,
un niño que iba en bicicleta al ponerse el sol, esperando la llamada
que le devolvería a su casa.

—¿Estás cansado? —preguntó Amy.

—En absoluto. Me siento de maravilla.

—¿Por qué no paramos en la cima de la colina siguiente?

Se detuvieron. Un valle herboso se abría bajo ellos. A lo lejos,
rodeada de árboles, había una casa: pequeña, blanca, como las demás, con un porche y postigos negros. Amy y Wolgast dejaron las
bicicletas en el suelo y permanecieron juntos en silencio. No soplaba nada de viento.

—Una vista muy bonita —dijo Wolgast—. Creo que sé dónde estoy.

Amy asintió.

—Es extraño. —Wolgast respiró hondo y expulsó el aire poco a poco—. No recuerdo bien cómo sucedió, pero supongo que así es mejor. ¿Siempre es así?

—No estoy segura. Creo que a veces sí.

—Recuerdo haber pensado que tenía que ser valiente.

—Lo fuiste. El hombre más valiente que he visto en mi vida.

Wolgast meditó sobre estas palabras.

—Bien, eso es estupendo. Me alegra saberlo. Al final, creo que es lo mínimo que cualquier persona puede pedir. —Desvió su vista de nuevo hacia el valle—. Esa casa. Supongo que debo ir allí, ¿no?

—Creo que sí.

Se volvió a mirarla. Transcurrió un segundo. Después, esbozó la sonrisa de alguien que acaba de descubrir algo.

—Espera un momento. Estás *enamorada*. Lo veo en tu cara.

—Creo que sí.

Wolgast meneó la cabeza, admirado.

—Caramba. ¿Qué te parece? Mi pequeña Amy, toda una mujer, enamorada. ¿Y te corresponde, esa persona?

—Creo que sí. Espero que sí.

—Bien, sería un idiota en caso contrario. Repítele lo que he dicho.

Por un momento, ninguno de los dos habló. Amy esperó.

—Bien —empezó él de nuevo. Su voz estaba ronca de emoción—. Supongo que eso significa que mi trabajo aquí ha terminado. Creo que siempre supe que este día llegaría. Voy a echarte de menos, Amy.

—Yo también te echaré de menos.

—Eso fue siempre lo peor, echarte de menos. Creo que por eso nunca pude obligarme a partir. Siempre pensé: ¿qué va a hacer mi Amy sin mí? Es curioso que, al final, fuera al revés. Supongo que todos los padres sienten lo mismo. Pero contigo es diferente. —Las palabras se atragantaron en su garganta—. Hagámoslo rápido, ¿de acuerdo?

Ella le rodeó en sus brazos. También estaba llorando, pero sin tristeza. Aunque quizá con un poco sí.

—Todo saldrá bien, te lo prometo.

—¿Cómo lo sabes?

Al final del valle, en el borde de los campos, la puerta de la casa se había abierto.

—Porque eso es el cielo —dijo Amy—. Es abrir la puerta de una casa al anochecer, y que toda la gente que hay dentro te quiera. —Le apretó con fuerza contra ella—. Es hora de que vuelvas a casa, Papá. Te he retenido lo máximo posible, pero ahora has de marcharte. Te están esperando.

—¿Quiénes están esperando, Amy?

Una mujer había aparecido en el porche, sosteniendo un bebé en los brazos. Amy retrocedió y tocó la cara mojada de lágrimas de Wolgast.

—Ve a ver —dijo.

71

Despertó al frío y a la visión de las estrellas. Estrellas a centenares, a millares, a millones. Estrellas que giraban lentamente, remolineaban sobre su cara, y algunas caían. Alicia las veía caer, iba contando los segundos. Un segundo, mil, dos segundos, mil, tres segundos, mil. Llevaba la cuenta de la duración de su descenso mientras surcaban los cielos, y al hacerlo comprendió que el mundo estaba donde lo había dejado y ella seguía con vida.

¿Cómo podía estar viva?

Se incorporó. Quién sabía qué hora era. La luna se había puesto, sumiendo el cielo en la negrura. Nada había cambiado. Ella era la misma.

Y no obstante:

Alicia, ven a mí.

El sonido de su nombre, susurrado en el viento.

Ven a mí, Alicia. Los demás se han ido, tú serás la mía. Ven a mí ven a mí ven a mí...

Sabía de quién era la voz.

Alicia subió desde la alcantarilla. A quince metros de distancia, *Soldado* estaba pastando en un bosquecillo de malas hierbas helado. Al oír que salía, levantó la cabeza: Ah, estás ahí. Estaba empezando a preguntármelo. Sus grandes cascos levantaron grumos blancos cuando se acercó a ella con su poderoso paso.

—Buen chico —dijo ella. Acarició su hocico, el aliento del animal llenó sus palmas con un olor a tierra—. Espléndido, noble muchacho. Qué bien me conoces. Supongo que no hemos terminado, a fin de cuentas.

Su mochila estaba tirada en la alcantarilla. No llevaba pistola, pero sí sus bandoleras, con los cuchillos envainados en sus fundas. Se pasó las correas de cuero sobre el pecho y las ciñó a su cuerpo. Montó en la grupa sin silla de *Soldado* y chasqueó la lengua, al tiempo que le orientaba hacia el este.

Ven a mí, Alicia. Ven a mí ven a mí ven a mí...

Ya lo creo que iré, pensó ella. Se inclinó hacia delante, aferrando la enorme crin, puso al trote a *Soldado*, después a medio galope, y por fin al galope, desenfrenado a través de la nieve.

Hijo de puta. Ya voy.

Personajes

LOS DOCE

Tim Fanning, alias «El Cero». Profesor de bioquímica, Universidad de Columbia. Infectado por el virus CV-0 durante una expedición científica a Bolivia, 21 de febrero de 20XX.

1. **Giles Babcock (fallecido).** Condenado a muerte por un cargo de asesinato en primer grado, condado de Nye, Nevada, 2013.
2. **Joseph Morrison.** Condenado a muerte por un cargo de asesinato en primer grado, condado de Lewis, Kentucky, 2013.
3. **Víctor Chávez.** Condenado a muerte por un cargo de asesinato en primer grado y dos cargos de agresión sexual con agravantes a una menor, condado de Elko, Nevada, 2012.
4. **John Baffes.** Condenado a muerte por un cargo de asesinato en primer grado y un cargo de asesinato en segundo grado con el agravante de indiferencia depravada, condado de Pasco, Florida, 2010.
5. **Thaddeus Turrell.** Condenado a muerte por el asesinato de un agente de Seguridad Nacional, distrito industrial federal de Nueva Orleans, 2014.
6. **David Winston.** Condenado a muerte por una pena de asesinato en primer grado y tres cargos de agresión sexual con agravantes, condado de New Castle, Delaware, 2014.
7. **Rupert Sosa.** Condenado a muerte por un cargo de homicidio mientras conducía con el agravante de indiferencia depravada, condado de Lake, Indiana, 2009.

8. **Martin Echols.** Condenado a muerte por asesinato y atraco a mano armada, Cameron Parish, Louisiana, 2012.
9. **Horace Lambright.** Condenado a muerte por dos cargos de asesinato en primer grado y agresión sexual con agravantes, condado de Maricopa, Arizona, 2014.
10. **Julio Martínez.** Condenado a muerte por el asesinato de un agente de la ley, condado de Laramie, Wyoming, 2011.
11. **William Reinhardt.** Condenado a muerte por tres cargos de asesinato y agresión sexual con agravantes, Miami-condado de Dade, Florida, 2012.
12. **Anthony Carter.** Condenado a muerte por asesinato en primer grado, condado de Harris, Texas, 2013.

AÑO CERO

Bernard Kittridge, alias «Último Resistente de Denver». Un superviviente.
April. Una superviviente.
Timothy. Su hermanastro.
Danny Chayes. Conductor de autobús escolar.
Lila Kyle. Médico.
Lawrence Grey. Conserje, Proyecto NOÉ.
Horace Guilder. Subdirector, División de Armas Especiales («El Almacén»).
Comandante Frances Porcheki. Oficial de la Guardia Nacional de Iowa.
Vera. Enfermera de la Cruz Roja.
Ignacio. Conserje, Proyecto NOÉ.
Nelson. Oficial técnico primero, División de Armas Especiales.
Shawna. Prostituta.
Rita Chernow. Detective de policía.

OTROS SUPERVIVIENTES

Pastor Don
Wood
Delores
Jamal
Señora Bellamy
Joe Robinson
Linda Robinson
Boy Jr.

EL CAMPO, 79 a. V.

Curtis Vorhees. Capataz del Complejo Agrícola del Norte, Kerrville, Texas.
Delia «Dee» Vorhees. Su esposa.
Boz Vorheees. Su hermano (fallecido).
Nitia y Siri Vorhees. Hijas de Curtis y Delia Vorhees.
Nathan Crukshank. Hermano de Delia Vorhees. Agente de Seguridad Nacional (SN).
Tifty Lamont. Agente de Seguridad Nacional.

OTRAS FAMILIAS EN EL CAMPO

Familia de Tyler Vorhees
Familia Withers
Familia Dodd
Familia Apgar
Familia Cauley
Familia Francis
Familia Cuomo

Familia Martínez
Familia Wright
Familia Bodine

97 d. V.

KERRVILLE, TEXAS

Amy Harper Bellafonte. La Chica de Ninguna Parte.

Teniente Peter Jaxon. Oficial de los Expedicionarios, Ejército de la República de Texas.

Teniente Alicia Donadio. Oficial de los Expedicionarios.

Coronel Gunnar Apgar. Oficial de los Expedicionarios.

Comandante Alexander Henneman. Oficial de los Expedicionarios.

Teniente Satch Dodd. Oficial de los Expedicionarios.

Lucius Greer. Prisionero.

Hollis Wilson. Gorila.

Dunk Withers. Delincuente.

Abram Fleet. General del ejército.

Victoria Sánchez. Presidente de la República de Texas.

Hermana Peg. Monja a cargo del Orfanato.

Hermana Catherine. Monja.

Caleb Jaxon. Sobrino de Peter Jaxon, hijo de Theo Jaxon y Mausami Patal.

FREEPORT, TEXAS

Michael Fisher. Engrasador de primera clase (EPC), jefe de cuadrilla en el complejo de la refinería de Freeport.

Lore DeVeer. Engrasadora.

Juan «Ceps» Sweeting. Engrasador.

Ed Pope. Engrasador.

Dan Karlovic. Ingeniero jefe del complejo de la refinería de Freeport.

LA PATRIA

Jackie. Obrera.

Eustace. Insurgente.

Nina. Insurgente.

Vale. Funcionario de Recursos Humanos.

Silbadora. Funcionaria de Recursos Humanos.

Cabrón. Funcionario de Recursos Humanos.

Doctor Verlyn. Médico.

Dani. Asistenta en la Cúpula.

Jenny. Asistenta en la Cúpula.

Fred Wilkes. Jefe del estado mayor.

Vikram Suresh. Ministro de Salud Pública.

Aidan Hoppel. Ministro de Propaganda.

Agradecimientos

Cada libro necesita amigos, y éste tiene muchos. Mi reconocimiento a: Ellen Levine, de Trident Media Group; Mark Tavani y Libby McGuire, de Ballantine Books; Bill Massey, de Orion; Gina Centrello, presidenta de Random House Publishing Group; Claire Roberts, de Trident Media; los espectaculares equipos de producción, publicidad, marketing y ventas de Random House, Orion y de las numerosas editoriales que me publican en todo el mundo; Jennifer («Jenny») Smith; y el Departamento de Inglés de la Universidad de Rice. Sobre asuntos militares, me siento especialmente en deuda con Adrian Hoppel. Gracias también a Rudy Ramos, francotirador-dentista, y a Coert Voorhees. Mark y Bill: servíos un granizado, hermanos míos; os lo habéis ganado. Ellen: no tengo amiga más sincera.

Para los miembros del Equipo Cronin, grandes y pequeños, digo: Sin vosotros, nada. Gracias por mi vida.

Mi gratitud para todos vosotros.

Visite nuestra web en:

www.umbrieleditores.com